Zeitgeschichte

Zeitgeschichte
Ullstein Buch Nr. 33031
im Verlag Ullstein GmbH,
Frankfurt/M – Berlin – Wien

Ungekürzte Ausgabe (1966)

Umschlagentwurf:
Hansbernd Lindemann
Photo: Ullstein Bilderdienst
Alle Rechte vorbehalten
Mit freundlicher Genehmigung
von Naomi Léa Wulf
© Naomi Léa Wulf 1982
Printed in Germany 1983
Druck und Verarbeitung:
Hanseatische Druckanstalt GmbH,
Hamburg
ISBN 3 548 33031 2

Mai 1983

CIP-Kurztitelaufnahme
der Deutschen Bibliothek

**Wulf, Joseph:**
Theater und Film im Dritten Reich: e.
Dokumentation / Joseph Wulf. – Unge-
kürzte Ausg. – Frankfurt/M ; Berlin ;
Wien: Ullstein, 1983
    (Ullstein-Buch ; Nr. 33031 : Zeit-
    geschichte)
    ISBN 3-548-33031-2
NE: GT

# Joseph Wulf

# Theater und Film im Dritten Reich

Eine Dokumentation

Zeitgeschichte

Joseph Wulf

*Presse und Funk im Dritten Reich* (Ullstein Buch 33028)
*Literatur und Dichtung im Dritten Reich* (Ullstein Buch 33029)
*Die bildenden Künste im Dritten Reich* (Ullstein Buch 33030)
*Musik im Dritten Reich* (Ullstein Buch 33032)

Seitenverweise beziehen sich auf die obengenannten Ausgaben

# Inhalt

Einleitung 5
Hinweise und Bemerkungen 10

## Teil I Theater
## Kapitel I Gesteuertes Theater

Gleichschaltung 17
Denunziationen 23
Reichstheaterkammer 31
Theatergesetz 53
Andere Lenkungsapparate 56
Intendanten 83
Preise 86
Theaterkritik 87
Soziale Förderung 93
Diversa 99
Porträts 104

## Kapitel II Arteigenes Theater

Nationalsozialistische Miniaturen 141
Ästhetik 173
Thingspiel 178
Die neue Welle 189
Skizzen 203
Diversa 208
Porträts 219

## Kapitel III Artfremdes Theater

Rasse 243
Mit den Augen der Rassenseele 250
Juden 255
Antijüdische Schauspiele 278

## Teil II Film

## Kapitel I Gesteuerter Film

| | |
|---|---|
| Gleichschaltung | 289 |
| Filmprüfstelle | 300 |
| Verbote | 304 |
| Reichsfilmkammer | 311 |
| Filmorganisation der NSDAP | 331 |
| Filmakademie | 334 |
| Filmkritik | 337 |
| Im Kriege | 339 |
| Diversa | 354 |

## Kapitel II Arteigener Film

| | |
|---|---|
| Grundsätzliches | 361 |
| Heroisch | 369 |
| Blut und Boden | 374 |
| Nationalsozialistischer Realismus | 378 |
| Der Führer hat immer recht | 380 |
| Nationalsozialistischer Film | 384 |
| Hitlerjugend | 399 |
| Wochenschau | 404 |
| Varia | 409 |

## Kapitel III Artfremder Film

| | |
|---|---|
| Grundsätzliches | 419 |
| «Entjudung» | 429 |
| Großraumordnung | 437 |
| Antijüdische Filme | 441 |
| Diversa | 460 |
| | |
| Namenregister | 468 |

# Einleitung

> Fähigkeiten sind unfruchtbar ohne einen Glauben.
> Martin Buber

> Gegen Gott haben wir immer unrecht.
> Sören Kierkegaard

Die in diesem Buche veröffentlichten Dokumente sollen eine Übersicht über den zwölfjährigen Kampf geben, den das Dritte Reich für seine Begriffe und Vorstellungen vom angeblich «deutschen» Theater oder Film führte, und zum Ausdruck bringen, welche Abneigung und welchen Widerstand es auf diesen Gebieten allem «Fremden» oder «Andersrassigen» entgegenbrachte.

Im Gegensatz zu den zwei bisher erschienenen Büchern der Serie[1] spielen hier die Darsteller, also die Schauspieler selbst – das sei offen gesagt –, im allgemeinen eine weit kleinere Rolle als die Funktionäre, Manager oder sonstigen Wichtigtuer des Dritten Reiches. Zur Veranlagung des Schauspielers gehört es nun einmal, sich ständig nach dem Rampenlicht zu sehnen. Ob die Schau für einen besessenen Diktator abgezogen wird oder einer zarten Königin gilt, spielt für den Schauspieler – mehr oder weniger jedenfalls – keine Rolle. «Welch Schauspiel! Aber ach! Ein Schauspiel nur!» sagte Goethe im *Faust*.

Von Belang in diesem Buche ist lediglich eine gewisse Demarkationslinie, die *Grenze*, die der Mensch manchmal überschreitet, sei es vorsätzlich oder nur fahrlässig.

Auch Schauspieler veröffentlichten nach dem Kriege ihre Erinnerungen und versuchten mit schriftstellerischer Mimik, genau wie manche Generale oder Politiker, ohne Rücksicht auf die Wirklichkeit vieles zu verharmlosen und zu verniedlichen. Aufgabe der Zeitgeschichte ist es aber nicht nur, jedes Dokument zu analysieren und zu überprüfen, sondern sie hat auch die Pflicht, den nur allzuoft mit Absicht verfälschten Rückblick auf die Jahre 1933 bis 1945 in die ihm gemäßen Dimensionen zurückzuführen.

Es gibt eine Mythendeutung, auch hinsichtlich der Zeitgeschichte.

---

[1] *Die bildenden Künste im Dritten Reich* (Ullstein Buch 33030), und *Literatur und Dichtung im Dritten Reich* (Ullstein Buch 33029).

Einer der größten Schauspieler Deutschlands, Werner Krauß, ist ein gutes Beispiel dafür. Er war ein Meister der darstellenden Kunst sowohl im Theater als auch im Film.

Verständlicherweise nimmt Werner Krauß in seinen Erinnerungen *Das Schauspiel meines Lebens* (1958) auch zu seiner Rolle im Film *Jud Süß* (1940) und ebenso zu seiner Interpretation des Shylock (1943) im *Kaufmann von Venedig* Stellung.

Bevor jedoch auf die Krauß-Auslegung selbst eingegangen wird, muß hier noch ein anderes Moment berührt werden.

Schließlich ist es kein Zufall, wenn die drei antijüdischen Filme *Die Rothschilds*, *Jud Süß* und *Der ewige Jude* gerade 1940 uraufgeführt wurden. Unzweifelhaft ließ Goebbels die drei Filme wegen der geplanten und später auch durchgeführten «Endlösung der Judenfrage» drehen und zeigen, wenn auch das tatsächliche Datum, wann eigentlich diese «Endlösung» von den Machthabern des Dritten Reiches beschlossen wurde, nicht einwandfrei feststeht. Sämtliche Historiker gründen ihre Annahme im allgemeinen auf drei Dokumente: dem Schnellbrief Reinhard Heydrichs an die Chefs aller Einsatzgruppen der Sicherheitspolizei vom 21. September 1939, in dem er bereits vom «Endziel» der «Judenfrage im besetzten Gebiet» spricht, ferner Hermann Görings Brief an Heydrich im Juli 1941, in dem er Heydrich beauftragt, «die organisatorischen, sachlichen und materiellen Vorausmaßnahmen zur Durchführung der angestrebten Endlösung der Judenfrage vorzulegen», und schließlich das berüchtigte Sitzungsprotokoll der Vertreter aller wichtigsten Behörden des Dritten Reichs in Berlin, am Großen Wannsee 56–58, vom 20. 1. 1942 – heute kurz «Wannsee-Protokoll» genannt.

Auf jeden Fall wurde der Film *Jud Süß* – besonders im Osten – der «arischen» Bevölkerung immer dann vorgeführt, wenn «Aussiedlungen» in die Vernichtungslager bevorstanden. Das können viele Zeugen – soweit es Polen betrifft, auch der Schreiber dieser Zeilen – aus eigener Erfahrung bestätigen. Sicher geschah es, um auf diese Weise die «arische» Bevölkerung des jeweiligen Landes gegen die Juden aufzuhetzen und jede Hilfeleistung von ihrer Seite im Keim zu ersticken.

Werner Krauß war wohl der einzige deutsche Schauspieler, der 1939 im Fragebogen der Reichsfilmkammer in die Rubrik «Abstammung» nicht das damals sonst übliche «arisch», sondern «deutschblütig» setzte. Nach dem Kriege bemühte er sich, eine Aufklärung dafür zu geben, weshalb er im Film *Jud Süß* neben Ferdinand Marian *sämtliche* Judenrollen spielte.

Nun, das war in den Jahren, in denen die Asche und das Blut der Millionen von Vergasten und Hingemordeten die Welt noch beeindruckte!

Veit Harlan, der Regisseur des «Jud Süß»-Films, erfand den Slogan: «Ich war nur ein Werkzeug»; Ferdinand Marian spielte den Jud Süß. Er war jung und mit einer Frau verheiratet, die aus ihrer ersten Ehe mit einem Juden eine Tochter hatte. Er kapitulierte vor Goebbels. Man möchte fast sagen: Gott schütze auch jeden Feind vor einem totalitären Staat.

Werner Krauß aber erzählte 1958 über seinen Einsatz in jenem Film ganz harmlos, sanft und zutraulich: «Ich sagte mir, es sind in diesem Film einige Judenrollen. Wenn diese Judenrollen von verschiedenen Schauspielern gespielt werden, gibt's einen Wettstreit, ob nicht einer noch jüdischer wirkt als der andere.» Darum also übernahm Werner Krauß allein alle Judenrollen des Films.

Wäre es keine Blasphemie, müßte man hier – theologisch gesprochen – sagen, daß das schauspielerische Wirken von Werner Krauß im Dritten Reich ein actus purus war.

Aber damit ist es noch nicht zu Ende. Krauß erzählt weiter, es beunruhige ihn, wenn seine Judenrollen im Dritten Reich (1940!) vielleicht entstellt, häßlich, böse oder gar abstoßend wirkten. Doch auch dafür wußte er eine Erklärung. Man lese nur seine Erinnerungen aufmerksam. Er ließ sich nämlich einen «wunderbaren Film» des hebräischen Theaters Habima kommen und meinte dazu: «Ich habe einfach alle meine Juden aus diesem Film genommen.»

Die Scham nimmt ab mit der wachsenden Sünde, möchte man hier einen Schiller-Satz variieren.

Diese Zeilen sollen weder polemisch noch ironisch wirken. Hier geht es allein um die Sauberkeit und Reinheit zeitgeschichtlicher Dokumentation. Dazu aber zählen auch die Erinnerungen.

Der Wiener Statthalter Baldur von Schirach verlangte 1943, das Burgtheater solle den *Kaufmann von Venedig* aufführen. Selbstverständlich ging es da um den Shylock. Kurz zuvor – am 15. 9. 1942 – hatte Schirach schon eine Rede gehalten, die viele deutsche Zeitungen brachten. In ihr sagte er unter anderem: «Jeder Jude, der in Europa wirkt, ist eine Gefahr für die europäische Kultur. Wenn man mir den Vorwurf machen wollte, daß ich aus dieser Stadt, die einst die europäische Metropole des Judentums gewesen ist, Zehntausende und aber Zehntausende von Juden ins östliche Ghetto abgeschoben habe, muß ich antworten: Ich sehe darin einen aktiven Beitrag zur europäischen Kultur.»

Werner Krauß beteiligte sich auch an solcher Förderung der europäischen Kultur und spielte deshalb unter Lothar Müthels Regie den Shylock. Wenn man die Besprechung liest, wie meisterhaft er diese Rolle gestaltete, dann glaubt man fast an die Berechtigung der Schirach-Rede. Die beste Charakteristik der Shylock-Rolle mit Krauß 1943 gab übrigens Richard Biedrzynski in seinem 1944 erschienenen Buch *Schauspieler, Regisseure, Intendanten*. Dort steht zu lesen, es «schleiche widerlich Fremdes, verblüffend Abschreckendes über die Bühne».

Vielleicht sollte noch ganz kurz darauf hingewiesen werden, wie Werner Krauß selbst in seinen Erinnerungen seinen Shylock deutet. Er meint, bei Reinhardt habe er die Rolle frech, unter Lothar Müthel nur dumm gespielt. «Die Juden haben mir das mehr übelgenommen als das andere», erklärte er dazu.

So schrieb das alter ego von Werner Krauß aber selbstverständlich erst nach 1945.

1954 erhielt Werner Krauß den Iffland-Ring; in der Ära eines Großen und wahrhaft Liberalen das Große Bundesverdienstkreuz; 1956 wurde er auch noch a. o. Mitglied der Akademie der Künste.

«Beharrlichkeit im Unrecht macht das Unrecht nicht geringer», sagte Shakespeare.

Es wäre mir unmöglich gewesen, dieses Buch so umfassend herauszugeben, wenn ich nicht wieder die mir bereits so oft erwiesene verständnisvolle Unterstützung und stets bereite Hilfe der nachstehend genannten Personen gefunden hätte. Es ist mir daher ein aufrichtiges Bedürfnis, ihnen an dieser Stelle für alle ihre Liebenswürdigkeit von Herzen zu danken.

In Berlin: Dr. James S. Beddie (Document Center);

in Dortmund: Dr. Kurt Koszyk (Westf.-Niederrheinisches Institut für Zeitungsforschung);

in London: C. C. Aronsfeld (The Wiener Library);

in München: Dr. Heinz Starkulla (Institut für Zeitungswissenschaft);

in New York: E. Lifschutz (Yivo Institute for Jewish Research).

Zu großem Dank für die unermüdliche Geduld mit meinen vielen Wünschen und die stete Hilfsbereitschaft fühle ich mich auch folgenden Persönlichkeiten und Institutionen gegenüber verpflichtet:

In Berlin: Fräulein Karin Fratzscher, Fräulein Grete Hesse (Amerika-Gedenk-Bibliothek), Frau Edith Schulze (Institut für politische Wissenschaften), Fräulein Margot Schwager (Telegraf-Archiv), Frau Dr. Erika Sterz, Herrn Prof. Dr. Hans Knudsen und Herrn Dr. Joachim Wilke (Theaterwissenschaftliches Institut), Frau Ingeborg Wichmann und Herrn Otto Kühling (Bibliothek der Freien Universität Berlin), Regisseur Dr. Falk Harnack, Herrn Thomas Kemper (Theaterwissenschaftliche Sammlung «Walter Unruh»), Herrn Dr. Eberhard Mannack (Germanisches Seminar), Herrn Eugen B. Matthes, der Buchhandlung Marga Schoeller;

in Köln: Dr. Kurt Weinhold (Archiv des Kölner Stadt-Anzeigers);

in Paris: Dr. M. Mazor, Lucien Steinberg (Centre de Documentation Juive Contemporaine).

Für freundliche Unterstützung meiner Arbeit danke ich auch:

In Berlin: Hauptarchiv – Ehemaliges Preußisches Staatsarchiv, Hochschule für Politik, Institut für Publizistik, Senatsbibliothek;

in Bonn: Stadtarchiv und wissenschaftliche Stadtbibliothek (Frau Archivrätin Prof. Dr. Ennen);

in Essen: Stadtarchiv (Herrn Archivdirektor Dr. Schröter);
in Frankfurt a. M.: Archiv der Industrie- und Handelskammer (Herrn Kratz);
in Göttingen: Niedersächsische Staats- und Universitätsbibliothek (Frau Hanna Burose), Institut für wissenschaftlichen Film (Dr. G. Bekow);
in Hamburg: Herrn Erich Lüth, Staatsarchiv (Herrn Röper);
in Köln: Historisches Archiv (Herrn Archivrat Dr. Stehkämper);
in Leipzig: Stadtarchiv (Herrn Dr. Martin Unger);
in München: Institut für Film und Bild (Herrn Dr. Ruprecht), Stadtarchiv (Herrn Oberarchivrat Dr. Vogel), Herrn Dramaturg Günter W. Winkel;
in Nürnberg: Stadtbibliothek (Herrn R. Herold);
in Saarbrücken: Stadtarchiv (Herrn Stadtarchivar Dr. H. Klein);
in Tübingen: Stadtarchiv (Herrn Rau);
in Wiesbaden: Deutsches Institut für Filmkunde (Herrn Eberhard Spieß);
in Würzburg: Stadtarchiv.

Nun aber möchte ich vor allem auch meiner langjährigen Mitarbeiterin Iris von Stryk dafür danken, daß sie sich auch bei diesem Buch wieder ganz in den Dienst der Sache stellte und so wesentlich dazu beigetragen hat, daß dieser Band herauskommen konnte.

# Hinweise und Bemerkungen

Bei Quellenangaben wie: *Die bildenden Künste im Dritten Reich* (Ullstein Buch 33030), *Literatur und Dichtung im Dritten Reich* (Ullstein Buch 33029), *Presse und Funk im Dritten Reich* (Ullstein Buch 33028) oder *Musik im Dritten Reich* (Ullstein Buch 33032) handelt es sich um Bücher des Herausgebers, von denen die ersten beiden erschienen und die zwei letzten 1966 erscheinen werden.

Sämtliche Dokumente ohne ausdrückliche Quellenangabe stammen aus dem Document Center in West-Berlin und sind größtenteils bisher nicht veröffentlicht worden.

Dokumente aus dem Archiv des Internationalen Militärgerichtshofes in Nürnberg weisen eine Verbindung von Buchstaben mit Zahlen auf, wie PS – 1015 oder NG – 405.

Dokumente aus dem Centre de Documentation Juive Contemporaine in Paris sind mit der Kennziffer des Instituts versehen: mit einer römischen Zahl, die durch eine arabische vervollständigt wird, z. B. XXI – 21.

Biographisches ist nur dort angegeben, wo es Texte oder Ereignisse verständlicher macht. Bei sich wiederholenden Namen geschieht dies meistens beim erstenmal, mitunter auch später, falls der Text es verlangt.

Die biographischen Daten oder Angaben über Theaterstücke und Filme sind folgenden Quellen entnommen: Dr. Alfred Bauer: Deutscher Spielfilm-Almanach 1929–1950, Berlin 1950; das Deutsche Führer-Lexikon, Berlin 1934–35; Der Große Brockhaus, Band 1–21, Berlin 1928–1935; Deutsches Bühnenjahrbuch 1934–1944; Encyclopedia Judaica, Band 1–10, Berlin 1928–1934; Heinrich Fraenkel: Unsterblicher Film, Band 1 und 2, München 1956–57; H. A. und E. Frenzel: Daten deutscher Dichtung – Chronologischer Abriß der deutschen Literaturgeschichte, Band 1 und 2, München 1962; Hermann Friedmann und Otto Mann: Deutsche Literatur im 20. Jahrhundert, Band 1 und 2, Heidelberg 1961; Ulrich Gregor und Enno Patalas: Geschichte des Films, Gütersloh 1962; Jüdisches Lexikon, Band 1–5, Berlin 1927–1930; Sigmund Katznelson: Juden im deutschen Kulturbereich, Berlin 1959; Kürschners Deutscher Literatur-Kalender, Berlin 1934, 1937/38, 1939, 1943, 1949, 1952; Kürschners Deutscher Musiker-Kalender, Berlin 1954;

Franz Lennartz: Deutsche Dichter und Schriftsteller unserer Zeit, Stuttgart 1959; Lexikon der Weltliteratur, Band 1 und 2, Freiburg/Berlin/Wien 1960–61; Philo-Lexikon, Berlin 1936; Kurt Pinthus: Menschheitsdämmerung – Ein Dokument des Expressionismus, Hamburg 1959; Léon Poliakov und Joseph Wulf: Das Dritte Reich und seine Denker, Berlin 1959; Curt Riess: Das gab's nur einmal, Hamburg 1956; Manfred Schlösser: An den Wind geschrieben – Lyrik der Freiheit 1933 bis 1945, München 1962; Wilhelm Sternfeld und Eva Tiedemann: Deutsche Exil-Literatur 1933–1945 – Eine Bio-Bibliographie, Heidelberg 1962; Wer ist's?, Berlin 1935; Wer ist wer?, Berlin 1955; Wir vom Film, Herausgeber Charles Reinert, Freiburg i. B. 1960.

Die grammatischen oder orthographischen Fehler in den einzelnen Dokumenten sind so wiedergegeben, wie sie im Original vorhanden sind.

TEIL I
THEATER

Kapitel I

# GESTEUERTES THEATER

# Gleichschaltung

## In Berlin

### Im «Amtlichen Preußischen Pressedienst»

*Neue Männer*, in: *Der Autor*, Ende April 1933, Nr. 4, S. 3.

Der Preußische Minister des Innern hat, wie der «Amtliche Preußische Pressedienst» mitteilt, an sämtliche Ober- und Regierungspräsidenten und an den Polizeipräsidenten in Berlin folgenden Funkspruch ergehen lassen:

«Alle Angelegenheiten der gemeindlichen Theater unterstehen von sofort an ausschließlich meiner Aufsicht. Über Zwangsbeurlaubungen, Bestellung oder Entlassung von Kommissaren und Neubesetzung des leitenden und künstlerischen Personals entscheide ausschließlich ich auf Bericht der zuständigen Kommunalaufsichtsbehörde. Bereits bestätigte Kommissare sind mir namhaft zu machen. Dabei ist dazu Stellung zu nehmen, ob ihre Bestätigung oder Abberufung erfolgen soll. Wenn vor Ablauf der Verträge Beurlaubungen oder Entlassungen in Anwendung des Gesetzes über Wiederherstellung des Berufsbeamtentums in Frage kommen, ist vorher mit eingehender Begründung mir zu berichten.[1]

Über Fälle, in denen nach dem 30. Januar 1933 vor Ablauf der Verträge Entlassungen oder Zwangsbeurlaubungen vorgekommen sind, ist umgehend mit eingehender Begründung mir zu berichten.»

---

[1] *Gesetz zur Wiederherstellung des Berufsbeamtentums vom 7. 4. 1933, RGBl.* 1933, Teil I, S. 175; § 1 lautet: «Zur Wiederherstellung eines nationalen Berufsbeamtentums und zur Vereinfachung der Verwaltung können Beamte nach Maßgabe der folgenden Bestimmungen aus dem Amt entlassen werden, auch wenn die nach dem geltenden Recht hierfür erforderlichen Voraussetzungen nicht vorliegen.» § 3 besagt: «Beamte, die nicht arischer Abstammung sind, sind in den Ruhestand zu versetzen.» Das Gesetz fand auch bei der SPD angehörenden Beamten und Angestellten Anwendung. Siehe *Ministerialblatt für die Preußische innere Verwaltung*, 1933, Teil 1, S. 887.

# Vereinigung künstlerischer Bühnenvorstände

Die *Vereinigung Künstlerischer Bühnenvorstände* wurde am 4. 4. 1911 gegründet; der Briefschreiber, Hans Esdras Mutzenbecher, * 1897, war Regisseur und geschäftsführender Direktor der *Deutschen Kunstgesellschaft*; weitere Einzelheiten über ihn siehe: *Musik im Dritten Reich* (Ullstein Buch 33032).

Der Brief ist adressiert an Hans Hinkel, 1901–60; 1920–23 im Freikorps Oberland; ab 4. 10. 1921 in der NSDAP, Mitgliedsnummer 287; ab 1930 in der Schriftleitung des *Völkischen Beobachters*; ab 30. 1. 1933 Staatskommissar im Preußischen Ministerium für Wissenschaft, Kunst und Volksbildung; im gleichen Jahr ernannte Göring ihn zum Leiter des *Amtlichen Preußischen Theater-Ausschusses*; «Die Reform des deutschen Theaters hatte ihn [Hinkel] lange beschäftigt; nun durfte er praktisch an die Arbeit gehen, um seine Ideen zu verwirklichen» – in: *Wormser Zeitung* vom 21. 3. 1934; 1933 war Hinkel SS-Sturmbannführer und 1943 SS-Gruppenführer; er besaß den Blutsorden; ausführlicher über ihn siehe in: Die bildenden Künste im Dritten Reich *(Ullstein Buch 33030), S. 145 f und Abb. 11.*

*Eilt!*

Herrn                                     Hans Esdras Mutzenbecher
Staatskommissar Hans Hinkel         Bühnennachweis
Berlin                                 Berlin, am 22. April 1933
Preußisches Kultusministerium       Potsdamerstr. 4

Sehr geehrter Herr Hinkel!

Da Sie leider keine Zeit mehr fanden, vor der am letzten Dienstag stattgefundenen a. o. Generalversammlung der Vereinigung künstlerischer Bühnenvorstände die kommissarische Leitung zu einer endgültigen Betrachtung über die Zukunft der Organisation zu empfangen, so haben wir selbstständig handeln müssen, und ich habe hierbei versucht, die Gesichtspunkte unseres ersten Gespräches zu berücksichtigen.

Ich habe mich nach reiflicher Überlegung nicht entschließen können, für eine Auflösung der Vereinigung mich einzusetzen, sondern bereits auf Grund der mir von der a. o. Generalversammlung erteilten Vollmacht zusammen mit einigen zu einer kommissarischen Leitung berufenen Herren die Umorganisation in einem Sinne vorgenommen, der auch Ihren Intentionen entspricht und damit auch die Übernahme der Organisation als Unterabteilung des Kampfbundes ermöglichen soll.

Ich bitte, mir baldmöglichst einen Termin zu nennen, wann unsere Komm. Leitung von Ihnen oder Ihrem bevollmächtigten Vertreter zu bindenden Vereinbarungen empfangen werden kann. Für heute darf ich im Auftrag der a. o. Generalversammlung Ihnen die beifolgende Erklärung übergeben. (Anlage 1) [1]

1 Die Erklärung lautet: «Die unterzeichnete kommissarische Leitung der Vereinigung künstlerischer Bühnenvorstände erklärt, daß sie hinter den Führern

Ferner aber bitten wir Sie im Namen von 250 deutschen Bühnenvorständen für sich, wie für Hanns Johst[1], die Bereitschaft zu erklären, unserm künftigen Vorstand anzugehören, wobei ich gleich bemerken möchte, daß Ihnen beiden hiermit keinerlei neue Arbeit erwächst, da der Vorstand aus sich einen besonderen Arbeitsausschuß bilden wird.[2]

Indem ich Ihrer freundlichen Rückäußerung entgegensehe, verbleibe ich inzwischen mit freundlich ergebenen Grüßen und Empfehlungen der Ihre

Mutzenbecher

## Bund nationalsozialistischer Bühnenkünstler

Präsident des Bundes war Benno von Arent, * 1898, Bühnen- und Filmbildner; ausführlicher s. «Porträts», S. 199 f. Der Brief ist gekürzt.

An den
Präsidenten der Reichsanstalt
für Arbeitsvermittlung und
Arbeitslosenversicherung
Berlin-Charlottenburg 2
Hardenbergstr. 12

Bund nationalsozialistischer
Bühnenkünstler
Anschrift: Benno v. Arent
Bln.-Wilmersdorf
Bonnerstr. 1
H 8 Wagner 07 15
Berlin, den 26. Juni 1933

Wie Ihnen bekannt sein dürfte, haben die deutschen Bühnenmitglieder (Nationalsozialisten) am 9. März ca. den «Bühnennachweis»[3] besetzt,

der nationalen Bewegung steht. Sie gliedert sich bewußt und überzeugt in die nationale Bewegung ein und stellt sich und die Organisation für den Aufbau eines neuen deutschen Theaters zur Verfügung.» Die Unterschriften lauteten: [Wolf] von Gordon, [Wolf] Leutheiser, [Hans Esdras] Mutzenbecher.» Das Datum war: «Berlin, am 18. 4. 1933». Dieses Dokument befindet sich im Besitz des Herausgebers.

1 Hanns Johst, * 1890, Schriftsteller (Lyrik, Roman, Bühnendichtung); Präsident der Reichsschrifttumskammer und SS-Gruppenführer; ausführlich über ihn in: *Literatur und Dichtung im Dritten Reich* (Ullstein Buch 33029).

2 Nach der Gleichschaltung wurde Hans Hinkel 1. Vorsitzender und Hanns Johst sein Stellvertreter; geschäftsführender Vorsitzender war Intendant Wolf Leutheiser; H. E. Mutzenbecher gehörte dem Vorstand an.

3 Bühnennachweis = 1929/30 *Paritätischer Stellennachweis der deutschen Bühnen*; 1930/31 *Bühnennachweis*; zum Aufsichtsrat gehörten Vertreter des Deutschen Bühnenvereins, der Genossenschaft Deutscher Bühnenangehöriger; später kamen noch hinzu Vertreter der Reichsanstalt für Arbeitsvermittlung und Arbeitslosenversicherung; der *Bühnennachweis* war ein freier Zusammenschluß von Agenten und Bühnenvermittlern, die privat selbständig arbeiteten; nach der Machtergreifung kam der *Bühnennachweis* unter die Leitung der Reichstheaterkammer und gehörte zur Fachgruppe 8 der Abteilung II (Fachschaft

um endlich einmal zu ihrem Recht zu kommen und um die jüdischen Disponenten und deren Sekretärinnen, die seit Jahren den deutschen Bühnenmitgliedern den Kampf angesagt haben, ihrer Posten zu entheben.

Die jüdischen Disponenten haben nun alle gegen den Bühnennachweis geklagt und sind leider – auf Grund ihrer Verträge – mit ihrer Klage durchgekommen. Der Bühnennachweis hat natürlich gegen dieses Urteil in erster Instanz beim Landesarbeitsgericht Einspruch erhoben. Auf Grund des Urteils in erster Instanz haben die Juden sämtliche Einkünfte des Bühnennachweis beim Postscheckkonto und bei einzelnen Theatern mit Beschlag belegt. Der Bühnennachweis ist durch diese Maßnahme in eine furchtbare finanzielle Situation gekommen und hat dies auch des öfteren der Reichsanstalt für Arbeitsvermittlung und Arbeitslosen-Versicherung sowie dem Finanzministerium mitgeteilt. Der Bühnennachweis hat der Reichsanstalt und dem Finanzministerium immer und immer wieder gesagt, welche Schulden bestehen und daß ihm unbedingt geholfen werden müsse. Jetzt geht es wieder auf das Monatsende zu, und die Leitung des Bühnennachweis weiß nicht, wovon sie am Ultimo die Gehälter usw. zahlen soll.

Wir halten es für sehr sonderbar, daß bis *vor* der Besetzung des Bühnennachweis durch die Angehörigen der nationalsozialistischen Partei dem Bühnennachweis stets die verlangten finanziellen Mittel zur Verfügung gestellt wurden. Jetzt, da die Leitung und die Disponenten nationalsozialistisch sind, läßt man den Bühnennachweis einfach im Stich und äußert sich sogar in dem Sinne, daß man den Bühnennachweis auflösen will usw. Wir nehmen an, daß die in Frage kommenden Herren, die die Angelegenheit des Bühnennachweis bearbeiten, gegen die nationalsozialistische Partei eingestellt sind.

Wir deutschen Bühnenkünstler *verlangen*, daß der Bühnennachweis in seiner jetzigen Form bestehen bleibt, und daß dem Bühnennachweis vonseiten der Reichsanstalt und des Finanzministeriums geholfen wird. Die Reichsanstalt sowie das Finanzministerium sollen erst einmal den Bühnennachweis unter seiner jetzigen Leitung arbeiten lassen, *dann* haben die vorgesetzten Behörden erst das Recht, einzugreifen.

Erfolgt eine befriedigende Lösung in nächster Zeit nicht, so werden wir mit einer Kommission persönlich bei unserem Führer Adolf Hitler in dieser Angelegenheit vorstellig und werden unserem Volkskanzler der Zustände, die *vor* der Besetzung des Bühnennachweis durch die Nationalsozialisten geduldet wurden, in allen Einzelheiten vortragen.

Benno von Arent

Bühne) innerhalb der Reichstheaterkammer; Leiter war Konrad Geiger; ausführlich über ihn s. «Porträts», S. 133 f; ganz am Anfang nach der «Gleichschaltung» war zunächst Willy Remmertz vorläufiger Geschäftsführer des *Bühnennachweises* und Paul Müller Prokurist.

**Im Reich**

## In München

*Intendantenwechsel,* in: *Der Autor,* März 1933, Heft 3, S. 4; auf den Seiten 4 und 5 dieser Nummer wird auch der Intendantenwechsel in Berlin, Altona, Breslau, Chemnitz, Darmstadt, Döbeln (Sa.), Dortmund, Dresden, Frankfurt a. M., Freiburg i. B., Görlitz, Hannover, Karlsruhe, Kassel, Koblenz, Köln, Königsberg, Leipzig, Mannheim, Schwerin, Stettin, Stuttgart und Weimar angegeben.

Zwischen dem Direktor der Münchener Kammerspiele im Schauspielhaus, Otto Falckenberg[1], und dem Kampfbund für deutsche Kultur ist ein Vertrag zustande gekommen, wonach die Kammerspiele sich verpflichten, einen ihrer dramaturgischen Posten mit einem vom Kampfbund zu benennenden Persönlichkeit zu besetzen. Dieser Dramaturg hat ein Vorschlagsrecht für die Spielplangestaltung und ein Vetorecht gegen Stücke, die seiner Ansicht nach dem allgemeinen nationalen und sittlichen Empfinden widersprechen; ein gleiches Vetorecht hat er bei neuen Verpflichtungen von künstlerischem und dramaturgischem Personal. Seine Ablehnungen sind für die Direktion bindend. Der Kampfbund erklärt, daß mit dieser Regelung die Voraussetzung für persönliche und sachliche Zuverlässigkeit der Leitung der Kammerspiele für ihn gegeben seien. Der Vertrag gilt vorläufig nur bis zur Beendigung des Vergleichsverfahrens, in dem die Kammerspiele sich befinden.

## In Karlsruhe

In: *Der Neue Weg* vom 20. 4. 1933, S. 129.

Der Intendant des Badischen Landestheaters, Dr. Waag[2], wurde mit sofortiger Wirkung beurlaubt. Die Gesamtleitung des Badischen Landestheaters wird bis auf weiteres nebenamtlich dem Ministerialreferenten Oberregierungsrat Prof. Dr. Asal[3] übertragen, der durch den Verwaltungsdirektor Rügner[4] vertreten wird. In Unterordnung unter die Gesamtleitung wird die Erledigung der künstlerischen Angelegenheiten der Oper dem Oberspielleiter Pruscha[5], des Schauspiels dem Oberspielleiter Baumbach[6] übertragen.

1 Otto Falckenberg, 1873–1947, war auch Schriftsteller.
2 Dr. Hans Waag, * 1876; 1914 Intendant in Metz; 1918 in Baden-Baden; 1926–33 in Karlsruhe.
3 Prof. Dr. jur. Karl Asal, Professor an der TH in Karlsruhe.
4 Fritz Rügner.
5 Viktor Pruscha.
6 Felix Baumbach.

# In Breslau

*Neue Männer*, in: *Der Autor*, Ende April 1933, Nr. 4, S. 3; auf den S. 3 und 4 der gleichen Nummer wird auch über Entlassungen und Intendantenwechsel in folgenden Städten berichtet: Baden-Baden, Berlin, Beuthen O. S., Bielefeld, Chemnitz, Darmstadt, Dresden, Erfurt, Freiberg i. Sa., Freiburg i. B., Hagen i. W., Harburg-Wilhelmsburg, Kassel, Köln, Königsberg, Leipzig, Magdeburg, Mannheim, München, Münster, Osnabrück, Saarbrücken, Schwerin, Stettin, Zittau; in: *Der Autor*, Ende September 1933, S. 10, werden unter der Überschrift *Die neuen Bühnenleiter* folgende Städte genannt: Berlin, Brieg, Bunzlau, Elbing, Frankfurt/Oder, Glogau, Guben, Hamburg, Harburg-Wilhelmsburg, Hof/Saale, Jauer, Kolberg, Neustrelitz, Ratibor, Schleswig, Schweidnitz, Stendal, Stolp i. P., Tilsit, Trier.

Walter Bäuerle[1], Leiter der nationalsozialistischen Kammerspiele der Deutschen Bühne, wurde zum Direktor der von der Stadt unterstützten Schauspielbühnen ernannt. Damit ist ihm auch das Ensemble der in Konkurs geratenen Vereinigten Theater unterstellt, das zur Zeit als Notgemeinschaft der Schauspieler im Gerhart-Hauptmann-Theater spielt. Die Kammerspiele der Deutschen Bühne übersiedeln in das kürzlich geschlossene Lobe-Theater.

## In Mitteldeutschland

*Ausbau des Theaterwesens in Mitteldeutschland*, in: *Tägliche Rundschau* vom 11. 5. 1933.

Der bisherige Geschäftsführer des Bühnenvolksbundes Landesverband Mitteldeutschland, Bernhard Schmidt in Halle, wurde als Leiter des Landesverbandes Mitteldeutschland im Reichsverband Deutsche Bühne bevollmächtigt, neben dem weiteren Ausbau der genannten Organisationen im Rahmen des Kampfbundes für deutsche Kultur auch die Eingliederung aller örtlich vorhandenen Besucherorganisationen, Theaterbesuchsvermittlungen und ähnliche Einrichtungen in Mitteldeutschland im Einvernehmen mit der Gauleitung des Kampfbundes für deutsche Kultur und der NSDAP unter Berücksichtigung der örtlichen Verhältnisse schnellstens durchzuführen.

---

1 Friedrich-Walter Bäuerle, * 1900, Regisseur und Schauspieler.

## «Racheakt übelster Art»

Der Brief ist gekürzt.

*handschriftlich:* Angerer ist für diese
Spielzeit im Amt zu belassen. L.

Ernst Kuhlbars
Herrn
Intendanten Leutheiser [1]
im Theaterausschuß des
Preußischen Kultusministeriums
*Berlin*

Remscheid-Lennep
Postfach
Postscheckkonto 5208 Essen
Fernsprecher 5 17 07
Remscheid-Lennep, den 4. 2. 1933

Unser Herr Müller hat mit Ihnen verschiedentlich wegen der Bestätigung unseres Geschäftsführers Angerer [2] verhandelt. Es sind hier insofern Schwierigkeiten aufgetreten, als Angerer eine deutschfeindliche und franzosenfreundliche Haltung während des Ruhrkampfes 1923 gezeigt haben soll. Ich habe damals selbst aktiv im Ruhrkampf mitgewirkt und vermag deshalb zu beurteilen, wie solche Anwürfe zu bewerten sind. Wer den Ruhrkampf nicht miterlebt hat, kann ein richtiges Urteil niemals fällen. Das Urteil, das die Stadt Remscheid in ihrem Bericht an die Regierung für die Beurteilung des Herrn Angerer zu Grunde legt, besagt für mich nichts. Die Richter haben formaljuristisch geurteilt, ohne die Verhältnisse zu kennen, unter denen wir an der Ruhr damals lebten. Die einwandfreie nationale Gesinnung und durchaus deutsche Haltung und Einstellung des Herrn Angerer wird bewiesen durch die beigefügten Abschriften von Briefen. Es handelt sich seitens der Gegner Angerers um Racheakte übelster Art.

Ich darf Sie um umgehende Erledigung bezw. Nachricht über den Stand der Angelegenheit bitten.

Heil Hitler!
Kuhlbars
Vorsitzender des Verwaltungsrates der Städtischen
Orch.- und Schauspielhaus GmbH, Remscheid.

1 Wolf Leutheiser.
2 C. J. Angerer.

## «Damit endlich»

Der Unterzeichner dieses Schriftstücks, Willy Remmertz, * 1878, war Referent im nationalsozialistischen Kampfbund für Deutsche Kultur und Vorstandsmitglied des Bundes der NS-Bühnenkünstler.

Fachgruppe Theater und Film
Berlin W 9, den 9. Februar 1933
R./Schl.

Die Gremiums-Mitglieder der Fachgruppe «Theater und Film» faßten in der Sitzung am 6. Februar 1933 folgende Beschlüsse:

Einspruch beim Kultusministerium und bei den neu zu wählenden Stadtparlamenten, daß die Veranstaltungen der beiden Jugendbühnen-Theater «Theater der höheren Schulen» und «Theater der höheren Lehranstalten» unter dem jüdischen Kapellmeister Roth (Doppelverdiener Wintergarten), sowie auch die Veranstaltungen der Herren *Lücke* und *Jonas* (Lücke ist vollkommen links eingestellt und Doppelverdiener, Jonas ist Jude), sowohl hier, als auch in der Provinz (z. B. Potsdam, Neustrelitz, Luckenwalde usw.) unterbunden werden.

Diese Veranstaltungen sollen dem KfdK [1] überwiesen werden, damit endlich die *deutsche* Kunst von *deutschen* Künstlern ausgeübt werden kann.

Das Kultusministerium möge eine Notverordnung durchsetzen, nach der die Verträge aller preußischen Staatstheater-Künstler revidiert werden, um so die dringende Notwendigkeit durchzusetzen, mit frühestem Termin Verträge ausländischer und jüdischer Künstler zu kündigen und neue Verträge mit solchen keineswegs abzuschließen.

Durch provokatorisches Benehmen und herausfordernde Maßnahmen (siehe beiliegende Abschrift des Aushanges in der Staatsoper und jüdisches Mitgliederverzeichnis) ist Generalintendant Tietjen [2] für *deutsche* Kultur *absolut unmöglich*.

Bestand seinerzeit zwingende Notwendigkeit, daß Verträge mehrjährig unkündbar abgeschlossen wurden – z. B. u. a. Klemperer [3] – und Verwaltungsbeamte?

Eine Betriebszellen-Versammlung der beiden Staatstheater soll einberufen und dazu Pg Hinkel gebeten werden.

Org. Ltr.
W. Remmertz

1 K.f.D.K. = Kampfbund für Deutsche Kultur.

2 Heinz Tietjen, * 1881; ab 1927 Generalintendant der Preußischen Staatstheater; 1931 Leiter der Bayreuther Festspiele; ausführlicher s. H. E. Weinschenk: *Heinz Tietjen* in: *Der Autor*, Mai 1938, S. 8–10, sowie Friedlind Wagner und Page Cooper: *Heritage de Feu*, Paris 1949, S. 73, 83, 136–138, 175.

3 Otto Klemperer, * 1885, Dirigent; bis 1933 Staatsoper Berlin; kurz nach Verleihung der Goethe-Medaille 1933 aus «rassischen» Gründen entlassen; ausführlich in: *Musik im Dritten Reich* (Ullstein Buch 33032).

# Sabotage und Konzentrationslager

Der Brief ist gekürzt; sein Schreiber, Rechtsanwalt Hermann Schroer, * 1900, hielt bereits 1923 im Staatsrechtlichen Seminar der Universität Bonn das Referat *Nationalsozialismus und Parlamentarismus*; ab November 1933 war er Generalinspekteur des Bundes Nationalsozialistischer Deutscher Juristen und Mitglied der Akademie für Deutsches Recht; Dezernent für Theaterwesen der Stadt Wuppertal.

|  | Bund Nationalsozialistischer |
|  | Deutscher Juristen e. V. Gau Düsseldorf |
| Herrn | Gauführer: Rechtsanwalt Hermann Schroer |
| Verlagsdirektor | Wuppertal-Elberfeld, Neumarkt 1–3 |
| Fritz Overdieck | W.-Elberfeld, den 5. Dezember 1933 |
| Düsseldorf | Neumarkt 1–3 |

Lieber Pg Overdieck!

In der Anlage überreiche ich Ihnen eine Kritik des Gauorgans Westfalen-Süd und des Gauorgans Düsseldorf-Ost über die Wuppertaler Uraufführung Johannes Keppler [1].

Die Wuppertaler Zeitung verdammt ohne jegliche Begründung, nur aus Neid und Abneigung einer kleinen Clique heraus das ganze Stück. Das Gauorgan Westfalen-Süd dagegen hebt Inhalt und Geist des Stükkes in den Himmel.

Die Kritik der Wuppertaler Zeitung ist ohne Substantiierung. Der Kritiker hat überhaupt keine Ahnung von den Problemen der Zeit. Er hat nicht die Fähigkeit, weder intuitiv noch intellektuell, sich in den Inhalt des Stückes zu vertiefen. Er ist ein Schwadroneur und ein Schimpfer gewöhnlicher Art, aber kein Kritiker, der organisch denkend die Feder benutzt. Er arbeitet nicht mit, sondern zersetzt und zerstört, ohne aber etwas Besseres an die Stelle zu setzen. Er macht Phrasen, aber keine Worte. Neid und Abneigung gegen die Erfolge des Wuppertaler Theaters führen hier die Feder.

Und ein solcher Mann wird von der Wuppertaler Zeitung geduldet, ja, man verschweigt mir altem Nationalsozialisten sogar die Nennung dieses Kritikers. Soweit ist es bei der Wuppertaler Zeitung gekommen.

Das allertraurigste und allerbitterste ist aber, daß Rehberg seit 1930 Parteigenosse ist, die Mitgliedsnummer von 360 000 besitzt, Kulturwart beim Gau Berlin unter Dr. Goebbels gewesen ist und die besten Beziehungen zu Goebbels, Hinkel und Johst usw. unterhält. Ein Blatt der Nationalsozialisten beschimpft also einen *alten Pg.* Vielleicht ist sogar der Kritiker der Wuppertaler Zeitung nicht einmal Pg, zum mindesten aber nur ein ganz junger, der von Tiefe der nationalsozialistischen Kultur auf keinen Fall eine Ahnung besitzt.

1 *Johannes Keppler*, ein Schauspiel von Hans Rehberg, * 1901.

Ich bin nun nicht mehr gewillt, die Sabotage dieser Böswilligen in Wuppertal länger zu dulden. Ich werde bei der nächsten Gelegenheit diese Burschen bei Minister Goebbels und Minister-Präsident Goering anzeigen und verlangen, daß sie ins Konzentrationslager kommen. Sie aber, lieber Pg Overdieck, bitte ich als alter Nationalsozialist und alter Kämpfer herzlich: Entfernen Sie diesen Kritiker unverzüglich. Es geht nicht an, daß ein Kritiker das Recht hat, einen Dichter, der seit 1930 sich für uns geschlagen hat und der die besten Beziehungen zu Goebbels, Hinkel und Johst unterhält, derart in den Kot zu ziehen.

Während das Gauorgan Westfalen-Süd schreibt, daß sich Wuppertal mit dieser Aufführung an die allererste Stelle unter den westdeutschen Theatern gestellt hat, während selbst der «Mittag» von dem allerstärksten Erlebnis der westdeutschen Spielzeit spricht, speit der Kritiker der Wuppertaler nur Haß und Mißgunst. Als verantwortlicher Stadtverordneter kann ich diesem Treiben unmöglich weiter zusehen.

Mit herzlichem Gruß und Heil Hitler Ihr ergebener Hermann Schroer

## Die neuen Intendanten

Dieser Brief, gekürzt, Heinrich Bredows wird hier als Beweis für die Atmosphäre gebracht, die nach der *Nationalen Revolution* in bestimmten Künstlerkreisen herrschte und das Denunziantentum begünstigte.

Heinrich Bredow (Pseudonym für Ludwig Müller), * 1863, Schriftsteller (Lyrik, Bühnendichtung).

An den preußischen Theaterausschuß
z. Hd. von Herrn                     Heinrich Bredow
Staatskommissar Hinkel               Hamburg, Rothenbaumchaussee 124
*Berlin*                             Hamburg, 15. März 1934

Da ich mich für das Theaterwesen interessiere und seit längerer Zeit einen Einblick gewonnen, auch die verschiedenen Verfügungen verfolgt habe, möchte ich mir gestatten, Sie auf verschiedene Mängel hinzuweisen, deren Abstellung sicher im allgemeinen Interesse des neuen Deutschland liegt. Ich möchte ausdrücklich hervorheben, nicht die Absicht zu haben, die Rolle eines Denunzianten zu spielen. Aus diesem Grunde unterlasse ich es, irgendwelche Namen zu nennen; selbst wenn Sie einige Namen aufgegeben erhielten, würde es der Sache an sich wenig nützen, da die Mängel im System liegen, und als sicher anzunehmen ist, daß sie bei den meisten Theatern, besonders Provinztheatern, anzutreffen sind. Sie können selbst ohne Schwierigkeit durch Vertrauensleute der Genossenschaft, oder andere, sich bestätigen lassen, daß meine Angaben richtig sind.

Zunächst die *Intendanten*. Infolge der ersten Verfügung ist manchen, landläufig ausgedrückt, der Kamm geschwollen, manche haben sich wie

26

die größten Autokraten aufgespielt und den Mitgliedern Unterbringung im Konzentrationslager in Aussicht gestellt, wenn sie in irgendeiner Weise mit einer Bestimmung nicht einverstanden seien.

Ein sehr heikler Punkt, der nicht unbedingt aus den früheren Zeiten herzuleiten ist, ist die Behandlung der Damen des Theaters seitens in erster Linie des Spielleiters und Kapellmeisters, in zweiter Linie durch die Schauspieler. Es gibt Fälle, wo die erstgenannten Vorgesetzten die Damen durch einen Druck willfährlich machen; bäumen sie sich auf, werden sie zurückgesetzt und schikaniert. Zweitens werden sämtliche Damen von obenherab geduzt und nur beim Nachnamen oder Vornamen genannt, unter Weglassung von Frau oder Fräulein. Die Damen sind mehr oder minder gezwungen, die Herren ebenso zu benennen. Jetzt wo sehr viel bessere Damen am Theater sind, halte ich diese Unsitte für verwerflich. Ferner ist es gang und gäbe, in Gegenwart der Damen und den Damen gegenüber, daß oft mit den ordinärsten Kasernenhofworten und mit dem größten Schmutz als selbstverständlich umhergeworfen wird. Jede Dame, die sich dagegen auflehnt, wird lächerlich gemacht. Meiner Ansicht nach müßte durch eine Verfügung, die sämtlichen Mitgliedern in jedem Theater vorgelesen wird, das Duzen und die ordinäre Ausdrucksweise strengstens verboten werden unter Androhung von Geldstrafen in jedem einzelnen Fall. Nur auf diese Weise kann das Niveau des Theaters dem dritten Reiche entsprechend gehoben werden.

Mit deutschem Gruß                                    Heinrich Bredow

## Sabotage am nationalsozialistischen Aufbau

An den
Geschäftsführer
der Reichskulturkammer
Herrn Staatskommissar Hinkel
Berlin W 8 Wilhelmsplatz 8/9

Theater am Horst Wessel Platz
Betriebs-GmbH.
S./.K
Berlin C 25, Linienstraße 227
Sammelnummer D 1 Norden 65 36
den 27. Juni 35

Sehr verehrter Pg Hinkel,
der beiliegende Durchschlag meines Briefes an den Chefredakteur des Berliner Tageblatts gibt Ihnen Kenntnis von meinem nunmehr notwendig gewordenen Protest gegen die Wühlarbeit des bekannten Piscator-Förderers Ihering[1], die ich als eine bewußte und konsequente Sabotage am nationalsozialistischen Aufbau ansehen muß.

Sollte es noch notwendig sein, bin ich jederzeit bereit, mündlich und schriftlich meine Auffassung zu belegen, da genügend Material gegen

---

1 Erwin Piscator, 1893–1966, Theaterleiter und Regisseur.
  Herbert Ihering, * 1888, Theaterkritiker.

Herrn Ihering zur Verfügung steht. Ich erinnere noch besonders an seine Kritik unserer Aufführung von «Seiner Gnaden Testament», die, wie sich der Herr Reichsminister selbst überzeugt hat, der Aufführung nicht nur nicht gerecht wurde, sondern obendrein in fadenscheinigsten Wendungen das Positive ins Negative umzuwenden bemüht war.

Heil Hitler!
Ihr stets ergebener
Bernhard Graf Solms [1]

## Der Bericht

Dieser am 29. 8. 1935 für Hans Hinkel verfaßte Bericht ist gekürzt; er stammt von Bruno von Niessen, dem Leiter der Abteilung V der Reichstheaterkammer (Opern- und Operettenangelegenheiten, Musikangelegenheiten der Theater). Der Begleitbrief Niessens an Hans Hinkel befindet sich ebenfalls im Besitz des Herausgebers.

Wilhelm Rode, Intendant des Deutschen Opernhauses, * 1887, Mitglied des Präsidialrats der Reichstheaterkammer. Zu Rode s. a.: *Musik im Dritten Reich* (Ullstein Buch 33032).

Betrifft: Intendant Wilhelm Rode, Deutsches Opernhaus
Mitglieder des Orchesters am Deutschen Operhaus fühlen sich in ihrer Ehre gekränkt, da Intendant Rode an sie das Ansinnen gestellt hat, bei einer Geburtstagsfeier des damaligen Stabschefs Röhm als Damenkapelle aufzutreten.[2]

Es ist auch wünschenswert, daß die Kameradschaftsabende in anderer Form stattfinden, da sie zumeist in wüste Saufereien und endlose, bis in den spätesten Morgen hinein dauernde Gelage mit Schlägerei und blutigen Köpfen geendet haben. Einen Sinn kann man aus dieser Art Kameradschaft nicht entnehmen, zumal stets schlimmste gegenseitige Anpöbelungen einzelner betrunkener Mitglieder und daraus entstehende Spannungen die Folge sind. Auch soll Intendant Rode seine eigenen Zechabende in dem öffentlichen Restaurant des Deutschen Opernhauses etwas einschränken, um nach außen jeden Anschein einer ausgelassenen Stimmung zu vermeiden, zu der seitens des Intendanten wirklich keinerlei Anlaß vorhanden ist.

Aus dem Mund aller bei der Reichstheaterkammer vorsprechenden Mitglieder geht unzweideutig der Wunsch hervor, endlich einen anderen Intendanten für das Deutsche Opernhaus zu bestimmen. Wie groß die Abneigung gegen den derzeitigen Intendanten ist, geht aus der Annah-

1 Bernhard Graf Solms; Intendant des Theaters am Nollendorfplatz, Mitglied des Reichskultursenats und des Präsidialrats der Reichstheaterkammer; SA-Standartenführer; ausführlicher s. S. 128 f.

2 Ernst Röhm, 1887–1934 (auf Befehl Hitlers erschossen), Stabschef der SA; Ernst Röhm war homosexuell.

me hervor, daß die bereits mehrfach vorgeschlagene geheime Abstimmung des 650 Mann starken Personals mit dem Ergebnis von höchstens 20 Stimmen für Rode enden würde. Es heißt, Intendant Rode sei in jeder Beziehung unzuverlässig, seine dauernden Widersprüche stifteten Unruhe, ließen ihn als unglaubwürdig erscheinen, und seine immer wieder nur aufgrund seiner Rücksprache mit dem Herrn Reichsminister Dr. Goebbels erfolgenden Veranlassungen beängstigten das Personal. Politisch sei Intendant Rode der Typ eines Konjunkturritters, wie man ihn allerorten leider angetroffen hat. In München und Wien habe er sich wiederholt gegen den Nationalsozialismus geäußert. Andererseits werfe die Tatsache kein vorteilhaftes Licht auf Rode, daß er vor der Erschießung des Stabschefs Röhm sich stets auf seine große Freundschaft mit diesem gestützt habe, heute aber ihn nur flüchtig gekannt haben will.

Das ewige Angeben auch hinsichtlich seiner bedeutenden, seit vier Jahren bestehenden Beziehungen zum Führer und Reichskanzler und seine daraus resultierende Macht über die Gefolgschaft sei einmal beunruhigend und andererseits zum Teil nicht der Wahrheit entsprechend.

Niessen

## Die Nackttänzerin

Bei der *Kameradschaft der deutschen Künstler* muß es oft lustig zugegangen sein, denn im Besitz des Herausgebers befinden sich auch noch einige Briefe des Verbandes aus dem Jahre 1941, die Massenzuteilungen von Spirituosen betreffend.

*Geheim*
An den Präsidenten der Kameradschaft der deutschen Künstler
Herrn Prof. Benno v. Arent
Berlin W 35, Viktoriastr. 3–4                    27. Oktober 1938

Sehr geehrter Herr Präsident!
Als aktiver Angehöriger unserer «Kameradschaft der deutschen Künstler» und als SS-Führer bin ich verpflichtet, Ihnen mit der Bitte um weitere Veranlassung Folgendes zu melden:

Anläßlich des Gastspiels der Künstler-Kameraden vom Kabarett der Komiker am Mittwoch, den 26. Oktober, abends 11.30 Uhr, in der KddK äußerte sich bei seiner sogenannten Conference der Direktor des obengenannten Kabarett-Unternehmens und Mitglied unserer KddK, Willie Schaeffers [1], vor vollbesetztem Hause wie folgt:

«Unsere Nackttänzerin haben wir heute zu Hause gelassen, denn ich habe keine Lust, noch ein zweites Mal ins ‹Schwarze Korps› zu kommen. Ich weiß nicht, ob Sie das gesehen haben, – scheinbar nicht. Das beweist doch, daß dieses Blatt doch nicht die Verbreitung

---

1 Willi Schaeffers, 1884–1962, Schauspieler und Kabarettist.

hat, wie sich das die Herausgeber einbilden! Ja, so kommt ein nacktes Bild von uns einmal gratis in die Zeitung, nicht von uns, sondern nur natürlich von der Tänzerin.»

Diese Äußerung des KddK-Mitgliedes Willie Schaeffers wurde von einem Großteil des vollbesetzten Saales mit Gelächter beantwortet. Als SS-Führer fühlte ich mir verpflichtet, zusammen mit meinem Mitarbeiter SS-Sturmbannführer Hellmuth von Loebell[1] sofort die Veranstaltung zu verlassen und den Vorstandsmitgliedern der KddK Hamel[2] und Dr. Walch[3] von meiner entschiedenen Ablehnung solcher «Witze» Kenntnis zu geben, denn bekanntlich ist das «Schwarze Korps» mit über einer halben Million Auflage das amtliche Kampforgan der Schutz-Staffeln der NSDAP und wird von dem Reichsführer-SS und Chef der deutschen Polizei, Heinrich Himmler, herausgegeben.[4] Nur durch einen Zufall erschienen mein Mitarbeiter und ich zu dieser Veranstaltung nicht in SS-Uniform.

Heil Hitler!
Hinkel

An den Reichsführer-SS
z. Hd. SS-Gruppenführer Wolff[5],
Berlin, Prinz Albrecht Str. 8
Chef des persönlichen Stabes, RFSS, zur Kenntnis.

Heil Hitler!
*Unterschrift*
SS-Oberführer

1 Hellmuth von Loebell, Leiter der Abteilung *Kulturpersonalien* in der Reichskulturkammer und Referent im Propagandaministerium.

2 Bankier Paul Hamel.

3 Rechtsanwalt Dr. Reinhold Walch.

4 *Das Schwarze Korps*, Himmlers Wochenschrift, kämpfte gegen das Christentum mit den gleichen Mitteln wie Julius Streichers *Der Stürmer* gegen das Judentum.

5 Karl Wolff, * 1900; 1933–43 Himmlers Adjutant.

# Reichstheaterkammer

Am 22. 9. 1933 verabschiedete die Reichsregierung das vom Propagandaminister Dr. Goebbels vorgelegte Reichskulturkammergesetz. Über die Reichskulturkammer siehe ausführlich in: *Die bildenden Künste im Dritten Reich* (Ullstein Buch 33030), S. 102 f. Die Reichskulturkammer unterstand Dr. Goebbels. Zu den sieben untergeordneten Einzelkammern gehörte u. a. auch die Reichstheaterkammer. Folgende Spitzenverbände des deutschen Theaters unterstanden ab 1933 der Reichstheaterkammer: *Deutscher Bühnen-Verein, Genossenschaft Deutscher Bühnen-Angehöriger, Vereinigung der künstlerischen Bühnenvorstände, Deutscher Chorsängerverband und Tänzerbund, Vereinigung der Bühnenverleger, Verband deutscher Bühnenschriftsteller und Bühnenkomponisten, Einheitsbund deutscher Berufsmusiker;* § 2 der *Satzung der vorläufigen Reichstheaterkammer* legte diese Zusammensetzung schon fest; erster Präsident der Reichstheaterkammer war Otto Laubinger, sein Stellvertreter Werner Krauß; der geschäftsführende Vorstand setzte sich zusammen aus Dr. Hans Schmidt-Leonhardt und Dr. Otto Leers; Präsidial- und Vorstandsmitglied: Dr. Rainer Schlösser; Syndikus: Rechtsanwalt und Notar Dr. Gustav Aßmann.

## Grundsätzliches

Weitere Literatur zu diesem Thema siehe: *Der Neue Weg* vom 20. 4. 1933; *Hans Hinkels Theater-Programm*, in: *Theater-Tageblatt* vom 23. 6. 1933; Carl Werckshagen: *Die Neugestaltung der deutschen Theaterverhältnisse* in: *Der Autor*, Ende April 1933, S. 1–2; *Dr. Goebbels über Theaterfragen*, in: *Tägliche Rundschau* vom 10. 5. 1933; *Das Theater im Dienste der Nation*, in: *Berliner Lokal-Anzeiger* vom 1. 7. 1934, Morgenausgabe; *Feierliche Eröffnung des Neuen Theaters*, in: *Frankfurter Volksblatt* vom 15. 9. 1935; Heinz Kunze: *Theaterplanwirtschaft* in: *Kölnische Zeitung* vom 27. 2. 1936; *Erfolge der deutschen Theaterpolitik*, in: *Hamburger Fremdenblatt* vom 17. 3. 1936; *Von Piscator zur moralischen Anstalt*, in: *Eisenacher Tagespost* vom 13. 5. 1936; *Das Theater als Staatsaktion*, in: *Frankfurter Zeitung* vom 9. 7. 1943.

## Hanns Johst und Franz Ulbrich über ihre Absichten

Überschrift des Gesprächs von Gustav Stolze mit beiden in: *Berliner Lokal-Anzeiger* vom 26. 2. 1933, Sonntagsausgabe.

Gustav Stolze (Pseudonym für Borchers), *1897, Schriftsteller (Kritik, Novelle); Feuilletonschriftleiter im Scherl-Verlag. – Dr. phil. Franz Ludwig Ulbrich, *1885, Intendant des Staatlichen Schauspielhauses Berlin. In einem anderen Gespräch in: *Film-Kurier* vom 8. 12. 1933 wurde Hanns Johst gefragt: «Fällt nach Ihrer

Ansicht, Herr Staatsrat, bei der beabsichtigten Erneuerung des deutschen Theaters der staatlichen Bühne eine bessere oder, sagen wir, höhere Aufgabe zu?» Johst antwortete darauf: «Gewiß, und zwar schon deshalb, weil angesichts des Führerprinzips, das wir im neuen Deutschland vertreten, meines Erachtens das Staatstheater absolut das repräsentative kulturelle Gesicht des neuen Reiches ist. Das Ausland nimmt uns, und zwar besonders als Ausdrucksstätte der Gesinnung, der Weltanschauung. Wir sind somit ausschlaggebend bei der ausländischen Beurteilung dessen, was Adolf Hitler geistig, seelisch, dichterisch, dramatisch will und ist.»

Die neue Regierung hat mit der Verleihung künstlerischer Vollmachten an den «Dramaturgen» vielleicht noch mehr als mit der Berufung eines Dichters zu diesem Amt kundgetan, daß nicht nur eine neue «Verwaltung», sondern ein neuer Geist in das Haus am Gendarmenmarkt [1] einziehen soll.

Mit der Betrauung des Dramaturgen hat die neue Regierung einen Strich unter die in jedem Sinn verlustreiche Rechnung der alten Machthaber gemacht. Man darf einem Dichter wie Johst vertrauen, daß er als Dramaturg dieses belachte Zerrbild seines Amtes aus dem Bewußtsein der Theaterleute ausmerzen wird. Das Zweigespann Johst-Ulbrich zeigt sich in seinen gesprächsweisen Äußerungen jedenfalls als eine Einheit, die sich bewußt zu sein scheint, daß man nicht nur «besser verwalten», sondern «Besseres» verwalten muß als bisher. Bezeichnen sie doch als letztes und stolzestes Ziel ihrer gemeinsamen Arbeit die Schaffung eines Volkstheaters.

Nicht alles kann morgen schon getan sein, was heute geplant wird. Man muß und will, wie Dr. Ulbrich zu erkennen gibt, aus belastenden Verträgen sich und das Institut freimachen. Von Verträgen sowohl, welche Stücke, wie von solchen, welche das Personal betreffen. Man hält es – und da wird jeder Deutsche zustimmen – nicht für eine vordringliche Aufgabe der preußischen Staatstheater, jetzt ein Stück des Franzosen André Gide aufzuführen. Man will sich lieber eines deutschen Dichters annehmen, den vor allen die reich subventionierten Theater des Reiches bisher nicht zu kennen schienen.

## Der Hornruf hat getönt

Paul Beyer: *Spielgemeinschaft und Dichter* in: *Theater-Tageblatt* vom 8. 8. 1933, gekürzt.
Paul Beyer, * 1893, Schriftsteller (Drama, Roman).

Soeben gibt, auf Initiative des Herrn Reichsministers für Volksaufklärung und Propaganda, Ministerialrat Otto Laubinger die ersten gestal-

---

1 Das Schauspielhaus der Preußischen Staatstheater befand sich in Berlin W 8, Am Gendarmenmarkt.

tenden Grundzüge für den groß angelegten Siegesfeldzug bekannt, dem
gemäß auf dem Gebiet der Theaterkunst in Deutschland mit gesammel-
ten Kräften aller Bühnenbeteiligten ein neues Gelände erstürmt und erobert werden wird. Schon in diesem anfänglichen Aufmarschplan sind
für den dramatischen Dichter, der bisher – ich möchte sagen: seit Jahrhunderten – schweigend und nur schreibend in bequemem Backenlehn-
stuhl beiseite gesessen hat, derart umwälzende Forderungen und Aufgaben angedeutet, daß er hoffen kann, durch ihre Erfüllung endlich in
den Punkt des Scheinwerferlichtes gerückt zu werden, der ihm gebührt.

Der Hornruf hat getönt: Dramatiker heraus aus dem mystischen
Zwielicht des unkontrollierten Kämmerleins – hinein in die Kreise der
«Spielgemeinschaften»!

## Das einheitliche Erbgut

Wilhelm Ritter von Schramm: *Die Sammlung des deutschen Theatervolkes* in:
*Deutsche Kultur-Wacht*, 1933, Heft 16, S. 4, Auszüge.

Dr. phil. Wilhelm Ritter von Schramm, * 1898, Schriftsteller (Roman, Bühnendichtung, Lyrik, Essay, Geschichte); Pressechef der *Deutschen Bühne*.

Wie man im Reiche Adolf Hitlers endlich wieder von einem einheitlichen deutschen Kirchenvolk sprechen kann, so wird man auch bald mit
Recht den Begriff eines deutschen Theatervolkes prägen können.

An die Sammlung des deutschen Theatervolkes kann freilich nur
glauben, wer an die Stelle des deutschen Volkes, an sein einheitliches
Erbgut, an seine ungebrochene Überlieferung glaubt und sie in allen
Voraussetzungen wieder herstellen will. Der Nationalsozialismus hat
das getan und tut es noch weiter.

Wie heute der Neuaufbau Deutschlands sich organisch und folgerichtig und nach dem Willen des Führers und seiner Beauftragten vollzieht,
so geht auch die ideelle und praktische Aufbauarbeit der Deutschen Bühne von einem Abschnitt zum anderen und von den heute dringenden Aufgaben zu immer neuen Zielen und neuen Taten. Sie nimmt sich auch auf
ihrem Gebiet ein Beispiel an dem Siegeslauf der Bewegung, die unter
ihrem Führer Adolf Hitler niemals doktrinär gewesen ist, sondern immer den ersten Schritt vor dem zweiten getan hat.

## Das Sittengesetz

Hans Geisow: *Bühne und Volk*, Leipzig 1933, S. 8–9, gekürzt.

Dr. phil. Hans Geisow, * 1879, Schriftsteller; Autor von: *Die Seele des Dritten Reiches*, 1933.

In dem Theater sehen wir – die überwundene Zeit sah das nicht – den
Ausdruck der nationalsozialistischen Gedankenwelt in künstlerischer
Prägung, wir sehen in der Bühne bereits gestaltet: das nationalsoziali-

33

stische Sittengesetz und auch die im nationalsozialistischen Staatsleben zu verwirklichenden Grundsätze.

Wir haben im Theaterleben bereits den in der Staatsgestaltung des Nationalsozialismus herrschenden Grundsatz verwirklicht: Im Bühnenbetrieb gilt der Führergedanke. Es gibt da keine Abstimmung, keine parlamentarische Mehrheit. Der Intendant entscheidet. Er entscheidet verantwortungsvoll und endgültig.

## Ohne die Maschinerie der Zensur

Eugen Hadamowsky: *Propaganda und nationale Macht*, Oldenburg i. O. 1933, S. 144–145, Auszug.

Eugen Hadamowsky, * 1904, Reichssendeleiter; ausführlicher über ihn in: *Presse und Funk im Dritten Reich* (Ullstein Buch 33028).

Da das exklusive Theater unter den heutigen Verhältnissen immer von Subventionen und staatlichen Zuschüssen abhängen wird, so ergibt sich schon damit die Möglichkeit der vollkommenen Beeinflussung und planmäßigen Lenkung, ohne daß die Maschinerie der Zensur in Betrieb gesetzt werden muß. Die öffentlichen Organisationen, Verbände usw., in welchen das primitive Volkstheater seine Zuschauer sucht, bieten ihrerseits eine direkte, an sich vorhandene Kontrolle.

## Gereinigt, erneuert und erweitert

Dr. Felix Zimmermann: *Neubau des Theaters durch den Nationalsozialismus* in: *Dresdener Nachrichten* vom 20. 3. 1936, gekürzt.

Dr. Emil Felix Zimmermann, * 1874, Kunstkritiker. Siehe auch Werner Pleister: *Der Zustand unseres Theaters* in: *Deutsches Volkstum*, 1934, S. 1037 f; Dr. Clemens Sauermann: *Die Aufgabe des Bühnenkünstlers in der deutschen Theaterpolitik* in: *Die Bühne*, 1937, S. 483 f.

Man kann ruhig behaupten, daß mit dem Durchbruch der nationalsozialistischen Revolution das Theater mit am stärksten unter allen kulturellen Einrichtungen erschüttert worden ist. Das war ebenso natürlich wie notwendig. Das deutsche Theater war mehr als manche andere künstlerische Institution an einem Ende angelangt.

Alles das und manches andere noch erfuhr eine grundsätzliche Umwälzung und Umwandlung, als der siegende Nationalsozialismus auch das Theater als Teil der Volksgemeinschaft und als Kulturmittel in die Hand nahm. Wie auf allen Gebieten gingen die Führer der Bewegung auch hier sofort organisatorisch vor.

Heute bereits, nach drei Jahren nationalsozialistischen Neubaues des deutschen Theaters, zeigt sich das Gesamtbild einer gereinigten, erneuerten, erweiterten deutschen Schaubühne in klaren Umrissen. Verschwunden sind die artfremden, den übelsten Instinkten schmeichelnden

Sensationsstücke, die marxistisch eingestellten «Zeitdramen», die aufhetzerischen «Reportagen». An ihre Stelle sind – außer der Klassikerpflege und dem alten, guten, deutschen Unterhaltungsstück – das neue Geschichtsdrama, die völkische Zeitdramatik, die Schöpfungen des neuen jungen Dichtergeschlechts getreten. Diese grundlegende Umschichtung des ganzen geistigen Unterbaues unseres gegenwärtigen Theaters ist eine der fühlbarsten, auf das gesamte Volk einwirkenden Folgen der weltanschaulichen Läuterung des Bühnenwesens durch die nationalsozialistische Bewegung.

## Gerade umgekehrt

Eduard Frauenfeld: *Das Deutsche Theater* in: *Breslauer Neueste Nachrichten* vom 10. 5. 1936, Auszüge.

Alfred Eduard Frauenfeld, * 1899, Geschäftsführer der Reichstheaterkammer; siehe auch A. E. Frauenfeld: *Die Künstler und die nationalsozialistische Bewegung* in: *Die Bühne*, 1936, S. 194; ausführlicher über ihn s. «Porträts», S. 112 f.

Dem Nationalsozialismus ist der Vorwurf gemacht worden, er politisiere die Kunst; er habe das Theater zum politischen Forum gemacht. Gerade umgekehrt ist es: Der Nationalsozialismus hat das deutsche Theater dem Streit der Parteien entzogen, indem er diese Parteien beseitigte. Die Liberalisten sahen im Theater zunächst ein wirtschaftliches Unternehmen und gingen darum daran, Maßnahmen zur Hebung des Theaterbesuches zu treffen. Es hieß, der moderne Mensch, der «Großstädter», stehe von morgens früh bis spät in die Nacht im Existenzkampf und besitze daher nicht mehr die Ruhe, in einer Abendvorstellung sich den Darbietungen der großen Kunst hinzugeben. Er verlange bequemere Kost auf der Bühne. Und darum brachte das Theater Reportagen, Sensationen, Nervenkitzel.

Daß es anders wurde, das ist ein Verdienst des Nationalsozialismus! Es war möglich, den Spielplan der deutschen Theater zu bereinigen, ohne die Theater zu sperren. Es war möglich, die deutsche Künstlerschaft von den zahlreichen jüdischen Elementen zu befreien, ohne daß dabei die deutsche Kultur zu Schaden kam. Im Gegenteil: Das deutsche Theater hat sich auf sein Wesen und seinen Charakter besonnen. Der deutsche Schauspieler ist aus dem Vagantentum in das staatliche Leben eingetreten. Alle deutschen Theater sind letztlich Staatstheater geworden.

## Das Spiegelbild

Dr. Rainer Schlösser in: *Das Archiv*, April 1937, S. 21–22, gekürzt.

Dr. phil. Rainer Schlösser, * 1899; seit 1924 kulturpolitischer Mitarbeiter der «völkischen» Presse; Oktober 1931 kulturpolitischer Schriftleiter des *Völkischen Beobachters*; ab Oktober 1933 Reichsdramaturg; ausführlicher s. «Porträts», S. 113 f.

Erst seit der Machtübernahme durch den Nationalsozialismus wurde der gesunde Zustand geschaffen, daß die künstlerischen und kulturellen Aktionen und die großen theaterpolitischen Veranstaltungen des Reiches nicht mehr auf ihr engeres Gebiet beschränkt blieben. Dieser genau kontrollierbare organisatorische Zustand ist das staatliche und bewegungsmäßige Spiegelbild der heutigen geistigen Haltung. Die Dramaturgie steht damit wieder im Bereich unserer völkischen geistigen Bemühungen. Wir beachten heute wieder den Anspruch unserer klassischen Dichter und Komponisten, die nie den inneren Zusammenhang mit dem Volk und dem Leben verloren haben. Wir sehen mit diesen Großen der Vergangenheit und der Gegenwart die Bühne als eine Stätte der tragischen Idee, als der höchsten, die der menschliche Geist überhaupt zu denken vermag. Sie wird zu dem Ort, den der nordische Mensch benutzt, um die letzten Entscheidungen auszutragen und die heroische Haltung über alles zu setzen.

## Organisatorisches

## Ein Markstein in der Geschichte des Theaters

Otto Laubinger in: *Deutsche Kultur im Neuen Reich – Wesen, Aufgabe und Ziel*, Herausgeber Ernst Adolf Dreyer, Berlin 1934, S. 67.
　　Otto Laubinger, 1892–1935; 1920–33 am Staatstheater Berlin; Hauptrollen: Faust, Egmont, Karl Moor, Fiesco, Peer Gynt u. a. m.; 1932 NSDAP-Mitglied und Leiter der Fachgruppe Theater im nationalsozialistischen Kampfbund für Deutsche Kultur; nach Hitlers Machtergreifung Leiter der Abteilung VI (Theater) im Propagandaministerium und erster Präsident der Reichstheaterkammer; «Die deutsche Nation hat noch niemals eine Regierung besessen, die von ähnlich fanatischem Kulturwillen beseelt war wie die des Volkskanzlers Adolf Hitler» – Otto Laubinger: *Deutscher Wille zur Kunst* in: *Das Theater*, Oktober 1933, S. 94; «... und so hat er [Laubinger] sich geopfert für seinen Führer, für seinen Minister» – Dr. Rainer Schlösser: *Gedenkworte für Otto Laubinger* in: *12-Uhr-Blatt* vom 30. 10. 1935; über Laubinger siehe auch: *Männer im Dritten Reich*, Bremen 1934, S. 138.

Zu den schönsten Erinnerungen meines Lebens wird der 15. 11. 33 gehören, der Tag, an dem in Gegenwart des Führers und der erlesensten Vertreter von Kunst und Wissenschaft mein hochverehrter Minister Dr. Goebbels das Inkrafttreten des Reichskulturkammergesetzes bzw. der ersten grundlegenden Durchführungsverordnung zu diesem Gesetz in feierlichster Form verkündet hat. Es handelt sich hierbei um eine gesetzgeberische Großtat allerersten Ranges, die geradezu einen Markstein in der Geschichte des deutschen Theaters bedeutet. Wer wie ich, aus langem künstlerischen Schaffen heraus, dazu berufen wurde, die Geschicke der deutschen Schauspieler zu lenken und durch Übernahme der Leitung der Theaterabteilung im Reichspropagandaministerium das Theater und alle darin Schaffenden regierungsseitig zu betreuen, kann ermessen, mit wie stolzer Freude und Genugtuung gerade mich der Erlaß des Reichskulturkammergesetzes erfüllt hat.

Die Ideen unseres Führers über den berufsständischen Aufbau haben durch dieses Gesetz Wirklichkeit auf einem der wichtigsten Gebiete des deutschen Kulturlebens gefunden. Es ist also durch das Gesetz ein Doppeltes erreicht worden: einmal die Erfüllung eines wichtigen Programmpunktes der Partei und sodann die Verwirklichung grundlegender Forderungen der Theaterschaffenden aller Art.

## 1933: Ernennungen

*Ernennungen in der Reichstheaterkammer*, in: *Film-Kurier* vom 5. 10. 1933.

Der Reichsminister für Volksaufklärung und Propaganda Dr. Goebbels [1] hat Werner Krauß [2] zum stellvertretenden Präsidenten der Reichstheaterkammer ernannt. Zu Mitgliedern des geschäftsführenden Vorstandes wurden Dr. Schmidt-Leonhardt [3], Ministerialrat im Reichsministerium für Volksaufklärung und Propaganda, und Dr. Otto Leers [4], Präsident des Deutschen Bühnen-Vereins, berufen.

Gleichzeitig gehört auf Anordnung des Herrn Reichsministers Dr. Goebbels Dr. Rainer Schlösser in seiner Eigenschaft als Reichsdramaturg und Pressechef der Reichstheaterkammer dem Präsidium und Vorstand an.[5]

## 1935: Weiterer Ausbau

*Die Reichstheaterkammer*, in: *Kölnische Zeitung* vom 1. 12. 1935, Auszug.

Die Reichstheaterkammer-Leitung bestand 1935 aus Präsident Dr. Rainer Schlösser, Vizepräsident Eugen Klöpfer, Geschäftsführer Eduard Frauenfeld;

1 Dr. Paul Joseph Goebbels, 1897–1945 (durch Selbstmord); ab 1925/26 Gaugeschäftsführer der NSDAP im Ruhrgebiet und Redakteur der *Nationalsozialistischen Briefe*; 1926 NSDAP-Gauleiter Berlin; 1927 Herausgeber des *Angriff*; 1930 NSDAP-Reichspropagandaleiter; 1933 Reichsminister für Volksaufklärung und Propaganda.

2 Werner Krauß, 1884–1959, Staatsschauspieler, sein Name wird noch oft erwähnt werden.

3 Dr. jur. Hans Schmidt-Leonhardt, * 1886; ab 1. 3. 1933 im Reichsministerium für Volksaufklärung und Propaganda; ab November 1933 Geschäftsführer der Reichskulturkammer.

4 Dr. Otto Leers, * 1875; 1926 badischer Minister für Kultus und Unterricht; 1931 geschäftsführender Direktor des *Deutschen Bühnen-Vereins.*

5 Zum Vertreter der *Genossenschaft Deutscher Bühnen-Angehöriger* in der Reichstheaterkammer wurde noch Syndikus Rechtsanwalt und Notar Dr. Gustav Aßmann bestimmt, der, 1887 geboren, Mitglied des NS-Juristenbundes war.

Präsidialrat: Dr. Rainer Schlösser, Eugen Klöpfer, Eduard Frauenfeld, Benno von Arent, Gustaf Gründgens, Prof. Otto Krauss, Lothar Müthel, Bernhard Graf Solms; Landesstellenleiter waren Wilhelm Müller-Scheld, Oskar Walleck, Dr. Hellmuth Will.

Die früher getrennten personellen Vereinigungen der Bühnenangehörigen sind vor wenigen Monaten zur Fachschaft Bühne zusammengeschlossen worden.[1] Weiter gehören der Reichstheaterkammer an: der Einheitsverband der Tanzlehrer, die Vereinigung der Bühnenverleger, der Reichsverband der deutschen Artistik mit seinen vier Unterverbänden und als korporative Mitglieder der Reichsverband der deutschen Freilicht- und Volksschauspiele, das Theater der Jugend, der Bühnennachweis, die Versorgungsanstalt der deutschen Bühnen, die Kameradschaft der deutschen Künstler, der Verein zur Förderung goetheanischer Bühnenkunst und das Institut für Theaterwissenschaft an der Universität Köln.

Geschäftsführer: Frauenfeld.

## 1936: Die endgültige Gliederung

Dr. phil. Gerhard Menz: *Der Aufbau des Kulturstandes*, München/Berlin 1938, S. 35–36; die Leitung der Reichstheaterkammer lag in den Händen der gleichen Mitglieder wie 1935, nur waren noch hinzugekommen: Stellvertretender Geschäftsführer Dr. Oskar Lange, Beauftragter für soziale Angelegenheiten und Altersversorgung Ludwig Körner, Pressereferent Edgar Kutschera.

1936 gab es in Deutschland 291 Theaterunternehmen, von denen 27 Theater als Wander- und Gastspielbühnen galten und 91 kleine reisende Privatunternehmen waren. Die stehenden 181 Theaterunternehmen aber spielten ständig in 207 Häusern, von denen 93 als Kunsttheater, 15 als Vergnügungsstätten und 91 als Kultur- und Vergnügungsstätten zugleich galten. Von den Ländern wurden 18 dieser Theaterunternehmen unterhalten, 69 von den Gemeinden, 34 von gemeinnützigen Vereinen, von anderen öffentlichen Körperschaften drei und siebzehn von der öffentlichen und privaten Hand gemeinsam, während 158 meist kleinere Bühnen Privatunternehmen waren – Dr. G. Menz, a. a. O., S. 40; siehe auch Regierungsassessor Dr. Horst Hoffmann: *Drei Jahre Reichstheaterkammer* in: *Die Bühne*, 1936, S. 707–712.

1 Am 6. 9. 1935 schickte Dr. Goebbels einen Einschreibebrief an die *Genossenschaft Deutscher Bühnen-Angehöriger* und Dr. Schlösser zwei Einschreibebriefe an den *Deutschen Bühnen-Verein* und den *Deutschen Chorsängerverband und Tänzerbund*, in denen die *Auflösung* dieser Verbände oder Vereine bekundet wurde. Nach der Auflösung ist dann die gleichgeschaltete *Fachschaft Bühne* gegründet worden. Siehe Beilage zu: *Der Neue Weg* vom 15. 9. 1935, *Gründungsversammlung der Fachschaft Bühne, Freitag, den 6. 9. 1935, 23 Uhr, im Marmorsaal des Berliner Zoo* und: *Theater-Tageblatt* vom 15. 9. 1935, 19. 10. 1935 und 30. 10. 1935; Leiter der *Fachschaft Bühne* war Dr. Rainer Schlösser, stellvertretender Leiter Hellmuth Steinhaus; Verwaltung: Friedrich Schreiber (Büroleiter), Ruth Stelldinger (Sekretärin); Sitz war Berlin W 62, Keithstr. 11.

Die Organisation der Reichstheaterkammer, die am 1. April 1936 als abgeschlossen erklärt wurde, zeigt eine Durchdringung des Abteilungs- und des Fachschaftsgedankens. Insgesamt bestehen sieben Abteilungen:

 I. Verwaltung, angegliedert die Nachrichtenstelle [1];

 II. Rechtsamt und Zulassungsstelle [2];

 III. Opernreferat [3];

 IV. Fachschaft Bühne mit den acht Fachgruppen [4]:
   1) Theaterveranstalter und Bühnenleiter, 2) künstlerische und technische Bühnenvorstände und -angestellte, Verwaltungsvorstände und -angestellte, Spielwarte und Einhelfer, 3) Schauspieler, Opern- und Operettensänger, Sprecher (Rezitatoren), 4) Chorsänger, 5) Tänzer, 6) Rundfunkangehörige, 7) Lehrpersonal (mit einer Berufsberatungsstelle), 8) Disponenten des Bühnennachweises. Angegliedert sind zwei Rechtsschutzstellen.

 V. Fachschaft Artistik (mit acht Referaten) [5]:

 VI. Fachschaft Tanz mit zwei Fachgruppen [6]:
   1) Leiter von Unterrichtswerkstätten, Tanzpädagogen, Podiumstänzer, Tanzgruppen-, Tanzchor-, Bewegungschorleiter, Tanzregisseure, Choreographen, Tanzschreiber, 2) Gesellschaftstanzlehrer;

 VII. Fachschaft Schausteller mit drei Fachgruppen [7]:
   1) Schaustellunternehmer und Schausteller, 2) Puppenspieler, 3) Zirkusse und Arenen nach Schaustellerart.

## Reichsdramaturg

### Entschließung vom 21. 8. 1933

Der Herr Reichsminister für Volksaufklärung und Propaganda Dr. Goebbels hat folgender Entschließung der Reichstheaterkammer vom 21. September 1933 zugestimmt:

«Es ist eine wichtige Aufgabe des Reichsdramaturgen, die Anwendung der nationalsozialistischen kulturellen Grundsätze in der deutschen Theaterwelt durchzuführen. Um die Theaterbetriebe von der in dieser Hinsicht immer noch dann und wann auftretenden Unsicherheit zu befreien, hat der Herr Reichsminister den Reichsdramaturgen im Reichsministerium für Volksaufklärung und Propaganda, Dr. Rainer

1 Leiter: Regierungsrat Heinrich Hustahn.
2 Leiter des Rechtsamtes: Dr. Oskar Lange; Leiter der Zulassungsstelle: Dr. Gerhard Brückner.
3 Leiter: Bruno von Niessen.
4 Leiter: Berhard Hermann; ausführlicher s. «Porträts», S. 130 f.
5 Leiter: Albert Peter Gleixner.
6 Leiter: August Burger.
7 Leiter: Paul Damm.

Schlösser, ermächtigt und beauftragt, Rat und Auskunft über die Unbedenklichkeit von Bühnenwerken zu erteilen. Der Reichsdramaturg wird diese Aufgabe im Einvernehmen mit der Reichstheaterkammer durchführen.»

## Die Aufgaben der Reichsdramaturgen

Aufsatz von Otto Laubinger in: *Der Autor*, Ende September 1933, S. 4–6, Auszüge; s. a. Dietmar Schmidt: *Der Reichsdramaturg* in: *Völkischer Beobachter* vom 15. 8. 1943.

Praktisch ist seine Bestimmung, die geistige Zentrale der deutschen Spielplangestaltung zu verkörpern, zu Nutz und Frommen der Intendanten und Dramaturgen, der Dramatiker und der Zuschauer, in summa also der ganzen Nation.

In gemeinsamer Arbeit mit allen Befähigten hat er das Theater von der liberalen Willkür der Vergangenheit zu lösen, wobei er, wie sich erweisen wird, kaum nötig haben dürfte, in einem ihm vielfach unterstellten diktatorischen Sinn vorzugehen. Dazu schätzen wir die innere Bereitschaft des neuen deutschen Menschen viel zu hoch ein! Etwaige Besorgnisse der örtlichen Dramaturgen fallen beispielsweise schon dadurch in sich zusammen, daß gerade durch die Berufung eines Reichsdramaturgen die nationalsozialistische Betätigung mit bisher unerhörter Eindringlichkeit hervorgehoben hat. Sie endlich will dieses Amt in die richtigen Hände gelegt wissen, in die Hände von Persönlichkeiten von geistigem Rang und Charakter. Es wäre also widersinnig, die neue, vom Geist künstlerischer Aufgeschlossenheit und nationalsozialistischer Unerbittlichkeit getragenen Institution als eine Art Mißtrauensvotum gegen die einzelnen Dramaturgen anzusehen; ganz im Gegenteil bekundet sie das Vertrauen des Reichs in den Willen aller, gemeinsam mit den Vertrauensmännern des Volkskanzlers und Reichsministers Dr. Goebbels den neuen Kurs völkischer Programmgestaltung sicherzustellen.

So soll der Reichsdramaturg die Kultur der deutschen Bühne gewährleisten und fördern, mit ausgleichender Hand eingreifen, sorgfältig beobachten und insgesamt zur Realisierung des deutschen Nationaltheaters beitragen. Reichsminister Dr. Goebbels hat Dr. Rainer Schlösser mit dieser außerordentlich verantwortungsvollen Aufgabe betraut, der sich beim Auf- und Ausbau des kulturpolitischen Teils des «Völkischen Beobachters» als Treuhänder der Bewegung einerseits und des künstlerischen Menschen andererseits bewährt hat. Da er außerdem eine ausgedehnte kulturpolitische Erfahrung auch in praktischer Hinsicht besitzt, darf er das Vertrauen aller Gutgesinnten beanspruchen.

## «Ein vor 1933 der nationalsozialistischen Bewegung angehörender Bühnenautor»

Erlaß des Reichsdramaturgen vom 26. 1. 1936 in Schrieber-Metten-Collatz: *Das Recht der Reichskulturkammer*, Berlin 1943, Bd. 2, S. 32–33, Auszug.

Hierdurch bitte ich Sie, den Angehörigen Ihrer Fachgruppe unverzüglich folgendes bekanntzugeben.

Einem angesehenen und überdies auch lange vor 1933 der nationalsozialistischen Bewegung angehörenden Bühnenautor ist es vor kurzem passiert, daß er auf ein von ihm eingereichtes (erfolgreich uraufgeführtes) Bühnenwerk von einem großen deutschen Stadttheater genau 11 Monate und 24 Tage nach der Einreichung Bescheid erhielt, und zwar ablehnenden.

Dieser Fall gibt mir Veranlassung, zur Wahrung der berechtigten Interessen der deutschen Bühnenschriftsteller folgendes anzuordnen:

Verlangte oder unverlangte, mit Rückporto oder ohne Rückporto eingesandte Bühnenmanuskripte jeder Art sind von dem zuständigen Bearbeiter (Dramaturg) unter allen Umständen so beschleunigt zu prüfen, daß dem Einsender spätestens vier Wochen nach Eingang ein Bescheid darüber zugeht, ob sein Werk für die betreffende Bühne überhaupt in Frage kommt oder nicht. Im letzteren Fall ist das Manuskript dem Einsender umgehend wieder zuzustellen, im ersten Fall, das heißt, wenn ein Werk ernsthaft zur Diskussion steht, muß eine Entscheidung über Annahme oder Nichtannahme spätestens bis zum Ablauf von zwei Monaten nach der Einsendung getroffen sein.

## Anordnungen

# Nichterneuerung und Kündigung von Verträgen

Anordnung in: *Der Neue Weg* vom 14. 3. 1934.

Viele Theaterleitungen haben es in anerkennenswerter Weise vermieden, durch Nichterneuerung und Kündigung von Verträgen den Arbeitsmarkt der Bühne zu beunruhigen.

Die örtlichen Ausschüsse der Reichstheaterkammer[1] haben daher die an ihrem Theater erfolgende Nichterneuerung und Kündigung von Verträgen, soweit kein gegenseitiges Einverständnis vorliegt, zu überprüfen und der Billigkeit Geltung zu verschaffen. Nicht erledigte Fälle sind mit den ermittelten Tatsachen nach einer begründeten Stellungnahme dem Bezirksausschuß der Reichstheaterkammer[2] zu melden.

1 Später *Obmänner der Fachschaft Bühne*.
2 Später *Landesleiter der Reichstheaterkammer*.

Auch ist die Gesamtzahl der erfolgten Vertragsbeendigungen und eine etwaige Stelleneinsparung mitzuteilen.

## Generalproben

Anordnung der Reichstheaterkammer vom 14. 3. 1934.

Gemäß § 25 der Ersten Durchführungsverordnung zum Reichskultur-kammergesetz vom 1. November 1933 ordne ich hierdurch an, daß sämtliche Berliner Privattheater mir rechtzeitig den Zeitpunkt mitteilen, zu dem Generalproben stattfinden. Ferner sind alle Bühnenleitungen gehalten, in jedem Fall einen genau vorgeschriebenen Fragebogen verbindlich zu beantworten.

## Parteimitglieder und Frontkämpfer

In: *Der Neue Weg*, 1935, S. 371, gekürzt.

Geschäftszeichen:
*B/W 8007/35*   Der Präsident der Reichstheaterkammer
An die      Berlin W 62, den 26. Juni 1935
Genossenschaft der   Keithstr. 11
deutschen Bühnen-Angehörigen Fernsprecher: B 5 Barbarossa 67 83/4
*im Hause*     Postscheckkonto: Berlin 100 79

Zu meinem Bedauern habe ich die Feststellung machen müssen, daß die Engagementsvermittlungen für die kommende Spielzeit fast beendet sind und gleichwohl noch eine große Anzahl Parteimitglieder und Frontkämpfer kein Engagement für die kommende Spielzeit erhalten hat.

Ich weise nochmals auf den Erlaß des Herrn Reichsministers für Volksaufklärung und Propaganda vom 20. Juli 1934 hin, der auch für die Vermittlung des Engagements der kommenden Spielzeit als Grundlage zu gelten hat. Es ergeht daher an alle Theaterleiter die Aufforderung, unter allen Umständen bei noch vorhandenen Vakanzen Parteimitglieder und Frontkämpfer bevorzugt zu berücksichtigen.

Ich erinnere bei dieser Gelegenheit daran, daß eine Vakanzmelde-pflicht besteht und betone erneut, daß es verboten ist, Vakanzen unter Umgehung des Bühnennachweises direkt zu besetzen.

Verboten ist jedenfalls die Inanspruchnahme ausländischer Agenten. Es ist mir bis zum 1. August d. J. mitzuteilen, welche Auslandsreisen die Intendanten bzw. ihre künstlerischen Mitarbeiter im Auftrage der Intendanten im letzten Jahre unternommen haben und welches der Zweck dieser Auslandsreisen gewesen ist.

Heil Hitler!
Im Auftrage
Alfred Frauenfeld

# Schul- und Ausbildungswesen

In: *Die Bühne*, 1935, S. 53, gekürzt.

Zur Regelung des Schul- und Ausbildungswesens für den Bühnenberuf ordne ich hiermit auf Grund des § 25 Abs. 1 der Ersten Durchführungsverordnung zum Reichskulturkammergesetz vom 1. November 1933 (RGBl. I S. 797) folgendes an:

Alle Personen, die Schüler für den Bühnenberuf vorbereiten, müssen durch den Präsidenten der Reichstheaterkammer zugelassen sein. Die Ausübung des Lehrberufs setzt den Besitz einer von dem Präsidenten der Reichstheaterkammer ausgestellten Zulassungsurkunde voraus.

Der Präsident der Reichstheaterkammer hat dem Antrag auf Aufstellung einer Zulassungsurkunde als Bühnenlehrer nur stattzugeben, wenn der Antragsteller die Mitgliedschaft der Reichstheaterkammer besitzt und die Gewähr dafür bietet, daß er seinen Beruf nach bester künstlerischer und sittlicher Überzeugung im Bewußtsein nationaler und sozialer Verantwortung führt.

## Nationale Würde

Auf Grund des § 25 der Ersten Verordnung zur Durchführung des Reichskulturkammergesetzes vom 1. November 1933 ordne ich hierdurch folgendes an:

Der früher in Artistenkreisen vielfach geübte Brauch, sich ausländische Namen zuzulegen, kann nicht mehr als berechtigt und mit der Wahrung nationaler Würde vereinbar angesehen werden.

Ich verbiete daher den deutschen Artisten mit sofortiger Wirkung, sich für die Zukunft ausländische Namen neu zuzulegen. Artisten, die bisher nur unter solchen Namen aufgetreten sind, dürfen diese weiter führen.

Berlin, den 8. Januar 1936      Der Präsident der Reichstheaterkammer
Dr. Schlösser

## Bühnenverlagswesen

In: *Die Bühne*, 1937, S. 574, Auszug.

Auf Grund des § 25 der Ersten Durchführungsverordnung zum Reichskulturkammergesetz vom 1. November 1933 (RGBl. I S. 797) ordne ich hiermit zur Vermeidung des Überhandnehmens von Neugründungen im Bühnenverlagswesen folgendes an:

### § 1

Die Neugründung eines Bühnenverlages setzt den Besitz einer von dem Präsidenten der Reichstheaterkammer ausgestellten Zulassungsurkunde voraus.

### § 2

Der Antrag auf Ausstellung einer Zulassungsurkunde ist bei dem Präsidenten der Reichstheaterkammer unter Beifügung der erforderlichen Unterlagen einzureichen.

### § 3

Dem Antrag auf Ausstellung einer Zulassungsurkunde ist nur stattzugeben, wenn der Antragsteller die Gewähr dafür bietet, daß er seinen Beruf nach bester künstlerischer und sittlicher Überzeugung im Bewußtsein nationaler und sozialer Verantwortung führt.

## Tanzturniere

In: *Deutsche Tanz-Zeitschrift,* 1940, Heft 4, S. 13.

Es wird hierdurch erneut darauf hingewiesen, daß die Veranstaltung von Tanzturnieren des Gesellschaftstanzes in den Rahmen der Zuständigkeit der Reichstheaterkammer, Fachschaft Tanz, fällt. Berufsturniere bedürfen der Genehmigung der Reichstheaterkammer, Fachschaft Tanz. Amateurturniere sind Angelegenheit des Reichsverbandes zur Pflege des Gesellschaftstanzes (korporatives Mitglied der Reichstheaterkammer).

Die Einhaltung dieser Richtlinie ist für alle Mitglieder der Reichstheaterkammer Standespflicht. Im Falle der Zuwiderhandlung können die nach § 10 der Ersten Durchführungsverordnung zum Reichskulturkammergesetz vom 1. November 1933 (RGBl. I S. 797) vorgesehenen Maßnahmen ergriffen werden.

### «Deutsches Bühnen-Jahrbuch»

*Die Welt des Theaters,* in: *Berliner Lokal-Anzeiger* vom 23. 1. 1934, Morgenausgabe, gekürzt.

Das *Deutsche Bühnen-Jahrbuch,* ein theatergeschichtliches Jahr- und Adreßbuch, wurde 1889 gegründet und von der *Genossenschaft Deutscher Bühnen-Angehöriger* herausgegeben; ab 1934 stand es selbstverständlich unter strenger Kontrolle der Reichstheaterkammer.

Jedes Jahr gibt die Bühnengenossenschaft ein Nachschlagewerk heraus, das in Namen und Zahl eine Heerschau über den Theaterbetrieb nicht nur im Reich, sondern in allen deutschsprechenden Ländern bietet. Es führt den offiziellen Titel «Deutsches Bühnen-Jahrbuch», doch in der

Umgangssprache hinter den Kulissen heißt es nur der «Bühnenalmanach».

In diesem Jahr ist das Buch doppelt wichtig, denn noch niemals vollzogen sich in der auch sonst sehr regen und abwechslungsreichen Bühnenwelt so viele und so wichtige Veränderungen wie nach der nationalen Erhebung. Neue Intendanten und neue Direktoren stehen heute an der Spitze. Interessant die statistische Feststellung, daß jetzt zwölf Theater mehr spielen als im Vorjahr, nämlich 248, daß 3600 Schauspieler mehr beschäftigt sind, nämlich 25 663.

Aus der neuen Gegenwart berichten die Gesetze über die Reichskulturkammer und die Reichstheaterkammer, in dem Geleitwort schildert Min.-Rat Otto Laubinger die Entwicklung, die das deutsche Theater bisher im nationalsozialistischen Staat genommen hat, und das Bild des Reichskanzlers, das auf der ersten Seite des Jahrbuches zu sehen ist, zeigt den Protektor, unter dessen Schutz die deutsche Kunst sich heute befindet.

## Verbote

### Der «Alte Fritz»

In: *Rhein-Ruhr-Zeitung*, Duisburg, vom 9. 3. 1937.
  Leiter der *Fachschaft Artistik* war 1937 Albert Peter Gleixner, sein Stellvertreter Hans Bauer.

Berlin, 8. März (Drahtb.).  In einer Anordnung der Fachschaft Artistik in der Reichstheaterkammer wird darauf hingewiesen, daß berühmte Persönlichkeiten der deutschen Geschichte, sowohl aus der Vergangenheit als auch aus der Gegenwart auf den Varietébühnen bzw. in der Zirkusmanege nicht mehr dargestellt werden dürfen. Mimiker beispielsweise dürfen also weder Friedrich den Großen noch Bismarck oder Hindenburg im Varieté, Kabarett usw. verkörpern. Ausnahmen seien nur bei Veranstaltungen von Militärvereinen, SA, SS, NSKK und HJ zulässig, soweit es sich um geschlossene Veranstaltungen handelt und wenn vorher eine Sondergenehmigung der Fachschaft eingeholt wurde.

### Offenbar

In: *Neues Wiener Tageblatt* vom 6. 7. 1937.

Berlin, 5. Juli. Die Fachschaft Artistik der Reichstheaterkammer hat mit sofortiger Wirkung angeordnet, daß in Zukunft jede Vergeudung von Nahrungsmitteln auf Varietébühnen und in Zirkussen bei artistischen Vorführungen verboten sei. Die Verordnung geht auf die Entdeckung zurück, daß trotz dem Vierjahresplan Zauberkünstler und Clowns bei der Darbietung von Kunststücken und Späßen Eier und Milch verschwendet hätten. Da bei diesen Darbietungen offenbar auch politische Anspielungen gemacht worden sind, hat die Fachschaft Artistik gleichzeitig die Erklärung von Zauberkunststücken in jeder Form grundsätzlich verboten.

## Tagungen

## Bühne der Nation

In: *Berliner Lokal-Anzeiger* vom 15. 11. 1933, Morgenausgabe, Auszüge.

Schauspieler aus dem ganzen Deutschen Reich hatten sich gestern nachmittag im Sitzungssaal des Preußischen Landtags versammelt, der kaum Platz für alle bot. Auf der Ministerbank saßen die Ehrengäste: Gerhart Hauptmann [1], der stellvertretende Präsident der Reichstheaterkam , der soeben aus London zurückgekehrte Schauspieler *Werner Krauß* und die beiden Ehrenmitglieder der Bühnengenossenschaft und Senioren der deutschen Schauspielkunst Arthur Kraußneck [2] und Mathieu Pfeil [3] aus Frankfurt. Es war der Auftakt zur Reichsobmänner-Konferenz der Genossenschaft deutscher Bühnenangehöriger, die nun in einer großen Rede ihres Führers, des Ministerialrates Otto Laubinger vom Reichspropagandaministerium, wichtige Mitteilungen über den Aufbau und die Umschichtung des deutschen Theaterlebens empfing.

In seiner großen Rede entwickelte Laubinger die Stellung der deutschen Schauspielerschaft im Dritten Reich. Es sei eine völlig neue Kultur- und geistespolitische Situation, und im berufsständischen Aufbau müßten auch die Schauspieler ihren Mann stellen, denn sie sollen die Träger des stolzen Gedankens vom deutschen National-Theater werden.

Im Namen der Schauspieler dankte Eugen Rex [4] für die große Arbeit, die der Führer der Schauspieler geleistet habe und die den Neuaufbau des Theaters gewährleiste.

1 Gerhart Hauptmann, 1862–1946; erhielt 1912 den Nobelpreis für Literatur; ausführlicher in: *Literatur und Dichtung im Dritten Reich* (Ullstein Buch 33029), S. 154 f.

2 Arthur Kraußneck, 1856–1941, Schauspieler (Held und Liebhaber).

3 Mathieu Pfeil, 1863–1940, Schauspieler (Charakterrollen).

4 Eugen Rex, 1884–1944, Bühnen- und Filmdarsteller, Schriftsteller.

# Eine totale und umfassende Gesamtschau

*Reichsminister Dr. Goebbels vor der Reichstheaterkammer in Hamburg,* in: *Berliner Lokal-Anzeiger* vom 18. 6. 1935, Morgenausgabe, Auszüge; siehe ebenfalls: *Germania* vom 19. 6. 1935 sowie die Goebbels-Rede auf der Jahreskundgebung der Reichstheaterkammer ein Jahr später in: *Berliner Tageszeitung – Der Westen* vom 12. 5. 1936, und die Goebbels-Rede anläßlich des zweihundertsechzigjährigen Bestehens der Hamburgischen Staatsoper in: *Hamburger Tageblatt* vom 24. 10. 1938; wohl das Schwülstigste zum Thema Theater gab Goebbels von sich, als er Dr. Wilhelm Leyhausen zu den Festvorstellungen des Angelos Sikelianos nach Athen schickte und ihn ermächtigte, dort folgende Erklärung abzugeben: «Das junge Deutschland ist der Ansicht, daß es im Sinne des Fortschreitens des menschlichen Geistes handelt, wenn es den Gedanken der Olympiade in vollendeter Weise, d. h. nach dem Wort Friedrich von Schillers ‹Kampf der Wagen und Gesänge›, wiederaufleben zu lassen versucht. Die deutsche Reichsregierung erklärt, daß sie die Olympiade 1936, die das Los ihr als Gastgeberin zuerteilt hat, in diesem Sinne zu erweitern gedenkt. Sie ist entschlossen, alle beteiligten Nationen auch zu einem Wettkampf des Geistes einzuladen. Die Freundschaft unter den Nationen wird letzthin immer nur auf dem Bekenntnis jeder einzelnen Nation zu sich selbst beruhen. Darum schlägt die deutsche Reichsregierung als Kampfgebiet den Bezirk des unveräußerlichen Besitztums einer jeden Nation der Erde vor: die Sprache. Die letzte Kunst der Sprache aber ist das Drama. Jede mitkämpfende Nation soll Zeugnis ablegen von ihrem eigensten Geist und dessen Stellung zu den ewigen Problemen der Menschheit, zu Freiheit, Liebe, Schönheit und Gott.» – in: *Der Autor*, Ende April 1933, S. 3.

Prof. Dr. Wilhelm Leyhausen, * 1887, Begründer der deutschen Sprechchorbewegung, Dramaturg und Übersetzer des Aischylos.

Hamburg, 17. Juni. Die große Kundgebung der Reichstheaterkammer anläßlich der 2. Reichs-Theater-Festwoche in Hamburg am Montagnachmittag erhielt ihre besondere Bedeutung durch eine grundlegende Rede von Reichsminister Dr. Goebbels über das deutsche Kunst- und Kulturleben. Der Minister führte in seiner Rede, die immer wieder von starkem Beifall unterbrochen wurde, u. a. etwa aus:

Es ist bei dieser Jahresversammlung der Reichstheaterkammer meine Pflicht, auf einige Schäden aufmerksam zu machen, die sich im vergangenen Spieljahr innerhalb des deutschen Theaterwesens gezeigt haben. Uns alle bewegt die Sorge um den Spielplan. Ich weiß, wie schwer es ist für einen Theaterleiter, einen Spielplan zusammenzustellen, der den modernen Erfordernissen genügt. Ich muß aber betonen, daß der Spielplan der vergangenen Saison zu ausdruckslos gewesen ist. Der Pendel ist zu stark nach der anderen Seite geschlagen.

So wenig es genügen konnte, daß im ersten Jahre unserer Revolution nun jeder deutsche Theaterleiter nur in Nationalsozialismus machte, so wenig kann es andererseits gebilligt werden, daß heute Theaterleiter vielfach den Versuch unternehmen, vom Nationalsozialismus überhaupt nicht zu reden. Es ist nicht an dem, daß die Ideale unserer Zeit künstlerisch nicht gestaltungsfähig wären. Sie verlangen nur künstlerische Kräfte, die groß genug sind, sie zu gestalten. Nur Klassiker und auf der anderen Seite nur naive Harmlosigkeiten, das ist für unsere Zeit zu wenig. Etwas muß schon hinzukommen. Es ist auch nicht rechtens, in der Not um das zu spielende Stück sich nun in zu starkem Umfang auf das Ausland zu werfen. Die Kalamität hat sich vor allem im Spielplan der Reichshauptstadt bemerkbar gemacht. Die Provinz ist der Reichshauptstadt in dieser Beziehung weit voraus.

Der Nationalsozialismus ist nicht nur eine politische Lehre. Er ist eine totale und umfassende Gesamtschau aller öffentlichen Dinge. Er muß deshalb die selbstverständliche Grundlage unseres gesamten Lebens werden. (Langanhaltende Beifallskundgebungen.)

## Der auserlesene Kreis der Männer

Paul Hoffmann: *Die erste Tagung der Landesleiter in der Reichstheaterkammer zu Berlin vom 23. bis 27. Oktober* in: *Die Bühne*, 1936, S. 642–646, Auszüge.

Paul Hoffmann, * 1902, Schauspieler; sein Bericht hatte auch Folgen, denn A. E. Frauenfeld, der Geschäftsführer der Reichstheaterkammer, fühlte sich beleidigt und schrieb am 12. 12. 1936 an die Schriftleitung der *Bühne*, um sich darüber zu beschweren, daß ihm nur «ganze 4 1/3 Druckzeilen» gewidmet waren. Frauenfeld schloß seinen Brief mit den Worten: «Ich bin mir als Nationalsozialist, der selbst die Theaterverhältnisse etwas kennt, zu gut, um durch einen Herrn Hoffmann, Lehmann, Meyer oder Schulze in dieser Form registriert zu werden»; auch Hans Hinkel und Franz Moraller[1] fühlten sich beleidigt, denn über sie gab es nur eine einzige Zeile. Der Reichsdramaturg Dr. Rainer Schlösser entschuldigte sich deswegen am 12. 12. 1936 brieflich bei Hinkel. Beide Briefe sind im Besitz des Herausgebers.

Überschaut man die gesamte Sitzungsfolge der vier Tage, an denen man zu gemeinsamer Arbeit zusammenkam, so muß zunächst eines festgestellt werden: In diesem auserlesenen Kreise der Männer, die dem Schirmherrn des Theaters im Dritten Reich, Reichsminister Dr. Goebbels, für das Wohl der deutschen Künstlerschaft und das Gedeihen der Theaterkunst im Gesamtrahmen des deutschen Kulturaufbaus verantwortlich sind, wurde mit höchster Offenherzigkeit, mit Weitsicht und verantwortungsvollem Verständnis ebenso über die kulturellen Belange der Bühnenkunst wie über die Nöte und Bedrängnisse der Künstler gesprochen. In der Reichstheaterkammer und insbesondere in ihrem Präsidium sind Persönlichkeiten am Werk, die mit heißester Liebe zur Kunst, mit leidenschaftlichster Einsatzbereitschaft ihre Pflichten und Aufgaben erfül-

---

1 Franz Karl Moraller, * 1903, Geschäftsführer der Reichskulturkammer und Leiter des Reichskulturamtes der NSDAP; SA-Brigadeführer; ab 1939 «Kommissar» des Rowohlt Verlags.

len auf Grund einer wahren und genauen Kenntnis der Erfordernisse des praktischen Bühnenlebens. Sie bieten die zuverlässigste Gewähr für die Bundesgenossenschaft, die – wie Dr. Schlösser in seiner großen, die Tagung einleitenden Rede an die Landesleiter sagte – im nationalsozialistischen Deutschland zwischen Staat, Volk und Kunst besteht, dank dem Führer, in dem sich die hervorragenden staatsmännischen Fähigkeiten mit den künstlerischen vereinen, dank der nationalsozialistischen Regierung überhaupt, die, wie keine andere zuvor, in unmittelbarer Beziehung zu den Dingen der Kunst steht.

Eine besondere Bedeutung gewannen für die Tagung die Ansprachen der Reichskulturwalter Moraller und Hinkel.

Reichskulturwalter Moraller hob hervor, daß die echte Kunst immer aus dem Volkstum wachsen müsse. Er ging ferner auf die Aufgaben des Reichsbundes für Freilicht- und Volksschauspiel ein und betonte, daß es der Sinn solcher Spiele sei, den Einklang zu schaffen zwischen Landschaft, Geschichte, Volksstamm und künstlerischer Gestaltung.

Reichskulturwalter Hinkel gab in einer aus reichster Erfahrung schöpfenden, begeisternden Rede nach Berührung der Rassenfrage den Landesleitern praktische Richtlinien für die Festigung der politischen Gesamthaltung des Bühnenkünstlers. Der Schauspieler steht heute wie jeder andere Künstler unter dem Gesetz der Politik. Den Begriff des unpolitischen Künstlers hat der Nationalsozialismus beseitigt.

Zu Beginn der Tagung wurde an Reichsminister Dr. Goebbels als den Schirmherrn des Theaters im nationalsozialistischen Deutschland folgendes Telegramm geschickt: «Die Landesleiter und die Referenten der Reichstheaterkammer, die zu einer gemeinsamen Reichstagung versammelt sind, grüßen den Schirmherrn und Förderer der deutschen Künstlerschaft und sind glücklich, seinen Weisungen gemäß dem deutschen Volke und seiner Kultur dienen zu dürfen. In unverbrüchlicher Gefolgschaftstreue. Schlösser.»

## Ebenso Künstler wie Staatsmann

*Stellenvermittlung und Bühnennachwuchs*, in: *Frankfurter Zeitung* vom 16. 6. 1937, gekürzt.

kz Düsseldorf, 15. Juni.    Am Dienstagvormittag fand in der Tonhalle eine Tagung der Landesleiter der Reichstheaterkammer und der Obmänner der Fachschaft Bühne statt. Zunächst sprach Ministerialrat Dr. Schlösser, der Präsident der Kammer. Er hielt es für ein besonderes Kennzeichen der diesjährigen Reichstheater-Festwoche, daß über den Nationalsozialismus als allein mögliche Grundlage des Theaters überhaupt nicht mehr gesprochen zu werden brauche. Auch der Geschäftsführer der Reichstheaterkammer, Gauleiter Frauenfeld, beschäftigte sich, nachdem eine Anzahl neuer Landesstellenleiter mit Gelöbnis und Handschlag für ihr Amt vereidigt worden war und dem Präsidenten Dr. Schlösser für die uneigennützig und unauffällig innerhalb der Reichstheaterkammer geleistete Arbeit durch langanhaltenden Beifall herzlich gedankt worden war mit diesen Maßnahmen und anderen aktuellen Fragen der Theaterpraxis. Man werde sich nach einer gewissen Übergangszeit nun wieder des Vermittlungswesens bedienen. Es gelte zu verhindern, daß Agenturen alten Stils wieder auflebten. Schon äußerlich werde man deshalb auf den Unterschied gegenüber früheren Zuständen dadurch bedacht sein, daß es nunmehr «Vermittler» und keine «Agenten» mehr geben werde.

Am Montag nachmittag hatte Dr. Goebbels gesprochen. Zur Einleitung seiner großen Rede wies er daraufhin, wie sehr der nationalsozialistische Staat zu den durch die Kunst aufgeworfenen Problemen eine ganz andere Stellung einnehme, als dies in der Vergangenheit geschehen sei. Der Staat Adolf Hitlers habe eine revolutionäre Umgestaltung unseres Denkens auch insofern gebracht, als er bewußt nicht primär vom Einzelnen, sondern von der Gesamtheit ausgehe und alle Dinge des öffentlichen und privaten Lebens nach ihrem Nutzen oder ihrem Schaden für das Volksganze werte.

Dr. Goebbels legte in diesem Zusammenhang dar, daß die Kunst, in der sich der tiefste Wesensausdruck eines Volkes widerspiegele, im Grunde nicht international sein könne.

Es ist vielleicht das beglückendste Gefühl für jeden künstlerisch empfindenden Menschen, zu wissen, daß an der Spitze des nationalsozialistischen Reichs ein Mann steht, der ebenso Künstler wie Staatsmann ist. Er hat dieser Zeit den dynamischen Schwung gegeben und von seinem Geist und seiner Haltung müssen die Stücke getragen sein, die in Deutschland vor die Öffentlichkeit kommen. Höchste Aufgabe der deutschen Bühne wird sein, dem Nationalsozialismus in dem großen historischen Werk der Umformung und Erziehung unseres Volkes, in dem wir begriffen sind, zu helfen. Dann wird die Bühne auch in Wahrheit wieder eine Tribüne der Zeit sein.

### Reichstheaterakademie

## Ein Hasenclever

Felix Emmel: *Theater aus deutschem Wesen*, Berlin 1937.

Dr. phil. Felix Emmel, * 1888, Theaterkritiker der *Preußischen Jahrbücher*; Direktor und Oberregisseur des Schauspielhauses Düsseldorf.

Walter Hasenclever, 1890–1940 (in der Emigration), Schriftsteller (Lyrik, Bühnendichtung, Roman); Kleist-Preis 1917.

Das deutsche Nationaltheater braucht zu seiner Verwirklichung deutsche Schauspieler, Künstler, die aus deutschem Blut, aus deutscher Seele, aus deutschem Geiste kommen. Um sie organisch aus der deutschen Volkheit auszulesen, dazu bedarf es der Erfassung des gesamten Bühnen-Nachwuchses in einer zu schaffenden Deutschen Theaterakademie. Ihre große nationale Aufgabe ist, den Schauspieler aus deutschem Wesen zu erziehen, ohne den wir ein deutsches Nationaltheater nicht verwirklichen können.

Es gibt zweifellos auch außerhalb des germanischen Raumes echte Theaterbegabungen. Mögen sie noch so exotisch, noch so «interessant», noch so ursprünglich sein, auf der deutschen Bühne haben sie nichts zu suchen. Hier können sie nur unersprießlich, artverwirrend und unfruchtbar wirken. Die Zeiten sind vorbei, in denen ein Hasenclever die Leistungen einer Negerrevue öffentlich als die «Vollendung des schauspielerischen Ideals» anpreisen konnte. Das mag für Neger ganz richtig sein, für uns ist es sinnlos.

## Der mächtigste und verständnisvollste Beschützer

In: *Rhein-Ruhr-Zeitung* vom 14. 6. 1938, gekürzt.

Reichsminister Dr. Goebbels verkündete am Montagnachmittag in der Wiener Staatsoper im Rahmen der jährlich stattfindenden Kundgebungen der Reichstheaterkammer die Gründung einer Reichstheaterakademie als Teil des Weges zum Nationaltheater des Großdeutschen Reiches. Er führte aus:

Es ist das fünfte Mal, daß wir uns zu diesem festlichsten und repräsentativsten Theaterereignis im neuen Reich versammeln. Jede der bisher abgehaltenen Reichstheaterfestwochen hat dem deutschen Theaterleben mächtige und bestimmende Impulse verliehen. Wir sind nicht müde geworden, auf diesen größten Demonstrationen unserer Theaterkultur das deutsche Nationaltheater als Forderung und Ziel zu fixieren. Das war für uns keineswegs eine agitatorische Phrase. Wir waren und sind der Überzeugung, daß Deutschland das Mutterland des Welttheaters überhaupt ist, und es erschien uns als unsere kulturpolitische Aufgabe, ihm diese große theatergeschichtliche Mission auch für die Zukunft zu erhalten.

Keine Zukunft mehr hatte das Theater des vergangenen Systems; denn es war nach der führenden Geldschicht des Systems ausgerichtet. Ist nicht gerade das Wiener Theaterleben aus der jüngsten Vergangenheit ein klassisches Beispiel für die Richtigkeit dieser Beweisführung? Jüdische Künstler und jüdisches Publikum waren maßgebend.

Im Anschluß an diese Punkte kam der Minister zur Proklamation des eigentlichen Programms für das kommende Theaterjahr:

Für den Nachwuchs proklamiere ich am heutigen Tage die Gründung einer großen deutschen Reichstheaterakademie, die analog der schon

gegründeten Reichsfilmakademie die systematische Pflege und Heran-
züchtung eines künstlerischen Nachwuchses für unsere deutschen Bühnen für alle Zeiten sicherstellen soll. Damit entrücken wir die Ausbildung unseres Theaternachwuchses den vielfach noch festzustellenden
dilettantischen und schmierenhaften Bemühungen und stellen sie auf
eine feste, sichere Grundlage.

Im Abschluß seiner Rede wandte Dr. Goebbels sich an die Künstler
der deutschen Theater:

Sie leben heute in einer großen und glücklichen Zeit. Sie sehen über
sich einen Mann als Führer von Volk und Staat, der zur gleichen Zeit
auch Ihr mächtigster und verständnisvollster Beschützer ist. Er liebt die
Künstler, weil er selbst ein Künstler ist. Unter seiner gesegneten Hand
ist nun über Deutschland eine Art von neuem Renaissance-Zeitalter angebrochen.

# Theatergesetz

Das Theatergesetz erschien am 15. 5. 1934, *RGBl.* 1934, I, S. 411; die erste Durchführungsverordnung am 18. 5. 1934, ebd.; die zweite Durchführungsverordnung am 28. 6. 1935, *RGBl.* 1935, I, S. 829; siehe auch: *Reichstheatergesetze*, in: *Frankfurter Zeitung* vom 23. 5. 1934.

## Einheitliches Theatergesetz für alle Bühnen

Als Nachricht in: *Landespost*, Hildesheim, vom 16. 5. 1934.

Das Theatergesetz vollzieht weitgehende grundsätzliche Änderungen im gesamten Theaterleben. Bisher wurde unterschieden zwischen öffentlichen (städtischen und gemeindlichen) und Privat-Theatern, deren Zahl bekanntlich stark zurückgegangen ist. Für die Privattheater galt lediglich das Gewerberecht. Dieser Zustand hat jetzt ein Ende gefunden. An die Stelle der vielgestaltigen tritt jetzt ein einheitliches Theatergesetz. Der Gesetzgeber lehnt es ab, das Theaterunternehmen lediglich als einen Erwerbsbetrieb zu behandeln, sondern er sieht das Theater als eine Anstalt der nationalen Erziehung an.

An Stelle des Gewerberechtes tritt das Kunstrecht, das so ausgebaut ist, daß die deutschen Theater insgesamt zur Erfüllung ihrer künstlerischen Aufgabe unter der Führung des Reichspropagandaministeriums zusammengefaßt werden. In der künstlerischen Freiheit des Theaterveranstalters wird nichts geändert. Führung und Verwaltung des Theaters bleibt Aufgabe des Veranstalters. In den vier Paragraphen des Gesetzes erhält aber der Reichsminister für Propaganda drei wichtige Befugnisse:

1. Das Recht der Zulassung neu hinzutretender Theaterveranstalter. Diese Bestimmung bleibt beschränkt auf die Privat-Theater. Die Möglichkeit einer Zulassungsbestimmung besteht für die bereits amtierenden Theater-Veranstalter, soweit sie den Forderungen der Zuverlässigkeit, der Eignung und der wirtschaftlichen Leistungsfähigkeit nicht entsprechen.

2. erhält der Reichsminister das Bestätigungsrecht für die künstlerisch leitenden Personen, also die Bühnenleiter, die Intendanten, die Theaterdirektoren, die ersten Kapellmeister und die Oberspielleiter. Sie bedürfen also, soweit sie nicht schon im Amte sind, einer Bestätigung. Mangel

an Zuverlässigkeit und Eignung kann auch zur Untersagung der Tätigkeit von bereits amtierenden künstlerischen Leitern führen.

3. erhält der Reichsminister für Propaganda das Recht, die Aufführung bestimmter Stücke zu untersagen durch Verbot oder Absetzung, oder auch Verbot oder Absetzung zu verlangen, wenn es billigerweise den Theaterleitern zugemutet werden kann. Weiter wird bestimmt, daß die Polizeizuständigkeit für die Theater nur auf die Fälle zutrifft, in denen unmittelbare Gefahr für öffentliche Sicherheit und Ordnung droht.

## Charaktere an die Front!

A. Strambowski: *Der Weg zum deutschen Nationaltheater* in: *Westfälischer Kurier* vom 18. 5. 1934, gekürzt.

Anton Strambowski (Pseudonym Alfred Berger), * 1905, Schriftsteller (Bühnendichtung, Epik, Lyrik, Kunstkritik); Redakteur der Kulturabteilung der *Niederschlesischen Tageszeitung* in Liegnitz; siehe auch Dr. Rainer Schlösser: *Theaterrecht* in: *Deutsches Recht* vom 15. 7. 1935, und die Dissertation von Joachim Redder: *Die Führung und Verwaltung des Theaters nach dem neuen deutschen Theaterrecht*, Universität Leipzig 1938.

Der organische Aufbau des Dritten Reiches, auch des neuen deutschen Kulturlebens, wird rüstig gefördert. Während mit der linken Hand den Nörglern und Miesmachern eine Lektion erteilt wird, zimmert die Rechte mit wuchtigen Schlägen weiter am Neubau des deutschen Volks- und Staatslebens. Die Reichsregierung verabschiedete in ihrer letzten Sitzung neun neue Reichsgesetze, von denen das Theatergesetz von weittragender und umwälzender Bedeutung für die Gestaltung der neuen deutschen Kultur sein wird. Dieses Gesetz gilt keinen geringeren Zielen als der mit der Schaffung der Reichstheaterkammer und ihrer Eingliederung in die Reichskulturkammer angebahnten Standwerdung der Theaterschaffenden und der Ausrichtung des Theaterwesens auf das von den besten Geistern lange ersehnte Ideal des Deutschen Nationaltheaters.

Nachdem nun der Frühlingswind der nationalsozialistischen Revolution reinigend auch durch den Tempel Thalias gefahren ist, wird das große, heilige Gebäude des Nationaltheaters errichtet. Wie der Nationalsozialismus eine Angelegenheit des Charakters ist, so kann nur durch die charakterliche Neuformung des Theaters und seiner Menschen die mit Hilfe der Gesetze geschaffene Form mit echtem und wertbeständigem inneren Leben erfüllt werden. Charaktere an die Front! Das ist die Forderung, die insbesonders für die führenden Stellen des deutschen Theaters gilt.

# Betrifft: Vollzug des Theatergesetzes

Erlaß des Reichsministers für Volksaufklärung und Propaganda an die Landesregierungen betr. Vollzug des Theatergesetzes vom 7. 4. 1936 in: Schrieber-
Metten-Collatz: *Das Recht der Reichskulturkammer*, Berlin 1943, Bd. 2, S. 32.

In einzelnen Fällen ist, wie mir berichtet wird, die Zulassung gelegent-
licher Veranstalter von Laienspielen von einer Prüfung des künstlerischen Wertes der Aufführung abhängig gemacht worden. Dieses Verfahren widerspricht meiner Anweisung vom 23. Juli 1935, die in § 4
vorschreibt, daß die Genehmigung für Laienspiele nur dann verweigert
werden kann, wenn im Inhalt der Stücke oder in der Person der Veranstalter politische Bedenken bestehen. Unter politischen Bedenken in
diesem Sinne sind nur solche staatspolitischer Natur zu verstehen (z. B.
Betätigung staatsfeindlicher Elemente als Theaterveranstalter, Aufführung von Stücken staatsfeindlichen Charakters). Eine künstlerische Wertung auf dem Umwege über eine erweiterte Auslegung des Begriffs der
politischen Bedenken hat dagegen zu unterbleiben.

# Andere Lenkungsapparate

## Propagandaministerium

Laut Erlaß des Reichspräsidenten vom 13. 3. 1933 wurde das Reichsministerium für Volksaufklärung und Propaganda als nationalsozialistisches Ministerium gegründet und war gemäß Hitlers Verordnung vom Juni 1933 «für alle Aufgaben der geistigen Einwirkung auf die Nation» zuständig; als seine Außenstellen wurden im Juli 1933 insgesamt einunddreißig Landesstellen für Volksaufklärung und Propaganda eingerichtet, die am 9. 9. 1937 als *Reichspropagandaämter* Reichsbehörden wurden; ausführlicher siehe: *Die bildenden Künste im Dritten Reich* (Ullstein Buch 33030), S. 99 f; die Theaterabteilung des Propagandaministeriums war die Abteilung VI.

Propagandaminister Dr. Goebbels sagte in einer Rede vor den deutschen Theaterleitern im Berliner Hotel Kaiserhof am 8. 5. 1933 u. a. folgendes: «Ich habe nicht die Absicht, etwa das künstlerische Schaffen einzuengen. Wenn irgendwo das Gesetz der Persönlichkeit sich auswirken muß, dann in der Kunst. Wir möchten nur, daß der große Pendelschlag der Zeit an den Toren der Theater nicht haltmacht, sondern daß er in die Theaterräume hineinschlägt, daß der Pendelschlag der Zeit bis in die letzte Künstlerseele hineinklingt und daß der Künstler diese Zeit nicht nur hinnimmt als eine unvermeidliche, ihm im tiefsten seines Herzens unangenehme Notwendigkeit, sondern daß er diese Zeit versteht und in diesem gewaltigen Volksdrama wirklich ein historisch-künstlerisches Ereignis allerersten Ranges erblickt, ein Ereignis, das vielleicht für drei, vier Generationen dem deutschen Künstlertum Impulse, Stoff und Motor geben und sein wird. Um es auf die prägnanteste Formel zu bringen: Wir wollen die Kunst wieder zum Volke führen, um das Volk wieder zur Kunst führen zu können.» – in: *Die Bühne*, 1937, S. 274.

## Theaterabteilung

Georg Wilhelm Müller: *Das Reichsministerium für Volksaufklärung und Propaganda*, Berlin 1940, S. 27–28.

Die Theaterabteilung ist die Führungsabteilung für die gesamte Personal-, Zuschuß- und Spielplanpolitik des deutschen Theaterlebens. Sie ist in sieben Referate gegliedert, deren Aufgaben im folgenden kurz skizziert sind:

a) Personelle Angelegenheiten: Beratung bei der Berufung von Intendanten; Bestätigung von Intendanten und künstlerischen Vorständen unter Mithilfe der Reichspropagandaämter, Reichstheaterkammer, der Länder und Städte als Rechtsträger sowie der Partei; Betreuung der Bühnenschaffenden und des künstlerischen Nachwuchses unter Mitarbeit der Reichstheaterkammer, der Bühnennachweise, Vermittler und Bühnenleiter; Aufsicht über die Reichstheaterkammer.

b) Reichsdramaturgie: Sichtung und Überwachung der gesamten dramatischen Produktion (Schauspiel, Oper und Operette) unter Mithilfe der Bühnenverlegervereinigung; Prüfung und Beeinflussung der Spielpläne sämtlicher deutscher Bühnen; Mithilfe zu Verbindungen zwischen Dichtern bzw. Komponisten und Bühnen.

c) Tanzwesen: Überwachung und Förderung der Einrichtungen, die sich mit der Pflege und Erziehungsarbeit auf den Gebieten des künstlerischen Tanzes, Balletts und Gesellschaftstanzes usw. befassen, unter Mitarbeit der bei a) genannten Stellen.

d) Theaterhaushalt: Bewirtschaftung der Mittel für die Reichstheater; Bearbeitung der Zuschußangelegenheiten der anderen Theater; Betreuung der Wanderbühnen; Förderung der Theaterkultur.

e) Organisation: Vorbereitung und Durchführung der Reichsfestspiele (Heidelberg, Salzburg); Vorbereitung der Reichstheaterfestwochen, der Grabbetage und der Reichstheatertage der HJ; Gesamtabstimmung der Festwochen einzelner Bühnen; Betreuung der Jugend-, Freilicht- und Puppentheater.

f) Theaterrecht: Überwachung des Vollzuges des Theatergesetzes, insbesondere der durch die Reichstheaterkammer erfolgenden Zulassungserteilungen an Theaterunternehmer; Bearbeitung besonderer steuerlicher Angelegenheiten der Theater; Verfolgung der Urheberrechtsfragen; Betreuung des Laienspielwesens und Aufsicht über die Reichstheater.

g) Theaterwesen im Ausland: Bearbeitung sämtlicher repräsentativer Gastspiele im Ausland sowie ausländischer Ensembles und Künstler im Inland; Betreuung deutscher Theater im Ausland.

## Landesstellen

*Landesstellen des Reichsministeriums für Volksaufklärung und Propaganda, in: Der Autor, Februar 1933; am Ende des Aufsatzes sind die einunddreißig Landesstellen mit Anschrift und Namen ihrer Leiter aufgeführt.*

Das Reichsministerium für Volksaufklärung und Propaganda hat 31 über das ganze Reich verteilte Landesstellen geschaffen, in denen die Reichstheaterkammer durch den Leiter und den stellvertretenden Leiter ihres entsprechenden Bezirksausschusses vertreten ist. Leiter eines Bezirksausschusses der Reichstheaterkammer ist jeweils der Bezirksobmann der Genossenschaft der deutschen Bühnenangehörigen, stellvertretender Leiter der Bezirksverbandsvorsitzende des Deutschen Bühnen-Vereins.

Befindet sich am Sitz einer Landesstelle nicht auch der Sitz eines Bezirksausschusses der Reichstheaterkammer, so können zwei am Sitz der Landesstelle wohnhafte Vertrauensleute als Vertreter der Reichstheaterkammer bei der Landesstelle berufen werden, und zwar der Leiter und der stellvertretende Leiter der örtlichen Stelle der Reichstheaterkammer. Leiter einer solchen örtlichen Stelle ist der Leiter des Staats- oder Stadttheaters, stellvertretender Leiter der Obmann der Genossenschaft der deutschen Bühnenangehörigen in dieser Stadt.

### Reichstheaterfestwochen

## Sinn und Aufgabe der Reichstheaterfestwochen

Aufsatz von Dr. Hans Knudsen in: *Deutsche Theater-Zeitung* vom 13. 6. 1937, Spalte 2–3, gekürzt.

Prof. Dr. Hans Knudsen, Theaterwissenschaftler; ausführlicher siehe «Porträts», S. 228 f; unabhängig von den Reichstheaterwochen, die offiziell von Goebbels gesteuert wurden, organisierten Landesleiter des Propagandaministeriums eigene Theaterfestspiele; siehe beispielsweise Otto Riegel: *Zur Gau-Kulturwoche* in: *Blätter der Schauspiele Baden-Baden*, 1937/38, S. 33, oder auch Wilhelm Michael Mund: *Der Marburger Festspielgedanke* in: *Deutsche Theater-Zeitung* vom 9. 6. 1939.

Die Reichs-Theaterfestwoche ist im deutschen Theaterleben die repräsentativste Veranstaltung aus der theaterpolitischen Führung heraus.

Was dem theaterverbundenen Menschen so beglückend erscheint, ist die Tatsache, daß solche Festveranstaltungen deutschen Geistes und deutscher Kunst eben nicht an eine Metropole, eine zentrale Theaterstadt gebunden sein müssen, daß vielmehr eine große Anzahl, ja eine Fülle von Theaterstädten vorhanden ist, die etwas Wesentliches aus ihrer Arbeit zeigen und bieten.

Es muß nicht mit Betonung gesagt werden, daß die Reichs-Theaterfestwoche auch dem lebenden Dichter das Wort gibt. In München wurden im vorigen Jahre drei führende nationalsozialistische Dichter in den Spielplan der Festwoche gestellt.[1] Heute, da man nicht mehr in erster Linie in neues Theaterland vorzustoßen braucht und schon eine bestimmte Aufnahme und Bereitwilligkeit der Theater vorausgesetzt werden kann, ist es wohl schon möglich, einfach einmal das brauchbare, begabte, tüchtige Theaterstück zu zeigen, um das sich junge Talente, die im ersten Wachstum stehen, mit Hingabe bemühen.

1 Hanns Johst mit der Aufführung seines *Thomas Paine*, Friedrich Bethge mit seinem Schauspiel *Der Marsch der Veteranen* und Eberhard Wolfgang Möller mit seinem Drama *Rothschild siegt bei Waterloo*.

Sinn und Aufgabe der Reichs-Theaterfestwochen werden die gleichen bleiben, sie werden uns vor allem das Bewußtsein geben, daß wir ein deutsches Nationaltheater haben, das sich in festlichen Stunden offenbart. Die Formen der Reichs-Theaterfestwoche aber erstarren nicht, sie ändern sich aus der lebendigen Bewegung heraus für das lebendige Theater.

## 1934: Erste Reichstheaterwoche in Dresden

Dr. Walter Rufer: *Erste deutsche Reichstheaterwoche in Dresden* in: *Völkischer Beobachter* vom 6. 4. 1934.

Hitler kam ebenfalls nach Dresden. «Schon frühzeitig fand man sich im schlicht geschmückten Opernhaus zusammen. Auch hier frohe, gespannte Erwartung. Dann kommt der Führer. Ein Sturm von Begeisterung erhebt sich, immer erneut erdröhnt das Haus von Galerie bis Parkett von Heilrufen, für die der Führer freundlich dankt. Lange dauert es, bis sich die Wogen der Erregung gelegt haben, die noch lange hineinzittern in die Ansprache des Reichsministers Dr. Goebbels, die man gespannt lauschend von der Bühne aus entgegennimmt» – in: *Erste Reichstheaterwoche in Dresden,* in: *Bühnenkorrespondenz* vom 30. 5. 1934, Ausgabe A; Goebbels sagte in seiner Rede u. a.: «Die nationalsozialistische Revolution hat auch diese, am Wesen vom wahren Künstlertum vorbeigreifenden Wertungen mit einem radikalen Federstrich beseitigt. Wie sich auf allen anderen Lebensgebieten die eigentliche Deutschheit, die uns bis dahin in den ihr innewohnenden ungeheuren Kraftreserven noch vollkommen unbekannt war, zum Durchbruch verholfen hat, so auch hier» – in Dr. Joseph Goebbels: *Zur ersten Reichstheaterwoche in Dresden* in: *Theater von A–Z,* Berlin 1934, S. XXII e 2.

Noch vor kurzem hätte eine Theaterwoche des Reiches die Bedeutung einer amtlichen Revue gehabt, heute ist sie eine Feier des Volkes. Der nationalsozialistische Staat hat den sinnbildlichen Gemeinschaftscharakter der dramatischen Kunst und ihren unabschätzbaren Wert für die Volkserziehung erkannt. Er rückte das Theater mit einem Schlage aus der Sphäre des Privaten in den Brennpunkt der nationalen Kulturpolitik. Er überläßt seine magischen Wirkungen nicht mehr den Zufälligkeiten des Alltags und den Einflüssen materieller oder individualistischer Bestrebungen. Er übernimmt selbst die Garantie für die künftige Eingliederung der Bühne in den Lebenprozeß einer volksgearteten deutschen Kultur. In diesem Sinne ist die deutsche Reichstheaterwoche in Dresden die erste repräsentative Kundgebung des Dritten Reiches, in der das aktive Verhältnis des Staates zur dramatischen Kunst, sein Wille zu Einsatz, Führung und Verantwortung, zum schöpferischen Ausdruck kommt.

# 1935: Reichstheaterwoche in Hamburg

*Wie steht der Nationalsozialismus zur Kunst,* in der Beilage zu: *Der Neue Weg* vom 15. 7. 1935, gekürzt; siehe auch: *Bedeutsame Rede Hinkels in Hamburg,* in: *Der Angriff* vom 19. 6. 1935 und: *Die Kunst im öffentlichen Leben,* in: *Münchener Zeitung* vom 18. 6. 1935.

Die 2. Reichs-Theaterfestwoche, die vom 16. bis 23. Juni in Hamburg stattfand, wurde zu einem Symbol des Kulturwillens der deutschen Nation und ihres Führers. Ihre Gesamtleitung war von Herrn Reichsminister Dr. Goebbels dem Generalintendanten der Hamburgischen Staatsoper und des Philharmonischen Staatsorchesters, Heinrich K. Strohm, übertragen worden; die organisatorischen Vorbereitungen lagen in den Händen des Vizepräsidenten der Reichstheaterkammer, Reichsdramaturg Oberregierungsrat Dr. Rainer Schlösser. Den Höhepunkt bildete eine groß angelegte, grundsätzliche, von tiefster Sachkenntnis und leidenschaftlicher Anteilnahme zeugende Rede des Herrn Reichsministers für Volksaufklärung und Propaganda, Dr. Joseph Goebbels, über die Bedeutung der Kunst im nationalsozialistischen Deutschland, über deren Grenzen und Möglichkeiten, bisherige Leistungen und künftige Aufgaben Dr. Goebbels anläßlich einer von Beethoven-Klängen unter Generalmusikdirektor Eugen Jochums Leitung umrahmten Kundgebung der Reichstheaterkammer in der Hamburger Musikhalle am Montag, den 17. Juni folgendes ausführte: «Eine richtige Idee wird sich immer durchsetzen, wenn in ihren Dienst gestellt werden richtige Mittel der Macht. Und Macht konnten wir auf keine andere Weise erwerben als durch Eroberung des Volkes. Das Volk wurde dabei nicht allein erobert durch die Ideen, sondern auch durch die Methoden, mit denen die Ideen vorgetragen wurden.

Was wäre diese Bewegung ohne die Propaganda gewesen? Und wohin geriete unser Staat, wenn nicht eine wirklich schöpferische Propaganda ihm heute noch das geistige Gesicht gäbe? Ist die Kunst nicht auch eine Ausdrucksform dieser schöpferischen Gestaltungskraft? Hieße es die Kunst herabwürdigen, wenn man sie in eine Linie stellte mit jener edlen Kunst der Volkspsychologie, die in vorderster Linie das Reich vom Abgrund zurückriß? Mit Theoremen allein kann man in solchen Notzeiten einem Volke nicht helfen; man muß ihm praktische Möglichkeiten geben, ein neues Leben anzufangen. Das haben wir getan, die wir Tag für Tag an der Lösung dieser Aufgaben arbeiten.»

# 1936: Reichstheaterwoche in München

Dr. Wolfgang Nufer: *Zur Lage des deutschen Theater* in: *Die Bühne,* 1936, S. 419, Auszug.

Dr. Wolfgang Nufer war Intendant in Freiburg i. B.

Siehe auch die Literaturbeilage der *Westfälischen Landeszeitung* vom 10. 5. 1936: *Der Führer auf der Reichstheaterwoche*, in: *Neues Theater-Tageblatt* vom 11. 5. 1936 und die Sonderbeilage des *Alemannen* zur Eröffnung der Spielzeit 1936/37 mit Aufsätzen von Dr. Rainer Schlösser, Hans Hinkel u. a. m.

Die vierte Reichstheaterwoche fand vom 13. bis 20. Juni 1937 in Köln, Düsseldorf, Bochum, Duisburg, Essen und Worms statt.

Die Dritte deutsche Reichstheaterwoche war in ihrem geistigen Aufbau und in ihren Darbietungen ein demonstratives Beispiel für den Theaterwillen und das bühnenkünstlerische Vermögen des Dritten Reiches. Sie war eine Schau des Geleisteten und ein Appell für das Kommende. Ohne die Erfolge der beiden vorangegangenen Festwochen – Dresden und Hamburg – zu schmälern, konnte man in München eine offensichtliche Steigerung im Künstlerischen, Organisatorischen und *vor allem* im Weltanschaulichen feststellen. Die Schauspielaufführungen, die der nationalsozialistischen Dramatik vorbehalten blieben, waren in ihrer geschlossenen, durchschlagenden Wirkung ein klares Zeugnis dafür, daß die künstlerische Zielsetzung des Staates der Empfangsbereitschaft eines wieder gesundeten Kunstempfindens der Allgemeinheit bis zum letzten entsprach. Diese weltanschauliche Eindeutigkeit im Künstlerischen erfuhr die kulturpolitische Ergänzung durch die Rede des Reichsministers Dr. Goebbels, die nicht nur Zustand, Sinn und Ziel des deutschen Theaters in großem Überblick darstellte, sondern praktische Einzelheiten, soweit sie von wesentlicher Bedeutung sind, herausgriff und richtungweisend für die Zukunft behandelte.

## 1939: Reichstheaterwoche in Wien

*Kundgebung der Reichstheaterkammer in der Wiener Staatsoper*, in: *Völkischer Beobachter* vom 7. 6. 1939, gekürzt.

Die fünfte Reichstheaterwoche hatte am 12. 6. 1938 bereits ebenfalls in Wien stattgefunden, und Rainer Schlösser sandte mit Ludwig Körner damals folgendes Telegramm an Hitler: «Mein Führer! Allein Ihrer weltgeschichtlichen Tat ist es zu verdanken, daß die fünfte Reichstheaterwoche zur ersten Großdeutschlands wurde. Noch niemals stand der Beginn dieser Festwoche im Zeichen einer solchen Beglückung wie heute in Ihrer wiedergewonnenen Heimat. Wir fühlen uns als Sprecher aller deutschen Bühnenschaffenden, wenn wir Ihnen, mein Führer, in dieser stolzen, unvergeßlichen Stunde die bedingungslose Einsatzbereitschaft für die von Ihnen gesetzten künstlerischen Hochziele verbürgen.» Im Besitz des Herausgebers.

Zum sechsten Male waren die führenden Männer des deutschen Theaters dem Rufe des Präsidenten der Reichskulturkammer, Dr. Goebbels, gefolgt und hatten sich Montagnachmittag in der Wiener Staatsoper versammelt, um die programmatischen Erklärungen des Wahrers und Betreuers deutschen Kunstwillens entgegenzunehmen. Eine große Menschenmenge hatte sich vor dem Operngebäude eingefunden, um dem Minister und seinem Gast aus dem befreundeten Italien, dem Minister für Volkskultur, Alfieri [1], bei ihrer Anfahrt herzliche Ovationen darzubringen.

In dem Parkett des Hauses und in den Logen hatten sich die führenden Männer des deutschen Theaters, aber auch zahlreiche Dichter und Schriftsteller sowie jene Gruppe von 50 Dichtern, die einer Einladung des Reichspropagandaministers zu einer Fahrt nach Wien gefolgt waren, versammelt. Eine fröhliche Stimmung lag über dem Saal, als Generalmusikdirektor Clemens Krauss [2] den Taktstock ergriff, um zunächst die Ouvertüre zu Schuberts «Rosamunde» zu dirigieren.

Sodann begrüßte der Präsident der Reichstheaterkammer, Ludwig Körner [3], die Erschienenen. Er erinnerte an ein Wort, das Reichsminister Dr. Goebbels vor vier Jahren in Hamburg gesprochen hatte und in dem er erklärte, daß der Staatsmann sich nichts höher zur Ehre anrechnen könne, als der Kunst die Wege zu bereiten. Dieses Bekenntnis, so erklärte der Redner, habe die deutschen Künstler ganz erfüllt, und in diesem Sinne dienten sie unter der Führung des Reichsministers der Kunst.

### Amtlicher Preußischer Theaterausschuß

## Das Aufsichtsrecht

*Die Zuständigkeit des Preußischen Theaterausschusses*, in: *Theater-Tageblatt* vom 23. 7. 1933. – Sitz des Ausschusses war das Ministerium für Wissenschaft, Kunst und Volksbildung, Berlin W 8, Unter den Linden 4; Leiter: Hans Hinkel; Stellvertreter: Bernhard Hermann; ständige Ausschußmitglieder: Bernhard Hermann (Kultusministerium), Dr. Otto Leers (Bühnenverein), Wolf Leutheiser (Kultusministerium); beratende Mitglieder: Schauspieler Alfred Abel, Benno von Arent (Kampfbund für Deutsche Kultur), Lothar Eickhoff (Innenministerium), Dr. Walter Günther (Schulverwaltung); korrespondierende Mitglieder: Jürgen von Alten (Dresden), Wilhelm von Holthoff und Max Krauss (Kassel); der Ausschuß unterstand Hermann Göring als Preußischem Ministerpräsidenten und Innenminister – Über diesen Ausschuß siehe auch das Interview mit Hans Hinkel in der ersten Nachmittagsausgabe von *Wolffs Telegraphisches Büro (W. T. B.)* vom 1. 7. 1933 und: *Ministerpräsident Göring über die Preußischen Staatstheater*, in: *Berliner Lokal-Anzeiger* vom 19. 9. 1935, Abendausgabe.

1 Dino Alfieri.
2 Clemens Krauss, siehe: *Musik im Dritten Reich* (Ullstein Buch 33032).
3 Ludwig Körner (Pseudonym für Ludwig Leopold Wilhelm Vivegnis), * 1890; ausführlich siehe «Porträts», S. 104 f.

Ministerpräsident Göring [1] und Staatskommissar Hinkel sprachen heute vor Vertretern der Presse über die Regelung der preußischen Theaterfragen. Ministerpräsident Göring erklärte zunächst die Zuständigkeit des neugebildeten Preußischen Theaterausschusses. Der Preußische Theaterausschuß ist von jetzt an allein zuständig für alle Fragen, bei denen es sich um die Besetzung und Bestätigung leitender Posten im preußischen Theaterwesen handelt. Alle Schreiben und Wünsche von Intendanten, Direktoren, Regisseuren, Dramaturgen und sonstigen Vorständen sind daher künftig an den Preußischen Theater-Ausschuß im Kultusministerium Berlin, Unter den Linden 4, zu richten. Jedes Schreiben an eine andere Stelle ist zwecklos; es verzögert und erschwert nur die Arbeit. Es ist außerordentlich begrüßenswert, daß nun endlich für alle Künstler und Leiter der preußischen Theater eine zentrale Stelle geschaffen worden ist, die ihre Interessen wahrnimmt und entscheidet. Ministerpräsident Göring gab eine klare Gliederung über den Neuaufbau des gesamten preußischen Theaterwesens.

Die erste Gruppe sind die Preußischen Staatstheater. Sie unterstehen seinem Einfluß und seiner Entscheidung in Zusammenarbeit mit dem Kultusminister Rust [2].

Die zweite Gruppe sind die städtischen Theater, für die in den letzten Monaten ernste Gefahren aufgetaucht sind, die Gegenstand großer Sorge für den Ministerpräsident waren. Für alle städtischen Theater hat sich Ministerpräsident Göring als preußischer Innenminister sein Aufsichtsrecht vorbehalten und wird davon bei der Bestätigung aller leitenden Persönlichkeiten Gebrauch machen.

Mit Nachdruck wurde betont, daß es keine andere Stelle als den Preußischen Theaterausschuß mehr gibt, bei der Engagementsfragen erledigt werden können. Gesuche um Einstellung oder Nachprüfung gekündigter Verträge sind nur an diese Stelle zu richten.

1 Hermann Göring, 1893–1946 (durch Selbstmord); 1922 Oberster SA-Führer; 1923 am Hitler-Putsch in München beteiligt; 1932 Reichstagspräsident; 1933 Mitglied der Reichsregierung, Ministerpräsident und Innenminister von Preußen; 1940 Reichsmarschall; 1941 beauftragte Göring den Chef der Sicherheitspolizei und des SD, SS-Gruppenführer Reinhard Heydrich, «alle erforderlichen Vorbereitungen in organisatorischer, sachlicher und materieller Hinsicht zu treffen für die Gesamtlösung der Judenfrage im deutschen Einflußgebiet in Europa», Dokument NG – 2586, womit die *Endlösung der Judenfrage* amtlich eingeleitet wurde.

2 Bernhard Rust, 1883–1944, seit 1922 «völkisch» tätig; ab März 1925 NSDAP-Gauleiter Hannover-Braunschweig; am 4. 2. 1933 kommissarischer Preußischer Kultusminister; am 22. 4. 1933 als Minister bestätigt; am 30. 4. 1933 außerdem zum Reichsminister für Wissenschaft, Erziehung und Volksbildung ernannt.

# Der kulturpolitische Faktor

*Wiener Staatsbühnen*, in: *Berliner Lokal-Anzeiger* vom 24. 11. 1934, Morgen-ausgabe.

Als vor gut einem halben Jahre Ministerpräsident Göring zum *ersten Male* hervorragende Mitglieder der Berliner Staatstheater zu Preußi-schen Kammersängern bzw. Staatsschauspielern ernannte, sahen wir in dieser Ehrung mehr als eine nur rein äußerliche Anerkennung.

Gerade die Zeit bis zur nationalen Erhebung ließ ja deutlich erkennen, wohin eine Mißwirtschaft am Theater führen muß; die Richtungslosig-keit des sogenannten Repertoirs, das Willkürregiment irgendwelcher hochgezüchteter, zuweilen nur vermeintlicher Stars, die Unruhe der Gastspielverpflichtungen, die überbetonte «Originalität» der Regie – dies alles trug dazu bei, daß die Bühne als Tummelplatz wilder Experimente mißbraucht wurde. Nachdem die Staatstheater nun eine feste Führung erhalten haben, ist ein stetiger Aufbau in verantwortungsbewußter Ar-beit gesichert. So vervollkommnet sich denn auch die Ensemblebildung in dem Maße, das eine Besinnung auf die eigentlichen Werte der Kunst vorschreibt. Die soeben gemeldete Ernennung der Viorica Ursuleac[1] zur Kammersängerin und von Hermine Körner[2] und Eugen Klöpfer[3] zu Staatsschauspielern beweist jedenfalls erneut den Willen, die besten darstellerischen Einzelleistungen in ein Ensemble von Rang einzuglie-dern und mit der Handhabung dieses als kulturpolitischer Faktor nicht hoch genug einzuschätzenden künstlerischen Apparates darzutun, daß die Staatsbühnen nicht mehr bloßes Verwaltungsobjekt sind, sondern daß mit ihnen auch wirklich Staat gemacht werden kann.

# Der alte nationalsozialistische Kämpfer Kube

Richard Paul Wilhelm Kube, 1887–1943; Oberpräsident von Brandenburg-Ber-lin und Posen-Westpreußen; ab Juli 1941 Generalkommissar für Weißrußland. Der Brief ist von Dr. Wilhelm Stuckart unterzeichnet, der im Preußischen Kul-tusministerium – damals Sitz des Amtlichen Preußischen Theaterausschusses – tätig war; später wurde Stuckart Staatssekretär im Reichsinnenministerium und gab 1936 zusammen mit Dr. Hans Globke den Kommentare zu den *Nürn-berger Gesetzen* heraus. – Wenn der Ostgotenkönig Totila damals auf die Bühne gebracht werden sollte, besagt das wenig, denn hinsichtlich der Theater-programme herrschte ein absolutes Chaos. Eckart von Naso – *Ich liebe das Le-ben*, Hamburg 1953, S. 618 – berichtet beispielsweise: «Es gab überhaupt viele

1 Viorica Ursuleac, *1899.
2 Hermine Körner, 1882–1960, Schauspielerin, Regisseurin, Theaterleiterin.
3 Eugen Klöpfer, 1886–1950, Vizepräsident der Reichstheaterkammer und Reichskultursenatsmitglied; im Sommer 1936 wurde er zum Generalintendan-ten der vereinigten Bühnen ernannt.

komische Dinge in jener Zeit. So war anfangs Karl der Große als dramatische Figur verboten, dem Vernehmen nach, weil er sich als Sachsenschlächter artfremd erwiesen und mit christlichem Chauvinismus geschlachtet hätte. Dann überzeugte man sich, daß er doch wohl einiges für die deutschen Belange geleistet habe: Carolus Magnus war wieder erwünscht. Unverfänglich hingegen und als ‹Führerparole› ausgegeben war Cromwell. Wahre Pilz-Kulturen von Cromwells schossen aus der Erde. Auch Julius Caesar schien sehr gefragt, obwohl er doch ein bedenkliches Ende genommen hatte.»

Der alte nationalsozialistische Kämpfer und jetzige Oberpräsident Kube hat ein Schauspiel «Totila» geschrieben, das in einer Reihe anderer Städte bereits zum x-ten Male mit großem Erfolg zur Aufführung gelangt ist. In Berlin war es bisher noch nicht möglich, das Schauspiel aufzuführen.

Ich bitte, sofort die notwendigen Schritte zu tun, daß Kubes Schauspiel auch in Berlin zur Aufführung kommt.

*Frist: 3 Tage*

Berlin, den 12. Januar 1934                                          Stuckart

### Kampfbund für Deutsche Kultur

Der *Kampfbund für Deutsche Kultur* wurde am 19. 12. 1928 von Alfred Rosenberg in München mit dem Ziel gegründet, «gegen die kulturzersetzenden Bestrebungen des Liberalismus» anzukämpfen; im Mai 1933 ist er offiziell als Kulturorganisation der NSDAP anerkannt worden; Reichsorganisationsleiter wurde Hans Hinkel, Landesleiter für Berlin Erich Kochanowski; Sitz des Bundes war das Berliner Schloß; Reichsfachgruppenleiter für die Theaterabteilung des Bundes wurde Dr. Walter Stang.

## Rettung und Erneuerung

Dr. Walter Stang: *Die Grundsteinlegung zum Neuaufbau des deutschen Theaters*, in: *Der Neue Weg* vom 20. 4. 1933, S. 125–126, Auszüge.
Dr. phil. Walter Stang war Leiter der *Nationalsozialistischen Kulturgemeinde*, Leiter des Amtes für Kunstpflege beim Beauftragten des Führers für die gesamte geistige und weltanschauliche Erziehung der NSDAP (Amt Rosenberg) und Leiter des Instituts für Kunstwissenschaft an der Universität Bonn.

Schon seit einer Reihe von Jahren hat die Theaterabteilung des Kampfbundes für deutsche Kultur wesentliche Vorbereitungsarbeit für die inhaltliche Erneuerung des deutschen Theaters geleistet. Insbesondere hat ihr dramaturgisches Büro aus der dramatischen Produktion der Gegenwart und jüngeren Vergangenheit einen deutschen Spielplan herauszustellen begonnen, der, allen Bedürfnissen volkstümlicher Theaterpflege gleichermaßen Rechnung tragend, im Stoff, in der Problemwelt, in der Charakterhaltung der Werke den deutschen Menschen von heute unmittelbar angeht. In nächster Zeit wird das dramaturgische Büro noch bedeutend ausgebaut, so daß die gesamte deutsche Gegenwartsproduktion fortlaufend überprüft werden kann. Auch die klassische und ältere Literatur wird unter dem Gesichtspunkt ihres Gegenwartswertes einbezogen.

Aus diesen Gründen ist die Eingliederung aller Besucherorganisationen, die sich auf den Boden der nationalen Erhebung stellen, und ihre Unterordnung unter die Richtlinien des Reichsverbandes eine unabweisbare Notwendigkeit. Es kann heute nicht mehr um Prestige-Fragen, um Gruppen- oder persönliche Interessen gefeilscht werden. Es geht um letzte Dinge und letzte Ziele, um Rettung und Erneuerung des deutschen Theaters im Geiste der nationalen Revolution, deren klare und unbedingte Vertretung der Reichsverband «Deutsche Bühne e. V. im KfDK» darstellt.

## Wesens- und artgemäß

*Richtlinien für eine lebendige deutsche Spielplangestaltung, aufgestellt vom dramaturgischen Büro des Kampfbundes für Deutsche Kultur*, in: *Die Deutsche Bühne*, September-Sondernummer 1933, S. 45, Auszug.

Der Spielplan eines deutschen Theaters muß einem deutschen Publikum wesens- und artgemäß sein; d. h. die dargebotenen Werke müssen in ihrer geistigen Haltung, in ihren Menschen und deren Schicksalen deutschem Empfinden, deutschen Anschauungen, deutschem Wollen und Sehnen, deutschem Lebensernst und deutschem Humor entsprechen.

Da das Werk des Dichters nicht von seiner Persönlichkeit und seiner blutgebundenen Wesensart zu trennen ist, dürfen auf einer deutschen Bühne in erster Linie nur deutschblütige Dichter zu Worte kommen, die ihre deutsche Art nicht verleugnen. Das deutsche Theater darf nicht mehr wie bisher der Tummelplatz artfremden oder in nationaler Beziehung charakterlosen Geistes sein. Insbesondere ist Schluß zu machen mit der einseitigen Pflege jüdischer oder halbjüdischer Autoren, die vor allem mit leichten Lustspielen und Schwänken bisher den Spielplan beherrschten und durch ihre Werke dem deutschen Publikum in unerträglicher Anmaßung jüdisches Fühlen und Denken einimpften. In dem Verlust seines völkischen Charakters, besonders im letzten Jahrzehnt, ist ein Hauptgrund der um sich greifenden Gleichgültigkeit, ja instinktiven Abneigung des breiten Volkes gegen das Theater zu suchen.

# Deutsche Bühne

In: *Die Neue Literatur*, Juni 1933, S. 364. Die *Deutsche Bühne* wurde am 21. 3. 1933 als Zweigstelle des *Kampfbundes für Deutsche Kultur* gegründet und war gleichzeitig als einzige von der NSDAP zugelassene Theaterbesucherorganisation die gleichgeschaltete Nachfolgerin des bis 1933 existierenden *Verbandes der deutschen Volksbühnenvereine*, der 1932 allein 290 Vereine mit rund 350 000 Mitgliedern umfaßte; Reichsleiter der *Deutschen Bühne* war Dr. Walter Stang, ihre Zeitschriften hießen: *Die Deutsche Bühne, Bausteine zum deutschen Nationaltheater* und *Deutsche Bühnenkorrespondenz*; die *Deutsche Bühne* hatte fünfzehn Landesgeschäftsstellen.

Zum Thema *Deutsche Bühne* siehe auch: *Der Aufbau der Deutschen Bühne* und: *Das lebendige deutsche Theater*, in: *Berliner Lokal-Anzeiger* vom 10. 7. 1933 und 9. 9. 1933; *Kultusminister Rust: Aufstieg der deutschen Bühne*, in: *Film-Kurier* vom 28. 8. 1933; Dr. Walter Stang: *Die kulturelle Bedeutung des Reichsverbandes Deutsche Bühne e. V. im Kampfbund für Deutsche Kultur* in: *Die Deutsche Bühne*, September 1933, Sondernummer, S. 32–37; Carl Maria Holzapfel: *Rückblick auf die erste Reichstagung der Deutschen Bühne in Eisenach*, ebd. Oktober 1933, S. 67–70; *Deutsche Bühne*, ebd. Februar 1934, Doppelheft, S. 4; *Aussagen vom Stabschef der SA, Ernst Röhm, Erwin Guido Kolbenheyer, Edwin Erich Dwinger, Hans Grimm, Max Halbe u. a.*, in: *Die Theatergemeinde Deutsche Bühne München e. V.*, Oktober 1933, S. 1–10; *Neuordnung im Theaterbesuch*, in: *Deutsche Bühnenkorrespondenz* vom 10. 2. 1934; *Ich hab's gewagt*, ebd. am 23. 6. 1934; *An alle im Theater und für das Theater Schaffenden*, in: *Bausteine zum deutschen Nationaltheater*, Mai/Juni 1934, S. 129.

Dr. Stang, der Reichsleiter des Reichsverbandes Deutsche Bühne und Leiter der Reichszentrale für Theaterwesen im Kampfbund für deutsche Kultur, gibt folgende Anordnung bekannt:

«Im Interesse des deutschen Theaterlebens und der Erhaltung unserer wertvollen Kunststätten müssen die vorhandenen Besucherstämme, die in verschiedenen Besuchervereinen, wie Bühnenvolksbund und Freie Volksbühne, vereinigt sind, unter allen Umständen erhalten bleiben, jedoch baldigst in die später allein maßgebende ‹Deutsche Bühne› eingegliedert werden. Die Überführung dieser Vereine in den Reichsverband ‹Deutsche Bühne› soll mit aller gebotenen Sorgfalt vollzogen werden, damit nicht Verbände zerschlagen werden, ohne daß zugleich für eine fernere Betreuung der Mitglieder gesorgt ist. Die Gleichschaltung soll nicht mechanisch, sondern organisch erfolgen, damit bis spätestens zum Herbst d. J. die einheitliche und allein von der NSDAP anerkannte ‹Deutsche Bühne› als ein schlagkräftiges und für die Zukunft deutscher Bühnenkunst entscheidend wichtiges Instrument vollendet wird. Mit der organischen Eingliederung und Gleichschaltung ist der Schriftsteller Karl August Walther [1] als Reichsorganisationsleiter eingesetzt, an den man

---

1 Karl August Walther, * 1902, Schriftsteller (Erzähler, Essay, Lyrik, Kunstkritik).

sich ausschließlich zu wenden hat, bevor irgendwelche Aktionen unternommen werden. (Anschrift: Deutsche Bühne, Abteilung Reichsorganisation, Berlin NW 40, In den Zelten 21 a).»

## Abkommen mit «Kraft durch Freude»

*Abkommen zwischen Kraft durch Freude und Deutsche Bühne,* in: *Deutsche Bühnenkorrespondenz* vom 18. 4. 1934, S. 1; *Kraft durch Freude* = KdF, am 27. 11. 1933 ins Leben gerufene Gliederung der *Deutschen Arbeitsfront (DAF),* war laut Verordnung vom 24. 10. 1934 eine NSDAP-Gliederung im Sinne des Gesetzes über die «Sicherung und Einheit von Partei und Staat» vom 1. 12. 1933; offizielle Aufgabe der *Deutschen Arbeitsfront* war, «den Arbeitsfrieden im Sinne der nationalsozialistischen Gemeinschaftsidee zu sichern». Im gleichen Sinne war auch *Kraft durch Freude* sehr aktiv.

Zwischen der Organisationsleitung der NS-Gemeinschaft «Kraft durch Freude» in der Deutschen Arbeitsfront und dem Reichsverband «Deutsche Bühne» ist folgendes Abkommen getroffen worden: Innerhalb des Kulturamtes der NS-Gemeinschaft «Kraft durch Freude» wird eine Besucherorganisation gegründet. Diese wird von der Leitung des Reichsverbandes «Deutsche Bühne» besetzt und verwaltet.

Berlin, 14. April 1934    gez.: Claus Selzner [1]    gez.: Dr. Walter Stang

Mit diesem bedeutungsvollen Abkommen ist das allerseits erstrebte engste Zusammenwirken zwischen der parteiamtlich anerkannten «Deutschen Bühne» und der «Deutschen Arbeitsfront» im Sinne der letzten Verfügung des Stabsleiters Dr. Ley [2] gesichert. Ein weiterer Schritt, das ganze schaffende Volk am Aufbau des deutschen Theaters (Konzert- und Filmwesen) teilnehmen zu lassen, ist getan! Wir glauben, daß alle Theaterleiter das getroffene Abkommen freudig begrüßen werden, können sie doch dadurch der kommenden Spielzeit mit Zuversicht entgegenblicken.

1 Claus Selzner, * 1899, Organisationsleiter der NSDAP; stellvertretender Leiter der *Nationalsozialistischen Betriebszellenorganisation (NSBO)*; Organisationsleiter der *Deutschen Arbeitsfront*; SA-Führer und Mitglied des Reichstags.

2 Dr. Robert Ley, 1890–1945 (durch Selbstmord): NSDAP-Gauleiter im Rheinland; 1933 Reichsorganisationsleiter der NSDAP und Führer der *Deutschen Arbeitsfront.*

# Im Sinne nationalsozialistischer Weltanschauung

Carl Maria Holzapfel: *Aufbruch zum Nationaltheater* in: *Bausteine zum deutschen Nationaltheater*, April/Mai 1934, S. 115, Auszug.
  Carl Maria Holzapfel, * 1890, Schriftsteller (Lyrik, Märchenspiel); Leiter des Reichsamtes *Feierabend* bei *Kraft durch Freude*; siehe: *Literatur und Dichtung im Dritten Reich* (Ullstein Buch 33029), S. 346 (2), 405, 413.

Heute, nach ungefähr einem Jahr, umfaßt der Reichsverband Deutsche Bühne mit seinen mehr als 700 Ortsgruppen über 600 000 Erwachsene, dazu 300 000 Jugendliche. Die Deutsche Bühne hat das Erbe der früheren Besucherorganisationen, Volksbühne und Bühnenvolksbund, nicht ohne weiteres übernommen. Sie hat diese beiden eingeschmolzen, nicht den verbilligten Theaterkartenbezug in den Vordergrund gestellt, sondern die seelische Erneuerung des Einzelnen, seine Auflockerung zum Zwecke der Aufnahmebereitschaft für eine neue deutsche Kunst.
  Für diesen Kampf brachte der Leiter des Reichsverbandes Deutsche Bühne Dr. Walter Stang, wertvolle Voraussetzungen mit. Er hatte bereits im Herbst 1929 im Rahmen des Kampfbundes für Deutsche Kultur ein Dramaturgisches Büro gegründet, dessen Sinn und Aufgabe in einem Aufsatz der «Deutschen Bühnenkorrespondenz» (Heft 1 und 2 1932) eingehend niedergelegt sind. Nicht minder wertvoll ist das in klarer Erkennung notwendiger theaterpolitischer Erneuerung von Dr. Stang gegründete Theaterpolitische Archiv. Auch die Notwendigkeit, einen eigenen Bühnenvertrieb zu gründen, hat er rechtzeitig erkannt und so die theaterpolitischen Bestrebungen nach der praktischen Seite ergänzt. Diese zum Teil lange vor der Errichtung des Reichsverbandes im Sinne nationalsozialistischer Weltanschauung erfolgten Gründungen bilden heute einen wesentlichen Teil der Deutschen Bühne.

## NS-Kulturgemeinde

Wenn ausgesprochen nationalsozialistische Organisationen von der Gleichschaltung betroffen wurden, nannte man das im NS-Jargon «Zusammenlegung» oder «einheitlicher Kulturwille»; die *Nationalsozialistische Kulturgemeinde (NSKG)* entstand 1934 aus der Verbindung der Deutschen Bühne mit dem Kampfbund für Deutsche Kultur und wurde vom Amt Kunstpflege beim Beauftragten des Führers für die geistige und weltanschauliche Erziehung der NSDAP, Alfred Rosenberg, «betreut»; ihr Leiter war auch hier Dr. Walter Stang; Rosenberg, dessen Hauptwerk *Der Mythus des 20. Jahrhunderts* 1941 eine Auflage von 950 000 Exemplaren erreichte, hielt sich für den Chefideologen des Nationalsozialismus und fühlte sich durch die hektische Emsigkeit von Dr. Goebbels bei der Steuerung der Kunst übergangen; deshalb gründete er die NS-Kulturgemeinde als sein eigenes Werkzeug für die Lenkung der Kunst im Dritten Reich.
– Weitere Angaben über die Ziele der NS-Kulturgemeinde siehe: *Die Aufgaben der NS-Kulturgemeinde*, in: *Die Deutsche Bühne*, November 1934, S. 7; Dr.

Werner Kurz: *Theaterpolitik innerhalb der NS-Kulturgemeinde* in: *Bausteine zum deutschen Nationaltheater*, August 1935, S. 225–229; *In einer Front*, in: *Deutsche Bühnenkorrespondenz* vom 29. 12. 1934, S. 3.

## Die Marschroute

In: *Die Deutsche Bühne*, Oktober 1934, S. 1.

Wieder ist unter nationalsozialistischer Führung ein großes Einigungswerk gelungen. Sind schon im ersten Jahr der Wende die früher kulturpolitisch getrennt marschierenden Theaterbesucher-Organisationen in der Deutschen Bühne zu einer Marschroute gebracht worden, hat schon im vorigen Jahr der Kampfbund für deutsche Kultur verschiedenste Strebungen und Verbände in der Blickrichtung auf die nationalsozialistische Weltanschauung zusammengefaßt, so wurde dieses Werk nun gekrönt: Die Deutsche Bühne und der Kampfbund für deutsche Kultur sind vereinigt in der NS-Kulturgemeinde; die NS-Kulturgemeinde ist eingebaut in die NS-Gemeinschaft «Kraft durch Freude», der Kulturwille des Dritten Reiches findet in einer großen Organisation seine Verkörperung!

Den damit eingeleiteten innerlichen Neubau Deutschlands nach allen Kräften zu unterstützen ist nun heiligste Pflicht jedes Volksgenossen! Der ruhmvolle Weg unseres Volkes durch die Jahrtausende, die Achtung, die man uns in der Welt nicht versagen kann, hat den letzten Grund in dem inneren Wert der deutschen Nation, der in ihren gewaltigen Kulturleistungen seinen erhabenen Ausdruck fand.

Unsere Zukunft hängt wesentlich von unserem unbeugsamen Willen ab, alles geistige und seelische Streben unseres Volkes nach all unseren Kräften zu unterstützen. Diese Unterstützung muß in erster Linie bestehen in der Mitarbeit bei der NS-Kulturgemeinde. In einer Mitarbeit, bei der sich der einzelne nicht mehr fühlt als ein Abonnent, der möglichst billig ins Theater und Konzert kommen will, sondern als Kämpfer für Ehre, Blut und Boden seines Volkes, als Hüter der edelsten rassischen Erbanlagen und damit als Helfer am Bau eines neuen großen Reiches.

Der Gauobmann der NSKG
Ludwig Schrott

## Dreßler-Andreß berichtet

Horst Dreßler-Andreß, * 1899; in seiner offiziellen Parteibiographie steht: «Theoretischer Begründer einer nationalsozialistischen Theaterpolitik, seit 1929 Begründer und Führer der nationalsozialistischen Rundfunkpolitik; 1930 Gründer der ‹NS-Gruppenbewegung der Künstler und geistigen Arbeiter›; ab 1933 Leiter des gesamten deutschen Rundfunkwesens und der Abteilung III (Rundfunk) im Propagandaministerium; ausführlicher über ihn in: *Presse und Funk im Dritten Reich* (Ullstein Buch 33028).

Zur weiteren Aufklärung: Am 7. 6. 1935 hielt Alfred Rosenberg eine «richtunggebende» Rede auf der Reichstagung der NS-Kulturgemeinde in Düsseldorf, Wortlaut in: *Deutsche Bühnenkorrespondenz* vom 15. 6. 1935; an sich ist die Rede eine der üblichen weltanschaulichen Predigten Rosenbergs, und wenn Dreßler-Andreß sich darüber aufregte, so nur des internen Kampfes zwischen Rosenberg und Goebbels wegen; einen ausführlichen Bericht über die sieben Tage dauernde Tagung veröffentlichte Hanns Martin Elster in: *Der Neue Weg* vom 15. 7. 1935, S. 320–321.

Abteilung III
DRA/Oe.

*Eilt sehr!*                                            Berlin, den 8. Juni 1935

In Düsseldorf bei der Reichstagung der NS-Kulturgemeinde herrschte Karnevalsstimmung. Bis in die frühen Morgenstunden des 8. Juni hinein wurden die Becher geschwungen und auf die sterbende Kulturkammer angestoßen. Alle Teilnehmer der Reichstagung waren von der Rede Alfred Rosenbergs überrascht. Eine so scharfe Stellungnahme gegen die staatlichen Institutionen der Kunstpolitik hatte niemand erwartet. Man faßte die Düsseldorfer Tagung als den Anfang einer großangelegten organisatorischen Opposition gegen das Propagandaministerium und die Kulturkammer auf. Skeptiker, die bisher zu uns hielten und zur Teilnahme an der Tagung nach Düsseldorf gefahren sind, erklären, daß die Veranstaltungen sehr viel Schwung haben und wegen der forcierten oppositionellen Stimmung einen konzentrierten Eindruck machen. Man hält Berlin für aktionsunfähig und zu schwach. Die Düsseldorfer haben erkannt, daß man mit den Massen arbeiten muß und werfen primitive Parolen ins Volk.

Der Angriff gegen «ein gewisses Gremium», das unfähig sei, einen geeigneten dramatischen Dichter für den Staatspreis ausfindig zu machen, wurde mit großer Begeisterung aufgenommen, weil es den Massen unbekannt war, daß die Verteilung des Staatspreises an bestimmte Bedingungen geknüpft ist, u. a. an die Zeit, in welcher ein Werk erscheint.

Die Kulturgemeinde wird nunmehr von Düsseldorf aus eine Propaganda-Lawine gegen uns abrollen lassen – und wenn wir nicht sofort mit gegenpropagandistischen Maßnahmen antworten, das ganze Volk stimmungs- und willensmäßig gegen uns aufbringen. Innerhalb der Künstlerorganisationen, auf denen unsere Kammer aufgebaut sind, mehren sich die Stimmen, die zur Kulturgemeinde drängen. Ich rechne damit, daß noch in diesem Herbst aus Künstlerkreisen heraus bei der Kulturgemeinde der Antrag gestellt wird, in Verbindung mit der «Deutschen Arbeitsfront» die Berufung der Künstler neu zu organisieren.

Man wird weiter versuchen, durch negative Kritik beim Stellvertreter des Führers und schließlich auch durch Vorstellungen beim Führer selbst, die Reorganisation der deutschen Kunstpolitik als Notwendigkeit zu betonen, wobei man sich auf die Entwürfe der Kulturgemeinde, die m. W. jetzt schon vorbereitet werden, stützen dürfte.

Die ganze Sache ist bereits einigermaßen kompliziert. Die taktisch klügsten Männer, die das Propagandaministerium und die Kulturkammer zur Verfügung haben, müssen m. E. jetzt nach vorn. Nach neuen organisatorischen Vorstellungen und mit wuchtiger Propaganda muß schleunigst gegengearbeitet werden, wenn wir nicht unter die Räder kommen wollen. Um bestehen zu können und vorwärts zu kommen, sind außerordentliche Vollmachten an diejenigen zu geben, die jetzt und in den nächsten Monaten noch in der Lage sein dürften, die Initiative an uns zu reißen.

Heil Hitler!
Dreßler-Andreß

## Abteilung: Volkstum und Heimat

Dr. Heinz Schmidt: *Bauerntum als Volkskultur* in: *Deutsche Bühnenkorrespondenz* vom 17. 11. 1934, S. 3–4, Auszüge. Am sogenannten *Tag des deutschen Bauern* veranstaltete die Abteilung *Volkstum und Heimat* eifrig Vorstellungen; schon am 1. 10. 1933 hatten die NS-Manager mit 220 Sonderzügen eine halbe Million Bauern zum Bückeberg bei Hameln geschafft; 1934 sollten beim gleichen Anlaß 700 000 Bauern «betreut» werden, und 1935 und 1936 eine Million.

Von Urzeiten her liefert der Bauer die materielle Grundlage des Lebens, das tägliche Brot. Wenn daher jetzt die Arbeit des deutschen Bauern besonders hervorgehoben wird, so wird das nicht getan, um etwa die Leistung der einzelnen Berufsstände der Bauern, Arbeiter, Handwerker, Geistesarbeiter gegeneinander abzuzwängen. Nein, die Betonung des besonderen Wertes der Bauernarbeit entspringt der Erkenntnis, daß die Bauernarbeit der Nährboden aller anderen Arbeit ist.

Wie die Bauernarbeit die Wurzel aller Arbeit, das Bauerntum die Wurzel des Volkstums ist, so ist das Volkstum wieder Urgrund aller Kultur. Darum ist ein Kulturschaffen nur möglich aus den Quellen des Volkstums. Aus dieser Erkenntnis heraus arbeitet die Abteilung Volkstum und Heimat im Amt NS-Kulturgemeinde an der Schaffung einer wahren und echten Volkskultur, die Volkstum und Kultur als organisch zueinander gehörende Begriffe in sich vereinigt.

# Reichsbund der deutschen Freilicht- und Volksschauspiele

# Unterordnung

Aus der Rede des Reichstheaterkammer-Präsidenten auf der Tagung des Bundesausschusses des *Reichsbundes der deutschen Freilicht- und Volksschauspiele* am 22. und 23. 1. 1934 in Berlin in: *Der Neue Weg* vom 15. 2. 1934, S. 46–47, Auszüge.

Sitz des *Reichsbundes der deutschen Freilicht- und Volksschauspiele e. V.* war Berlin W 8, Kronenstraße 7; Schirmherr war Dr. Goebbels, Präsident SA-Oberführer Franz Moraller, ständiger Vertreter des Präsidenten und der Geschäftsführung ebenfalls Franz Moraller; verantwortlich für Dramaturgie und Nachrichten waren Dr. Josef Herzog und Franz Georg Klingbeil, für die Verwaltung Hinrich Grensemann (Reg.-Ob.-Inspektor im Propagandaministerium), für technische Beratung Otto König (Referent in der Reichskulturkammer), für die Kanzlei Theodor Heinrich, Anneliese Wolff, Ida Grensemann, für die Registratur Oswald Semper.

Über den *Reichsbund der deutschen Freilicht- und Volksschauspiele* siehe auch: Dr. Rainer Schlössers Ansprache in: *Der Autor,* Februar 1934, S. 3–10.

Meine sehr geehrten Herren!
Ich eröffne die erste Sitzung des Bundesausschusses des Reichsbundes der deutschen Freilicht- und Volksschauspiele und gebe meiner Freude darüber Ausdruck, zahlreiche Vertreter der Freilichtspielarbeit im Lande, Vertreter des deutschen Schrifttums und des deutschen Bühnenwesens, ebenso die Vertreter der großen Berufsverbände, insbesondere der Gliederungen der deutschen Arbeitsfront und der Gaubetriebszellen, Leitungen der NSBO[1] und auch die Leiter der Landesstellen des Reichsministeriums für Volksaufklärung und Propaganda, sowie alle anderen Vertreter der Behörden und der Organisationen, die hier anwesend sind, auf das herzlichste begrüßen zu können.

Ihr Erscheinen beweist mir, daß die Arbeit des Reichsbundes der deutschen Freilicht- und Volksschauspiele, den ich am 7. Juli des vergangenen Jahres im Auftrage des Herrn Reichsministers für Volksaufklärung und Propaganda errichtete, und zu dessen Leitung ich berufen wurde, Ihre Mitarbeit und Ihr lebhaftes Interesse gefunden hat.

In der Eröffnungsrede, die ich am 7. Juli v. J. in Köln hielt, habe ich ausgesprochen, daß in den Zeiten des Niederganges, die sich auch im deutschen Theater und seiner Führung nur allzuoft widerspiegelten, die

1 NSBO = Nationalsozialistische Betriebszellenorganisation, eine Zusammenfassung aller NSDAP-Mitglieder in den Betrieben, deren Leiter Dr. Ley und deren Sitz am Engelufer 6 in Berlin war; dreizehn Landesobleuten unterstand die 1931 gegründete Organisation, deren erstes Mitglied Johannes Engel war, die NSBO-Schulen unterhielt und in Gaue, Kreise oder Ortsgruppen eingeteilt war.

besten deutschen Meister mit ihren Dichtwerken auf die Naturbühne flüchteten, weil in den Theatern der großen Städte für ihr Schaffen kein Raum war.

Die deutsche Öffentlichkeit wird es verstehen, und die Laienspielunternehmungen, die seither das Feld des sommerlichen Freilichtspiels beherrscht haben, müssen sich im Geiste nationalsozialistischer Unterordnung damit abfinden, daß ich im Auftrage meines Ministeriums und in meiner Eigenschaft als Präsident der Reichstheaterkammer alle nur möglichen Maßnahmen und Anordnungen treffen werde, um den Bühnenkünstler den ihm zustehenden Aufgaben zuzuführen.

Aus diesem Grunde habe ich als Präsident der Reichstheaterkammer am 9. Januar ds. Js. eine Anordnung betr. Veranstaltungen von Theateraufführungen unter freiem Himmel erlassen, und in dieser Anordnung wird bestimmt, daß alle diejenigen Theaterunternehmungen und Inhaber von Theaterkonzessionen, aber auch Vereine und Einzelpersonen, die im Jahre 1934 öffentliche Theateraufführungen mit Berufsschauspielern oder Dilettanten veranstalten wollen, dieses Vorhaben bis zum 1. Februar 1934 bei den Landesstellen des Reichsministeriums für Volksaufklärung und Propaganda anzumelden haben.

## Im besonderen Maße

*Die Spielgemeinschaften für nationale Festgestaltung*, in: *Theater von A–Z, Handbuch des deutschen Theaterwesens*, Berlin 1934, S. XI b 1–XI b 2, gekürzt.

Es ist beabsichtigt, in den dreizehn Landespropaganda-Bezirken noch im Laufe dieses Jahres Spielgemeinschaften für nationale Festgestaltung in Form der GmbH zu errichten, die ausführende Spielkörper des «Reichsbundes der deutschen Freilicht- und Volksschauspiele e. V.» werden und sich der Organisation des Reichsministeriums für Volksaufklärung und Propaganda einfügen. Gesellschafter dieser GmbH werden außer dem Reichsbund, der dabei im Auftrage des Ministeriums handelt, die Gauleitung der Partei-Organisationen und die Städte des betreffenden Bezirks. Als Musterbeispiel dieser Arbeit wird bereits in diesen Wochen die «Rheinische Spielgemeinschaft für nationale Festgestaltung, Sitz Köln» gegründet.

Diese Aufführungen dienen im besonderen Maße der nationalen Erhebung, der religiösen Erbauung und dem Erlebnis der Volksgemeinschaft.

Als Beispiel für den Spielplan der «Rheinischen Spielgemeinschaft» seien genannt: «Das Spiel von Job dem Deutschen» von Kurt Eggers [1],

1 Kurt Eggers, * 1905, Schriftsteller (Bühnendichtung, Roman, Lyrik); über *Das Spiel von Job dem Deutschen* siehe Dr. Hans Wiggers: *Das erste nationale Festspiel – Uraufführung des Spieles «Job der Deutsche» in Köln* in: *Goslarsche Zeitung* vom 16. 11. 1933.

Totengedenkfeier für die Gefallenen des Krieges; Ein kultisches Winter-
sonnenwendspiel mit Einziehung des Weihnachtsmysteriums; Das Spiel
vom Vaterland; Das Spiel vom deutschen Arbeitsmann.

## Kameradschaft der deutschen Künstler

Dr. Hans Knudsen: *KddK-Kameradschaft der deutschen Künstler* in: *Die Bühne*,
1936, S. 592–593, Auszug.

Mit dem beginnenden Winter geht die «Kameradschaft der deutschen
Künstler» in ihr viertes Jahr, und sie ist jetzt bereits mit ihren schönen,
repräsentativen und doch behaglichen Räumen in der Viktoriastraße
nahe dem Skagerrak-Platz in Berlin und darüber hinaus als Ausdruck
einer Idee so sehr ein fester und sicherer Begriff im künstlerisch-gesel-
ligen Leben der Reichshauptstadt geworden, daß über diese KddK ein
Wort zu allen Theaterschaffenden gesagt werden darf. Es ist nämlich
nicht so, daß die Einrichtung und Vereinigung ein unerreichbarer Exklu-
sivitätsklub wäre, so wenig wie sie allerdings auf der anderen Seite
unter falscher Auslegung des Wortes «Kameradschaft» eine soziale
Hilfsorganisation ist. Als der Begründer und Präsident der KddK, Reichsbühnenbildner Benno von Arent, bei der letzten Gründungsfeier vom
2. Mai 1936 einen Rückblick gab über die Entwicklung dieser KddK, da
hat er, sehr einleuchtend, davon gesprochen, daß, so wie es in der Bewegung, in der Armee und überhaupt in allen großen und weitreichen-
den Organisationen «Führerkorps» gebe, es auch das Ziel der KddK sei,
die führenden Künstler und Künstlerinnen des deutschen Kunstlebens
zu einem Führerkorps zu vereinigen. Das aber heißt nicht: Zusammenschluß von Prominenz oder Startum; denn, so formulierte damals Benno
v. Arent, «mit Standesdünkel, Herkunfts- und Bildungsfimmel» hat die
KddK nichts zu tun, «da wir Künstler ja aus allen Ständen und Bil-
dungsstufen eines Volkes kommen, der Kunst und damit dem Volk die-
nend.»

Die drei Jahre gut, in denen die KddK sich durchgesetzt hat, sind, namentlich im Anfang, keineswegs leichte Zeiten gewesen. Man weiß,
daß Benno v. Arent als der verantwortliche und sich auch immer verantwortlich fühlende Leiter die mannigfachen Stürme, die über die KddK
und gegen sie dahergebraust kamen, mit sehr persönlichem Einsatz ab-
gewehrt hat; vor allem aus dem Gedanken heraus, die Idee durchzuführen, von der er sich bei der Gründung leiten ließ und die er damals
mit den Worten festhielt: «Wir wollen eine Kameradschaft bauen, in
deren Mitte jederzeit, ob Tag oder Nacht, der Führer treten kann, ohne
sich seiner Künstler schämen zu brauchen.» In der Tat: der Führer hat
die KddK mehrfach besucht, und Reichsminister Dr. Goebbels, der
Schirmherr der deutschen Künstler und Schirmherr der KddK, ist im-

mer wieder mit seiner Familie und seinen Gästen in der KddK, ebenso Ministerpräsident Generaloberst Göring oder Reichswehrminister von Blomberg.

## Amt Feierabend

## Das Aufgabengebiet

*Amt Feierabend in der NSG Kraft durch Freude,* in: *Rundfunkrecht,* Herausgeber Dr. Karl Friedrich Schrieber und Dr. H. G. Pridat-Guzatis, Berlin 1936, S. 79, gekürzt.

Das *Amt Feierabend* übernahm die Regie aller öffentlichen Vergnügungen in Stadt und Land, in Fabrik und Büro; selbstverständlich war alles stets mit einer überdosierten Werbung für den Nationalsozialismus verbunden, praktiziert wurde hauptsächlich nationaler Kitsch; Einzelheiten darüber siehe: *Kampf gegen Kitsch bei nationalen Feiern,* in: *Berliner Lokal-Anzeiger* vom 11. 11. 1935, Abendausgabe; diese Art Kitsch nistete sich sofort nach der Machtergreifung in Deutschland ein und erstreckte sich sogar auf Anzeigen, wie beispielsweise: «Was Adolf Hitler für Deutschland ist, das ist Herr Renz für das Friseurgewerbe» in: *Theater-Tageblatt* vom 19. 10. 1933; siehe auch: *Die bildenden Künste im Dritten Reich* (Ullstein Buch 33030), S. 24[1].

Der Reichsleiter der Deutschen Arbeitsfront, Pg Dr. Ley, hat angeordnet: Hiermit wird in der NSG «Kraft durch Freude» ein Amt «Feierabend» errichtet. Zum Leiter dieses Amtes bestimme ich den Pg Dr. Heinz Weiß mit dem Dienstrang eines Amtsleiters. Das Aufgabengebiet des Amtes «Feierabend» wird wie folgt festgelegt:

Die Betreuung der schaffenden Volksgenossen in Angelegenheiten des Theaters, des Films, der Musik, Varietés, Kabaretts, des Rundfunks – soweit dieser der Unterhaltung dient –, des Schrifttums und der Fabrikausstellungen.

Ferner gehört die Nutzbarmachung des Vereinswesens, sofern dieses als wertvoll anzuerkennen ist, in den Aufgabenbereich dieses Amtes.

Die aus der Feierabendgestaltung erwachsenden gemeinschaftsbildenden Aufgaben werden zuständigkeitshalber ebenfalls diesem Amte zugewiesen (z. B. Dorfgemeinschaftsabende).

Die Sonderabteilung Reichsautobahn wird dem Amt «Feierabend» eingegliedert.

Berlin, am 31. März 1936

## Reichsautobahn-Bühne

In: *Berliner Börsen-Zeitung* vom 30. 10. 1936.

Als ein wesentliches Mittel kultureller Betreuungsarbeit in den Reichsautobahnlagern hat sich die von der «Sonderaktion für Reichsautobahnen usw.» des Amtes «Feierabend» in der NS-Gemeinschaft «Kraft durch Freude» begründete «Reichsautobahn-Bühne» erwiesen. Es ist schon oft über die besondere kulturpolitische Bedeutung dieser neuartigen höchstwertigen Wanderbühne geschrieben worden, die nicht nur Theater schlechthin ist zur bloßen Unterhaltung der in Lagergemeinschaften zusammengefaßten Reichsautobahnarbeiter, sondern die kulturell Neuland erschließt, indem zum erheblichen Teile erstmalig deutsche Arbeiter mit dem Theater in Berührung gebracht und damit dem kulturellen Leben der Nation gewonnen werden. Gerade die besonders herzliche und innerliche Aufnahmebereitschaft, mit der das Spiel dieser Bühne in den Autobahnlagern aufgenommen wurde, bestätigte immer wieder von neuem zuversichtlich den Kulturwillen des deutschen Arbeiters.

## Beispiele

Die aufgeführten Beispiele sind Vorschläge für die Feierabendgestaltung anläßlich Hitlers Geburtstag in: *Der Geburtstag des Führers,* in: *Völkische Musikerziehung,* 1938, S. 146–148, gekürzt.

*Fanfarenruf*
*Sprecher:* Über uns die Fahne und vor uns der Führer! (Goebbels)
*Lied:* Reiht eure Fahnen am Mast empor
*Sprecher:* Ihr seid viel tausend hinter mir,
und ihr seid ich, und ich bin ihr.

Ich habe keinen Gedanken gelebt,
der nicht in euren Herzen gebebt.

Und forme ich Worte, so weiß ich keins,
das nicht mit eurem Wollen eins.

Denn ich bin ihr, und ihr seid ich,
und wir alle glauben, Deutschland, an Dich.
(«Hitler» von Baldur von Schirach [1])

*Lied:* Wo wir stehen, steht die Treue.
*Sprecher:* Wir alle tragen im Herzen Dein Bild,
Wir alle heben Dich auf den Schild.
Du gingst uns voran in Sturm und Gefahren.
Wir folgten Dir blind und in stürmischem Drang
Nun braust von den Alpen zum Meer unser Sang.

1 Baldur von Schirach, *1907, Dichter und Reichsjugendführer; ausführlich über ihn in: *Literatur und Dichtung im Dritten Reich* (Ullstein Buch 33029), S. 284 u. a. O.

Wir lachen der Sorgen, wir lachen der Not:
Heil Hitler! dem Führer, zur Freiheit und Brot.

(«Heil Hitler» von H. Anacker[1])

| | |
|---|---|
| *Lied:* | Erde schafft das Neue. |
| *Ausklang:* | Fanfarenruf |
| *Lied:* | Der Führer hat gerufen |
| *Sprecher:* | An den Führer! |
| | Führe uns! |
| | In Deinen Händen liegt |
| | das Schicksal von Millionen, |
| | die in Deinem Herzen wohnen, |
| | denen Du ein Glaube bist. |
| | Gott hat Dir die Kraft gegeben, |
| | einzig Deinem Volk zu leben, |
| | das für Dich der Pulsschlag ist. |

(L. v. Schenkendorf[2])

*Sprecher:* «Mir fiel Adolf Hitler besonders dadurch auf», so heißt es in dem Briefe eines Frontkameraden Adolf Hitlers, «daß er, als Gefechtsordonnanz zum Regimentsstab kommandiert, bei den gefahrvollen Unternehmungen oft mit der größten Todesverachtung seine Meldegänge im schwersten Feuer ausführte und daß er oft und immer wieder für seine Kameraden, die zu solchen Gängen auf Leben und Tod an der Reihe waren, einsprang mit der Begründung: ‹Ich gehe. Der Mann hat Familie. Lassen Sie mich die Sache machen. Ich bin jetzt durchgekommen, glückts mir auch diesmal wieder.›

Wenige Wochen nach der schweren Oberschenkelverwundung im Oktober 1916 schrieb der Soldat Adolf Hitler vom Ersatzbataillon an das Regiment: ‹Ich bin vom Lazarett seit zwei Tagen entlassen und beim Ersatzbataillon eingereiht. Ich bitte gehorsamst, mich sofort anzufordern, ich möchte wieder zum Regiment. Ich will nicht in München sein, wenn meine Kameraden am Feind liegen.›»

(«Die Neue Gemeinschaft», Archiv der NSDAP)

*Lied:* Immer wenn wir zusammenstehn. (3. Strophe)

---

1 Heinrich Anacker, * 1901, Lyriker; ausführlich in: *Literatur und Dichtung im Dritten Reich* (Ullstein Buch 33029), S. 120 f.
2 Leopold von Schenkendorf, * 1909, Lyriker.

# Hitlerjugend

Die *Hitlerjugend (HJ)* war die Dachorganisation der NS-Jugend in Deutschland; sie gliederte sich in *Deutsches Jungvolk* (von 10–14 Jahren), *HJ* (Jungen von 14–18 Jahren), *Jungmädel* im *Bund Deutscher Mädel* (von 10–14 Jahren) und *Bund Deutscher Mädel (BDM)* (von 14–18 Jahren); zur *HJ* gehörte auch der *NS-Studenten-Bund.*

Das 1923 gegründete *Theater der höheren Schule* ist 1933 ebenfalls gleichgeschaltet und in *Theater der Jugend* umbenannt worden; die Besucherzahl belief sich 1933 auf 87 000, aber 1933/34 auf etwa eine Viertel Million; Schirmherr des *Theaters der Jugend* war Dr. Goebbels.

## Der deutsche 1. Mai

Gustav Adolf Holzapfel: *Die deutsche Jugendbühne* in: *Die Deutsche Bühne,* September 1933, Sondernummer, S. 46, Auszug.

Laut Beschluß des *Internationalen Sozialistischen Arbeiterkongresses* am 20. 7. 1889 war der 1. Mai der *Tag der Arbeiter* in der ganzen Welt; im Dritten Reich wurde er zum «Generalappell der Nation», wie Hitler in seiner Rede am 1. Mai 1936 definierte (in: *Völkischer Beobachter* vom 2./3. 5. 1936); auf dem Tempelhofer Feld in Berlin wurden zwölf Einzelfelder für je 60 000 Menschen vorbereitet; 3500 Fahnen umsäumten das Feld, und die Tribüne, auf der Hitler sprechen sollte, war mit gigantischen Hakenkreuzbannern geschmückt; das Luftschiff *Graf Zeppelin* und mit Hakenkreuzwimpeln verzierte Flugzeuge kreisten über der Menge und steigerten die Psychose der *Volksgemeinschaft;* der internationale *Tag des Arbeiters* wurde so zum *Nationalfeiertag des deutschen Volkes.*

Nun ist das neue Reich errungen und das herrliche Beispiel der Volksgemeinschaft des deutschen 1. Mai Tatsache geworden. Die Zurückführung der Arbeitslosen in den Arbeitsprozeß hat begonnen und unerwartete Erfolge gebracht. Jetzt ergibt sich die zwingende Aufgabe, nunmehr auch den Jugendlichen wieder in kultureller Hinsicht stärker in den Dienst der Nation zu stellen und damit auch ihn an das Theater zu fesseln. Deshalb will die Deutsche Volksbühne, aufbauend auf dem Erlebnis des 1. Mai, die Jugend des Deutschen Volkes ohne Klassen- und Standesunterschiede in engster Zusammenarbeit mit der Reichsjugendführung erfassen.

## Höchste Integrität

Eugen Schmid, Intendant: *Jugend und Theater* in: *Theater-Tageblatt* vom 9. 11. 1933, gekürzt; siehe auch Dr. Hans Severus Ziegler: *Jugend und Theater,* ebd. am 10. 12. 1933.

In Thüringen wurde von jeher die nationalpolitische Bedeutung des Theaters besonders gewertet. Die von Goethe und Schiller verkündete Auffassung wirkt hier lebendig fort. Inmitten einer knapp vor dem Verfall stehenden marxistischen Theaterwirtschaft hat die nationalsozialistische Regierung das ganze Volk zur Rettung der Theater aufgerufen. Der Staatsbeauftragte für die Thüringer Theater, Dr. Hans Severus Ziegler, schrieb eigens ein Büchlein «Das Theater des deutschen Volkes», in dem dieses zum Hocherziehungsinstitut der Nation erklärt wird. Das Volksbildungsministerium hat mehrfach die Erzieher auf die welt- und volksbildende Bedeutung des Theaters aufmerksam gemacht. Am «Tag des Theaters»[1] mußten sämtliche Volks-, Berufs-, Mittel- und höheren Schulen eine ganze Schulstunde der Betrachtung des Theaters widmen und nach Möglichkeit Führungen durch die Bühnenhäuser unternehmen.

Für den Nationalsozialismus ist das Theater Weltanschauung. Er verlangt von ihm höchste Integrität, daß es Wesen von seinem Wesen, Charakter von seinem Charakter, Weltanschauung von seiner Weltanschauung sei. Was die Bühne, offen oder versteckt, verkündigt, muß zuletzt übereinstimmen mit dem, was der Nationalsozialismus als seine Gedankenwelt betrachtet.

Es gibt für den Erzieher zahllose Möglichkeiten, die Jugend direkt oder indirekt dem Theater nahezubringen.

Durch im innern Schulbetrieb durchzuführende Maßnahmen wird die Jugend lebhaft für das Theater interessiert und vorbereitet.

## Reichstheaterwoche der HJ

*Der kulturelle Wille der Jugend*, in: *Frankfurter Zeitung* vom 14. 4. 1937, gekürzt. Zu diesem Thema siehe auch: *Dramatiker der HJ*, Sonderdruck der *National-Zeitung*, Essen, 1937; Wilhelm Haass: *Dramatiker der HJ* in: *Blätter der Schauspiele Baden-Baden*, 1937/38, S. 57–64; Otto Zander: *Die Reichstheatertage der HJ in Bochum* in: *Völkischer Beobachter* vom 3. 4. 1937; Georg Halbe: *HJ und Theater* in: *Odal – Monatsschrift für Blut und Boden*, Juni 1937, S. 1020–1021; *Die Kunst als völkische Notwendigkeit*, in: *Hakenkreuzbanner* vom 13. 4. 1937; Dr. Rainer Schlösser: *Jugend und Dichtung* in: *Der Autor*, Februar/März 1937, S. 5; Sonderheft *Dramatiker der HJ*, Bochum 1937, und: *Jugend und Theater*, Bochum 1937.

Vom 23.–30. 10. 1938 fanden auch *Reichstheatertage der HJ* in Hamburg statt; siehe hierzu: *Reichstheatertage der HJ in Hamburg*, Hamburg 1938; *Die Aufführungen der Reichstheatertage der Hitlerjugend*, Hamburg 1938; *Ansprache des Reichsjugendführers bei der Eröffnung der Reichstheatertage der HJ 1938*, in: *Musik in Jugend und Volk*, 1937/38, S. 517–522.

Das Deutsche Volkstheater in Erfurt führte im Rahmen der Erfurter Kulturtage ebenfalls Veranstaltungen *Hitlerjugend und Theater* durch; ausführlich darüber: *Deutsche Theater-Zeitung* vom 24. 4. 1941 und vom 22. 7. 1941.

1 Am 15. 10. 1933 wurde im Dritten Reich erstmals der *Tag des Theaters* proklamiert; Äußerungen von Dr. Hans Severus Ziegler, Heinrich XIV. Erbprinz Reuß, Eugen Schmid siehe: *Theater-Tageblätter* vom 14. 10. 1933.

**ff Bochum, 13. April.** Die Bochumer «Dramatikerwoche der HJ» brachte gestern abend eine Veranstaltung, in deren Mittelpunkt Referate des Präsidenten der Reichstheaterkammer Dr. Schlösser und des Reichsjugendführers Baldur von Schirach standen. Tausende von Angehörigen der HJ und des BDM füllten den großen Festsaal oder bildeten Spalier vor dem Kundgebungsgebäude.

Obergebietsführer Cerff [1], der Leiter des Kulturamts der HJ, eröffnete die Kundgebung mit einer Begrüßungsansprache, in der er darauf hinwies, daß sie als ein Bekenntnis der Jugend des Dritten Reiches zum Theater gewertet werden müsse. Dann hielt Reichsdramaturg Dr. Rainer Schlösser eine Ansprache über «Jugend und Dichtung», in der er unter anderem sagte: «Der Anlaß, der uns heute hier zusammenführt, ist durch die Schirmherren dieser Woche gekennzeichnet: Dr. Goebbels und Baldur von Schirach, die Namen des kulturpolitischen Treuhänders des Führers für das gesamte deutsche Theaterwesen und des Treuhänders des Führers für ein kommendes neues nationalsozialistisches Geschlecht; sie beide wollten durch die Gemeinsamkeit ihres Vorgehens auch auf einem künstlerischen Einzelgebiet jene bewährte und bewunderte Einheit von Reich und Jugend sichtbar werden lassen.

Wir wissen heute, daß die Kunst und das Leben des Volkes zueinander in tiefster Bezogenheit stehen. Staatsführung, Kunst und Wehrmacht stehen durchaus in einer Linie. Wie sich Deutschland aus eigener Kraft politisch zur Großmacht erklärt hat, indem es vor einem Jahr die junge Wehrmacht in die Garnisonen des Westens einziehen ließ, so ist der Wille in uns erwacht, uns auch kulturell wieder als Geistesgroßmacht zu bewähren, nachdem wir uns von den schmählichen Fesseln der Überfremdung freigemacht haben. Eines von vielen Symptomen dieser Entwicklung aber ist die Woche: Dramatiker der HJ.»

Der Reichsjugendführer Baldur von Schirach erinnerte in seiner Ansprache zunächst daran, daß er am 29. Januar 1933 zum letztenmal in Bochum gesprochen habe. Damals habe man noch nicht geahnt, welches Wunder sich wenige Stunden später vollziehen werde. In der Stadt der harten Arbeit, aber zugleich in einer Stadt, «die ein kultureller Mittelpunkt Deutschlands geworden ist», solle die Bochumer Theaterwoche beweisen, daß sich die HJ zu jener Haltung durchgerungen habe, die der höchste Richter des «Frankenburger Würfelspiels» am Abend zuvor bewiesen habe, als er nicht um die Augen der Würfel rechtete, sondern um die Unendlichkeit geworfen habe.

---

1 Karl Cerff, * 1907; 1922–28 SA-Mitglied; 1928–31 Führer der Hitlerjugend in Heidelberg; 1931/32 Propagandaleiter des HJ-Gaues Baden; ab Mai 1933 in der Reichsjugendführung tätig; ab 1941 als Obergebietsführer Leiter des Hauptkulturamts der Reichspropagandaleitung.

# HJ-Kulturlager in Weimar

Hans Rehberg: *Die HJ wägt den Mann* in: *Weimar – Bekenntnis und Tat, kulturpolitisches Arbeitslager der Reichsjugendführung*, Weimar 1938, S. 103; siehe auch: *Theater in dem kulturpolitischen Arbeitslager der Reichsjugendführung in Weimar*, 1938.

Drei Tage habe ich am Kulturlager der HJ in Weimar teilgenommen. Mit vielen unterhielt ich mich und bei allen fand ich eine große Freiheit des Urteils über die Erscheinungen in unserem kulturellen Leben und eine starke Urteilskraft über die Dinge der Kunst. Hier haben wir den Beweis erfahren, daß eine Organisation nicht zum uniformen Urteil führt, das der Tod alles lebendigen Schaffens ist. Die Autorität gilt hier soviel, als sie aus einem warmen Herzen, aus eingehender Kenntnis der Materie und einem klaren Denken und feinfühligen Verantwortung den Anspruch erheben kann, Autorität zu sein. Organisationen sind zumeist Kulturverbraucher. Die HJ dagegen, als eine echte Gemeinschaft, erzeugt durch den Einzelnen und fördert als Ganzes das kulturelle Leben der Nation. So wie die HJ sich selbst heranbildet, um einstmals die Verantwortung in Deutschland zu übernehmen, so steht sie vor uns als die beglückend glückliche Jugend eines wahrhaft freien und großen Volkes. Sie trägt Uniformen, aber sie wägt den Mann! Das ist eine gute Erfahrung.

## In 170 Bannen

Die HJ gliederte sich in vierundzwanzig HJ-Gebiete; jedes Gebiet war in Banne untergeordnet und jeder Bann wiederum in Unterbanne, Gefolgschaften, Scharen, Kameradschaften; der Bann bestand aus dreitausend Jugendlichen. Siehe auch A. E. Frauenfeld: *Jugend und Kunst* in: *Die Bühne*, 1937, S. 197 f.

Zeitschriften-Hinweise der Reichspressestelle der NSDAP
*Vertraulich*
*Hinweis «Innere Front» Nr. 22/41*
*Betrifft:* Veranstaltungsring der Hitlerjugend.

In der Reichshauptstadt wird im Schiller-Theater am 5. ds. Mts. der Berliner Veranstaltungsring der Hitlerjugend, der es sich zur Aufgabe macht, der deutschen Jugend nicht nur die Freizeit zu verkürzen, sondern sie bewußt am Kulturleben der Nation teilnehmen zu lassen, durch Reichsdramaturg, Obergebietsführer Dr. Schlösser, eröffnet. Dieser Veranstaltungsring gelangt im ganzen Reich in 170 Bannen mit 250 000 Mitgliedern zur Durchführung. Es ist erwünscht, daß die einschlägigen Zeitschriften sich mit dieser kulturell wichtigen Angelegenheit beschäftigen.

Berlin, den 4. Oktober 1941    Heinrich Hansen
H/We    Leiter des Amtes Zeitschriften

## Ministerpräsident Göring spricht zu den Intendanten

Bericht im: *Berliner Lokal-Anzeiger* vom 13. 9. 1933, gekürzt.

Über Göring als Protektor des Theaters siehe Eckart von Naso: *Ich liebe das Leben*, Hamburg 1953, S. 622 f; siehe auch: *Ministerpräsident Göring: Die Rede an die Theater-Intendanten*, in: *Film-Kurier* vom 13. 9. 1933.

Im Plenarsaal des Landtages fand gestern eine Tagung aller Intendanten der preußischen Städtischen Bühnen statt, auf der Ministerpräsident Göring grundlegende Ausführungen über das Theaterwesen machte. Der Leiter des Preußischen Theater-Ausschusses, Staatskommissar Hinkel, eröffnete die Tagung und hob hervor, daß im Auftrage des preußischen Ministerpräsidenten diese Besprechung einberufen sei, um bei Beginn der Spielzeit die brennenden Fragen des deutschen Theaters zu klären und um in engster Zusammenarbeit am Neuaufbau des Theaters zu arbeiten.

Nach den Ausführungen des Staatskommissars Hinkel nahm Ministerpräsident Göring das Wort zu einer längeren Rede über grundsätzliche Fragen des preußischen Theaterwesens. Er betonte, daß es zu einem der wichtigsten Programmpunkte der neuen Regierung gehöre, auch das Theater wieder auf eine feste und gesicherte Grundlage zu stellen. Daher habe er sowohl die preußischen Staats- wie auch die städtischen Theater unmittelbar seiner Führung unterstellt. Das Theater habe grundsätzlich an der Volkserziehung mitzuwirken und sei undenkbar außerhalb des nationalsozialistischen Rahmens.

Um das Führungsprinzip auch für die preußischen Theater in den Vordergrund zu stellen, habe er angeordnet, daß die Berufung aller wichtigen Persönlichkeiten, insbesondere die der Intendanten, ihm vorbehalten bleibe. Die Verantwortung des einzelnen Theaterleiters müsse klar herausgestellt werden. Aus diesem Grunde werde er auch die Stellung der Intendanten neu formulieren. Die Intendanten sollten Verantwortung nach oben tragen und nach unten ihre Autorität durchsetzen. Jeder Intendant habe die große Rede des Führers auf dem Nürnberger Parteitag als sein Vokabular zu betrachten [1], nach dem er sich stets zu

1 Am 1. 9. 1933 hielt Hitler bei der Kulturtagung des NSDAP-Parteitages in Nürnberg eine «programmatische Rede»; Wortlaut siehe in: *Die Bildenden Künste im Dritten Reich* (Ullstein Buch 33030), S. 64–68.

richten habe. In dem Teil, in dem sie das Theater behandelt, müsse sie in den Theaterprogrammen zum Ausdruck kommen.

## Reinigendes Gewitter

Generalintendant Deharde: *Die Aufgaben des Theaterleiters* in: *Stuttgarter NS-Kurier* vom 16. 4. 1937; aus einer Rede Dehardes während der Reichstheatertage der HJ in Bochum.
Gustav Deharde, * 1893, damals Generalintendant des Württembergischen Staatstheaters in Stuttgart.

Der Theaterleiter trägt heute ein solches Maß an Verantwortung wie nie zuvor. Er kann wohl seine weitgespannte Arbeit teilen, nicht aber seine Verantwortung. Generalintendant Deharde kennzeichnete zunächst die Stellung des Theaterleiters in der Vergangenheit, und sprach dann über seine Stellung im heutigen Kulturleben. Vor 1933 stand das deutsche Theater nicht nur vor dem wirtschaftlichen, sondern auch vor dem geistigen Zusammenbruch, weil es innerlich verödet war. Schon damals war der Theaterleiter die bestimmende Persönlichkeit des Betriebes, und er mußte also auch den Zusammenbruch zum größten Teil allein verantworten. Der damalige Theaterleiter kannte keine Verantwortung gegenüber dem Volk und dem Staat, für ihn gab es nur eine juristische Verantwortung gegenüber seinem Betrieb und seinem Geldgeber, sei es Stadt oder Land. Die Richtschnur seines Handelns war ein imaginärer Begriff: Absolute Kunst! Den Zustand am deutschen Theater von 1918 bis 1933 bezeichnete Generalintendant Deharde als «Kunst ohne Verantwortung». Der Umbruch traf das Theater wie ein reinigendes Gewitter, das alle rassefremden Einflüsse mit einem Schlage wegwehte. Der neue Theaterleiter stand 1933 vor der Aufgabe, das Gute aus der Vergangenheit zu retten, das Neue aber zu suchen und zu erkennen und den Gesamtbetrieb mit der geistigen Haltung der neuen Zeit zu durchdringen. Als den wichtigsten Teil des Spielplans bezeichnete er das geistige und weltanschauliche Problemstück. Er führte dazu aus: Darunter möchte ich alles verstehen, was ältere und jüngere, deutsche und nordische artverwandte Dichter über den Menschen und seine Bindung an die vergangene und heutige Zeit auszusagen haben.

## Besondere Ausprägung

Heinz Hilpert: *Menschenführung im Theater* in: *Die Literatur*, 1939/40, S. 273, Auszug; Heinz Hilpert hielt diese Rede am 14. 2. 1940 vor Berliner «Kunstbetrachtern».
Heinz Hilpert, * 1890; 1934–45 Intendant des Deutschen Theaters in Berlin; die *Deutsche Bühnenkorrespondenz* schrieb am 16. 5. 1934 über ihn: «Ein Rückblick auf die verflossene Spielzeit der Volksbühne gibt wohl das grauseste Bild, das ein Theater aufzuweisen hat. Die Sprünge des Intendanten Hilpert sind

nicht etwa eine bestimmte Weite des Arbeitsfeldes, sondern ganz einfach ein virtuoses Geklingel in den verschiedensten Tonarten. Das muß endlich einmal gesagt werden. Es ist durchaus Theater im gestrigen Sinne, wenn mit guten Kräften ein Publikum, das in allererster Linie der Führung bedarf, mal hierin, mal dorthin gezerrt wird, bloß weil ein spielerischer Intendant den Ehrgeiz hat, seine angeblich ‹vielseitige› Begabung auszutoben.»

Menschen führen können, ist nicht zu erlernen – es ist eine Gnade.

Menschen führen zu dürfen, ein gütiges Geschick und eine große Verantwortung! Wer die Gnade, das gütige Geschick, die Kraft und das Verantwortungsbewußtsein in vollem Umfange in sich trägt, ist zum Führer geboren.

Die autoritären Staaten haben gerade in den letzten Jahren den Begriff des Führers in besonderer Ausprägung kennengelernt.

Was in Staat und Politik für die allgemeine Menschenführung gilt, gilt für die besondere Menschenführung auch im Theater.

# Preise

Wenn Schauspielern und Dramaturgen im Dritten Reich Preise verliehen wurden, so gehörte auch dies zur Lenkung.

Weil das dramatische Schaffen jedoch in den Bereich der Literatur fällt, wird hier von einer Dokumentation Abstand genommen und nur auf «Preise» in: *Literatur und Dichtung im Dritten Reich* (Ullstein Buch 33029), S. 292–309, verwiesen. Hinsichtlich der Beeinflussung, die die Behörden des Dritten Reiches in dieser Beziehung ausübten, siehe auch «Preise» in: *Die bildenden Künste im Dritten Reich* (Ullstein Buch 33030), S. 121–125, und *Musik im Dritten Reich* (Ullstein Buch 33032).

Eine Gesamtliste der seit 1937 überhaupt verliehenen Preise siehe: *Deutsches Bühnen-Jahrbuch* 1942, S. 139–144, sowie dasselbe von 1943, S. 87–88; ebenso siehe: *Ein deutscher Lustspielpreis*, in: *Deutsche Bühnenkorrespondenz* vom 28. 3. 1934, S. 3; *Ergebnis des Schauspiel- und Chorwettbewerbs*, in: *Der Autor*, Mai 1934, S. 14; *Dichter und Künder des neuen Reiches – E. W. Möller*, in: *Theater-Tageblatt* vom 4. 1. 1936; Hans Hinkel: *Friedrich Bethge, der dramatische Gestalter der Front* in: *Berliner Zeitung* vom 3. 5. 1937.

# Theaterkritik

Am 28. 11. 1936 erschien die Anordnung des Reichsministers für Volksaufklärung und Propaganda über Kunstkritik. Damit wurde erstmals in der Geschichte Kunstkritik unter anderem als Ausdruck «jüdischer Kunstüberfremdung» gesetzlich verboten. An ihre Stelle trat die nationalsozialistische Kunstbetrachtung. Text der Anordnung und ausführliche Kommentare siehe in: *Die bildenden Künste im Dritten Reich* (Ullstein Buch 33030), S. 127–129, *Literatur und Dichtung im Dritten Reich* (Ullstein Buch 33029), S. 310–314, und *Musik im Dritten Reich* (Ullstein Buch 33032). Hier soll lediglich die *Theaterkritik* bzw. *Theaterbetrachtung* dokumentiert werden.

Siehe auch Paul Fechter: *Theater- und Filmkritik im Übergang* in: Zeitungs-Verlag vom 17. 6. 1933, S. 387 f; Herbert Sielmann: *Kritiker oder Propagandist* in: Deutsche Presse vom 7. 4. 1934; Dr. Walter Stang: *Die Aufgabe der Kritik beim Neuaufbau unseres Theaters* in: Bausteine zum deutschen Nationaltheater, Dezember 1936, S. 353 f; *Der Bürgermeister und der Kunstbetrachter,* in: Der Autor, Februar 1940, S. 24 f.

## Propagandist

Dr. Hans Severus Ziegler: *Theater, Kritiker und Presse* in: Deutsche Kultur-Wacht, 1933, Heft 24, S. 3, gekürzt.

Dr. Hans Severus Ziegler, * 1893, Organisator der Ausstellung Entartete Musik 1938; siehe «Porträts», S. 137 f, ausführlicher über ihn siehe: *Musik im Dritten Reich* (Ullstein Buch 33032).

Eine außerordentlich wichtige Frage der Zukunft ist die nach der Pflicht des Kritikers und der Presse dem Theater und dem Publikum gegenüber. Im liberalistischen Zeitalter der wirtschaftlichen und geistigen Freizügigkeit und individualistischen Willkür war es den meisten, vor allem den jüdischen Kritikern Bedürfnis, sich mit ihrer höchst subjektiven Meinung vor der Öffentlichkeit aufzuspielen und in Szene zu setzen. Der Theater- wie der Musikkritiker der Asphaltpresse «machte» genau so wie der politische Redakteur «die öffentliche Meinung» über Kunstwerke und Künstler mit einer spielerischen Oberflächlichkeit und Anmaßung sondergleichen. Er war sich der großen Verantwortung weder nach der Seite des Theaters noch nach der Seite des Publikums bewußt. Der deutsche Kritiker von heute und morgen hat eine höchst produktive und positive, nicht nur eine analytische Aufgabe zu lösen. Mittler, Anreger und Propagandist und endlich pädagogischer Führer in das Kunstwerk hinein oder doch wenigstens an das Kunstwerk heran, das soll der künftige Kritiker sein.

## Einheitlichkeit im Ziel

Dr. Kurt Voß: *Theater und Theaterkritik* in: *Bausteine zum deutschen Nationaltheater*, Dezember 1933, S. 76–77, Auszug.

Eine entartete, aber vielfach als Vorbild geltende Theaterkritik hatte für sich in Anspruch genommen, eine Gattung der Kunst neben anderen zu sein. Die Kritik dieser Art, für die ich keine Belege zu erbringen brauche, stellte eine weitere Absplitterung von dem sich zerspaltenden Kunstgefüge der Nachkriegszeit dar. Sie hatte ihre Aufgabe in eben dem Sinne als Selbstzweck aufgefaßt, in dem die Kunst Selbstzweck geworden war. Diese Art der Kritik, die ihres dienenden Amtes vergaß, die sich in Selbstgefälligkeit und Eitelkeit spreizte, ist hoffentlich mit ihren Trägern abgewandert. Der Wandel der Kunstauffassung hin zum Werthaften und Echten stellt den Kritiker von heute an einen anderen Platz, in ein und dieselbe Kampffront, in der die Bühne heute steht. Wo der Kritiker sich den Sinn rein erhalten hatte für die großen volkserzieherischen Aufgaben des Theaters, hat er im letzten Jahrzehnt fast immer in Abwehrhaltung zu den Ereignissen des Bühnenlebens gestanden. Jetzt darf er sich freudig eingliedern in die neue Kulturfront, der als Staatsauftrag die Formung der deutschen Seele zu ihrem eigentlichen Wesen und Leben zufiel. Kleinliche Krittelei wie nur ästhetische Wertung dürfen in ihm künftig keinen Sachwalter mehr finden.

## Mit Fug und Recht

Der Brief ist gekürzt; es handelt sich hier um Hans Kyser, * 1882, Schriftsteller (Drama, Roman, Lyrik, Hörspiel); Kyser war auch Filmregisseur.

| | |
|---|---|
| Aktenzeichen VI, 6180/29. 1 | Der Reichsminister |
| An den Verlag | für Volksaufklärung und Propaganda |
| des Theater-Tageblattes | Berlin W 8, den 29. Januar 1934 |
| Berlin W 9 | Wilhelmplatz 8/9 |
| Potsdamer Straße 4 | Fernsprecher: A 1, Jäger 0011 |

In Nr. 1349 Ihres Blattes vom 26. 1. d. J. ist eine Kritik des Stückes «Rembrandt vor Gericht» von Hans Kyser erschienen, in der «zu unserem tiefen Bedauern, ja zu unserer schmerzlichen Enttäuschung ein Bekenntnis zu aufrichtigem Gemeinschaftsdienst» in dem Stück vermißt und behauptet wird, daß das Stück «von einer bedauerlichen Verkennung der Gegenwartsaufgaben des Dichters sowohl als auch des Theaters» zeuge.

Ohne mich für oder gegen das Kyser'sche Stück selbst auszusprechen, muß ich erklären, daß der hier behandelte Stoff mit Fug und Recht in einem nationalsozialistischen Staate behandelt werden kann, ja, daß ein Dichter, der sich – wie in diesem Stück – in besonderer Weise der Armen und Bedrückten annimmt – auch dann noch die Achtung des nationalsozialistischen Staates verdient, wenn sein Werk im dramatisch-künstlerischen Sinne nicht restlos gelungen sein sollte.

Im Auftrag
Keudell

## Das organische Glied

Heinrich Guthmann: *Schauspielkritik als schriftliche Claque* in: *Bausteine zum deutschen Nationaltheater*, Dezember 1934, S. 373, Auszug.
Heinrich Guthmann, * 1902, Referent in der Amtsleitung der NS-Kulturgemeinde; über seine Stellungnahme zur Theaterkritik siehe auch Dr. Julius Lothar Schücking, Remscheid: *Theaterkritik in der Provinz* in: *Deutsche Presse* vom 15. 12. 1934, S. 9 f.

Schauspieler sind Künstler, gewiß, aber der Nationalsozialismus hat ihnen erst die Möglichkeit gegeben, sich als organisches Glied in die Volksgemeinschaft einzuschalten. Wenn sie also Volk spielen und Volk sein wollen, dann dürfen sie auch nicht widersprechen, wenn sie im allgemeinen Zusammenhang und nicht als Einzelerscheinung gewertet werden. Alles dies sagen wir nicht gegen den Schauspieler, sondern gegen die Kritik. Geehrt sei seine Arbeit wie jede. Ist es seine Schuld, wenn er verleitet wurde? Aber sie, die Kritik, verleitete ihn. Sie verleitete ihn, weil sie und die, die sie berufsmäßig schrieben, das Gefühl dafür verloren hatten, daß ein Spiel auf der Bühne ein organischer Vorgang ist, in dem ein Glied in das andere faßt und nicht herausgerissen und gesondert behandelt werden darf. Sie sahen ein Stück und wenden aus Routine immer wieder das gleiche Schema an. Aber die Routiniers sollen das Schreiben in der neuen Zeit lassen.

## Von der Sendung der Kritik

Ein Kapitel aus Rainer Schlösser: *Das Volk und seine Bühne*, Berlin 1935, S. 65, Auszug.

Es gibt kein Gebiet des geistigen Lebens unseres Volkes, das der Nationalsozialismus nicht revolutioniert hätte. Seine allumfassenden und in Jahrzehnten, ja Jahrhunderten denkende Zielsetzung wußte jede Spezialbetätigung dem völkischen Erneuerungswillen zu unterstellen, dessen Inbegriff mit dem Namen Adolf Hitler gegeben ist. Infolgedessen stand von Anfang an über jeder journalistischen Bemühung der offiziellen nationalsozialistischen Presse als ungeschriebenes, aber ehernes Gesetz eben jener Name, der die nationalsozialistische Weltanschauung, die Bewegung als Gesamtorganismus verkörpert. Nicht also überwiegend geschäftliche Interessen, wie sie im kapitalistisch-liberalistischen Zeitalter immerhin gang und gäbe wären, nicht das persönliche Geltungsbedürfnis wirklicher oder vermeintlicher Zeitkritiker standen, als der Nationalsozialismus eine eigene Presse aus der Taufe hob, Pate, sondern einzig und allein jene Persönlichkeit, die den fleischgewordenen Widerspruch gegen den überspitzten Individualismus (und Egoismus!) des 19. Jahrhunderts darstellte. Das solcherweise proklamierte Primat des Gemeinnutzes auf dem Gebiete des Zeitungs- und Zeitschriftenwesens wirkte sich nun zunächst vornehmlich in den Blättern der NSDAP aus; dann, als Adolf Hitler sich mehr und mehr das Herz aller Gutwilligen errang, in der Presse überhaupt, und heute darf man sagen, daß es als grundlegendes Prinzip durchgedrungen ist. Diesem Primat des Gemeinnutzes unterliegt selbstverständlich auch der kulturpolitische Teil der Presse und im Rahmen dieses Teils wiederum nicht zuletzt die Kritik.

## Junge deutsche Art

Dr. Hans Knudsen: *Wesen und Grundlagen der Theaterkritik*, Berlin 1935, S. 9–10, gekürzt; siehe auch Dr. Hans Knudsen: *Was ist Theaterkritik?* in: *Die Deutsche Bühne*, 1933, S. 108; *Rache am Kritiker*, in: *Deutsche Presse* vom 14. 4. 1934; *Die Reichstagung der Kritiker*, in: *Die Bühne*, Januar 1936, S. 14–15.

Daß das Theater nach dem Willen der Regierung eine ganz zentrale Stellung im kulturellen Leben der Nation bekommen soll und daß der Staat für das Theater in einer Höhe Geldmittel zur Verfügung stellt, wie wir es bisher nicht gekannt haben, erhöht für die Theaterkritik die Verpflichtung, an der Neugestaltung der Theaterkultur tätig Anteil zu nehmen. Daß aber der politische Umbruch, der dem Theater in Deutschland ein ganz anderes Gesicht gegeben und den Weg freigemacht hat für die Entfaltung des deutschen Wesens, die Theaterkritik ebenfalls wandeln mußte, das ergibt sich von selbst. Wollte man es mit Überspitzung sagen, so könnte man beinahe formulieren: wichtig ist nicht der Theaterkritiker, sondern die Theaterkritik. Denn der Theaterkritiker ist nicht mehr ein Einzelner, er hat nicht mehr einer Zeitung, einem Lesekreis, einer geistigen Gruppe von Menschen oder gar einer Clique gegenüber eine Verantwortung, er hat vielmehr eine ausschließliche Verantwortung vor der Nation. Es gibt nicht mehr die frühere Beliebigkeit des Standpunktes, es gibt auch für den Theaterkritiker nur einen obersten Gesamtwillen, den er zu achten und zu befolgen hat, er steht heute, wie alle, unter dem Gesetz, das klar und fest heißt: der Staat und sein einheitlicher Wille, eine neue Kultur, also in unserem Falle eine neue Theaterkultur zu ermöglichen. Der Theaterkritiker schwebt nicht mehr in der Luft, sondern ist in seinem kleinen und doch weiten Arbeitsbezirk organisch ein Mitkämpfer in einer neuen Zeit. Wenn aus diesen Gegebenheiten heraus jemand einwendet, dann habe heute der Theaterkritiker keine Bedeutung mehr, weil es im autoritär regierten Staat keine Kritik gäbe und geben dürfe, dann ist das, so gesprochen, natürlich falsch. Der Theaterkritik fallen heute sogar größere und höchst verantwortungsvolle Aufgaben zu, und die Anforderungen, die man an sie stellt, werden eher erheblicher, als daß man etwa mit geringeren Maßstäben oder Ansprüchen zufrieden sein dürfte. Das aber ist in der Tat richtig: jenes Sichgefallen in der Negation, von der die Kritik so lange und oft bis zur Brutalität beherrscht war, ist heute nicht möglich, und es gibt nicht jene erstrebte Objektivität – Objektivität hat man vor seinem Gewissen! –, die sich frei fühlte von Zusammenhängen und Bindungen mit Volk, Weltanschauung, Staat oder Nation und die sich wunder wie sachlich dünkte, wenn sie dem jungen deutschen Dramatiker, für den sie so wenig Nachsicht kannte, entgegenhielt, er sei kein Shakespeare, statt mit gütigem Verständnis, das man jedem gleichgültigen Auslandsschwank entgegenbrachte, eine sich regende Begabung vorsichtig und pflegsam – was die Strenge nicht ausschließt – zu behandeln und herauszuspüren, wo sich etwa junge deutsche Art regte.

## Bekenntnistreuer Charakter

Wolf Braumüller: *Von den Aufgaben nationalsozialistischer Theaterkritik* in: *Die Deutsche Bühne*, Januar 1936, S. 3–4, Auszug.
Wolf Braumüller, Referent für Freilicht- und Thingspiele in der Theaterabteilung der NS-Kulturgemeinde.

Wir sind gewissermaßen «pietätlos und barbarisch» genug, vor einem Ibsen nicht in Anbetung zu verfallen und einen Gerhart Hauptmann erst einmal gründlich zu beschnüffeln, wir sind «geistlos» genug, einen Molière, einen Sardou oder einen Pailleron als veraltet und verstaubt zu betrachten und einen Bernard Shaw oder Pirandello als snobistische Spielerei zu bezeichnen, die auf dem deutschen Theater von heute nicht mal mehr für uns Antiquitätswert besitzen. Und was jene nie verstehen werden: daß wir keineswegs so «dumm» sind, etwa den theatralischen Wert dieser Leute zu verkennen, sondern daß wir bei Aufzählung alles Positiven trotzdem unser klar und undeutbares Nein aussprechen. Denn darin unterscheidet sich die nationalsozialistische Theaterkritik von der Vergangenheit: es geht uns nicht um eine geschmäcklerische Beurteilung, die vor lauter liberalem Verantwortungsgefühl auch noch im Verneinen ein Quentchen künstlerischer Qualität konstruieren will, vielmehr geht unsere Beurteilung von der Betrachtung des Ganzen aus. Und von diesem Ganzen verlangen wir – gleich um unseren Totalitätsanspruch als Nationalsozialisten – einwandfreien, gesunden und bekenntnistreuen Charakter.

## Die Ganzheit

Werner Gerth: *Die Theaterkritik der liberalistischen Epoche im Vergleich zur nationalsozialistischen Kritik.* Dissertation, Leipzig 1936. Gutachter: Prof. Dr. André Jolles und Prof. Dr. Hans A. Münster.

Siehe auch Dr. Hermann Wanderschecks Besprechung von W. Gerths Dissertation in: *Die Bühne,* 1936, S. 617–618: «Die nationalsozialistische Weltanschauung hat die deutsche Theaterkritik an neue, kämpferische Aufgaben herangeführt und ihr bekenntnishafte aktivistische Kräfte verliehen. Die neue Zielsetzung des theaterkritischen Schaffens hat in der Überwindung des Primats des Ästhetischen das Primat des Politischen begründet.»

Die nationalsozialistische Theaterkritik ist auf Grund ihrer weltanschaulichen Haltung an allen Faktoren theaterkritischer Arbeit gleichmäßig interessiert, da sie nicht eine Einzelleistung, sondern die Ganzheit der Aufführung sieht. Dichter, Schauspieler und Regie haben sich in dieser Einheit, die eine politische ist, einzuordnen, und jeder trägt dazu bei, das Gesamtwerk der Aufführung zur Vollendung zu bringen. Alle haben der politischen Idee zu dienen, und jeder ist an seinem Platz berufen, eine Teilaufgabe zu erfüllen.

# Soziale Förderung

## Das Emmy-Göring-Stift

Aufsatz in: *Deutsche Theater-Zeitung* vom 2. 6. 1937, gekürzt.

Über Emmy Göring, * 1894, berichtet Edith Stargardt-Wolff in: *Wegbereiter großer Musiker*, Berlin/Wiesbaden 1954, S. 248: «Emmy Göring-Sonnemann war bekanntlich früher Schauspielerin gewesen. Der Intendant des Hamburger Schauspielhauses war zu Beginn ihrer Laufbahn mein alter Freund Paul Eger, der spätere Leiter der Berliner Festspiele. An ihn hatten sich die Eltern Sonnemann, die in Hamburg ein Schokoladengeschäft unterhielten, und deren Stammkunde Eger war, gewandt mit der Bitte, er möge ihre Tochter Emmy Probe spielen lassen und, wenn möglich, an sein Theater engagieren. Die Talentprobe fiel aber nicht so aus, daß er sie an seine Bühne verpflichten wollte. Er brachte ihr das schonend bei, indem er ihr riet, zunächst ein Engagement an einer kleineren Bühne anzunehmen. Ein solches bot sich bald darauf in Weimar. Dort machte sie allerdings Karriere, wenn auch auf anderem Gebiet. Göring sah die junge Schauspielerin dort in einer tragenden Rolle, verliebte sich in sie, verlieh ihr den Titel ‹Staatsschauspielerin› und heiratete sie einige Zeit darauf. Paul Eger pflegte später lächelnd zu erzählen: ‹So bin ich indirekt Stifter dieser Ehe geworden, denn ich veranlaßte sie, nach Weimar zu gehen›.» – Am 20. 4. 1935, Hitlers Geburtstag, nahm Emmy Göring im Rahmen einer Festvorstellung als Minna von Barnhelm Abschied von ihrer Bühnenlaufbahn; nach der Vorstellung richtete der Intendant Gustaf Gründgens «herzliche Abschiedsworte» an sie; ausführlich darüber in: *Der Neue Weg* vom 1. 5. 1935, S. 243.

Den Statuten zufolge konnten «in das Stift arische deutsche Staatsangehörige aufgenommen werden, die als Schauspieler oder Sänger, oder Schauspielerin oder Sängerin mindestens 25 Jahre dem deutschen Theater angehörten, über 60 Jahre alt und Mitglieder der Reichstheaterkammer waren». Protektor war Hermann Göring, Stifterin Emmy Göring; dem Kuratorium gehörten an: Emmy Göring (Vorsitzende), der Schauspieler Wilhelm Hinrich Holtz (stellvertretender Vorsitzender und geschäftsführender Kurator), Heinz Tietjen, Gustaf Gründgens, Franz Ulbrich, Karl Hubenreisser u. a. m.; die Stiftung befand sich in Weimar, Tiefurter Allee 37.

Für die Kulturstadt Weimar war unlängst ein Tag von besonderer Bedeutung. In feierlicher Weise wurde in Anwesenheit der Stifterin und ihres Gatten, des Ministerpräsidenten und Generalobersten Hermann Göring, das neue Emmy-Göring-Stift seiner Bestimmung übergeben.

Was hier geschaffen worden ist, ein würdiges und schönes Heim für betagte Schauspieler, ist ein soziales Liebeswerk von hohem Wert. Hier hat eine in einen größeren Lebenskreis berufene Frau für den Stand der Schauspiel-Künstler, dem sie selber angehörte, eine Stiftung geschaffen, die sich segensvoll auswirken und dem Namen, den sie trägt, Verehrung und Dankbarkeit sichern wird. Unter den auswärtigen Ehrengästen sah man u. a. Reichsführer-SS Himmler [1], Staatssekretär Körner [2], Generalintendant Gründgens [3], Marianne Hoppe [4], Generalintendant Tietjen, Generalintendant Dr. Ulbrich-Kassel, Staatsschauspieler Klöpfer und Dr. Rainer Schlösser.

Bei dem anschließenden Frühstück im Speisesaal des Hauses sprach der Oberbürgermeister Dr. Müller-Weimar [5] Frau Emmy Göring und dem Ministerpräsidenten den Dank der Stadt für die Errichtung des Heimes aus und teilte den Beschluß der Stadt mit, Ministerpräsident Generaloberst Göring und Frau zu Ehrenbürgern der Stadt Weimar zu ernennen. Es ist dies das erste Mal, daß eine Frau den Ehrenbürgerbrief der Stadt Weimar erhält.

## Künstlerdank - Dr. Joseph-Goebbels-Stiftung

*Künstlerdank, eine Zwei-Millionenstiftung von Dr. Goebbels – Dr. Joseph-Goebbels-Stiftung der Schauspieler*, in: *Der Autor*, Oktober 1936, S. 4; den Richtlinien für die Gewährung von Unterstützung aus der Spende *Künstlerdank*, im Besitz des Herausgebers, entsprechend, wurden von der Unterstützung ausgeschlossen: Voll- und Halbjuden, jüdisch Verheiratete, politisch Verdächtige, s. Seite 5; Sitz des *Künstlerdanks* war Berlin W 35, Schlüterstr. 45; zum Kuratorium gehörten Eugen Klöpfer, Wilhelm Rode, Lothar Müthel. Später war Hans Hinkel Vorsitzender des Kuratoriums; selbstverständlich steuerte Dr. Goebbels den *Künstlerdank* organisatorisch; so brachte beispielsweise das Reichspropagandaamt in einem Presserundschreiben vom 9. 10. 1940 folgende «vertrauliche Mitteilung»: «Reichsminister Dr. Goebbels hat weitere zweieinhalb Millionen für notleidende Künstler zur Verfügung gestellt. In einer Randnotiz hierzu kann auf die Notlage der englischen Künstler hingewiesen werden.»

Aus der Reihe der zahlreichen Empfänge am Geburtstag des Reichsministers Dr. Goebbels verdient der Empfang der Spitzen des deutschen Kul-

1 Heinrich Himmler, 1900–45 (durch Selbstmord); ab 1929 Reichsführer SS; ab 1936 Chef der deutschen Polizei.

2 Paul Körner, * 1893; seit 1926 NSDAP-Mitglied; im Februar 1933 als persönlicher Referent Hermann Görings in das Preußische Innenministerium berufen; ab 20. April 1933 Staatssekretär im Preußischen Staatsministerium.

3 Gustaf Gründgens, 1899–1963, Schauspieler und Regisseur.

4 Marianne Hoppe, * 1911, Schauspielerin.

5 Dr. Walter Felix Müller, 1879–1963; ab 1920 Oberbürgermeister von Weimar.

turlebens im Thronsaal des Reichspropagandaministeriums besonders hervorgehoben zu werden, weil er erneut die enge Verbundenheit des Reichsministers mit allen Kunstschaffenden betonte, deren sozialer Betreuung von jeher sein besonderes Augenmerk galt.

Der Vizepräsident der Reichstheaterkammer, Generalintendant Klöpfer, richtete an den Minister eine Ansprache, in der er u. a. ausführte: «Wir Schauspieler sind von tiefem Dank erfüllt, daß Sie neben Ihrer rastlosen Tätigkeit im Dienst des Vaterlandes noch die hohe Aufgabe erfüllen, den deutschen Bühnenschaffenden den Weg zu weisen, und diesen Weg zu schirmen und zu schützen. Unter Ihnen wurde das Reichstheatergesetz Wirklichkeit. Ihnen verdankt das deutsche Theater die innere und äußere Ausrichtung: die Wegweisung zum deutschen Nationaltheater.

Ich habe die Ehre, Ihnen als dem Schirmherrn des deutschen Theaters, seiner Jugend und seiner alternden Angehörigen zum Zeichen der Verbundenheit aller am Neubau der deutschen Kulturschaffenden mit ihrem Führer folgendes mitzuteilen: Die Aufgaben der früheren Genossenschaft der Deutschen Bühnenangehörigen sind an die Fachschaft Bühne in der Reichstheaterkammer übergegangen. Die Mittel der Genossenschaft sollen nach wie vor den einzelnen Bühnenschaffenden, zumal den in Not geratenen, zugutekommen. Der Verwaltungsbeirat hat daher folgendem Antrag einmütig zugestimmt: «Wir wissen uns eins mit der gesamten deutschen Schauspielerschaft, wenn wir heute, am 26. Oktober, aus den Mitteln der Genossenschaft einer Dr.-Joseph-Goebbels-Stiftung einen Vermögenswert im Betrage von 200 000 RM zugunsten alter, aber nicht mehr berufsfähiger Bühnenkünstler zuweisen. Die Ausführungsbestimmungen über die Verwendung der Stiftung sind dem Herrn Reichsminister anheimgestellt.»

## Offerten

## Neider und Mißgünstige

|                | Hermann Schroer |
|                | Reichstag Abgeordneter |
| Herrn          | Berlin NW 7, den 22. Juni 1933. |
| Hanns Johst    | Fernsprecher: Sammel-Nr. A 1, Jäger 0025 |
| Berlin         | Sofienstr: 18. |

Sehr geehrter Herr Johst,
Im Anschluss an mein heutiges Schreiben erlaube ich mir eine Bitte.

Wie Sie wissen, sollen die preuss. Theater durch den Pg. Herrn Hans Hinkel überwacht werden.

Ich bitte Sie, Herrn Hans Hinkel Kenntnis davon zu geben, dass ich als alter Pg. von 1922 und als Stadtverordneter das Wuppertaler Theaterwesen, das allerdings nicht städtisch ist, im Interesse des Nationalsozialismus überwache. Infolge meiner Autorität und meiner Mitgliedschaft zur Gauleitung habe ich wilde Eingriffe vermeiden können und weiterhin die Voraussetzung geschaffen für ein Neuaufblühen des Theaters.

Nähere Einzelheiten werde ich Ihnen in Kürze erzählen, wenn ich nach dort komme. 10 000,– Mk für die Neuorganisierung des Theaters habe ich schon gestiftet bekommen. Weitere 50–60 000,– Mk sind mir in Aussicht gestellt von Wuppertaler Fabrikanten und Kaufleuten.

Der Kampfbund für deutsche Kultur, das Kreiskulturamt und das städt. Amt für Kunst und Volksbildung arbeiten einträchtig zusammen.

Es gibt sicherlich Neider und Missgünstige, vor allem Postenjäger, die bestrebst sind, quer zu schiessen. Um diesen Leuten von vornherein das Handwerk zu legen, ist es notwendig, dass der Leiter Herr Hinkel über meine Person und mein Tun Kenntnis erhält, worum ich Sie bitte.

Vielen Dank! Und herzliche Grüsse von meiner Frau und mir

Ihr ergebener Hermann Schroer
Leiter der Rechtsstelle

*handschriftlich:*
Für Staatskom. Hinkel. Ich kenne in Herrn Schroer einen famosen Pg.
Ha Jo.

## Inspizient und Chargenspieler

Aus dem Archiv der Preußischen Akademie der Künste.

*Inspizient und Chargenspieler*

| | |
|---|---|
| An den Präsidenten | Pg H. G. Markschies |
| der deutschen Dichter-Akademie | Mitgl. Nr. 347 143 [1] |
| Herrn Pg Hanns Johst | Berlin-Buckow, den 3. 10. 1933 |
| Berlin | Stiglitzweg 33 |

Hoch geschätzter Herr Parteigenosse!
Ich erlaube mir ergebenst die Anfrage, ob die Möglichkeit besteht, durch Sie irgendein Betätigungsfeld zu erreichen. Die Art der Beschäftigung ist mir gleich.

Ich war von 1920–1926 als Film- und Bühnendebütant tätig, ohne daß ich die Möglichkeit fand, auf diesem Gebiete festen Fuß zu fassen. Unter den Engagements hebe ich besonders hervor das beim Schauspielhaus Düsseldorf und Nelson-Theater in Berlin. Auch auf dem Gebiete der Schriftstellerei habe ich in der schweren Zeit keine besonderen Erfolge gehabt.

1 Mitgliedsnummer der NSDAP.

Seit 1926 war ich als Kaufmann tätig und geriet 1930 infolge öffentlicher Betätigung als Nationalsozialist und durch jüdische Machenschaften in Konkurs und verlor hierbei das gesamte Vermögen meiner Frau. Bis zu den Boykottmaßnahmen habe ich wenigstens soviel verdienen können, um den nötigsten Verpflichtungen nachzukommen. Nunmehr ist es mir unmöglich, eine Existenz zu schaffen; ich bin vielmehr gezwungen, das Wohlfahrtsamt in Anspruch zu nehmen, ein Schritt, der mir bisher fremd war.

Ich bitte Sie als alter Nationalsozialist, mein Gesuch in irgendeiner Form gütigst berücksichtigen zu wollen. Ich darf bemerken, daß ich auf dem Gebiete des Theaterwesens mit sämtlichen Büroarbeiten vertraut bin; als Inspizient und Chargenspieler habe ich längere Zeit gewirkt. Anliegend füge ich zur Beurteilung ein selbstverfaßtes Gedicht bei; ich wäre Ihnen besonders dankbar, hierüber Ihre geschätzte Ansicht zu hören. Ihr Urteil soll für die Fortsetzung meiner Lieblingsbeschäftigung entscheidend sein. Gegebenenfalls werde ich mir erlauben, Ihnen weitere Arbeiten von mir zur Beurteilung vorzulegen.

Ich bin im Jahre 1903 zu Tilsit/Ostpr. geboren und seit 1929 verheiratet.

Ich hoffe, daß ich Sie, sehr geehrter Herr Parteigenosse, durch mein Gesuch nicht allzu sehr in Ihrer beschränkten Zeit gestört habe und zeichne in aller Bescheidenheit und Hochachtung

H. G. Markschies

## Von der Pike auf

Der Brief ist gekürzt.

|  | Josef Kircher Buchhandlung |
| Herrn | Börsenverein Nr. 20542 |
| Hans Hinkel, M. d. R. | Hünfeld, den 8. Aug. 1935 |
| *Berlin* | Tel.: 243 Postsch. Ffm. 83 204 |

Lieber Pg Hinkel!

Es ist bereits über ein Jahr vergangen, seitdem wir uns letztmalig im Kultusministerium gesprochen haben. Brauchst Du keinen Mitarbeiter? einen, der im Theaterwesen groß geworden, der in der Bewegung von der Pike auf gedient, und der besonders nach der weltanschaulichen Seite des Nationalsozialismus immer unbeirrt und mit klarem Ziel vorwärts schritt. Seit Jahr und Tag schlage ich mich mit einem nationalsozialistischen Buchvertrieb so schlecht und recht durch, aber wenn ich nun beginne, die Sache größer aufzuziehen, fehlt überall das Kapital hierzu und einem wirklich alten Vorkämpfer der Bewegung kann einfach nicht geholfen werden.

Da ich in der Reichsschrifttumkammer als Buchhändler organisiert bin

und Du ja, wenn ich nicht irre, Geschäftsführer derselben bist, frage ich
bei Dir an, ob es nicht möglich ist, mir bei Eröffnung einer nationalsozialistischen Buchhandlung in Fulda geldlich behilflich zu sein. Für den
bereits bestehenden und kommenden Kampf ist eine solche unbedingt
nötig, da es hier nur schwarze gibt. Und für mich wäre dann die Exi-
stenzfrage gelöst, ohne daß ich Parteibeamter zu werden brauchte. Falls
das nicht möglich, könntest Du nicht einen alten Freund und Kämpfer
in eine für ihn geeignete Position bringen? Ich habe Frau und drei Jungen und habe ein halbes Leben für die Partei umsonst gearbeitet. Kommst
Du nicht einmal nach Süddeutschland (Frankfurt–Heidelberg usw.) oder
soll ich Dich einmal in Berlin aufsuchen?

Für eine baldige Beantwortung wäre ich Dir sehr verbunden.

Heil Hitler!
Josef Kircher

P-S.
Der Gau würde bei der Besetzung einer Position durch mich keine Schwierigkeiten machen, im Gegenteil, er wäre heilsfroh, mich endlich in einer
zufriedenstellenden Existenz zu wissen.

D. O.

## Der Gauredner

| An das | Protestantische Gemeinde |
| Preußische Kultusministerium | Esch an der Alzette, den 10. 2. 1933 |
| in Berlin | *handschriftlich:* |
| | Rü/sehr dringend! |

Dem Preußischen Kultusministerium erlaube ich mir mitzuteilen, daß ich von der Luxemburgischen Staatsregierung meines Amtes als evangelischer Pfarrer von Esch a. d. Alzette enthoben und von ihr aufgefordert worden bin, meine Tätigkeit ohne Verzug ins Ausland zu verlegen, weil ich als Gauredner der Nationalsozialistischen Partei in Trier und Umgebung während der letzten Wahlkämpfe gesprochen habe. Daraufhin hatten sich das Trierer Zentrum und die dortige Sozialdemokratie an die parallelen Luxemburger Parteien gewendet und nicht geruht, bis mich die Staatsregierung trotz des einmütigen Protestes meiner Gemeinde meines Amtes enthob.

Ferner erlaube ich mir, dem Kultusministerium ein Gesuch dahingehend zu unterbreiten, mir einen Druckkostenzuschuß für die Drucklegung einer Tragödie «Kaiser Tiberius» gütigst zu gewähren, die der Verlag Musarion in München begutachtet hat und in seinen Verlag übernehmen will, wenn ich Garantie für $2/3$ der Druckkosten übernehme. Da ich aber ohne Vermögen bin, Familie aber keine Stelle habe, wäre ich sehr dankbar, wenn das Hohe Kultusministerium die von dem Musarionverlag geforderte Garantie in irgendeiner Form übernehmen würde.

Dr. Robert Steiger
Pfarrer

## Schauspiel «Horst Wessel»

Horst Wessel, * 1907, wurde 1926 NSDAP-Mitglied, nachdem er als Schüler und Student gescheitert war und sich mit der Familie, sein Vater war in Berlin Pfarrer, überworfen hatte; er ist am 14. 1. 1930 überfallen und erschossen worden; verschiedenen Versionen zufolge war seine «Ermordung mindestens zusätzlich durch einen Zuhälterstreit motiviert», siehe Bracher-Sauer-Schulz:

*Die nationalsozialistische Machtergreifung*, Köln/Opladen 1960, S. 847, denn er wurde im Zimmer der ihren Beruf immer noch ausübenden Prostituierten Erna Jaenicke, bei der er lebte, in Berlin, Frankfurter Str. 28, erschossen; in einer Erklärung des Deutschen Bühnen-Vereins, in: *Film-Kurier* vom 15. 8. 1933, heißt es wie folgt: «Die Überzahl an Horst-Wessel-Stücken, die in der letzten Zeit aufgetaucht sind, haben den Deutschen Bühnenverein dazu veranlaßt, an die deutschen Theater ein Ersuchen zu richten, in dem er ausführt, daß man sich vielfach vor der Annahme von Stücken nicht vergewissert habe, ob Horst Wessels Mutter damit einverstanden ist, wie ihres Sohnes und ihrer Familie Leben und Schicksal auf der Bühne dargestellt werden. Pietät und die der Familie schuldige Rücksicht erfordern, daß nicht eine beliebige Dramatisierung, sondern nur ein gutes Werk, das die Billigung durch Frau Wessel erlangt hat, zur Aufführung gelangt. Eine Reihe der Autoren dieses Stückes sind nicht Mitglieder des Verbandes Deutscher Bühnenschriftsteller und Bühnenkomponisten. Ihre Werke sind nicht in einem Verlag erschienen, der Mitglied der Vereinigung der Bühnenverleger ist. Die Aufführung derartiger Werke ist nach den bestehenden Tarifverträgen unzulässig. Es wird daher davor gewarnt.»

*Einschreiben!*
Herrn Siegfried Banzhaf              Der Staatskommissar Hans Hinkel,
Freiburg i. Brsg. Neubergweg 12      M. d. R.
                                      24. Juni 1933

Von den Erben Horst Wessels erhalte ich Kenntnis von dem von Ihnen verfaßten Schauspiel «Horst Wessel». Ich habe das Stück von der hierfür zuständigen Stelle – und zwar von dem Pg Hanns Johst, dem Ersten Dramaturgen des Staatlichen Schauspielhauses, Berlin – prüfen lassen. Das Urteil füge ich im Original bei.[1] Unter Bezugnahme hierauf und im Einverständnis mit den Erben Horst Wessels untersage ich Ihnen hiermit die Aufführung Ihres Stückes, das – wie ich anerkenne – wohl in guter Absicht geschrieben wurde, in Form und Inhalt jedoch in keiner Weise dem Andenken unseres Horst Wessel würdig ist.

                                      Mit deutschem Gruß
                                      Hinkel

## Die Geheime Staatspolizei teilt mit

In: *Börsen-Zeitung* vom 20. 7. 1935.

*Die Geheime Staatspolizei teilt mit*
Im Einvernehmen mit der Reichskulturkammer und mit Staatskommissar Hinkel sind die nachstehend aufgeführten drei Artistenverbände wegen der in ihnen tätigen staatsfeindlichen Elemente von der Gehei-

---

1 Hanns Johsts Urteil lautete: «Restloser patriotischer Kitsch!» Brief im Besitz des Herausgebers.

men Staatspolizei aufgelöst worden: Die Internationale Artistenloge Berlin, der Internationale Zirkusdirektoren-Verband-Berlin und der Berufsverband deutscher Artistik-Berlin. Gleichzeitig ist das Organ dieser drei Verbände, die Zeitschrift «Das Programm», verboten worden.

## Staatsrat Gründgens

Als Nachricht in: *Berliner Lokal-Anzeiger* vom 7. 5. 1936; als preußischer Ministerpräsident führte Hermann Göring im Juli 1933 den Titel *Preußischer Staatsrat* ein; die ursprüngliche Funktion einer mit diesem Titel ausgezeichneten Persönlichkeit laut Weimarer Verfassung von 1920 schaffte er ab; von 1933 an war der Staatsrat eine beratende Körperschaft des preußischen Staatsministeriums, in den der Ministerpräsident neben den Staatsministern und Staatssekretären Führer der NSDAP, SA und SS berufen konnte – und zwar auf Lebenszeit –, aber auch verdiente Persönlichkeiten der Kirchen, Wirtschaft, Wissenschaft und Kunst; ein Preußischer Staatsrat bekam im Jahr zwölftausend Mark Aufwandsentschädigung, falls er allerdings in Berlin wohnte; nur sechstausend Mark; Präsident des Staatsrats war Göring selbst. – Im folgenden Artikel wird der spätere Reichsmarschall noch Generaloberst genannt; im August 1933 wurde aus dem Hauptmann Göring ein General der Infanterie, was in Friedenszeiten erstmals in der Geschichte der Reichswehr geschah. – Siehe zu Gründgens auch Klaus Manns sehr persönlichen Schlüsselroman *Mephisto*, Amsterdam 1936. Die Annahme von NS-Ehren hatte bei Gründgens ähnliche Ursachen wie bei Furtwängler, siehe: *Musik im Dritten Reich* (Ullstein Buch 33032). Er emigrierte nicht. Da er jedoch im Dritten Reich aushielt, gelang es ihm nicht immer, sich den Maßnahmen des totalitären Staates zu entziehen.

Ministerpräsident Generaloberst Göring hat den Intendanten des preußischen Staatlichen Schauspielhauses, Gustaf Gründgens, angesichts seiner Verdienste um die darstellende Kunst zum Preußischen Staatsrat ernannt und an Gründgens gleichzeitig das nachstehende Schreiben gerichtet:

«Mein lieber Intendant Gründgens!

Nachdem vor einigen Wochen der Führer und Reichskanzler Ihnen für Ihre Leistungen als Intendant, Regisseur und Schauspieler Worte höchster Anerkennung ausgesprochen hat, ist es auch mir ein Bedürfnis, Ihnen meinen Dank und meine Anerkennung zu beweisen. Ich berufe Sie mit dem heutigen Tage in den Preußischen Staatsrat. Ich vollziehe diese Berufung in dankbarer Würdigung Ihrer Arbeit, mit welcher Sie das preußische Staatliche Schauspielhaus zur führenden Bühne Deutschlands gemacht haben. Ich weiß, daß neben der hervorragenden Mitwirkung des ausgezeichneten Ensembles es in erster Linie Ihrer unermüdlichen Einsatzbereitschaft zu danken ist, wenn heute das Staatsschauspielhaus wieder die Stellung erreicht hat, die diese Bühne zum Vorbild aller deutschen Theater macht.

Mit dieser Ernennung zum Preußischen Staatsrat bringe ich gleichzeitig zum Ausdruck, wie wichtig im nationalsozialistischen Staat die Pflege der darstellenden Kunst ist. Sie sollen weiter an der Förderung dieser Kunst mitarbeitend und mitratend in diesem Amte mir zur Seite stehen.

Heil Hitler!
Hermann Göring
Ministerpräsident«

## Nackte Beine sind nicht unsittlich

Als Notiz in: *Der Autor*, September 1937, S. 16.

Gegen die Leute, für die das Theater und der Bühnenkünstler immer noch identisch sind mit dem Begriff der Lasterhaftigkeit, wendet sich Gauleiter Frauenfeld, der Geschäftsführer der Reichstheaterkammer. Wehe, dreimal wehe, so ruft er aus, wenn ihre berufliche Tätigkeit sie eines Tages in die Lage versetzt, sich «von Amts wegen» mit dem Gegenstand ihrer etwas entarteten Leidenschaft zu befassen. Es seien die von den Stammtischen oder Schreibtischen ausbrechenden Amokläufer, die versuchten, alles, was ihnen Kunst scheine, mit Paragraphen totzuschlagen und mit Moralinsäure zu bespritzen. Ihnen sei der längst verschüttete Quell ihrer Leidenschaft rings um das Theater ein Drama mit zumindest fünf Akten aus der Pubertätszeit, das in einer Schreibtischschublade ein gespenstisches Dasein führe. Als Selbstverständlichkeit stellt Frauenfeld fest:

Nackte Beine an sich sind nichts Unsittliches, und wenn jemand sie so empfindet, dann sind erst recht nicht die Beine unsittlich, sondern höchstens der, der sie so sieht. Er fügt hinzu, der Nationalsozialismus, der jeder freudigen Lebensbejahung und gesunden Sinnenfreude das Wort rede, empfinde es peinlich, als die braune Hülle für die geistige Blöße derer mißbraucht zu werden, die die ganze Welt aus einer Kloaken-Perspektive sehen.

## Politik und Humor

Aus der Reichskulturkammer ausgeschlossen, in: *Völkischer Beobachter* vom 4. 3. 1939; siehe Kommentar dazu in: *12-Uhr-Blatt* vom 4. 2. 1939.

Der Reichsminister für Volksaufklärung und Propaganda, Dr. Goebbels, hat den Schauspieler und Schriftsteller Werner Finck [1], den Conferencier Peter Sachse (Curt Pabst), sowie die unter dem Namen «Die drei Rulands» auftretenden Helmuth Buth, Wilhelm Meißner und Manfred Dlugi aus der Reichskulturkammer ausgeschlossen. Damit ist ihnen für

---

1 Werner Finck, * 1902, Schauspieler, Kabarettist, Schriftsteller.

die Zukunft jedes weitere öffentliche Auftreten in Deutschland verboten.

Der Schauspieler und Schriftsteller Werner Finck wurde bereits im Mai 1935 gelegentlich der Schließung des Kabaretts «Die Katakombe» ernstlich verwarnt, weil er in seinen Darbietungen Einrichtungen der Partei und des Staates öffentlich lächerlich zu machen versucht hatte. Trotz dieser Verwarnung hat er neuerdings in seinem Auftreten jede positive Einstellung zum Nationalsozialismus vermissen lassen und damit in der Öffentlichkeit und vor allem bei den Parteigenossen schwerstes Ärgernis erregt.

Der Conferencier Peter Sachse (Curt Pabst) sowie die unter dem Namen «Die drei Rulands» auftretenden Helmuth Buth, Wilhelm Meißner und Manfred Dlugi sind aus denselben Gründen aus der Reichskulturkammer ausgeschlossen worden.

## Finale

Hans Jenkner: *Märkische Kulturwoche – Auftakt in Potsdam und in Frankfurt a. d. Oder* in: *Völkischer Beobachter* vom 10. 2. 1944.

Aus den Wellen und Bastionen der märkischen Landschaft mit ihrer stillen Schönheit hebt sich hinter einer Höhe die alte Oderstadt Frankfurt. Im Stadttheater, der letzten, spätgeborenen Schwester des Schinkelschen Schauspielhauses am Berliner Gendarmenmarkt, erleben wir eine Morgenfeier der NSDAP, die dem Genius von Heinrich von Kleist gehört. SS-Brigadeführer Karl Cerff, der Leiter des Hauptkulturamtes in der Reichspropagandaleitung, entwickelte in einer Ansprache das tragische Lebensmuß des einsamen Kleist, das aus Gefühl und Gesetz seine Spannungen und Überwindungen im Werk gewann. Paul Hartmann, der Präsident der Reichstheaterkammer, sprach Prinz von Homburg und Wetter vom Strahl, Kleists Königin-Hymnus «Wir sah'n dich Anmut endlos niederregnen, wie groß du warst, das ahnten wir nicht» – und die eherne Prosa des Politikers Kleist «Was gilt es in diesem Krieg?» und das II. Kapitel aus dem «Katechismus der Deutschen».

## Ludwig Körner

Ludwig Körner, vom 5. 4. 1938 – 21. 4. 1942 Präsident der Reichstheaterkammer.

## Lebenslauf

Auszüge.

Am 28. Dezember 1890 wurde ich in Großenbaum bei Düsseldorf als Sohn des damaligen Werkmeisters der Hahnschen Röhrenwerke geboren. Meine Mutter Wilhelmine, geb. Siebmann, war die Tochter eines Landwirts. Ich besuchte vier Jahre die Volksschule und genoß später infolge der jahrelangen Auslandstätigkeit meines Vaters ausschließlich Unterricht durch Hauslehrer bis zur Primareife.

Theater: Nach Ausbildung bei dem damaligen Mitgliede des Düsseldorfer Schauspielhauses Franz Everth – jetzt Generalintendant in Darmstadt – ging ich zwar als Anfänger, aber doch für I. Fach an das Stadttheater Memel, spielte dort u. a. im ersten Jahre meiner Bühnentätigkeit «Faust», «Jaromir» in Ahnfrau etc.

Politisches: Ich bin – obwohl wallonischer Abstammung – (meine Vorfahren haben bei Lüttich gelebt, wovon noch jetzt in Lüttich eine Straße – Rue de Vivegnis – und ein Bahnhof – Liège-Vivegnis – zeugt), Deutscher, habe nie einer politischen Partei angehört, auch nicht der NSDAP, da ich in den entscheidenden Jahren in Österreich war und es nicht restlos überzeugend fand, erst nach der Machtergreifung beizutreten. Nach dem Umschwung an mich gelangende wohlmeinende Ratschläge von Freunden, u. a. Karl Zander, mit dem ich seit Jahren befreundet bin, glaubte ich im Hinblick auf den evtl. Vorwurf des Konjunktur-Rittertums ablehnen zu sollen. Ich habe mich aber ohne Weiteres bereit gefunden, als förderndes Mitglied mit einem wesentlich über dem Parteibeitrag liegenden monatlichen Betrage der SS beizutreten.

Persönliches: Ich bin jetzt 44 Jahre alt, verheiratet mit der früheren Schauspielerin Anny Dopler, Tochter eines früheren Kaffeehaus-Besitzers in Wien (Café Burgtheater), arisch, kath. und habe zwei Kinder, 19 und 13 Jahre alt. Ich wohne Berlin-Wilmersdorf, Darmstädterstr. 1.

Berlin, den 20. März 1935                    Ludwig Körner

# In eigener Sache

So überschrieb Ludwig Körner ein neunseitiges Elaborat für die Reichstheater-kammer; es handelt sich hier um Auszüge.

*Der Führer sagte:* «Niemandem in Deutschland soll Unrecht geschehen und ich will, daß nach menschlichem Ermessen alles getan wird, um irgendwo ein Unrecht zu verhindern!» *Und in seiner Rede vom 24. März – Deutschlandhalle:* «Ich würde, wie jeder charakter- und ehrenhafte Mensch es tut, mich einem an mir begangenen Unrecht widersetzen und bis aufs Letzte mit meiner ganzen Kraft dafür eintreten, um zu meinem Recht zu gelangen!»

*Erklärung:* Ich habe es immer als eine hohe Ehre angesehen, im neuen Deutschland und im Bereiche des Herrn Reichsministers für Volksaufklärung und Propaganda, zur Mitarbeit herangezogen zu werden. Als mich der erste nationalsozialistische Präsident [1], unser zu früh dahingegangener Otto Laubinger, rief, bin ich gekommen und habe gearbeitet, gearbeitet so, wie meine Pflicht, mein Gewissen und meine Ehre es mir geboten.

*Ich darf* und muß darauf hinweisen, daß *ich* die Sonderaktion für Alt-Pg im Jahre 1935 erdachte und nach freudiger Zustimmung durch Otto Laubinger und nach Genehmigung durch den Herrn Minister, überwachte und durchführte!

*Warum, frage ich,* wurde mir später nach monatelanger Kenntnis ein Vorwurf aus meinem Gehalt gemacht? Es hat immer Leistungen gegeben, die höher oder mäßiger bezahlt wurden, und sollte ich eine Tätigkeit, *zu der ich mich nie gedrängt hatte,* die ich aber zum Segen Vieler meiner Berufsgenossen und des deutschen Theaters ausüben konnte, ablehnen, weil ich befürchten sollte, daß mir aus Vertrag und Gagenhöhe einmal ein Vorwurf gemacht würde? Nein!! Ich stand, was ich im Einzelnen beweisen kann, meinem Präsidenten Otto Laubinger in guten und schweren Zeiten treu zur Seite und freue mich noch heute seiner anerkennenden Worte über meine Mitarbeit (s. Sitzungsbericht Verwaltungsrat der Genossenschaft vom 1. und 2. Februar 1935).

*Bei dieser ganzen Sachlage* frage ich mich immer wieder, was geht denn noch eigentlich – verhüllt oder unverhüllt – vor, um gegen mich – unkontrollierbar – vorgebracht zu werden? Und da habe ich nun etwas erfahren, daß – für mich unfaßbar – von irgend jemand irgend wann vorgebracht worden sein soll:

Ich sei Mitarbeiter in der Direktion Victor Barnowsky [2] gewesen. Das stimmt! Ich frage aber, wo hätte ich an einer größeren Berliner Bühne

1 Präsident der Reichstheaterkammer.
2 Victor Barnowsky, * 1875, Schauspieler, Theaterdirektor und Regisseur.

arbeiten sollen, um keinen Juden anzutreffen? Ich frage: Wer war bei Leopold Jessner? Bei Robert Klein? Saltenburg? Bei Piscator??? (Der mir auch einmal ein glänzendes Angebot machte, das ich aber rundweg, aus weltanschaulichen Gründen neben den künstlerischen, ausschlug!)

Ich bitte gehört zu werden, damit ich mir bei meinem Minister dasselbe Vertrauen zu erwerben in der Lage bin, das ich – mit Stolz kann ich es sagen – bei seinem ersten Präsidenten der Reichstheaterkammer immer besessen habe.

Ich bitte gehört zu werden, und ich bitte auch, aus den Reihen meiner Berufskollegen große und kleine Künstler zu hören und sie über mich zu befragen. Ich glaube, keine persönlichen Gegner zu besitzen, sicherlich bleiben sie aber in verschwindender Minderheit den Männern gegenüber, die wahr und objektiv und meine Arbeit anerkennend, sich zu äußern bereit sind.

Berlin, den 29. Juni 1936                           Ludwig Körner

## Hans Hinkel greift ein

Es handelt sich hier um Auszüge des an Dr. Goebbels gerichteten achtseitigen Briefes; erwähnenswert ist auch noch ein sogenannter Abschlußbericht Hinkels für Dr. Goebbels vom 4. 4. 1942, im Besitz des Herausgebers; auf S. 3 jenes Berichts stellt Hinkel fest: «Zusammenfassend ist zu sagen, daß Körner zwar in keinem einzelnen Falle persönliche Korruption nachzuweisen ist, daß aber die ganzen letzten Jahre hindurch eine nicht abreißende Kette von Fällen feststellen ist, die mindestens nahe an der Grenze dessen liegen, was als korrekte Verwaltungsübung angesehen werden kann.»

Dem
Herrn Reichsminister                  Hinkel – Reichskulturkammer
über den Herrn Staatssekretär        Berlin, den 16. März 1942

*Betr.:* Ludwig Vivegnis genannt Körner, Präsident der Reichstheaterkammer.

Gegen den jetzigen Präsidenten der Reichstheaterkammer Ludwig Vivegnis genannt Körner haben sich im Laufe seiner Tätigkeit soviel Vorwürfe und Beschwerden angesammelt, daß eine zusammenfassende Prüfung geboten erscheint, zumal nach vielen Anzeichen in weiten Theaterkreisen Vertrauen zu der Einwandfreiheit seiner Amtsführung nicht besteht. Körner, der wallonischer Herkunft, katholisch und Nicht-Parteigenosse ist[1], war von 1928–1932 in leitender Stellung bei Barnowsky tätig und wurde 1933 in das Präsidium der Genossenschaft der deut-

---

1 Im Personal-Fragebogen der Reichstheaterkammer – Fachschaft Bühne gibt Körner an, er sei seit dem 1. 5. 1937 NSDAP-Mitglied und habe die Nummer 5 919 698.

schen Bühnenangehörigen berufen. 1936 wurde er stellv. Geschäftsführer der Reichstheaterkammer, im April 1938 wurde er zu deren Präsidenten ernannt. Sein Vertrag ist mit Halbjahresfrist zum Jahresende kündbar.

An Bezügen erhält Körner monatlich RM 1.800,– Gehalt und RM 200,– Aufwandsentschädigung. Ferner erhielt er als Liquidator der Bühnengenossenschaft monatlich RM 500,– und RM 160,– Beitrag zur Altersversorgung; diese Bezüge sind nach längeren Vorhaltungen ab 1. Mai 1940 in Wegfall gekommen. Eine weitere Aufwandsentschädigung als Geschäftsführer der Goebbels-Stiftung für Bühnenschaffende von monatlich RM 150,– ist seit 1. Januar 1941 entfallen. Nebeneinnahmen als Schiedsrichter und Gutachter sowie für eine begrenzte künstlerische Betätigung sind ihm gestattet. Die letzten Anträge Körners auf Gehaltserhöhung sind von dem Herrn Reichsminister im Juli 1940 und März 1941 abgelehnt worden. Zeitweise, von April bis Juni 1938, hat er nicht vorgesehener Weise doppeltes Gehalt bezogen. Der Rechnungshof des Deutschen Reiches hat diese Zahlungen zum Teil beanstandet.

Umfangreiche Beanstandungen werden von der Vorprüfungsstelle der Reichskulturkammer und vom Rechnungshof gegen die Geschäftsgebarung der von Körner geleiteten Stellen erhoben. Die erste Beanstandung der Buchprüfung der Reichstheaterkammer datiert vom Oktober 1937. Damals waren Ungenauigkeiten in Höhe von RM 366 000,– festgestellt worden. Der letzte Bericht der Vorprüfungsstelle vom 28. Februar 1939 enthält nicht weniger als 61 Seiten Beanstandungen, die im einzelnen hier nicht angeführt werden können. Herausgehoben sei, daß Körner noch Ende 1939 einen Gehaltsvorschuß von RM 2.600,– in Anspruch genommen und verschiedene persönliche Entnahmen noch nicht abgerechnet hatte. Der Preis für eine zu RM 20,– von der Theaterkammer an Körner verkaufte Schreibmaschine war noch nicht von ihm bezahlt. Der Rechnungshof, dessen letzter Bericht vom 16. August 1941 datiert, kommt zu dem Ergebnis, daß die erforderliche Sparsamkeit und Wirtschaftlichkeit ausser Acht gelassen sei. Die Kasse sei nicht ordnungsgemäß geführt worden. Für über RM 80 000,– fehlten Ausgabenbelege. Es sind mehrfach Zahlungen festgestellt worden, die entweder überhaupt nicht oder nicht in der Höhe zulässig waren.

Innerhalb des Körnerschen Bereichs ist sein Bruder Walter Vivegnis-Körner beschäftigt, und zwar als Geschäftsführer der Künstler-Kolonie GmbH, die der Bühnengenossenschaft gehört. Dieser hat, wie der Rechnungshof beanstandet, entgegen den Bestimmungen der Reichshaushaltsordnung einen Betrag für Buchführungsarbeiten vor der Gegenleistung erhalten. Bedenklich ist auch die bevorzugte Behandlung des Sohnes Körners, des Schauspielers Peter Körner in Aachen. Dieser erschien nicht zu der Abschluß-Reifeprüfung als Schauspieler, stattdessen ging beim Landesleiter Köln-Aachen ein Brief der Reichstheaterkammer vom 13. November 1940 ein, in dem es heißt, von der Prüfung des Peter Körner könne Abstand genommen werden, da bei der Kammer «eine für die vorzeitige Aufnahme maßgebliche gutachtliche Stellungnahme des Generalintendanten Klöpfer vorliege», dieses Gutachten sei einer Prüfung gleichzusetzen.

Zusammenfassend muß ich feststellen, daß infolge der gleichzeitig unkorrekten und autokratischen Amtsführung Körners das Ansehen der Theaterkammer und das Vertrauen der Mitglieder zu ihr gelitten hat.

Da, wie die bisherigen Vorgänge beweisen, die Aufrollung des ganzen Komplexes, der bereits zu einer stattlichen Zahl von Aktenbänden angewachsen ist, zu endlosen Auseinandersetzungen und Verteidigungsschriften Körners führen würde, habe ich von erneuten Vernehmungen Körners zunächst Abstand genommen und halte solche auch weder für notwendig noch zweckmässig. Dagegen scheint es mir geboten, Körner so bald wie möglich in der Führung der Reichstheaterkammer durch eine geeignetere andere Persönlichkeit abzulösen. Teilt der Herr Reichsminister diese Ansicht grundsätzlich? Sollen in diesem Sinne Vorschläge unterbreitet werden?

Hinkel

## Dr. Goebbels an Ludwig Körner

An den
Präsidenten der Reichstheaterkammer
Herrn Ludwig Körner
Berlin W 62
Keithstr. 11

Der Präsident
der Reichskulturkammer
Berlin W 8, den 11. März 1942
Wilhelmplatz 8/9
Fernsprecher: 11 00 14

Sehr geehrter Herr Körner!
Ich bitte Sie zur Kenntnis zu nehmen, daß ich endgültig die Überleitung der Stiftung, die meinen Namen trägt, in den Besitz der Reichskulturkammer wünsche. Ich ersuche Sie, nunmehr Ihren mir unverständlichen Widerstand aufzugeben und den in meinem Namen erfolgenden Weisungen des Generalsekretärs der Reichskulturkammer, Herrn Hinkel, zu entsprechen. Es gibt kein eigenes Vermögen der Bühnenschaffenden, das Sie schützen müssen! Die Verfügung darüber liegt einzig und allein bei mir!

Ich bitte ferner zur Kenntnis zu nehmen, daß ich Ihre mir vor einiger Zeit bekannt gewordenen Äußerungen betreffs des früheren Berliner Theaterunternehmers Max Reinhardt-Goldmann mißbillige.

Dr. Goebbels

# «Ich verwarne Sie hiermit»

An den Schauspieldirektor
Herrn Ludwig Körner
Berlin-Nikolassee
Krottnauerstr. 19

Der Reichsminister
für Volksaufklärung und Propaganda
Berlin W 8, den 21. April 1942
Wilhelmplatz 8/9

Ihrem Ersuchen vom 15. ds. Mts. entspreche ich hiermit, indem ich Sie Ihres Amtes als Präsident der Reichstheaterkammer enthebe, wobei ich hervorhebe, daß ich den Wortlaut Ihres Schreibens auf das schärfste mißbillige. Sie haben nicht das Recht, sich in erster Linie als Vertreter Ihrer Berufskameraden und nur zur Wahrung derer Interessen berufen, zu betrachten. Vielmehr hatten Sie die Pflicht, sich lediglich als Beauftragter des Präsidenten der Reichskulturkammer anzusehen und entsprechend zu handeln. Sie haben mehrfach Anordnungen meines Vertreters zuwider gehandelt und sich dadurch meinem Willen entgegengestellt. Ich verwarne Sie hiermit!

Ich habe Anweisung gegeben, daß Sie vorerst zu einer leitenden Stellung nicht in Vorschlag zu bringen sind.

Heil Hitler!
Dr. Goebbels

## Vorerst

Dieser Brief ist unterzeichnet vom Generalsekretär der Reichskulturkammer und Geschäftsführer der Reichstheaterkammer, Dr. Hans Erich Schrade, * 1907. Er trat im Juli 1923 als Sechzehnjähriger einer NS-Sturmabteilung bei, und zwar in Backnang; 1929 im Nationalsozialistischen Studentenbund; am 1. 12. 1930 NSDAP-Eintritt mit der Mitgliedsnummer 384 477; SA-Sturmführer.

Herrn
Ludwig Körner
Berlin-Nikolassee

Der Präsident der Reichstheaterkammer
Der Geschäftsführer
*Geschäftszeichen: I*
Berlin W 62, den 16. November 1943
Keithstr. 11, Fernruf: 25 94 01
Postscheck-Konto: Berlin 10079

Der Unterzeichnete hat pflichtgemäß von der zwischen uns am 7. ds. Mts. stattgefundenen Unterredung und Ihrem Schreiben vom 10. November, dem Herrn Generalsekretär der Reichskulturkammer Kenntnis gegeben.

Der Herr Generalsekretär muß den Inhalt Ihres Schreibens und die in ihm enthaltene Kritik, in der er ein parteiwidriges Verhalten erblickt, beanstanden.

Vorbehaltlich der anderweitigen Erledigung durch die Personal-Abteilung des Reichsministeriums für Volksaufklärung und Propaganda, wollen Sie daher zur Kenntnis nehmen, daß die Unterlagen dem Gau Berlin der NSDAP zur Überprüfung Ihrer weiteren Zugehörigkeit zur Partei zugeleitet sind, mit der Maßgabe, daß Ihr Ausschluß aus der Partei verfügt werden soll. In Ihrer Tätigkeit *als Schauspieler* soll Sie dieses Parteiverfahren *vorerst* nicht behindern. Eine eventuelle Bewerbung Ihrerseits als Bühnenleiter könnte jedoch zur Zeit von hier aus nicht befürwortet werden.

Ich bitte um Bestätigung dieses Schreibens.

Im Auftrage: Dr. Schrade

F. d. R.: Unterschrift
*Stempel:* Reichskulturkammer Reichstheaterkammer

## Ohne Rechte eines Parteigenossen

|  |  |
|---|---|
|  | Nationalsozialistische |
|  | Deutsche Arbeiterpartei |
|  | Gauleitung Berlin |
| An den | Kreisgericht: Kreis II/3. Kammer |
| Schauspieler | Verf. Körner ./. Hinkel |
| Herrn Ludwig Körner | 4/44–Dr. Str./Pa., Fernruf: 86 61 58 |
| Berlin-Nikolassee | Berlin-Wilmersdorf, den 12. Juli 44 |
| Krottauerstr. 19 | Westfälische Str. 1 |

Zu Ihrem Verfahrensantrag wird Ihnen mitgeteilt, daß Sie gegen den Parteigenossen SS-Brigadeführer Hans Hinkel hierorts keine Anzeige erstatten können, da Sie zufolge Ihrer bisherigen Nichtvereidigung die Rechte eines Parteigenossen nicht besitzen.

Der Vorsitzende der 3. Kammer des                   Beglaubigt:
Kreisgerichts II – Berlin                                    Unterschrift
Dr. Stock                                                             Leiter der Geschäftsstelle
Stempel: Kreisgericht II Gau Berlin
3 Anlagen zurück

### Paul Hartmann

Paul Hartmann, * 1889, Schauspieler und letzter Präsident der Reichstheaterkammer im Dritten Reich; Eugen Klöpfer war 1942 sein Stellvertreter; zum Präsidialrat der Kammer gehörten Dr. Hans Erich Schrade (auch Geschäftsführer), Benno von Arent, Friedrich Bethge, Franz Goebels, Prof. Dr. Paul Graener, Gustaf Gründgens, Otto Krauss, Wolfgang Liebeneiner, Lothar Müthel, Paul Otto, Franz Josef Scheffels, Oskar Walleck.

# Der neue Präsident

*Paul Hartmann wurde Präsident der Reichstheaterkammer,* in: *Stuttgarter NS-Kurier* vom 23. 4. 1942; siehe auch Herbert Ihering: *Paul Hartmann* in: *Neues Wiener Tageblatt* vom 23. 4. 1942; *Paul Hartmann Präsident der Reichstheaterkammer,* in: *Völkischer Beobachter* vom 23. 4. 1942 und *Paul Hartmann,* in: *Deutsche Zeitung in Norwegen* vom 25. 4. 1942.

Der Präsident der Reichstheaterkammer Ludwig Körner wurde auf seinen Wunsch von seinem Amte und den damit in Zusammenhang stehenden Aufträgen entbunden, da er sich nach vierjähriger Tätigkeit als Präsident der Reichstheaterkammer wieder der praktischen Arbeit des Theaters widmen will. Der Präsident der Reichskulturkammer, Reichsminister Dr. Goebbels, hat den Staatsschauspieler Paul Hartmann zum Präsidenten der Reichstheaterkammer ernannt.

Mit Paul Hartmann ist ein Mann des Theaters zum Präsidenten der Reichstheaterkammer ernannt worden, der in der ersten Reihe der deutschen Schauspieler von heute steht. Der großen Öffentlichkeit ist Paul Hartmann vor allem durch den Film bekannt geworden. Doch die künstlerische Heimat Hartmanns ist das Theater, die Bühne. Paul Hartmann, der gebürtige Franke, der ursprünglich nach dem Abitur Medizin studieren wollte, aber dann doch Schauspieler wurde, kam sehr rasch über Zwickau, Stettin und Zürich nach Berlin ans Deutsche Theater. Als ausgezeichneter Sprecher und immer ungemein sorgfältig, sehr prägnant arbeitender Darsteller setzte sich Hartmann auch in Berlin durch. Mit dem Schwung und der leidenschaftlich gespannten Intensität seines Wesens war Paul Hartmann stets ein Vertreter des heldischen Faches von Format, 1926 wurde er an das Burgtheater nach Wien verpflichtet, im Januar 1935 jedoch von Ministerpräsident Hermann Göring nach Berlin zurückgeholt und an das Preußische Staatstheater berufen. In dem Ensemble dieser großartigen Darsteller konnte sich dann das reife Können Hartmanns voll entfalten.

## Nach Möglichkeit

In: *Kulturpolitische Information* Nr. 18 vom 24. 4. 1942 des Reichspropagandaamtes Berlin.

Anläßlich des Rücktritts des bisherigen Präsidenten der Reichstheaterkammer, Ludwig Körner, und der Ernennung des Staatsschauspielers Paul Hartmann zu seinem Nachfolger wird gebeten, sich mit dem Lebenslauf und den bisherigen Leistungen Paul Hartmanns zu beschäftigen und nach Möglichkeit ein Bild des neuen Präsidenten der Reichstheaterkammer zu veröffentlichen.

Auch die Gastspiele Paul Hartmanns am 25. und 26. April in Schwerin und am 30. 4. in Lübeck werden der Beachtung empfohlen.

# Alfred Eduard Frauenfeld

Im Zweiten Weltkrieg landete der Geschäftsführer der Reichstheaterkammer A. E. Frauenfeld als Generalkommissar für die Krim in der Sowjetunion; über die komische Rolle, die er dort spielte, siehe Alexander Dallin: *Deutsche Herrschaft in Rußland 1941–1945*, Düsseldorf 1958, S. 267–268 und 276–278.
Dieser Brief ist gekürzt.

| | |
|---|---|
| Persönlich! | Der Generalkommissar für die Krim |
| | Gauleiter A. E. Frauenfeld |
| An den | F/Lu |
| Reichsführer-SS | Wien VI, Getreidemarkt 1 |
| und Chef der deutschen Polizei | z. Zt. Berlin, den 8. Januar 1943 |
| Heinrich Himmler | *Stempel:* |
| Berlin SW 11 | Persönlicher Stab Reichsführer-SS |
| Prinz Albrechtstr. 8 | Schriftgutverwaltung Akt. Nr. 11/9 |

Sehr geehrter Reichsführer!
In den 14 Jahren, die Sie mich nunmehr kennen, geschieht es zum ersten Mal, daß ich mich mit einem persönlichen Anliegen an Sie wende. Ich bitte Sie um Aufnahme in die SS.

Schon jahrelang war es mein Wunsch, der SS anzugehören. Ich gehörte nie einer anderen Formation an, und es war vielleicht falsch von mir, daß ich nicht schon früher an Sie mit dieser Bitte herantrat, da mir verschiedentlich mitgeteilt wurde, daß Sie diesen Gedanken von sich aus schon erwogen hätten. Aber ich habe in all den Jahren meiner Arbeit für die NSDAP an dem Grundsatz festgehalten, in eigener Sache nie etwas zu unternehmen. Wenn ich nun scheinbar von dieser Einstellung abweiche, so geschieht es vor allem aus sachlichen und nicht aus persönlichen Gründen.

Reichsführer! Ich möchte arbeiten und aufbauen und nicht ständig interne Reibungen überwinden müssen, die jede schöpferische Arbeit lähmen. Der einzige, der mir hierbei helfen kann, sind Sie. Ich brauche den inneren und auch äußeren Rückhalt, den mir die Zugehörigkeit zur SS einzig und allein geben kann. Auch eine Reihe meiner Mitarbeiter, vor allem Gebietskommissare – meist frontgediente Altparteigenossen – denken so wie ich, und ich würde Ihnen, wenn Sie meiner Bitte nachkommen sollten, gerne diese wertvollen Männer zuführen.

Dabei ist festzustellen – und deswegen hätte ich Sie gerne persönlich gesprochen –, daß die Organisation von Tag zu Tag mehr zerflattert, und alle pflichtbewußten Leute hegen ernsteste Befürchtungen für den ganzen Ostraum, wenn die Atomisierung der Verwaltung und die widersprechenden Auffassungen über grundsätzlichste Fragen weiterhin die Arbeit lähmen.

Ich glaube, mich in meinem Arbeitsgebiet eingearbeitet zu haben, und möchte neben meiner Kriegsaufgabe, den Lieferungen landwirtschaftlicher Güter, auch die Aufbauarbeit vorwärtstreiben, ebenso auf dem Gebiet des Siedlungswesens, wie der Gotenforschung und eines künftigen Kur- und Heilstättengroßbetriebes. Da Ihr persönliches wie dienstliches Interesse an diesem Raum von Ihnen schon wiederholt bekundet wurde, hoffe ich, mit meiner Bitte Ihr Verständnis und Ihre Zustimmung zu finden.

Mein Lebenslauf dürfte Ihnen in großen Umrissen bekannt sein, und ich will nur erwähnen, daß ich in beiden großen Kriegen freiwillig als Frontsoldat 5 Jahre gedient habe und daß meine dienstlichen, parteilichen, wirtschaftlichen und privaten Verhältnisse sich in vollster Ordnung befinden.

Mit den besten Grüßen und       Heil Hitler!
                                Ihr ergebener A. E. Frauenfeld
N. S.

Anbei sende ich Ihnen ein Kapitel aus meinem in Vorbereitung befindlichen neuen Buch über die Krim, das von einem Besuch der gotischen Bergstadt Eski Kermen handelt, die ich Ihnen hoffentlich im Frühjahr zeigen kann. Vielleicht finden Sie eine Mußestunde, um die Arbeit zu lesen.                                                      D. O.
1 Anlage


## Dr. Rainer Schlösser

## Nicht sonderlich opportun

Über Rainer Schlösser siehe auch Hermann Gerstner – Karl Schworm: *Deutsche Dichter unserer Zeit*, München 1933, S. 443–452, sowie: *Männer im Dritten Reich*, Bremen 1934, S. 196.

| | |
|---|---|
| An | Der Reichsdramaturg |
| Herrn Staatskommissar | im Reichsministerium |
| Hinkel, M. d. R. | für Volksaufklärung und Propaganda |
| Preussisches Ministerium für | *Geschäftszeichen: Abt. VI. 6070/16. 7.* |
| Wissenschaft, Kunst und Volks- | Berlin W 8, den 26. Oktober 1933 |
| bildung | Wilhelmplatz 8/9 |
| Berlin W 8 | Fernsprecher: A 1 Jäger 0014 |

Sehr geehrter Herr Staatskommissar!
Nach Einsichtnahme in das Drama, «Die Jagd Gottes» von Emil Bernhard [1], beeile ich mich Ihnen mitzuteilen, dass mir die Aufführung durch

---

1 Emil Bernhard (Pseudonym für Emil Cohn), 1881–1948; er war Rabbiner und Schriftsteller.

den «Kulturbund deutscher Juden»[1] nicht sonderlich opportun erscheint. Das Ganze ist eine Art «Trost des Judentums», eine Art «Herzstärkung» für Juden, die an sich nichts Aggressives hat und unbedenklich wäre, wenn man das Stück etwa im vergangenen Reich gespielt hätte. Im dritten Reich, das das Judentum in seiner eminenten Gefahr erkannt hat, erscheint die Sache aber recht bedenklich. Weil nämlich das Stück vor dem Hindergrund einer russischen, das Judentum maltraitierenden Soldateska spielt. Mit wem die erwähnten Kosacken identifiziert werden, kann man sich denken.

Mit Heil Hitler!
Schlösser

*handschriftlich:*
1 Manuskript am 30. 10. an Juden zurück. F.

## Meyerbeer, Offenbach und Bizet

Der Brief ist an Bernhard Hermann gerichtet.

Der Reichsdramaturg
Aktenzeichen: VI. 6001/5. 3.
Berlin, den 9. März 1934
Wilhelmplatz 8/9
An den                              A 1 Jäger 0014
Preußischen Theaterausschuß        *handschriftlich:*
z. Hd. von Herrn Hermann           Kassel telef. mitgeteilt
*Berlin W 8*                       vS 14. 3.

Sehr geehrter Herr Hermann!
Unter Bezugnahme auf Ihre Anfrage vom 5. März ds. Js. teile ich Ihnen höflichst mit, daß ich die Aufführung von Werken Meyerbeers vorerst doch für recht wenig wünschenswert halte. Ich habe diesen Standpunkt bei verschiedenen Anfragen durchgängig eingenommen. Es ist doch so, daß jeder halbwegs Orientierte mindestens den Witz über die «Hugenotten» (Protestanten und Katholiken erschießen sich und ein Jude macht Musik dazu) kennt. Bei der nicht zu verkennenden Empfindlichkeit der breiten Massen in der Judenfrage muß man m. E. auch solche psychologisch wichtige Tatsache ins Auge fassen. So gewiß Meyerbeer ein musikhistorisches Faktum ist, so sicher sind seine Werke doch auch mindestens angestaubt und infolge dessen gut zu entbehren. Auch in der Frage Of-

---

1 *Kulturbund deutscher Juden,* ausführlich darüber in: *Die bildenden Künste im Dritten Reich* (Ullstein Buch 33030), S. 147 (2), *Literatur und Dichtung im Dritten Reich* (Ullstein Buch 33029), S. 454 f, und *Musik im Dritten Reich* (Ullstein Buch 33032); siehe auch Kapitel III: «Artfremdes Theater», S. 241 f.

fenbach nehme ich offen gestanden einen anderen Standpunkt ein, als Herr Staatskommissar, obwohl ich zugebe, daß mir dessen Freizügigkeit, rein musikkritisch gesehen, verständlich ist. Wie ich aber beobachten konnte, hat die erwähnte Klärung dazu geführt, daß beispielsweise ein Theater wie das in Koblenz nicht weniger als 3 Operetten von Offenbach ausgegraben hat, was denn doch bedenklich ist. «Hoffmanns Erzählungen» macht wohl eine Ausnahme, doch werde ich auch bezüglich dieses Werkes mit Protesten seitens der Parteigenossen förmlich überschwemmt. Es empfiehlt sich wohl auch im Dramaturgischen mehr und mehr im Sinne der eben von dem Herrn Reichsminister gefällten Entscheidung über die Beschäftigung von Juden im Theater zu verfahren. Bizet ist dagegen unter allen Umständen unbedenklich, und zwar auch dann, wenn er, was nicht ausgemacht ist, tatsächlich jüdischen Bluteinschlag gehabt haben sollte.

Heil Hitler!<br>Schlösser

## Schönheitsfehler

An
Herr Staatskommissar Hinkel
*im Hause*

Abteilung VI
O. R. R. Dr. Schlösser
Berlin, den 16. August 1935

Da ich jetzt wieder in Berlin anwesend bin, erlaube ich mir die Bitte auszusprechen, daß die seitens der Geschäftsführung der Reichstheaterkammer geplanten Veröffentlichungen über die Abberufung von Präsidialräten und ähnlicher Maßnahmen, vor ihrer Veröffentlichung gleichzeitig mit Herrn Frauenfeld mir bekannt gegeben werden, damit ich unter Umständen Wünsche der Kammer noch vortragen kann.

Ferner bitte ich mir einen Termin angeben zu wollen, zu dem ich mit Ihnen über die Bühnenverleger-Vereinigung sprechen kann. Die Bühnenverleger-Vereinigung enthält zu etwa 40 % Firmen, die rein jüdisches Kapital vertreten. Zudem ist die Bedeutung dieser 40 % Firmen eine so große, daß die arischen Verlage dagegen sehr stark zurücktreten. Bei Übernahme des Vorstandes der Bühnenverleger-Vereinigung versuchte ich, diesen Schönheitsfehler zu beseitigen, wurde aber aus wirtschaftspolitischen Gründen angewiesen, von irgendwelchen Maßnahmen abzusehen. Angesichts der augenblicklich wieder stark in den Vordergrund tretenden Tendenzen möchte ich auf alle Fälle durchgesprochen haben, ob nunmehr irgendwelche Änderungen denkbar sind.

An den gelegentlichen Zusammenkünften, von denen ich hörte, werde ich gern teilnehmen, zumal die Entwicklung eine noch engere Zusammenarbeit als bisher wünschenswert erscheinen läßt.

Heil Hitler!<br>Schlösser

# «Zumal Himmler diese Kandidatur befürwortet»

An
Herrn Staatskommissar Hinkel
Reichskulturkammer

Reichsministerium
für Volksaufklärung und Propaganda
Abteilung VI
Berlin, den 17. Dezember 1935

Ich bin gebeten worden, mit Ihnen über die Neubesetzung der Generalintendanz in Dresden zu sprechen. Der Herr Reichsminister hat sich mit
der Kandidatur Dr. Nufers, der die Vorzüge hat, jung und kulturpolitischer Referent bei der SS in Dresden zu sein, grundsätzlich einverstanden erklärt, zumal Himmler diese Kandidatur befürwortet. Auch
ich heiße dieses Wagnis gut. Nun soll sich aber Oberbürgermeister Zörner[1] an Sie gewandt haben, um die Sache seines Kandidaten Himmighoffen[2] zu propagieren. Wie sich Abteilung VI an Ort und Stelle überzeugte, macht Himmighoffen aber in Karlsruhe sein Theater nur recht
und schlecht, und politisch hat er ja auch nicht die rühmlichste Vergangenheit. Das gilt eben auch für den anderen Nebenkandidaten, den Erb-
prinzen Reuß.

Dies zu Ihrer Information mit der Bitte, mich bei meiner Bemühung,
allmählich nationalsozialistische Kräfte zum Start zu bringen, unterstützen zu wollen.

Heil Hitler!
Schlösser

## Interna

Der Brief ist gekürzt.

An
Herrn Reichskulturwalter Hinkel

Reichsministerium
für Volksaufklärung und Propaganda
Abteilung VI
Berlin, den 22. Oktober 1935

Lieber Herr Hinkel!
Pg Steinhaus deutete mir an, daß Sie bestimmte Einwendungen gegen
den «österreichischen Kurs» in der Reichstheaterkammer hätten. Es wä-

---

1 Ernst Zörner, Oberbürgermeister von Dresden, * 1895; ab 1922 NSDAP-
Betätigung in Braunschweig; seine offizielle Biographie besagt: «Maßgebend
beteiligt an der Einbürgerung des Führers in Braunschweig»; 1939 Stadt-
hauptmann im besetzten Krakau; 1940–43 Distriktsgouverneur Lublin; verantwortlich an der Vernichtung der polnischen Juden beteiligt.

2 Dr. phil. Thur Himmighoffen, * 1891, Intendant des badischen Staatstheaters.

re mir wichtig, mich mit Ihnen nach Ablauf Ihres Erholungsurlaubes darüber zu unterhalten.

Was Frauenfeld anbelangt, so muß ich bekennen, daß die Geschäftsführung der Reichstheaterkammer seit ihrer Gründung noch nie so in Schwung gewesen ist wie heute. Die Ersetzung Dr. Aßmanns [1] durch den Gauleiter der NSDAP war insofern ein Segen. Ich weiß, daß Frauenfeld in München offenbar nicht glücklich gesprochen hat, aber ich bitte, das doch nicht zum Anlaß einer skeptischen Betrachtung Frauenfelds zu nehmen. Selbstverständlich wird er immer etwas auf den Reichsredner der NSDAP abgestimmt sein. Angesichts der Sprödigkeit der Theaterwelt gerade dieser Einstellung gegenüber wird das aber nicht viel schaden.

Auch von Pg Iltz [2] habe ich einen unbedingt positiven Eindruck gewonnen. Wenn ihm auch manche Eigentümlichkeiten der österreichischen Bürokratie anhaften mögen, das Wichtigste scheint mir demgegenüber doch seine Zuverlässigkeit.

Vielleicht habe ich Ihre Bemerkung schon zu tragisch genommen, aber auf alle Fälle ist es wohl gut, sich darüber auszusprechen.

Heil Hitler!
Schlösser

## Nochmals der Österreicher

Ab 1935 war der Schauspieler Eugen Klöpfer Vizepräsident der Reichstheaterkammer. Der Brief ist gekürzt.

An                                    Reichsministerium
Herrn Staatskommissar Hinkel          für Volksaufklärung und Propaganda
Reichskulturkammer                    Abteilung VI
*im Hause*                            Berlin, den 19. Dezember 1935

Vorsorglich möchte ich dem Herrn Staatssekretär folgendes zur Kenntnis gebracht haben:

Die Einschaltung des neuen Vizepräsidenten Klöpfer in der Arbeit der Reichstheaterkammer ist insofern nicht ganz leicht, als Herr Klöpfer für organisatorische und politische Notwendigkeiten vorerst noch eine geringe Aufgeschlossenheit besitzt, während er in manchem die Gesichtspunkte des Prominenten in Verhandlungen, Besprechungen usw.

1 Rechtsanwalt und Notar Dr. Gustav Aßmann war bis 1935 Geschäftsführer der Reichstheaterkammer; er wurde dann durch Gauleiter Alfred Eduard Frauenfeld abgelöst.
2 Dr. Walther Iltz war ab 1936 Leiter der Abteilung I der Reichstheaterkammer; Abteilung I befaßte sich mit Präsidialangelegenheiten, Personalangelegenheiten, Organisation, Buchhaltungsaufsicht und Kanzleidirektion.

hineinträgt. Wenn ich auch bei aller Bescheidenheit auf meine Kunst der Menschenbehandlung vertraue, so halte ich es doch für möglich, daß Herr Klöpfer diese oder jene Entscheidung schief sieht und sich darüber außerhalb der Kammer, etwa beim Herrn Staatssekretär, äußert. In dieser Hinsicht halte ich vor allem für möglich, daß er an der Persönlichkeit und Arbeit des Pg Frauenfeld Kritik übt. Hierzu muß ich bemerken: noch nie ist die Kammer organisatorisch, kulturpolitisch und sozial so gut geleitet worden wie unter Frauenfeld. Die Stimmungsmache gegen ihn, daß er Österreicher sei, halte ich nicht für ganz aufrichtig. Nicht der Österreicher, der alte Nationalsozialist und Gauleiter stört in manchem die Sensibilität nicht der Schauspieler im Reich, aber so manchen Berliner Künstler. Außerdem bedarf es großer Gewandtheit meinerseits, um Schwierigkeiten zu vermeiden, wenn beispielsweise Herr Vizepräsident Klöpfer Herrn Gauleiter Frauenfeld auseinandersetzt, welche Haltung in dem und dem Falle als nationalsozialistisch anzusehen sei.

Heil Hitler!
Schlösser

## Ganz stur

Es handelt sich hier um das 1916 erschienene Stück *Die selige Exzellenz;* herausgegeben von Dr. Rudolf Presber, 1868–1935, und Leo Walther Stein, 1866–1930.

|  | Reichsministerium |
|---|---|
|  | für Volksaufklärung und Propaganda |
| An | Abteilung VI |
| Herrn Reichskulturwalter Hinkel | 6160–424–1. 6. |
| *im Hause* | Berlin, den 5. April 1937 |

Lieber Parteigenosse Hinkel!
Die Witwe Presber bestürmt mich wegen Zulassung des von Presber mit dem Juden Stein gemeinsam verfaßten Stückes «Die selige Exzellenz». Der schweren sozialen Lage Frau Presbers will ich mich gewiß nicht verschliessen, wenn ich aber als Reichsdramaturg auch nur einem Berliner Privat-Theater ein Sprechstück mit einem jüdischen Verfasser zulasse, ist bei allen anderen mit Gewißheit sofort der Teufel los. Ich bin seit 1933 hier ganz stur geblieben und möchte es, freilich am liebsten in völliger Übereinstimmung mit Ihnen, auch fernerhin bleiben. In der Provinz, die freilich nicht viel Tantiemen bringen würde, liesse ich dagegen ohne weiteres mit mir reden.

Ich bitte um Rückäusserung.

Heil Hitler!
Schlösser

# Benno von Arent

Siehe auch: Dr. Hermann Wanderscheck: *Das deutsche Bühnenbild* in: *Der Autor*, Ende Januar 1937, S. 14, und Emil Pirchan: *Erziehung zum Bühnenbildner* in: *Völkischer Beobachter*, Wien, vom 21. 3. 1944.

## Lebenslauf

Dieser Lebenslauf ist gekürzt.

> Prof. Benno v. Arent Reichsbühnenbildner
> SS-Oberführer Stab RFSS
> Berlin-Wannsee, Bismarckstraße 28
> den 2. 8. 44

In Görlitz in Schlesien wurde ich am 19. 6. 98 als Sohn des Oberleutnants Benno von Arent und seiner Ehefrau geb. Wolff geboren. Ich besuchte die Vorschule in Thorn (Westpreußen), vom Herbst 1908 bis Ostern 1915 das Evangelische Pädagogium in Godesberg am Rhein, bis Ostern 1916 die Oberrealschule in Mönchen-Gladbach, bis August 1916 die Fischersche Vorbereitungsanstalt, Berlin, bestand daran anschliessend vor der Militärprüfungskommission das Fähnrichexamen (Primareife).

Im November 1919 verheiratete ich mich mit Ada geb. Stolzenbach. Aus dieser Ehe entstammte mein im August 1943 gefallener Sohn Arnfried. – Zivilberufsmäßig wurde ich Lehrling in einer Gasmesser- und Armaturenfabrik, später Versicherungsbeamter, bildete mich während dieser Zeit im Zeichnen und Entwerfen von Illustrationen, Kostümen, Bühnenbildern, kunstgewerblichen Gegenständen usw. selbstständig fort, kam 1920 bis 21 nach Berlin zu einer Handelsgesellschaft als Bürokraft, setzte während dem meine künstlerische Arbeit weiter fort, wurde Kostümzeichner bei einer großen Ausstattungsfirma, trat dort nach einjähriger Tätigkeit wegen Lohndifferenzen aus, wurde Automobilverkäufer in einer Firma, später selbstständig.

Nach weiterer künstlerischer Tätigkeit im freien Beruf wurde ich 1923 als Bühnenbildner-Volontär von einem Theater-Konzern in Berlin engagiert. Erste öffentliche Erfolge, von einem weiteren, dem größten Berliner Theater-Konzern fortengagiert, weitere Steigerung der Erfolge und damit meist beschäftigter Bühnenbildner in Berlin. Neben dieser Tätigkeit architektonische, besonders innenarchitektonische Arbeiten. – 1926 Trennung der ersten Ehe, 1927 Eheschliessung mit Herta geb. Raddatz. Aus dieser Ehe entstammen vier Kinder.

Ab 1928 erste Berührung mit dem Nationalsozialismus, Herbst 1931 Eintritt in die Schutzstaffel, Sturmbann 6, Berlin. 1932 kommissarischer Sturmführer des Motorsturmes. – Gründung des «Bundes nationalsozialistischer Bühnen- und Filmkünstler» (später nach 1933 «Kamerad-schaft der deutschen Künstler», Berlin). Wiederum schwere Notzeit durch die politische Tätigkeit. 1. 5. 32 Eintritt in die NSDAP.

Nach der Machtübernahme politische Tätigkeit in der Künstlerführung und erste staatliche Aufträge an den Theatern. Ab 1935 persönliche Aufträge des Führers für besondere Festaufführungen, Staatsfeierlichkeiten, repräsentative Feste der Reichsregierung, architektonische Aufgaben, Theaterbauten usw. Durch den Führer zum Professor ernannt, Reichskultursenator, Reichsbühnenbildner.

Bei Wiedereinführung der Wehrpflicht Meldung als Reserveoffiziersanwärter beim Kradschützen-Batl. 3. Übungen, Sudeteneinmarsch, Polenfeldzug, Spange E. K. II 1939. Dezember 1939 durch den Führer ukgestellt. Verschiedenste Aufgabengebiete neben der künstlerischen Tätigkeit, so z. B. Reichsbeauftrager für die Mode, Mitarbeit bei architektonischen Planungen usw. Januar 1944 freiwillige Meldung zur Waffen-SS.

Benno v. Arent

## In Sachen Pg Heinz Förster-Ludwig gegen Benno von Arent

Heinz Förster-Ludwig war Sänger und Schauspieler.

An den
Herrn Vorsitzenden des Ehrengerichts
des Bundes Nationalsozialistischer Bühnenkünstler
Berlin W Haus der Deutschen Presse

In Sachen Pg Heinz Förster-Ludwig ./. Benno v. Arent unterbreite ich dem Ehrengericht folgenden Antrag:

Das Ehrengericht möge entscheiden, daß Pg von Arent nicht berechtigt war, mich durch einen Kameraden vom Dienst auffordern zu lassen, den Klub zu verlassen! – So geschehen am Montag, dem 18. 9. 33.

Gründe: An diesem Abend kam ich gegen 11 Uhr in den Klub und begrüßte die im Raum anwesenden Kameraden mit dem vorschriftsmäßigen deutschen Gruß, der auch von den Anwesenden erwidert wurde. Während ich im Gespräch mit einem Kameraden am Tisch saß, setzte sich später auch Pg von Arent zu der gleichen Tafelrunde, und noch ehe ich es recht bemerkt hatte, sagte er zu mir: «Sag mal, Du hast wohl nicht nötig, mich zu grüßen!» *Ich:* «Nicht doch, ich habe Dich gegrüßt, als Du vorhin mit einem Herrn sprachst, aber Du hast nicht reagiert. Haste vielleicht nicht gesehen! Heil Hitler, Benno!» – Wir reichten uns zum Gruß die Hände. Kurz darauf Pg v. Arent: «Ist mir überhaupt schon aufgefallen, daß Du mich nicht grüßen willst!» *Ich:* «Nee, nee, aber mir ist schon 5 bis 6 Mal aufgefallen, daß Du auf meinen Gruß nicht geantwortet hast!» – Darauf Pg v. Arent: «Schließlich bin ich hier der Präsident, und als Präsident kann ich verlangen, daß Du auf mich zukommst und mich begrüßt! Aber ich merke schon, was los ist. Du willst mich nicht grüßen!» *Ich*: «Da irrst Du Dich!» – Pg v. Arent: «Was?» – *Ich*: «Da irrst Du Dich ganz bestimmt, wenn Du das glaubst!» Darauf forderte er mich auf: «Komm mal raus!» Ich folgte ihm, und draussen erklärte er mir nochmals, daß ich auf ihn zuzukommen habe, wenn ich ihn begrüße. Wenn mir das nicht passe – er brauchte mich nicht – so solle ich verschwinden! Ich antwortete darauf, daß das ja wohl deutlich genug sei, und ich mich dann ja wohl gezwungen sähe, meinen Austritt zu erklären. Derselbe Kamerad von Arent, mit dem mich eine jahrelange freundschaftliche Beziehung verband, erklärte zu meiner größten Überraschung: «Ich mag Dich nicht!» Damit war das Gespräch zu Ende! Ich habe alles getan, um mich zu beherrschen, denn es ist wirklich eine Zumutung, derartige Dinge vorerst einstecken zu müssen, weil Klubgeist Ruhe und Beherrschung verlangt! Ich wollte auch nicht, daß weitere Kreise in die Sache hineingezogen wurden, aus diesem Grunde bin ich nicht gleich gegangen, sondern noch geblieben, zumal Pg v. Arent sich später an einen anderen Tisch gesetzt hatte. Auch hatte mein ganzes Verhalten keinen Anlaß gegeben, den Klub wie ein geprügelter Hund zu verlassen. Ich habe mir nicht das Geringste zuschulden kommen lassen, mich in keiner Weise anders verhalten, als es die Grundsätze des Klubs verlangen, trotzdem ließ Pg v. Arent mir dann durch einen Kameraden vom Dienst mitteilen, es wäre Zeit, daß ich ginge! Das geschah in dem Augenblick, als mehrere Kameraden und auch ich sowieso beschlossen hatten, zu gehen! Soweit der Hergang an jenem Abend.

Ich habe leider vergeblich gewartet, daß Pg von Arent bei ruhiger Betrachtung der Dinge eingesehen haben würde, daß seine Handlungsweise nicht richtig war, auch habe ich erwartet, daß er ein Wort der Entschuldigung gefunden hätte. Nichts dergleichen ist geschehen, und da mir nicht gleichgültig sein kann, was über mich gesprochen wird, mir auch nicht gleichgültig sein kann, womit man meinen etwaigen Austritt aus dem Klub erklärt, unterbreite ich die Angelegenheit dem Ehrengericht zur Entscheidung.

Heil Hitler!
Heinz Förster-Ludwig

Im Falle der Nichtzuständigkeit an das Ehrengericht des Neuen Deutschen Film- und Bühnenklubs freundlichst weiterzureichen.

# Glückhafte Stunden

Herrn Intendant
Wilhelm Rode
Ammerland am Starnberger See
*München*

Benno v. Arent
Berlin-Wilmersdorf
Bonner Str. 1
H 8 Wagner 0715
v. Ar./Hy.
Berlin, den 23. 7. 35.

Mein sehr verehrter, lieber Herr Intendant!

Aus Nürnberg zurückgekehrt, wo ich die grosse Freude hatte, unserem Führer meine Entwürfe und Modelle für die «Meistersinger» für den Reichsparteitag in Nürnberg persönlich vorzulegen, und glückhafte Stunden mit unserem Führer verbringen konnte, der mich durch ausserordentliche Anerkennung meiner Arbeiten auszeichnete und mir gleichzeitig als Beweis dieser Anerkennung einen neuen Auftrag für Weimar übergab, habe ich die Absicht, Ende dieser Woche zu Ihnen, lieber Herr Intendant, nach Ammerland zu fahren, um Ihnen dort selbst die Kostüm- und Dekorationsentwürfe, die ich für Nürnberg im Auftrage des Führers machte, vorzulegen, und wo ich Ihnen über die für mich so grossen Stunden, die ich mit dem Führer zusammen verbringen konnte, mündlich und wohl auch besser berichten werde. Ich habe die Absicht, Sonntag, den 28. 7. 35., früh Berlin mit dem Wagen zu verlassen, um gegen Nachmittag in Ammerland bei Ihnen vorzusprechen. Falls eine Panne mich am pünktlichen Kommen unvorhergesehen verhindern sollte, würde ein Telegramm Ihnen darüber kurz berichten. Ich habe die Absicht, meinen treuesten Mitarbeiter, unseren Kameradschaftswart der KddK, Fred Richter, mitzunehmen, damit er auch ein wenig andere Luft geniesst.

Ich sage Ihnen, lieber Herr Intendant, das deswegen, weil ich Sie höflich bitten wollte, mir in Ihrer Nähe, wenn möglich am Wasser, und wenn möglich nicht zu teuer, zwei nette Zimmer besorgen zu lassen, sowie eine bescheidene Unterkunft für meinen Wagen, damit ich nicht in Ammerland dann gegen Abend erst Zimmer zu suchen brauche. Entschuldigen Sie bitte, wenn ich Sie mit dieser aber wohl verständlichen Bitte belästige. Wielange ich in Ammerland bleibe, hängt von Ihren persönlichen Wünschen ab.

Darf ich Sie bitten, mir mitteilen zu lassen, ob diese Einteilung Ihnen recht ist. Alles Weitere hoffe ich, dann am Sonntag mit Ihnen persönlich besprechen zu können. Ich freue mich sehr, Sie wiederzusehen und bin mit den besten Grüßen an Sie und die Ihren

Heil Hitler!
Ihr sehr ergebener
Benno v. Arent

von Arent Berlin Wilmersdorf Bonnerstr. 1
Erwarte Sie gern Sonntag. Zweibettiges Zimmer Garage Cafe Hubertus
Ammerland reserviert. Einzelzimmer nicht mehr verfügbar. Rode
ab teleph. 26. 7.

## Das Gesamthonorar

Der Briefschreiber Walter Funk, 1890–1960, war Reichspressechef und Vizepräsident der Reichskulturkammer.

| | |
|---|---|
| An den | Der Reichsminister |
| Herrn Intendanten des | für Volksaufklärung und Propaganda |
| Deutschen Opernhauses | Geschäftszeichen: I 1369–CO/17. 10. |
| *Berlin-Charlottenburg* | Berlin W 8, den 18. 11. 1935 |
| | Wilhelmplatz 8/9 |
| | A 1 Jäger 0014 |

Auf das Schreiben vom 18. August 1935 – Nr. 267.35 –
Ich beabsichtige, den Bühnenbildner Benno v. Arent zu meinem Beauftragten für die Überwachung der deutschen Bühnenbildkunst zu bestellen und ihn in dieser Eigenschaft als Mitarbeiter in das Ministerium zu berufen. Es wird dabei sichergestellt werden, daß Herr v. Arent neben seinem Anstellungsverhältnis im Ministerium auch weiterhin die Möglichkeit zur Ausübung künstlerischer Tätigkeit hat. Ich erkläre mich daher damit einverstanden, daß Herr v. Arent im Spieljahr 1935/36 6–8 Bühnenausstattungen für das Deutsche Opernhaus übernimmt. Das Gesamthonorar für diese Ausstattungen soll RM 14 000,– betragen und zwar auch dann, wenn Herr von Arent nur 6 Ausstattungen durchführt.

Ich ersuche, die Verhandlungen mit Herrn v. Arent umgehend aufzunehmen und mir vor Vertragsabschluß unter Vorlage des Vertragsentwurfs zu berichten.

Heil Hitler!
In Vertretung
Funk

Beglaubigt: *Stempel*
Unterschrift
Kanzleiangestellter

# Kein Geld für das Winterhilfswerk

Der Briefschreiber, Schauspieler Carl Auen, * 1892, war Leiter der Reichsfachschaft Film und Hauptfachgruppenleiter der NS-Betriebszellenorganisation (NSBO) Film.

Herrn
Prof. Benno von Arent
Berlin-Wilmersdorf
Bonnerstrasse 1

he. – 16. 11. 1937
Antwort erbeten nur an:
Reichsfilmkammer, Fachschaft Film, Berlin SW 68,
Friedrichstr. 210

*Betrifft:* Winterhilfswerk 1937/1938

Leider habe ich feststellen müssen, daß Sie meine Aufforderung zur Mithilfe am Winterhilfswerk des Deutschen Volkes bisher unbeantwortet gelassen haben, und bitte Sie deshalb noch einmal, sich nicht von dem großen sozialen Werk des Führers auszuschliessen. Sollten Sie jedoch die Absicht haben, sich an diesem Hilfswerk nicht zu beteiligen, erwarte ich umgehende Rückgabe des nicht ausgefüllten Spendenverpflichtungsscheines, damit ich diesen dem Reichsbeauftragten für das Winterhilfswerk wieder zusenden kann.

F. d. R.:

Heil Hitler!
i. A. Auen

## Oskar Walleck

Oskar Walleck, * 1890, Präsident des Deutschen Bühnen-Vereins, Präsidialratsmitglied der Reichstheaterkammer; Generalintendant; November 1932 Eintritt in die NSDAP und in die SS; SS-Nr. 74 436; April 1944 SS-Standartenführer.

## Ein Berichterstatter

Nr. 19 610
Herrn
Staatskommissar Hinkel
Geschäftsführer der Reichskulturkammer
Berlin W 8 Wilhelmplatz
Reichsministerium für Volksaufklärung
und Propaganda

Generalintendanz
der Bayerischen Staatstheater
München 1 Brieffach
den 22. Juli 1935

Sehr verehrter Herr Staatskommissar!
Erlauben Sie, daß ich in folgender Angelegenheit Ihnen Mitteilung zugehen lasse:

Berichterstatter für das Neue Wiener Journal und das Wiener Tageblatt ist Zeitungsberichterstatter Dr. Walter Weil in München. Als Berichterstatter der beiden auswärtigen Zeitungen hätte er an und für sich Anspruch auf Zuteilung einer Pressekarte für einen Festspiel-Zyklus. Dr. Weil hat sich schriftlich an die Generalintendanz gewandt mit der Bitte, ihm für die Festspiele, insbesondere für die Eröffnungsvorstellung am 24. Juli die Pressekarte zur Verfügung zu stellen.

Dr. Walter Weil ist Nichtarier. Da der Unterzeichnete es nicht verantworten kann, daß ein nichtarischer Berichterstatter deutsche Kunst und deutsche Künstler bespricht, hat er das Gesuch des Dr. Walt. Weil zunächst abgelehnt. Maßgebend für diese Ablehnung war vor allem auch die Tatsache, daß bereits im Januar dieses Jahres die Anwesenheit des Dr. Weil bei einer Premiere im Prinzregententheater, «Des Meeres und der Liebe Wellen», Veranlassung zu Unannehmlichkeiten gegeben hat.

Dem Bayer. Staatsministerium für Unterricht und Kultus wurde gleichzeitig Bericht erstattet. Ich wäre für umgehende Stellungnahme dankbar, ob die Ablehnung des Gesuches des Dr. Walt. Weil um Freikarten für die Festspiele durchgeführt werden soll.

Heil Hitler!<br>Ihr Walleck

## Der Standpunkt

Diesem Brief war ein *Verzeichnis der Mitglieder der Bayerischen Staatstheater, die Nichtarier oder mit nichtarischen Frauen verheiratet sind,* beigefügt; im Besitz des Herausgebers.

| | |
|---|---|
| *Einschreiben: persönlich!* | No. 25 618 (No. im Antwortschreiben) |
| An den | bitte angeben) |
| Stellvertr. Präsidenten | |
| der Reichstheaterkammer, | Generalintendanz |
| S. H. Herrn Oberregierungsrat | der Bayerischen Staatstheater, |
| Dr. Rainer Schlösser | Der Generalintendant |
| Reichsministerium | VI 6005/25. 9. |
| für Volksaufklärung | München Sta. Th. 5/11 |
| u. Propaganda | München, den 25. September 1935 |
| Berlin W 8 Wilhelmplatz 8/9 | |

Sehr verehrter Herr Oberregierungsrat!
Da ich die Absicht habe, ebenso wie im vergangenen Jahre mit Rücksicht auf das Personal die neuen Verträge bezw. die Verlängerungen der Verträge bereits in der zweiten Oktoberhälfte spätestens ersten November-Hälfte abzuschließen, teile ich Ihnen beigeschlossen folgende Fälle mit und bitte um Prüfung, ob ich mit den auf der Beilage genannten Künstlern verhandeln darf.

Ich enthalte mich jeder künstlerischen Wertung der genannten Künstler, da ich der Auffassung bin, dass eine generelle Regelung der Frage der Weiterbeschäftigung von Künstlern, die mit nichtarischen Frauen verheiratet sind, nur vom Rasse- und weltanschaulichen Standpunkt, nicht aber vom künstlerischen Gesichtspunkt aus diktiert werden kann.

Heil Hitler!

1 Beilage  
*handschriftlich:*  
mündl. mit Dr. Schl. erl. Hi  
verbleiben im Amt bzw. am bayer. Staatstheater. H.

Ihr sehr ergebener  
Walleck

## «Nicht auf der Ortsgruppe erschienen»

An das  
Reichspropagandaamt der NSDAP  
*im Hause*                                                        23. Jan. 1939

Personalamt/Pol. Beurteilung – B/Am.–W 363.  
*Betreff:* Oskar Walleck, früher Generalintendant der Bayer. Staatstheater und Leiter der Obersten Theaterbehörde in Bayern (Mitgl.-Nr. 1 638 831) – Ihr Aktenzeichen: Tgb. Nr. 5/Mi.  
Von einem Bericht über Pg Walleck auf dem Gebiet seiner beruflichen bezw. künstlerischen Tätigkeit kann wohl abgesehen werden, da die maßgebenden Stellen hierüber wohl genügend unterrichtet sind. Menschlich wird er von vielen, die mit ihm beruflich zu tun hatten, als Despot bezeichnet, der keine andere Meinung außer der eigenen aufkommen läßt, gleichgültig ob er im Recht ist oder nicht. Auch sonst zeigt er ein Verhalten, das mit nationalsozialistischer Einstellung nicht immer in Einklang zu bringen ist.  
   Walleck wurde bereits im Oktober 1934 laut Schreiben der Kreisleitung Braunschweig vom 7. 10. 1934 nach München überwiesen. Trotz mehrerer Vorladungen ist er nicht auf der Ortsgruppe erschienen. Erst am 19. 9. 1935 sprach dann seine Frau vor und bezahlte für ein volles Jahr Beiträge nach. An Versammlungen und Veranstaltungen hat er sich nie betätigt.

Heil Hitler!  
Best  
Gauhauptstellenleiter

## Hervorragender Vertreter der deutschen Kunst im Protektorat

Als Friedrich Karl Freiherr von Eberstein diesen Brief unterzeichnete, war Oskar Walleck Generalintendant des I. Ständetheaters, Deutsches Schauspielhaus, in Prag.

An den                          Der Führer des SS-Oberabschnitts Süd
Chef des SS-Personalhauptamtes München, den 4. Dezember 1941
SS-Gruppenführer Schmitt,       Maria-Theresia-Straße 17
*Berlin*                        Telefon Nr. 4 44 05/8
                                I/A 2/

Lieber Kamerad Schmitt!

In der Anlage übersende ich Ihnen den Beförderungsvorschlag des SS-Sturmbannführer Oskar Walleck, SS-Nr. 74 436, zum Obersturmbannführer.

Walleck ist auf seinen besonderen Wunsch noch immer Angehöriger meines Stabes, da er lange Zeit in München tätig war. Er gehört heute zu den hervorragendsten Vertretern der Deutschen Kunst im Protektorat Böhmen-Mähren als Leiter der staatlichen Bühnen in Prag. Da es sich ausserdem um einen alten SS-Mann und verdienten Offizier des Weltkrieges handelt, bitte ich Sie, diesen Beförderungsvorschlag möglichst bald dem Reichsführer-SS befürwortend in Vorlage zu bringen.

Mit herzlichen kameradschaftlichen Grüssen

                          Heil Hitler!
*handschriftlich:*       Ihr Frhr. v. Eberstein
ja 21. XII. 41           SS-Obergruppenführer und General der Polizei i. V.

## Der Totenkopfring

An den
Reichsführer-SS und
Chef der Deutschen Polizei        Deutsches Theater – Generalintendanz
Heinrich Himmler                  Prag XII, den 16. 6. 1943
*Berlin SW 11*                    Schließfach 202
Albrechtstr. 8                    Fernruf 3 69 51–4

Mein Reichsführer!

Es wurde mir durch SS-Brigadeführer Opländer der Totenkopfring der SS überreicht.

Ich bitte Sie, für die mir zuteil gewordene Ehrung meinen herzlichen Dank entgegenzunehmen und die Versicherung, daß ich immer bestrebt sein werde, mich der Ehre, dem Schwarzen Korps anzugehören, würdig zu erzeigen. Ich bin mir der Verpflichtung, die mir aus meiner Zugehörigkeit zur Schutzstaffel erwächst, bewußt und werde mich immer bemühen, den Forderungen der Schutzstaffel bis zum Äußersten nachzukommen.

Ich danke Ihnen, mein Reichsführer, nochmals und bleibe Ihr Ihnen treu verbundener

                                Oskar Walleck
                                SS-Standartenführer

**Bernhard Graf Solms**

## Die erste Phase

Herrn
Staatskommissar Hinkel
*Berlin*
Preußisches Kultusministerium

Bernhard Graf Solms
Standartenführer
Mitgl. d. hess. Landtags
z. Zt. Golssen
Kreis Luckau, Nieder-Lausitz
am 7. April 1933

Da die erste Phase des Kampfes um die deutsche Seele, die ich an der SA-Front mitmachen durfte, nunmehr glücklich beendet ist, habe ich den Wunsch, an der weiteren Entwicklung in meinem ursprünglichen Beruf mitzuarbeiten. Auf Veranlassung von Herrn Heß habe ich mich deshalb an Reichsreferenten der NSDAP, Herrn Dr. Ziegler in Weimar gewandt, der mir die Qualifikation, als Dramaturg und gegebenenfalls politischer Beauftragter tätig zu sein, zuerkannte.

Es wäre mir lieb, wenn ich in meiner heimatlichen Gegend, also in Wiesbaden oder Kassel Verwendung finden könnte. Ich darf Ihnen daher folgenden Vorschlag unterbreiten:

Schaffung einer gemeinsamen dramaturgischen Stelle für die Staatstheater in Kassel und Wiesbaden, die nach Ihren Anweisungen für eine einheitliche Gestaltung der beiden Spielpläne im Sinne der notwendigen kulturellen Aufbauarbeit zu sorgen hätte. Gleichzeitig würde ich mir den Auftrag erbitten, mit der Stadt Mainz Verhandlungen zu führen mit dem Ziel einer möglichst engen Zusammenarbeit des Stadttheaters Mainz mit dem Staatstheater Wiesbaden, wie z. B. der Ermöglichung gemeinsamer Engagements usw., wodurch für beide Institute beträchtliche Ersparnisse erzielt werden könnten.

Zu mündlicher Besprechung und Vorstellung stehe ich jederzeit zur Verfügung. Ich bin telegraphisch, telefonisch nur mit Voranmeldung Golssen (Lausitz) 272, jederzeit zu erreichen. Für den Fall, daß Sie meinem Vorschlag näher treten wollen, würde ich allerdings gehorsamst um Beschleunigung bitten, da in Anbetracht der Notwendigkeit, für die neue Spielzeit neue Verträge zum Abschluß zu empfehlen, keine Zeit verloren werden darf.

Heil Hitler!
Bernhard Graf Solms

## Herrn Staatssekretär Hanke

Karl Hanke, 1903–45; 1928 Gewerbelehrer in Berlin und Eintritt in die NSDAP; 1932 Mitglied des Reichstags, Privatsekretär und persönlicher Referent von Goebbels; 1933–41 im Propagandaministerium; 1938 Vizepräsident der Reichskulturkammer; 1941 Gauleiter und Oberpräsident von Oberschlesien;

1944 SS-Obergruppenführer; in seinem Testament bestimmte Hitler Hanke zum Reichsführer SS an Stelle des abgesetzten Himmler; über die Affären von Magda Goebbels mit Hanke und Karl Hankes Intrigen gegen seinen Chef Goebbels siehe Curt Riess: *Joseph Goebbels*, Baden-Baden 1950, S. 217 f, und Helmut Heiber: *Joseph Goebbels*, Berlin 1962, S. 275 f.

Herrn                          Hinkel
Staatssekretär Hanke           Berlin, den 26. Februar 1938

*Betr.*: Bernhard Graf Solms.
Der bisherige Intendant des «Theaters am Nollendorfplatz», SS-Standartenführer Parteigenosse Bernhard Graf Solms, wandte sich an mich mit der Frage, ob ich es für möglich hielt, daß der Herr Minister bzw. der Herr Staatssekretär ihm gestatten würde, das «Theater am Schiffbauerdamm» als Privat-Theater zu führen. Solms kann durch einen Verwandten seiner Frau (in der bekannten Bleistiftfirma Faber-Kastell) den Gebäudekomplex des «Schiffbauerdamm-Theaters» – vorausgesetzt, daß der jetzige Pächter Hochtritt vom Admiralspalast auf seine künftige Option verzichtet – von den noch vorhandenen jüdischen Besitzern kaufen.
Ich darf als meine unmaßgebliche Meinung dabei erwähnen, daß einesteils die Ausscheidung der jüdischen Grundstückbesitzer aus dem Komplex des «Schiffbauerdamm-Theaters» auf diese Art möglich und zu begrüßen wäre, daß ich aber andererseits nicht weiß, ob der Herr Minister eine Intendanz Solms des privaten Schiffbauerdamm-Theater genehmigen will.
Ich wäre Ihnen, sehr verehrter Herr Staatssekretär, für entsprechende Richtlinien sehr dankbar.

Hinkel

## Der Empfang beim Führer

Es handelt sich um den Intendanten Ingolf Kuntze und Dr. Felix Lützkendorf; über letzteren siehe: *Literatur und Dichtung im Dritten Reich* (Ullstein Buch 33029), S. *367 (2)*.

                    Bernhard Graf Solms
An die              Intendant des Theaters am Nollendorfplatz
Adjutantur          Mitglied des Reichskultursenats
des Führers         und des Präsidialrats der Reichstheaterkammer
und Reichskanzlers  Standartenführer z. V. der SA.
*Berlin*            Berlin-Zehlendorf. Beerenstr. 30 den 23. März 1937

*Die Tatsache, daß ich als Mitglied des Reichskultursenats und des Präsidialrats der Reichstheaterkammer zu dem gestrigen Empfang beim Führer nicht eingeladen war*, während alle namhaften Berliner Bühnenkünstler, so von der Volksbühne außer einer Reihe von Schauspielern auch Intendant Kuntze und der Dramaturg Dr. Lützkendorf anwesend waren, gibt mir zu der *Bitte* Veranlassung, mir den Grund *dieser ausnehmenden Behandlung mitteilen zu wollen, die für mich als Parteigenosse und SA-Führer und als Berliner Künstler eine schwere Kränkung und Zurücksetzung bedeutet.*

Ich darf Sie um beschleunigte Erledigung bitten, da ich gewillt bin, auf Grund der erbetenen Begründung gegebenenfalls bei den zuständigen Stellen der Reichskulturkammer, der Partei und SA die Eröffnung eines ehrengerichtlichen Verfahrens gegen mich zu beantragen.

Heil Hitler!

Bernhard Graf Solms

## Bernhard Hermann

Bernhard Hermann, 1876–1942, Schauspieler und Schriftsteller; Leiter der Fachschaft Bühne in der Reichstheaterkammer; ab 1927 begeisterter Hitler-Anhänger; 1933 errichtete er ein Ehrenmal für Horst Wessel; 1934 stiftete er ein SA-Heim auf der Burg Heimburg; in seinem Lebenslauf vom 28. 6. 1936, im Besitz des Herausgebers, schreibt er u. a.: «Es liegt natürlich die Frage sehr nahe, warum ich bei all den ‹Taten› nicht in die Partei eingetreten bin. Ich darf freimütig erklären, daß ich glaubte, der Bewegung besser dienen zu können, ohne abgestempeltes Parteimitglied zu sein. 1933 konnte und wollte ich nicht als Konjunktur-Ritter in die Partei eintreten.»

## Schlaraffia

*Schlaraffia*, eine Vereinigung von Künstlern und Kunstfreunden, die 1859 in Prag gegründet wurde; Hauptsitz des Bundes war ebenfalls Prag; 1865 ist in Berlin eine Zweigstelle gegründet worden; obwohl alle deutschen Ortsgruppen 1933 den «Ariergrundsatz» für die Mitgliedschaft einführten, konnte kein Schlaraffia-Mitglied NSDAP-Parteigenosse werden, weil es bei der NSDAP unter die gleichen Gesetze wie die verbotenen Freimaurer fiel.

| | |
|---|---|
| Herrn | Nationalsozialistische Deutsche Arbeiterpartei |
| Reichskulturwalter | Gauleitung Berlin |
| Hinkel | Berlin W 9, den 26. Okt. 1937, Voßstr. 11 |
| Berlin W 8 | Gauamtsleiter |
| Wilhelmplatz 8/9 | Aktenzeichen: P/K |

Sehr geehrter Parteigenosse Hinkel!
Der Aufnahme-Antrag des von Ihnen vorgeschlagenen Oberspielleiters und Schauspielers Bernhard Hermann, Berlin-Grunewald, Königsallee 27 a, ist geprüft worden. Aus dem von Hermann ausgefüllten Fragebogen geht hervor, daß er von 1902 bis 1933 der «Schlaraffia» angehört

hat. Auf Grund der Richtlinien für das Verfahren bei der Aufnahme neuer Mitglieder in die NSDAP müssen derartige Anträge abgelehnt werden.

Heil Hitler!

Stempel                                     Unterschrift

## «Als Nationalsozialist weiterleben»

Der Brief ist an Hans Hinkel gerichtet.

Bernhard Hermann
Berlin-Grunewald, den 12. 5. 1938
Königsallee 27 A

Mein lieber Freund Hans!
Ich danke Dir auf das allerherzlichste und aufrichtigste für Dein Dich für mich wieder Einsetzen-Wollen bei der NSDAP – aber nun möchte ich nicht mehr.

Ich brauche wohl nicht zu beweisen, daß ich auch vor dem Jahre 1933 nationalsozialistisch und Hitler-Mann gewesen bin. Parteigenosse von 1938? Ach nein!

Am 1. Mai 1937 hast Du mir im Auftrage eine so ehrenvolle Depesche geschickt, die Partei betreffend, daß dieses Dokument mich trotz vieler Auszeichnungen, die ich besitze, sehr stolz gemacht und erfreut hat. Ich muß es einmal sagen, ohne überheblich zu sein: Meine Verdienste um den Nationalsozialismus liegen bei mir in Dokumenten, in Ehrungen und in einigen steinernen Gebäuden vor. Als ich am 1. Mai 1937 diese ehrenvolle Depesche bekam, habe ich garnicht daran gedacht, daß man mich bei einem Einverständnis so hoher Parteimitglieder ablehnen könnte. Gewiß, das ist auch nicht geschehen. Aber warum nicht? Weil ich lange Monate ohne Antwort blieb und deshalb mein Gesuch bei der Ortsgruppe Grunewald zurückzog. Dieses einfach nicht reagieren auf ein derartiges Telegramm hat mich natürlich gekränkt. Nun erfuhr ich, daß die Nicht-Beantwortung meines von so wichtigen Hoheitsträgern gewünschten Gesuches wegen der Schlaraffia erfolgt ist. In Sachsen scheint man mir anders eingestellt zu sein, denn dort ist ein Volksgenosse, der uns nicht unbekannt ist, und der noch nach der Machtübernahme für die Schlaraffia kämpfte und gegen dessen Aufnahme in die NSDAP in einer anderen Stadt allerhand Dinge vorgebracht wurden, kürzlich Parteigenosse geworden und – wie ich höre – (ob das zutrifft, weiß ich nicht) mit dem Datum von 1933!

Ich weiß, daß ich mich seit 1928 so und so für die Bewegung eingesetzt habe, und daß ich nun seit 1933 in den verschiedensten Ämtern selbstlos vier Jahre gearbeitet habe. Ich möchte nun als Nationalsozialist weiterleben und wirken, aber auf keinen Fall mehr Parteimitglied werden. Wenn mich jemand verstehen muß, wenn jemand meine Gründe zu würdigen weiß, bist Du es, lieber Freund.

Nochmals aufrichtigen Dank und die Versicherung meiner immer währenden Freundschaft!

Dein alter Bernhard

## Treue Gesinnung

Berlin, den 19. Mai 1938

Mein lieber Bernhard!

Herzlichen Dank für Dein freundschaftliches Schreiben bezüglich Deiner Mitgliedschaft zur NSDAP. Ich würdige voll und ganz Deine Einstellung, so bedauerlich gerade Du infolge der ansonsten notwendigen Entwicklung dabei weggekommen bist. Gerade Du aber brauchst nicht die Haltung als Nationalsozialist durch die formale Mitgliedschaft zu unserer Bewegung zu belegen, für Dein nationalsozialistisches Handeln und Deine treue Gesinnung sprechen all die vielen Taten, die ich selbst in den vergangenen fünf Jahren von Dir erlebt habe. Deine zweite Heimatgemeinde Niederheimbach ist lebendiger und steinerner Zeuge für Deine Gesinnung, für die zu danken ich als Kamerad so oft schon freudige Gelegenheit hatte. Eure beiden Söhne als unsere SS-Kameraden und Euer Hitler-Mädel tragen Deine und deiner lieben Frau Gesinnung in die Zukunft.

Nimm auch in diesem Augenblick einen Händedruck, zugleich im Namen der Gemeinschaft meiner Mitarbeiter und die Versicherung, daß wir Dich voll und ganz zu den Unseren zählen.

Heil Hitler!
In alter Kameradschaft
Hinkel

## «Die Stänkerbrüder»

Bernhard Hermann
Berlin-Grunewald, den 2. 4. 1937
Königsallee 27 A

Lieber Hans,

Du kannst mir einen großen Gefallen tun, wenn Du mir etwas über Deinen Eindruck, den Du in Niederheimbach über die Ortsgruppe der NSDAP dortselbst hattest, kurz schreibst. Der Ortsgruppenleiter Lenz, den Du ja kennst, bei dem wir damals die Versammlung gehabt haben, wird jetzt, nach meiner Ansicht zu unrecht, von einem Teil der Katholiken angegriffen. Mir sind die Stänkerbrüder ja seit 16 Jahren bekannt. Sie wollen, wie mir scheint, in Niederheimbach einen sanften und gläubigeren Ortsgruppenleiter haben. Nun würde ein Schreiben von Dir dem Lenz überaus den Rücken steifen. Es genügt ja, wenn Du mir mitteilst, daß Du über ihn sowohl wie über die Ortsgruppe und die Hoheitsträger einen günstigen Eindruck gehabt hast.

Entschuldige bitte mein Ansinnen, aber Du weißt, daß ich gern Ruhe und Ordnung in Niederheimbach haben möchte, umsomehr, da ja alle Gruppen und Formationen der NSDAP auf unserem Gelände, d. h. in unseren Häusern auf der Burg untergebracht sind unentgeltlich.

Mit vielem Dank im voraus und allerbesten Grüßen in alter Anhänglichkeit

mit Heil Hitler!
Dein Hermann

## Konrad Geiger

Konrad Geiger war Leiter der Fachgruppe IV der Reichstheaterkammer, die für bühnentätige Chormitglieder und Rundfunkchormitglieder zuständig war.

## Der alte Kämpfer

An den  
Preuß. Kultusminister  
Herrn Dr. Bernhard Rust  
Berlin  
Unter den Ulmen 4

Konrad Geiger  
gen. Erik Geijar-Geiger  
Regisseur  
Berlin W 11, den 24. 2. 33  
Halleschestr. 8/1r

*Betreff:* Information über den Bühnen- und Film-Regisseur Konrad G e i g e r. – Mit 7 Beilagen.

Mit gegenwärtigen Ausführungen richte ich an den Herrn Kultusminister die ergebenste Bitte, diese wohlwollend zu prüfen und geeignet auswerten zu wollen. Anliegende Zeugnisse und Gutachten in Abschrift (die wichtigsten sind amtlich beglaubigt) entheben mich der prekären Aufgabe, «von mir über mich» sprechen zu müssen. Darf ich den Herrn Minister informieren, daß ich der Mann bin, der im Jahre 1922 in München bereits der NSDAP beigetreten ist und im gleichen Jahre noch die Bühnen- und Filmkünstler für die Bewegung aufrief. Auch dürfte es den Herrn Minister interessieren, daß ich bereits im August 1921 als Regisseur ein Filmwerk mit nationalsozialistischer Tendenz inszenierte (Prüfungsnummer 787 der Filmprüfstelle München vom 30. 8. 1921). Als Regisseur der Bühne sowohl als auch des Films kämpfte ich stets für das, was ich als Recht erkannt habe und blieb so dem Führer, der Bewegung und mir selber treu. Meine Gesinnung machte mich trotz künstlerischer Anerkennung in Bayern unmöglich, und so bin ich gezwungen, mich bereits seit 4 Jahren in Berlin aufzuhalten, und habe alle Konsequenzen meiner Gesinnung ziehen müssen.

Als Kronzeugen über meine Persönlichkeit sei es mir gestattet, den Herrn Reichskanzler anführen zu dürfen, dem ich persönlich bekannt bin und mir gestattete, da, wo es angebracht ist, mich auf ihn zu berufen, zumal ihm meine Verdienste genau bekannt sind.

Indem ich Vorstehendes dem Herrn Kultusminister unterbreite, bitte ich, den Ausdruck der vorzüglichsten Hochachtung entgegen nehmen zu wollen.

Konrad Geiger

Im Jahre 1927 war ich für die Position eines Intendanten des Stadttheaters Augsburg (Bayern) in engerer Wahl, wurde aber, als Nationalsozialist, ausgeschieden.

## Die gewünschte Gelegenheit

Konrad Geiger, Regisseur

An den               Berlin SW 11, den 15. 4. 1933
Herrn Reichskanzler    Hallesche Str. 8
Adolf Hitler           *Stempel:* Kanzlei Adolf Hitler
Berlin Kaiserhof       Eing.: 26. Juni 1933

Hochverehrter Herr Reichskanzler und Führer der NSDAP!

Darf ich Ihnen sagen, wie schwer es mir fällt, mich heute an Sie zu wenden. Allein des Führers Wort, das er vor ca. 2 Jahren meiner Frau im Konditorei Kaffee Simon, am Gärtnerplatz zu München gegeben hat, mit dem ausdrücklichen Hinweis, mich zur «gegebenen Zeit» unter Berufung auf den Handschlag, an ihn zu wenden, gibt mir die Berechtigung, Sie, hochverehrter Herr Reichskanzler, an Ihr damaliges Versprechen zu erinnern.

Sie gaben die Versicherung, mich als Anerkennung für meine Tätigkeit und für die Opfer, die ich in schwerster Zeit für Sie und Ihre Bewegung mit Freuden gebracht hatte, nicht zu vergessen. Durch meine politische Einstellung wurde ich, wie Sie ja wissen, trotz künstlerischer Anerkennung als stellvertretender Direktor und Regisseur der Bühne sowohl als auch des Films, aus meiner Laufbahn gedrängt. Sollten Sie nicht schon über meine Person geeignet verfügt haben, so bitte ich, an Ihre Hochherzigkeit nunmehr appellieren zu dürfen und mir das Arbeitsgebiet anweisen zu wollen, das mir unter normalen Verhältnissen offen gestanden hätte. Die Maßnahmen, die durch Errichtung des dritten Reiches getroffen wurden, geben die gewünschte Gelegenheit zur Erfüllung meiner Bitte.

Die Begründung meines Gesuches liegt in dem bedauerlichen Umstand, daß ich durch jahrelanges Ertragen aller Konsequenzen meiner Gesinnung nunmehr wirtschaftlich vollkommen erledigt bin. Aus diesem Grunde wäre ich Ihnen, hochverehrter Herr Reichskanzler, für einen baldigen Bescheid mehr als dankbar.

In alter treuer Anhänglichkeit bin ich Ihr

Konrad Geiger

# Nur zur persönlichen Information

*handschriftlich:*
persönl. mit Schaub erl.
Hi 23. 10.

Konrad Geiger
Berlin-Steglitz, den 24. 10. 35
Bergstr. 28, III, r.

Lieber Kamerad Hinkel!
Diesen Brief schreibe ich nur zur persönlichen Information an den Kameraden.

Ich habe nun gestern noch von München eine zweite ausführlichere klare Darstellung des Gesprächs erhalten, das der Führer am vergangenen Montag in München im Café Simon am Gärtnerplatz mit Frau Simon, meiner Schwägerin, hatte, und muß Dir, lieber Kamerad Hinkel, ganz besonders mitteilen, daß Brigadeführer Pg Schaub [1] lediglich die stattgehabte lange Unterredung (1³/4 Std.) bestätigen kann, den Wortlaut aber wird der die Unterredung mit anhörende Leiter des Audienz-Ressorts, Pg Dr. Haas(e) bestätigen.

Der Führer machte sich in seinem Buche schlagwortartige Notizen: «Hinkel-Geiger wohlgesinnt, Reichstheaterkammer» (meine Gegner sind Frauenfeld und Dr. Brückner), und der Führer versprach meiner Schwägerin, in meiner Angelegenheit gleich nach seiner Rückkunft sich selbst mit Dir, lieber Kamerad Hinkel, in Verbindung zu setzen.

In der Angelegenheit «Blutorden» [2] habe ich meine Fühler bereits ausgestreckt und gestern schon nach München Bericht abgegeben.

Heil Hitler!
Dein Konrad Geiger

1 Julius Schaub, * 1898; von Beruf Drogist; ab 1920 ständiger Begleiter Hitlers; nach dem Hitler-Putsch in München 1923 mit Hitler zusammen in Landsberg; ab 1924 Hitlers Adjutant; ab 1933 persönlicher Adjutant Hitlers auch in der Reichskanzlei und später im Führerhauptquartier.

2 Der *Blutorden* der NSDAP wurde im März 1934 von Hitler für die Teilnehmer am Hitler-Putsch in München 1923 und die vor dem 1. Januar 1932 Parteimitglieder Gewordenen gestiftet. Laut Verfügung Hitlers vom 30. 5. 1938 bekamen auch diejenigen den Blutorden, die in Deutschland oder Österreich «im Kampf für die Bewegung» mehr als ein Jahr im Gefängnis waren. Über den Antrag, einen *Blutorden* zu verleihen, entschied der Reichsschatzmeister der NSDAP, Franz Xaver Schwarz; dieser Blutorden hatte vier Zentimeter Durchmesser; die Vorderseite zeigte einen Adler auf einem Eichenkranz, in dem stand: «9. November»; auf der Rückseite war die Feldherrnhalle, darüber das Hakenkreuz, und im Bogen stand der Satz: «Und Ihr habt doch gesiegt!»

# Unter dem besonderen Schutz des Führers

Direktor Konrad Geiger
Referent i. d. Reichstheaterkammer
und Leiter der Fachgruppe 4
Berlin W 62, den 31. 12. 37
Keithstr. 11
Telefon: 25 94 01
Privatwohnung: Berlin-Steglitz,
Bergstr. 28 Telefon 72 17 79

Sehr geehrter Herr Hauptmann [1],
am Tage nach Ihrer Abreise teilte mir der stellvertretende Geschäftsführer der Reichstheaterkammer, Herr Körner [2], vertraulich mit, daß in dem Etat der Kammer, der demnächst aufgestellt würde, durch Herrn Ministerialrat Schmidt-Leonhardt [3] eine wesentliche Kürzung meines Gehaltes vorgesehen wäre, der im Rahmen der Reichskulturkammer die Etatfragen der Reichstheaterkammer entscheidend bearbeitet. Herr Körner, dem bekannt ist, daß ich unter dem besonderen Schutz des Führers stehe, bat mich, ihm eine interemistische Bestätigung zu geben, die ich, durch Ihre Abwesenheit gezwungen, so formulierte, wie es aus der Abschrift zu ersehen ist. Nun genügt das selbstverständlich nicht, sondern der bevollmächtigte Beauftragte möchte, nach Auffassung Körners, Herrn Schmidt-Leonhardt und der Reichstheaterkammer (zu Händen des Herrn Körner) eine entsprechende Anweisung geben.

Ich bitte Sie um die Freundlichkeit, mich in dieser Angelegenheit empfangen zu wollen, weil ich Ihnen meine Unterlagen und Angaben am schnellsten kurz persönlich gebe.

Heil Hitler!
Geiger

1 Hauptmann Fritz Wiedemann gehörte zur Adjutantur Hitlers.
2 Ludwig Körner.
3 Dr. Hans Schmidt-Leonhardt.

# Hans Severus Ziegler

Über Dr. Hans Severus Ziegler, den Organisator der Ausstellung *Entartete Musik*, findet sich ein «Porträt» in: *Musik im Dritten Reich* (Ullstein Buch 33032). Da er aber ab 1. 4. 1933 Schauspieldirektor am Nationaltheater in Weimar und Staatskommissar für die Thüringischen Nationaltheater war, wird er hier nochmals erwähnt; siehe auch: *Hans Severus Ziegler zu seinem 50. Geburtstag am 13. Oktober*, in: *Völkischer Beobachter* vom 13. 10. 1943.

## «Mein Führer»

Dr. H. S. Ziegler
Weimar – Deutsches Nationaltheater
Weimar, den 19. Oktober 1935

*Persönlich*

*Betr.*: Leitung der Dresdner Staatstheater

Mein Führer!
Wenn ich mir heute erlaube, die folgenden Zeilen an Sie zu richten, die Frage der Neubesetzung der Dresdner Generalintendanz betreffend, so tue ich es einmal in der Erinnerung an eine ausgiebige Besprechung über Intendantenfragen im Januar 1933, zu der Sie, mein Führer, mich nicht gerufen hätten, wenn Sie mir in Theaterpersonalfragen kein Vertrauen schenkten, und zum anderen aus dem Pflichtbewußtsein heraus, das mich als alten Dresdner treibt, speziell die Dresdner Frage mit Ihnen selbst besprechen zu müssen.

Weil ich weiß, wie sehr Ihre Liebe und Anteilnahme gerade dem Dresdner Theaterwesen gehört, glaube ich sagen zu müssen, daß die Neubesetzung des Dresdner Intendantenpostens Ihre ganz persönliche Angelegenheit sein müßte. Da ich allein Ihnen gegenüber volle Freiheit und Möglichkeit zur offenen Äußerung einer persönlichen Meinung und eines persönlichen Wunsches in so wichtigen Kulturfragen empfinde, entschließe ich mich zu dem mir sonst nicht leichten Schritt, Ihnen persönlich zunächst einmal überhaupt die Frage vorzutragen, ob die Besetzung des Dresdner Intendantenpostens mit meiner Person überhaupt diskutabel wäre. Nur im Falle einer Bejahung dieser Frage würde ich den zweiten Schritt tun und an Pg Mutschmann [1] herantreten.

Durch meine ganze Jugendzeit und verwandtschaftliche Bande mit dem Dresdner Theater aufs engste verbunden, glaube ich wie ganz wenige deutsche Theaterleiter, die Dresdner Verhältnisse, auch die Personalverhältnisse und die künstlerischen Fragen Dresdens auf das genau-

---

1 Martin Mutschmann, 1879–1945; ab 1925 NSDAP-Gauleiter in Sachsen; 1933–45 Reichsstatthalter in Sachsen; siehe über ihn: *Musik im Dritten Reich* (Ullstein Buch 33032).

este zu kennen. Vor allem aber glaube ich auch als ältester Parteigenosse unter allen führenden Theatermenschen all diese Fragen so zu kennen, wie Sie, mein Führer, dieselben sehen und behandelt wissen wollen.

Bis zu einer persönlichen Unterredung, mit der ich vielleicht rechnen darf, glaube ich zu der Sache nichts weiter sagen zu müssen, bitte nur ganz gehorsamst um die große Güte, durch einen Ihrer Herrn Adjutanten in Dresden nach dem Stand der Dinge anfragen zu lassen. Ich wäre unendlich dankbar und glücklich, zu einer solchen Unterredung zu Ihnen befohlen zu werden.

Mit Heilgruß
verehrungsvoll und gehorsamst
H. S. Ziegler

Kapitel II

# ARTEIGENES THEATER

# Nationalsozialistische Miniaturen

Die «arteigene» Kunstauffassung des Dritten Reiches und weitere Definitionen einzelner Kunstbegriffe wurden bereits in *Die bildenden Künste im Dritten Reich* (Ullstein Buch 33030) und *Literatur und Dichtung im Dritten Reich* (Ullstein Buch 33029) eingehend dokumentiert. Deshalb sollen hier lediglich spezielle Auffassungen über Theater oder deren Deutungen veranschaulicht werden. Bei der Überfülle des Materials kann jeweils nur ein kleines Beispiel gegeben werden. Deshalb sind alle Dokumente, Aufsätze etc. Auszüge oder Kurzfassungen.

Unabhängig von den in diesem Kapitel zitierten «weltanschaulichen» Ausführungen sei für den interessierten Leser hier noch auf folgende Veröffentlichungen aufmerksam gemacht, die chronologisch aufeinander folgen, um die Entwicklung dieses Gedankengutes recht anschaulich zu machen: *Auf dem Wege zum deutschen Nationaltheater*, in: *Theater-Tageblatt* vom 20. 9. 1933 mit Äußerungen von Wilhelm Frick, Hans Hinkel, Otto Laubinger, Wolf Leutheiser, Walter Stang, Friedrich Billerbeck-Gentz; Dr. Hans Knudsen: *Der Berliner Spielplan* in: *Bausteine zum deutschen Nationaltheater*, Oktober 1933, S. 15 f; *Theater-Neuland*, in: *Das Theater*, Oktober 1933, S. 94 f; Paul Ehlers: *Das deutsche Nationaltheater unser Wille* in: *Die Deutsche Bühne*, November/Dezember 1933, S. 1 f; Alfred Mühr: *Der Dichter und das neue Theater* in: *Deutsche Zeitung*, Berlin, am 4. 12. 1933; Dr. Werner Kurz: *Das Primat der Politik und das Theater* in: *Bausteine zum deutschen Nationaltheater*, Januar 1934, S. 1 f; *Neues Weltbild und lebendiges Theater*, in: *Berliner Lokal-Anzeiger* vom 6. 2. 1934, Abendausgabe; *Um das neue Theater*, ebd. am 27. 2. 1934, Morgenausgabe; *Das dramatische Theater deutscher Nation*, Besprechung von Ferdinand Junghans-Busch in: *Der Autor*, Juni 1934, S. 14; Dr. Oskar Liskowsky: *Kulturelle Wiedergeburt* in: *Bausteine zum deutschen Nationaltheater*, Juli/August 1934, S. 219 f; Dr. Karl Osterwald: *Das Theater im Dritten Reich* in: *Illustrierte deutsche Bühne*, Oktober 1934, S. 4; Ludwig Sternaux: *Politik und Drama* in: *Berliner Lokal-Anzeiger* vom 24. 1. 1935, Abendausgabe; *Politik und Drama*, in: *Völkischer Beobachter* vom 25. 1. 1935; Hans Brandenburg: *Das Theaterkunstwerk* in: *Der Neue Weg* vom 15. 3. 1935; Heinrich Guthmann: *Zweierlei Kunst in Deutschland*, Berlin 1935, Seite 28–30; Dr. Hildegard Stern: *Ein Rückblick auf die Entwicklung des deutschen Theaters* in: *Deutscher Kulturwart*, September 1935, S. 416 f; Alfred Ortloff: *Heinrich von Kleist und das deutsche Nationaldrama*, Würzburg 1935, Dissertation; Joachim Klaiber: *Der Dramaturg vor neuen Aufgaben* in: *Die Bühne*, 1936, S. 76 f; Eberhard Wolfgang Möller: *Dichtung und Dichter im nationalsozialistischen Staat* in: *Bayerische Staatstheater*, München 1936, Heft 12, S. 178 f; Jörg Lampe: *Die Frage der Tendenz im Drama* in: *Die Literatur*, 1936/37, S. 619 f; *Das politi-*

sche Drama, in: *Das Schwarze Korps* vom 18. 3. 1937; Heinz Schwitzke: *Über
das historische Drama* in: *Der Autor*, April/Mai 1937, S. 14 f; Curt Langenbeck,
Heinz Schwitzke und Karl Valentin über Theater in: *Wille und Macht* vom 15.
6. 1938, S. 33 f; Paul Gerhard Dippel: *Ich bin der Offenbarende* in: *Der Autor*,
Juli 1939, S. 4 f; Werner Kark: *Künstler spielen – ein Volk marschiert* in:
*Deutsche Theater-Zeitung* vom 14. 9. 1939; Karl Pempelfort: *Theater in ernster
Zeit*, ebd. am 24. 9. 1939; Dr. Hans Ermann: *Gustaf Gründgens: Krieg und
Theaterführung* in: *Völkischer Beobachter* vom 19. 10. 1939; Dr. Rainer Schlös-
ser: *Lebendiges Theater* in: *Der Autor*, Januar 1940, S. 5 f; Dr. Hans Fritz von
Zwehl: *Katharsis*, ebd. am 1. 10. 1940, S. 121; Kurt Reichel: *Vom Sinn unseres
Kampfes* in: *Die Bühne* vom 13. 11. 1941; Helmut Kallenbach: *Die Kulturpolitik der deutschen Tageszeitung im Krieg*, Dresden 1941, S. 52–56; Umfassender
Bericht durch Staatssekretär Leopold Gutterer, in: *Deutsche Allgemeine Zeitung* vom 5. 8. 1942; Otto R. Gervais: *Eine deutsche Bühne im Kriege* in: *Hamburger Tageblatt* vom 2. 12. 1942; Grete Kitzinger: *Das Feuilleton der Münchener Neuesten Nachrichten von 1933 bis zur Gegenwart*, München 1942, S.
48–58, Dissertation; Dr. Friedrich Rostosky: *Historisches und politisches Drama* in: *Deutsche Dramaturgie*, Januar 1943, S. 1 f; Dr. Fritz Zierke: *Ursprung
und Gestalt des Dramas* in: *Völkischer Beobachter* vom 18. 6. 1943 – eine Besprechung von Arthur Pfeiffers Buch; Karl Künkler: *Probleme des Dramas im
Theater* in: *Nationalsozialistische Monatshefte*, 1943, S. 203 f; Karl Heinrich:
*Die Freiheit des Dramatikers* in: *Die Bühne*, 1944, S. 39 f; Ernst Wurm: *Politisches Schauspiel* in: *Völkischer Beobachter*, Wien, vom 3. 12. 1944.

## Grundsätzliches

## Das Jahrtausendtraumbild

Hans Kyser: *Nation und Künstler* in: *Der Neue Weg* vom 20. 4. 1933, S. 120–
121. Siehe auch Hans Kyser: *Über die Theaterentwicklung im Dritten Reich*,
ebd. am 1. 12. 1934, S. 409–414.

Mit einer geschichtsbildenden Kraft und in einem seelischen Ausmaß
ohnegleichen hat sich die nationale Revolution in Deutschland vollzogen. Ein an Haupt und Gliedern, mit seinen Stämmen und Ständen, im
völkischen Wesen und politischen Wirken geeinter deutscher Volksstaat
steht schon im Aufbruch der neuen deutschen Freiheitsbewegung seiner
Form nach vollendet da. Das Jahrtausendtraumbild deutscher Sehnsucht,
von unzähligen Geschlechtern im tragischen Opfergang unserer Geschichte immer wieder erstrebt und nie errungen, ist Wirklichkeit geworden.

Um die deutsche Schaubühne auf das Fundament eines neuen Ethos
zu stellen, den Charakter der Zeit von seiner tiefen Entwürdigung em-
porzuheben und ihn nach der Schillerschen Forderung zur Einfalt, Wahrheit und Fülle der Natur zurückzuführen, ist zunächst und vor allem die
Ausbildung des eigenen Charakters nötig.

# Gemeinnutz geht vor Eigennutz

Wilhelm von Schramm: *Nationalsozialismus und neuer deutscher Theaterstil* in: *Theater-Tageblatt* vom 25. 7. 1933; «Gemeinnutz geht vor Eigennutz» war ein Slogan der NS-Rechts- und Wirtschaftspolitik; siehe hierzu Wilhelm Merk: *Der Gedanke des gemeinen Besten in der deutschen Staats- und Rechtsentwicklung*, Berlin 1933, und vom gleichen Verfasser: *Der Staatsgedanke des Dritten Reiches*, Stuttgart 1935; ebenso Karl August Walther: *Das Theater der Zukunft* in: *Die Deutsche Bühne* vom 1. 9. 1933.

Schon der Parteigrundsatz «Gemeinnutz geht vor Eigennutz» bedingt ja eine völlige Stiländerung des gesamten deutschen Theaterlebens. Denn er schließt selbstverständlich jedes Starunwesen aus. Er fordert Selbstlosigkeit und Gemeinsinn, der auch in den Theatern wirksam werden und eine neue Spielgemeinschaft bringen muß. In dieser Spielgemeinschaft gibt es natürlich auch wieder Führer und Geführte und eine gerechte Rangordnung auf Grund der Leistung und Bewährung, aber die sogenannte Prominenz, dieser destruktive Begriff der bürgerlichen Gesellschaft, die den Menschen nur nach dem Einkommen bewertete, wird dabei völlig verschwinden müssen. Denn jeder einzelne Künstler, und selbst der größte, tritt nach nationalsozialistischen Grundsätzen wieder in Reih und Glied und fügt sich der Körperschaft und Gemeinschaft, der er verpflichtet ist, ein, damit er dort seine Aufgabe und seinen Auftrag zum Besten des großen Ganzen erfüllen kann.

## Los von Aristoteles!

So heißt das vierte Kapitel von Paul Beyer: *National-Dramaturgie – Ein erster Versuch*, Berlin 1933, S. 13–14.

Ohne Aristoteles war der dramatische Dichter in Deutschland führerlos. Man betrachte das bißchen Dramatik der letzten vierzehn Jahre. Nirgends ein Ansatz zur großen Einheit! Georg Kaiser [1] eine lichterloh abbrennende Fackel. Alles ohne Ewigkeitszug. Gerhart Hauptmann: dem Naturalismus verschrieben mit Haut und Haar. Naturalismus aber ist Entwicklungslosigkeit an sich. Und die wenigen, die das Ewigkeitsfünkchen bei sich trugen, mußten es in die Tasche stecken. Wehe, wenn einer gewagt hätte, es leuchten zu lassen. So fanden diese im Dunkeln den Weg nicht zum Theater – und nicht zueinander. Und eine deutsche einheitliche Theaterentwicklung war nicht einmal (wie die politische) im Verbotenen und Verborgenen möglich.

Das sind bis vor kurzem die Deutschen *ohne* Aristoteles. Wir aber

---

1 Georg Kaiser, 1878–1945, Dramatiker; hatte mit *Die Bürger von Calais*, 1914, einen großen Erfolg; 1938 emigrierte er in die Schweiz.

brauchen andere Formate oder stärkeren Zusammenhalt, damit aus vielen Tönen ein großer vielstimmiger Akkord werde. Erst seit gezählten Wochen beginnt es bei einigen Tastenden zu dämmern. Aber sie sind alle ohne «Lehre».

Wir marschieren. Bald müssen die dramatischen Dichter, die eine Straße gefunden haben, auf ihr die Urwesensgrundsätze im Tornister ans Ziel tragen. Und der Aristoteles müßte geachtet und bewundert, aber – ebenso wie sein gesamter Göttermythos – nicht mehr «gelehrt» werden!

## So ist die Sache!

Erwin Guido Kolbenheyer: *Die nationale Revolution und das Aufleben des deutschen Geistes* in: *Die Neue Literatur*, August 1933, S. 468–469.
E. G. Kolbenheyer, 1878–1962, Schriftsteller (Roman, Drama, Philosophie, Essay); ausführlich über ihn in: *Literatur und Dichtung im Dritten Reich* (Ullstein Buch 33029), S. 107 f u. a. O.; siehe vom selben Autor: *Wir wollen ein junges, lebendiges Theater*, in: *Die Deutsche Bühne*, September 1935, S. 5; siehe auch Kurt Arnold Findeisen: *Heroische Leidenschaften* in: *Deutsche Bühnenkorrespondenz* vom 28. 3. 1934; Rudolf von Lossow: *Deutsche Dramatiker der Gegenwart – E. G. Kolbenheyer* in: *Bausteine zum deutschen Nationaltheater*, Oktober 1935, S. 294–299; *Kolbenheyers: Gregor und Heinrich*, in: *Der Neue Weg* vom 15. 11. 1934.

Wenn die nationale Revolution auf einer Kunstpolitik primitiver Handlungsweise stehen bliebe, würde sie ihre Unfähigkeit zur Weltwirksamkeit bewiesen haben und müßte im Parteimäßigen versanden. Es ist besonders zu begrüßen, daß die staatliche Führung der nationalen Revolution sich dieser Gefahr bewußt ist.

Mit dem Aufflammen der nationalen Revolution ist die Mittlerkrisis noch nicht überwunden. Die Wege können wohl durch Umbesetzung freigemacht werden, aber das Mittlertum, das an die Stelle des früheren tritt, wird sich erst zu bewähren haben. Ein geistiger Rückhalt muß dem neuen Mittlertum erst geschaffen werden. Universitäten, höhere Schulen, Büchereien, Verlage und Sortimenter stehen vor kaum erkannten, drängenden Aufgaben. – Der entscheidende Anteil aber dieses geistigen Rückhaltes liegt beim aufnehmenden Volke selbst. Nicht umsonst haben – um das einleuchtendste Zeichen zu geben – jene Kreise, auf die sich früher eine deutsche Literatur stützen konnte, das Theater verlassen: eine Unwahrheit, daß es kein deutsches Publikum für deutsche Kunst mehr gäbe! Durch artfremde und geschmäcklerische Kunstfertigkeiten, um all des Krassen nicht zu gedenken, die man ihm von der Bühne her nicht ohne Anmaßung vorsetzen zu können glaubte, ist das deutsche Publikum aus den Theatern vertrieben worden. So ist die Sache!

# «Ich lasse mich nicht bestechen»

Adolf Hitler: *Die Erneuerung des Theaters* in: *Die Deutsche Bühne*, September 1933, S. 3; siehe auch das Kapitel: *Adolf Hitlers innere Beziehung zum Theater* in A. E. Frauenfeld: *Der Weg zur Bühne*, Berlin 1940, S. 269–274.

Natürlich muß sich auch das Theater erneuern. Aber die Erneuerung muß von innen her kommen. Und die Leute, die glauben, wenn sie jetzt überlaufen, könnten sie unter neuer Maske die alten Dinge weitertreiben, irren sich ganz gewaltig. Sie werden von Grund auf umlernen müssen. Wer nicht umlernen will, vernichtet sich selbst, ohne daß wir einen Finger dazu rühren brauchen. Ich lasse mich nicht bestechen. Was ich tun kann, Mittelmäßigkeit und Verlogenheit auszurotten, das geschieht. Wer wirklich etwas kann, der braucht noch lange nicht davor «Heil» zu rufen. Der echte Künstler, der kommt von selbst zu uns, weil wir aufbauen. Jede wirkliche Kunst ist aufbauend, und daher findet der Künstler nur bei uns seine verlorene Kraft wieder.

## Die Ausländerei

Hanns Johst: *Das Theater im Neuen Reich* in: *Der Autor*, 1933, Heft 5, S. 8.

Das deutsche Theater wird sich vor allem auf sich selbst besinnen müssen und daran zu denken haben, daß es in erster Reihe deutschem Geist und Wesen zu dienen hat, und daß der deutsche Autor vor dem ausländischen rangiert. Es darf nicht mehr vorkommen, daß drei Viertel des Spielplans eines Theaters von Ausländern in Anspruch genommen werden. Die Ausländerei, die früher schon manchen Schaden angerichtet hat, in den letzten Jahren aber zu einer ausgesprochenen Plage in unserem Theaterwesen wurde, muß bekämpft werden, um unserer deutschen Kultur, unserer deutschen Geistesarbeit willen.

## Neue Formen

Dr. Walter Stang: *Vom Sinn und Wesen des Theaters* in: *Bausteine zum deutschen Nationaltheater*, Oktober 1933, S. 13; ähnliche «weltanschauliche» Äußerungen siehe in der gleichen Zeitschrift vom Dezember 1933, S. 65–68 – Adolf Hitler: *Grundsätzliche Betrachtungen über die Kunst*; sowie vom Februar 1934, S. 33–47 – Alfred Rosenberg: *Der Kampf um die Weltanschauung*; vom September/Oktober 1934, S. 278–287 – Dr. Clemens Sauermann: *Die Zukunft des Theaters*. Siehe auch Josef Hamblock: *Revolution des Herzens* in: *Die Deutsche Bühne*, Januar/Februar 1934; Hans Schulz-Dornburg: *Das Theater im Dritten Reich* in: *Deutsche Bühnenkorrespondenz* vom 28. 8. 1935.

Der Nationalsozialismus muß das Theater geistig und wirtschaftlich von Grund aus neu aufbauen. Er muß damit beginnen, das zerstörte Wesen des Theaters wieder herzustellen und ihm von der Weltanschauung des Nationalsozialismus aus im ganzen, wie in all seinen Gliederungen, einen neuen, d. h. im Grunde den uralten, ewigbleibenden Sinn wiedergeben. Der Nationalsozialismus ist auf allen Gebieten wohl eine revolutionäre Bewegung. Er wird ganz neue Formen des deutschen Theaters entwickeln. Aber das ist ja das Bedeutsame an ihm, daß seine revolutionäre Kraft zunächst die geistigen Grundtatsachen des Lebens wieder ans Licht führt und dann dem äußeren Entwicklungsstande der Gegenwart entsprechend mit den Mitteln der modernen Zeit neuschöpferisch gestaltet.

## Artgemäßes Staatswesen

Friedrich Billerbeck-Gentz: *Die Ausschaltung des Liberalismus am deutschen Theater* in: *Deutsche Kultur-Wacht*, 1933, Heft 30, S. 9.
Friedrich Billerbeck-Gentz, * 1903, Schriftsteller und Dramaturg; Abteilungsleiter in der Amtsleitung der NS-Kulturgemeinde.

Am Anfang ist das Theaterstück, und am Anfang unserer Bestrebungen, das deutsche Theater zu reformieren, muß der stehen, welcher das Stück schreibt, der es beurteilt und der es den Bühnen anbietet. Es ist dies die Gemeinschaft: Dichter, Dramaturg, Bühnenvertriebsleiter.

Unser Kampf um das deutsche Nationaltheater ist nur ein Teilausschnitt aus dem gewaltigen Ringen einer ganzen Rasse um ein ihr artgemäßes Staatswesen, und tatsächlich gehört das Theater zum Staatsgefüge selbst organisch zu als einer seiner wesentlichsten Faktoren. Keine Art der Beeinflussung, sei es durch die Rede, die Schrift oder die Tat ist so gewaltig und nachhaltig wirksam wie die durch die Darstellung eines Stückes auf der Bühne. Drei Geisteswelten ringen hier auf dem Plan einer gedachten Welt miteinander. Die Welt des Dichters, die des Schauspielers und die des Publikums.

## Die neuen zehn Gebote

Dr. Mirko Jelusich: *Vom Dialog des heroischen Theaters* in: *Bausteine zum deutschen Nationaltheater*, Oktober 1934, S. 313–314.
Dr. Mirko Jelusich, * 1886, Schriftsteller (Roman, Bühnendichtung, Drama, Essay).

Mit dem Prunk der Rede, diesem Schwall hochtrabender, wie ein leerer Barock- oder Rokoko-Rahmen wirkender Worte, hat unsere Zeit gründlich aufgeräumt. Wir sind zu nüchtern geworden, zu klarblickend, zu sachlich, als daß uns jenes Phrasengeklingel auch nur erträglich wäre. Unter den zehn Geboten, die Mussolini seinen Faschisten gab, lautet das fünfte: «Was du mit zehn Worten sagen kannst – das sag mit fünf.» Knapper, eindeutiger hätte sich die sprachliche Forderung unserer Zeit nicht formulieren lassen. Jedes Wort zuviel – und der Bombast, die Phrase, ist eben nichts anderes als das Wort zuviel – schmerzt uns. Wir haben es im ungeheuren Erlebnis des Krieges gelernt und wir halten es fest: daß man auch ein Held sein kann, ohne das Maul aufzureißen. Darum hat der Dramatiker von heute knapp zu sein, nüchtern und sachlich wie wir alle. Was er nicht mit ein paar Worten sagen kann, das darf er überhaupt nicht sagen.

## Die neuen Möglichkeiten

Dr. Hans Knudsen: *Die Theaterstadt Berlin* in: *Die Bühne*, August 1936, S. 483; siehe auch vom selben Autor: *Die Aufgaben und Probleme für eine Berliner Theatergeschichte*, in: *Berliner Börsen-Zeitung* vom 12. 7. 1933.

Wir vergessen alles heute so leicht, oder wir können sagen: die Jugend weiß davon nichts mehr. Sie etwa dieses Theater besuchen zu lassen, war damals anständig denkenden Eltern unmöglich. Die Stadtverwaltung Berlins freilich unterstützte die Schülervorstellungen der kommunistischen «Räuber»-Inszenierung Piscators und lehnte es ab, die Schulen ein Bismarck-Stück sehen zu lassen, weil man die Gestalt Bismarcks der Jugend nicht mehr zumuten könne! All das war da, war wirksam, war verderblich! Die Geltung Berlins als Theaterstadt war verloren und mußte wiedergewonnen werden. Das war keine leichte Aufgabe, und diese neue Aufgabe war im Zusammenhang mit den hohen kulturpolitischen Zielen des Nationalsozialismus keineswegs dadurch zu lösen, daß man einfach wieder gutes oder bestes Theater machte. Denn: wäre man so verfahren, so hätte man nicht mehr erreicht, als daß vielleicht eine zahlungsfähige bürgerliche Schicht wieder in ein sauberes, anständiges, gutes Theater gegangen wäre. Es war – neben der Aufgabe, eine, sagen wir, repräsentative Theaterkunst erneut zur Erörterung zu stellen – die große Verpflichtung einzulösen, die vielen, so lange vernachlässigten Volksgenossen, die bisher nur Hunger oder Arbeit, bestenfalls dumpfe Lebensgenüsse, aber bestimmt nicht daseinserhöhende Kunst kannten, an dem Erlebnis Theater teilhaben zu lassen. Sieht man nun einmal diese neu gewordene und gestaltete Theaterstadt Berlin an, so darf man wohl mit bescheidenem Stolz sagen: sie kann sich wieder sehen lassen.

## Die Voraussetzung

Hermann-Christian Mettin: *Der politische Schiller*, Berlin 1937, S. 8.
   Dr. phil. Hermann-Christian Mettin, * 1910, Kunstkritiker; siehe auch vom selben Autor: *Die Situation des Theaters*, Wien 1942, S. 19–23, und: *Von der Bedeutung des Theaters in unserer Zeit*, in: *Das Innere Reich*, 1936, S. 520 f.

Staat und Drama sind dem Chaos abgerungene Schöpfungen großer Menschen, die mit ordnender Gewalt der Vielheit der Menschen einen Raum zu Leben und Tun geben. Der Staatsgründer gibt durch seine Tat seinem Volke einen Wirkungskreis und setzt ihm einen der Eigenart seines Wesens entsprechenden gegliederten Raum vor der Ewigkeit. Der Dramatiker bannt sein Volk in eine bestimmte Welt des Scheins, die in ihrer Eigengesetzlichkeit einen Kosmos in sich darstellt – einen Staat des Scheins – und in der sein Volk seine innere Welt gesteigert als Wahrheit im Schein erfährt. Die Geburt eines Dramatikers setzt Staat in seiner höchsten Entfaltung voraus, die Schöpfung von wahrhaft großen Dramen einen Dramatiker, der ein politischer Mensch ist.

## Mit allen Mitteln

Eberhard Wolfgang Möller: *Das Theater als Verkünder deutschen Geistes* in: *Wille und Macht* vom 15. 6. 1938, S. 4–5.

Eberhard Wolfgang Möller, * 1906, Schriftsteller (Drama, Lyrik, Roman); Referent in der Theaterabteilung des Reichsministeriums für Volksaufklärung und Propaganda; siehe auch sein *Der Weg zum Nationaltheater* in: *Das Schwarze Korps* vom 23. 7. 1936.

Für uns, die wir das Theater lieben, die wir seine volle Bedeutung wiedererkennen, ist das schmerzlichste bei alledem nicht das Auf und Ab der widersprechenden Entwicklungen, nicht ein heute bereits der Theatergeschichte angehörender zeitweiliger Tiefstand und Mißbrauch, sondern der Schade, den seine Stellung im Kreise der das völkische Leben bestimmenden Mächte tatsächlich erlitten hat. Wir müssen feststellen, daß es ihm ergangen ist wie unserem Volk im Jahre 1918. Es ist durch Verrat und Betrug aus einer Großmacht zu einer Macht zweiten Ranges herabgewürdigt worden und beginnt eben erst heute unter dem belebenden Hauch der nationalsozialistischen Erkenntnis und Energie seine Großmachtstellung zurückzuerobern. Alles, was heute geschieht, ist nur unter diesem Gesichtspunkt zu verstehen. Es ist ein verzweifelter Kampf um die Wiedererlangung der ehemaligen Hoheit mit allen Mitteln.

## Bedürfnisse

Herbert A. Frenzel: *Nationalpolitische Tat auf der Bühne* in: *Hamburger Tageblatt* vom 22. 10. 1938.

Dr. phil. Herbert A. Frenzel, * 1908, Schriftsteller und Regierungsrat im Reichsministerium für Volksaufklärung und Propaganda. Siehe auch Ehrenfried Muthesius: *Das Ringen um ein deutsches Drama* in: *Zeitschrift für Deutschkunde*, 1942, S. 233.

Überprüfen wir nun den heutigen Bestand neuer dramatischer Dichtung auf ihren spezifisch nationalsozialistischen Gehalt, so versagt der weitaus überwiegende Teil. Diese Feststellung muß gemacht werden, um unser kritisches Bewußtsein zu schärfen für jene Werke aus der öffent-

lichen, ja, sogar politischen Sphäre, die noch immer vor der entscheidenden Fragestellung zurückschrecken, wie weit die von uns neu- oder wie-
derentdeckten Lebensgesetze in dem gestalteten Vorgang wirksam sind.
Wir haben – wenn es uns um die Sache des nationalsozialistischen Dramas ernst ist – jene kleine Avantgarde, die ihren dichterischen Vorwurf
mit unserer Weltanschauung durchleuchtet, von jenen anderen zu trennen, die an Vergangenheit und Zeit noch immer ihre psychologischen,
ihre erotischen und ihre sensationellen Bedürfnisse abreagieren.

## Die Heimat

Dr. Hermann Wanderscheck: *Deutsche Dramatik der Gegenwart*, Berlin 1938,
S. 34; eine Besprechung über dieses Buch siehe in: *Die Bühne*, 1938, S. 432 –
Paul Hoffmann: *Zur Dramaturgie des volkhaften Dramas*.
  Dr. phil. Hermann Wanderscheck, * 1907, Schriftsteller (Theater, Film, Musik,
Lyrik, Erzählung); Hauptschriftleiter der Zeitschrift *Der Autor*; im Fragebogen
der Reichsschrifttumskammer vom 12. 2. 1937 gibt Dr. Wanderscheck an, er sei
nicht Mitglied der NSDAP; in seinem Aufsatz *Siehst du im Osten das Morgen-
rot?* in: *Der Autor*, Juli/August 1941, S. 110, schrieb er u. a.: «Der Führer erkannte die große gemeinsame Gefahr, die zur Auflösung Europas und zum
Untergang des Abendlandes führen mußte.»

Der Dramatiker der Gemeinschaft durfte sich diese Aufgaben, geschichtliche und politische Ereignisse und Stoffgebiete zu dramatisieren, besonders vornehmen, weil die Dichtung der nationalsozialistischen Epoche fordert, daß der Dichter in der lebendigen und volksbestimmenden
Geschichte aufgeht, die Geschichte der Nation aber auch dem Dramatiker
ins Gewissen redet, daß er für sein Volk, das diese Geschichte erlitt und
erstritt, zum wahrhaften und echten Künder und Seher wird. Der Mittelpunkt der Politik ist also zur Heimat des nationalen Dramas geworden.

## Das große Ja

Dr. Rainer Schlösser: *Von der Wiedergeburt des deutschen Theaters* in: *Völkischer Beobachter* vom 31. 1. 1943.

Rasch wurde auf den Bühnen Deutschlands, nachdem sie in die Obhut
von Reichsminister Dr. Goebbels gestellt worden waren, alles Artfremde
ausgeschaltet, und das große Ja, zu dem der Nationalsozialismus angeblich nicht fähig sein sollte, konnte gesprochen werden. Die Unterstellung
des Theaters unter das Lebensgesetz der Nation, die so lange Zeit über
als eine Vergewaltigung der Kunst denunziert worden war, erwies sich
als Befreiung von gar nicht abzuschätzender Tragweite. An Stelle fremder, gewaltsamer Einflüsse trat in Wahrheit die natur- und deshalb so
gottgegebene Bindung beileibe nicht der Hände! nein: der Herzen und
Hirne an Wohl und Wehe des eigenen Volkes.

# Nur-Historie

Reinhold Zickel von Jan: *Was heißt eigentlich Nationaltheater?* in: *Hakenkreuzbanner* vom 12. 1. 1939.
  Reinhold von Jan (Pseudonym für Reinhold Zickel), * 1885, Schriftsteller (Bühnendichtung, Roman, Novelle, Philosophie); siehe auch von ihm *Peer Gynt, der negative Faust* in: *Bausteine zum deutschen Nationaltheater*, Juni 1934, S. 161 f.

So wie das Dritte Reich in der Kontinuität der Versuche zur Bildung nationaler Großstaaten seit der Renaissance und Reformation entstanden ist und sich zur selbstständigen Form durchgerungen hat, so wird das Drama des Dritten Reiches zwar in der Kontinuität des germanisch-deutschen Dramas von Shakespeare bis Hebbel stehen müssen, aber doch sich selbstständig absetzen, sowohl von der chronistischen, nur auf das Individuum gestellten Weltschau Shakespeares, wie der christlich-idaelistischen Griechheit unserer Klassiker. Es sind die politischen, weltanschaulichen und sozialen Kämpfe unserer Tage, die die stoffliche Grundlage für unser Drama bilden müssen, aber keine wie immer geschaute Nur-Historie.

## Der bewußt-kulturpolitische Verantwortungsring

Heinz Kindermann: *Das Burgtheater: Erbe und Sendung eines Nationaltheaters*, Wien/Leipzig 1939, S. 208.
  **Prof. Dr. Heinz Kindermann, *1894, Deutsche Literaturgeschichte; siehe auch**: *Literatur und Dichtung im Dritten Reich* (Ullstein Buch 33029), S. 270[1] u.a.O.
  Über Kulturpolitik wurde im Dritten Reich viel geschrieben; die trefflichste nationalsozialistische Definition dieses Begriffes gab jedoch der Professor der Philosophie in München Wolfgang Schultz in seinen *Grundgedanken nationalsozialistischer Kulturpolitik*, München 1939, S. 20: «Ihre zwei Grundgedanken sind Rasse und Volk.»

Der Nationalsozialismus anerkennt jede artbewußte Kunst als unentbehrliche, weil mitbewegende und schöpferisch reiche Kraft der Volksformung. Dem Theater kommt in diesem Rahmen ganz besondere Bedeutung zu, weil es ja Abend für Abend in seinem Zusammenklang von Dichtung, Darstellung und Publikumsecho den vollendeten Kreislauf von Kunst und Volk, die sichtbarste Form der künstlerischen Gemeinschaftswirkung ermöglicht. Viel stärker denn je ist nun infolgedessen der Theaterleiter in einen bewußt-kulturpolitischen Verantwortungsring gerückt.

# Ein neues Denken

Alfred Rosenberg: *Blut und Ehre – Ein Kampf für deutsche Wiedergeburt*, München 1940, S. 211–212.

Alfred Rosenberg, 1893–1946, studierte Architektur an der Technischen Hochschule in Riga ab 1910, dann in Moskau; im November 1918 hielt er seinen ersten Vortrag über die Judenfrage; 1919 Zusammenarbeit mit Hitler in München; ab 1921 Schriftleiter des *Völkischen Beobachters* in München; ab April 1933 Leiter des Außenpolitischen Amtes der NSDAP; im Januar 1934 übertrug Hitler ihm die «Überwachung der weltanschaulichen Erziehung der NSDAP»; 1941–45 Reichsminister für die besetzten Ostgebiete.

Es sind verschiedene Versuche unternommen worden, wirklich nationale Bühnen ins Leben zu rufen. Diese sind aus wirtschaftlichen Gründen zusammengebrochen. So weit ich es übersehe, betonte man seine gute vaterländische Gesinnung, versprach, nur deutsche Stücke zu spielen, forderte nur deutsche Schauspieler und Leiter, aber bewegte sich doch in alten künstlerischen Programm-Schablonen, ohne zu merken, daß wir Nationalsozialisten nicht nur politisch, sondern auch künstlerisch-revolutionär sind und sein müssen, weil der alte Nationalismus sich mit Wirtschaft und Industrie derart verbunden hatte, daß er zu echt völkischem Denken und Fühlen kein Verständnis mehr besitzt. Er ist gänzlich ideenlos und steht somit der jüdischen, vom Instinkt getriebenen Zersetzungstätigkeit hilflos gegenüber. Die Ausplünderung eines ganzen Volkes ist fast restlos gelungen. Es wird lange Jahre dauern, bis durch einen politischen Machtkampf die Voraussetzungen geschaffen sein werden für eine völkische Kulturarbeit. Bis dahin muß man sich aber klar darüber geworden sein, durch welche Ideen die Zersetzung herbeigeführt worden ist und welche Grundsätze allein eine Neugeburt verbürgen. Dafür brauchen wir als erstes nicht so sehr einzelne Gedanken, sondern ein neues Denken schlechtweg.

## Das Verhängnis

Erich Brendler: *Die Tragik im deutschen Drama vom Naturalismus bis zur Gegenwart.* – Inaugural-Dissertation zur Erlangung des Doktorgrades einer Hohen Philosophischen Fakultät der Universität zu Tübingen, 1940, S. 213–214. Hauptberichterstatter: Prof. Dr. Paul Kluckhohn.

Das Drama braucht nicht «Symbole der Ewigkeit», es braucht den vollen und ganzen Menschen. Dazu ist nicht nötig, daß er naturalistisch von allen Seiten belastet wird, sondern daß die wesentlichen und treibenden Züge seiner geistig seelischen Existenz klar hervortreten. Es ist vor allem nötig, seine seelischen Bindungen an die Mitwelt zu zeigen. Der expressionistische Mensch – das ist das Verhängnis der ganzen Epoche – war bindungslos, entwurzelt, hingegeben an alle Fernen und

Höhen, ohne Bezug auf das Nächste. Mit ihm spielten Wolken und Winde, er war haltlos. Auch sein Christentum war meist mehr Bankrotterklärung als sicheres Ruhen im Glauben. Bindung suchte die Zeit und fand sie schließlich im Völkischen und Religiösen. Das zeigt sich im Drama der unmittelbaren Gegenwart. Wir haben im Anschluß an die Tradition des mittelalterlichen Spiels ein religiöses Drama, und wir haben ein Drama, das den Menschen in seiner biologischen und geistigen Gebundenheit an Volk und Staat zeigt.

## Dramaturgie und Regie

### In der Systemzeit

Dr. Walter Stang: *Grundlagen nationalsozialistischer Kulturpflege*, Berlin 1935, S. 49–50.

Dramaturgie und Regie der Systemzeit suchten sich gegen die unliebsame Tatsache, daß die in den klassischen Werken verborgen bleibenden Wahrheiten und Werte sich doch immer wieder durchsetzen, unterstützt durch den inneren Verfall einer organischen Bühnenkunst, auf diese Weise zu helfen. Soweit die Werke der Klassiker der herrschenden Geistesrichtung nicht genügend Rechnung trugen oder ihr sogar sehr deutlich widersprachen, mußte man sie eben retuschieren. Den lebenden Dichter führte man in gleichem Falle nicht auf; hier hatte man es einfacher. Bei den Klassikern, die sich gegen ihre Regisseure nicht mehr wehren konnten, vermochte man dagegen manches durch Streichungen, durch entsprechende Akzentverteilung im Ensemble usw. zu erreichen. Aber die Um- bzw. Entwertung der Klassiker auf viel feinere und weniger auffällige Weise war fast noch gefährlicher. So hat man Goethes «Iphigenie» mit dem gewaltigen sittlichen und religiösen Gehalt, der im Vers und in der idealen Empfindungswelt der Goetheschen Gestalten zwingend ist, durch entsprechende Sprachbehandlung, durch Akzentgebung in der Psychologie des Bühnenbildes usw. in eine durch und durch orientalisierende Auffassung umzudeuten versucht und z. B. den Tempel der Diana in einer Hamburger Aufführung zu einem im kubistischen Stil aufgebauten Baalstempel zu verschandeln verstanden.

### Das engste Verhältnis

Hermann W. Anders: *Theaterregie im Umbruch* in: *Der Neue Weg* vom 15. 10. 1935, S. 453–454.
   Hermann W. Anders ist das Pseudonym von Dr. Hermann Wanderscheck; siehe auch: *Dr. Hermann Wanderscheck sprach in den Niederlanden*, in: *Film-Kurier* vom 4. 5. 1942.

Die Regiekunst des individualistisch-marxistischen Theaters war ein absoluter Bruch mit allem bühnentraditionell Herkömmlichen. Zahllose Versuche und Experimente einer im wesentlichen zersetzenden Theaterregie haben den Weg aufgezeigt, wohin scheinkünstlerische Regie führen kann, wenn sie von der selbstherrlichen Machtfülle eines Regie-Souveräns abhängig ist. So geschah es, daß auf den Bühnen des Zwischenreiches Kulisse und Vorhang als überwundene Standpunkte erklärt wurden, daß man die Technik der Szene völlig ihres Zaubers entkleidete. So geschah es, daß prosaisch zwischen kahlen Steinwänden ein Szenenbedarf stand, der im Wechsel des Spiels zu jeweiligen «Bühnenbildern» sich ordnete. Hier sollte sich ein künstlerisches Erlebnis ins Bewußtsein drängen, das aus der vermeintlichen Kühnheit ruhender oder beweglicher Konstruktionen an die Seele der Zuschauer wuchs. Um der Szene einen effektvollen Reiz und dem Spiel eine verwirrende Belebung zu geben, wurde der Aufwand der technischen Mittel bisweilen ins Ungeheuerliche gesteigert.

Die Theaterregie im nationalsozialistischen Staat steht im engsten Verhältnis zu allen Forderungen nach dem neuen dramatischen Theater. Es wird Aufgabe des verantwortungsbewußten Regisseurs sein, Spielleitung und Werk in einer künstlerischen Einheit vorzustellen.

Neue dramatische Formen verlangen neue Gestaltungsformen, und neue Menschen und neue Charaktere verlangen neue Schauspieler und neue Auffassungen der Rollen und eine neue Führung im Gesamtspiel.

## Das eindeutige Primat

Dr. Walter Schmidt: *Dramaturg im nationalsozialistischen Staat* in: *Die Bühne*, April 1936, S. 195.
  Dr. Walter Schmidt, Spielleiter und Dramaturg.

Das Neue ist: Das eindeutige Primat der Politik in Kunst und Literatur. Die praktische Verwirklichung von Forderungen der nationalsozialistischen Weltanschauung im deutschen Theaterleben. – Dies ist die große Sendung, zu der im heutigen deutschen Theaterbetrieb in allererster Linie der Dramaturg berufen ist. Die Berufung eines Reichsdramaturgen an das Steuer aller Theaterdinge im neuen Deutschland beweist dies – zumal nach der kürzlich erfolgten Betrauung des Reichsdramaturgen mit dem gleichzeitigen hohen Amt des Präsidenten der Reichstheaterkammer – unverkennbar.

Ein stetig an Erkenntnis und Entschlossenheit zunehmender Stoßtrupp junger deutscher Dramaturgen, die sich ob dieser neuen Sendung, die in ihnen brennt, nicht mehr ruhig halten lassen wollen, schaut heute mit forderndem Vertrauen auf diesen sichtbarlich erhöhten führenden Kameraden ihres vielumstrittenen Berufsstandes. Ihr Verlangen zielt nicht so sehr auf die Verbesserung ihrer persönlichen Stellung innerhalb des Theaters, als auf die aktivistische Erneuerung aller deutschen Theater, die sie zu lebendigen, volksverbundenen Kulturstätten durch besonders verantwortungsvollen Einsatz umformen helfen wollen, zu kämpferischen Gemeinschaften, in denen ein junger nationalsozialistischer Dramaturg sich heimisch fühlen, wachsen, bauen und um Vollendung seiner selbst und des Theaters ringen kann.

## Staatsführer im kleinen

Heinz Dieter Kenter: *Über Regieführung aus nationalsozialistischem Geist* in: *Die Bühne*, Dezember 1936, S. 744–745.
Heinz Dieter Kenter, * 1896, Regisseur und Schriftsteller; siehe auch: *Handwerk und Weltanschauung*, in: *Deutsche Theater-Zeitung* vom 15. 7. 1941.

Es gab einmal eine Zeit, die vom maßgebenden Regieeinfall her ein Werk inszenieren zu können glaubte. Für uns aber kann Inszenieren heute nur noch bedeuten: jeder einzelne Teil eines dichterischen Werkes zu einem lebendigen Gesamtausdruck zu bringen, aber nicht vom Regieeinfall, sondern von der Idee her, die jedem dichterischen Werk zugrunde liegt. Wichtig also ist nicht in den meisten Fällen ein rein intellektueller Regieeinfall, der vom Regisseur mit Gewalt dem Schauspieler eingehämmert wird und den Schauspieler nun auch seinerseits dazu verführt, nach (oft völlig abwegigen) ebenfalls intellektuellen schauspielerischen Einfällen zu suchen und zu jagen – wichtig ist, daß der Regisseur die leitende Grundidee des dichterischen Werkes erkennt, wichtig ist, daß er diese Grundidee lebendig macht in der Vielfalt der Figuren, durch die sie sich körperlich real darstellt, und daß er die pädagogische Begabung besitzt, die individuelle Ausschöpfung einer Rolle durch den Schauspieler in Verbindung zu setzen mit seiner eigenen, auf einen Gesamtausdruck zielenden Regiearbeit. Der Regisseur – als Führer seiner Schauspieler – ist ein Staatsführer im kleinen.
Bühnenkünstler im nationalsozialistischen Geist kann nur heißen, wer die zu erarbeitende Substanz – sei es Rolle oder Regiebuch – aus ihren eigenen Gesetzen entwickelt. Wer glaubt, daß die Substanz eines künstlerischen Werkes in ursächlichstem Zusammenhang steht mit der Substanz des Volkes. Und wer darum kämpft, die heroische Dynamik des politischen Geschehens auch für die Bühnenkunst fruchtbar zu machen.

### Anhang: «Und das ausgerechnet am Geburtstag des Führers»

Der Briefschreiber, Friedrich Brandenburg, * 1893, war Intendant des Nationaltheaters in Mannheim; der hier erwähnte Friedrich Roth, * 1897, war Schriftsteller (Bühnendichtung).

*Per Eilboten!*
An die
Geschäftsstelle des Reichsverbandes        Der Intendant
Deutscher Schriftsteller                    des Nationaltheaters Mannheim
Berlin W 50 Nürnbergerstr. 8                den 3. Mai 1934

Sehr geehrte Herren!

Am 20. April kam im Mannheimer Nationaltheater «Der Türkenlouis, ein Kampfstück um den Oberrhein» von Friedrich Roth zur Erstaufführung und zwar in einer für die Mannheimer Bühne eingerichteten neuen dramaturgischen Fassung durch den Intendanten. Über die Notwendigkeiten und Möglichkeiten einer durchgreifenden dramaturgischen Bearbeitung möchte ich mich zunächst nicht äußern. Ich möchte nur feststellen, daß alle Mannheimer Zeitungen – mit Ausnahme des nationalsozialistischen Hakenkreuzbanner – ohne jedes Vorurteil einstimmig die Aufführung und die dramaturgische Bearbeitung als notwendigen gewissenhaften Dienst am Werk besonders anerkannten. Tatsächlich war die Aufführung in dieser Fassung auch ein einwandfrei freundlicher Publikumserfolg.

Das Hakenkreuzbanner allein hat sich jeder Kritik enthalten, bis der Intendant die Gründe bekanntgegeben hat, «die ihn bewogen haben, das Stück nach seiner Fasson aufzuführen». Anstelle einer sachlichen Wertung brachte diese Zeitung am 21. April einen nicht gezeichneten Artikel, der eine beleidigende Unterstellung enthält und unwahre und sachunkundige Behauptungen über meine dramaturgische Bearbeitung des «Türkenlouis». Ob der Wortlaut dieses Artikels von Herrn Friedrich Roth stammt oder von einem Herrn der Redaktion, vermag ich einwandfrei nicht festzustellen. Es steht nur fest, daß Herr Friedrich Roth eine sachliche Stellungnahme einer Zeitung verhindert hat. Herr Friedrich Roth ist nämlich unmittelbar nach der Aufführung des Türkenlouis am 20. April in der Redaktion des Hakenkreuzbanner erschienen und hat erklärt, ich habe Sabotage verübt, ich habe sein Stück unmöglich gemacht und das ausgerechnet am Geburtstage des Führers.[1] Ohne mich zu einer unmittelbaren Gegenäußerung einzuladen (Herr Roth wußte ganz genau, wo ich zu erreichen war, da wir nach der Aufführung verabredet waren), veranlaßt die Redaktion der Zeitung, daß eine sachliche Stellungnahme zu der Aufführung zunächst unterbleibt. Dafür erscheint der bereits erwähnte beleidigende Artikel. Ich lege eine Abschrift des Artikels im Hakenkreuzbanner bei, wie eine Abschrift der übrigen Mannheimer Besprechungen.

1 Die Besprechung im *Hakenkreuzbanner* vom 21. 4. 1934 enthält am Anfang folgenden Satz: «Seine hiesige Erstaufführung fiel merkwürdigerweise mit des Führers Geburtstag zusammen. Zufällig oder mit wohlüberlegter Absicht?»

Ich habe die höfliche Bitte, den Herrn Reichsfachschaftsleiter für Theaterkritik im Reichsverband deutscher Schriftsteller, dem ich in diesen Tagen ein eingestrichenes Buch zur Verfügung gestellt habe, offiziell zur Stellungnahme zu veranlassen. Es scheint mir von grundsätzlicher Bedeutung, in diesem Fall einwandfrei festzustellen, ob ein Autor in der Weise vorgehen darf, wie es Friedrich Roth für richtig gehalten hat; und ob ein Theaterleiter sich den Vorwurf mangelnder Verantwortungsgefühls gegenüber einem Dichtwerk gefallen lassen muß, wenn er nach bestem Gewissen nichts anderes tut, als dem Werk eine einigermaßen erträgliche theatralische Form zu geben. Ich halte es für notwendig, zu betonen, daß ich bereits in einer Besprechung in Karlsruhe am 22. Dezember 1933 Herrn Roth auseinandergesetzt habe: Wenn überhaupt das Stück in Mannheim aufgeführt wird, dann nur nach einer durchgreifenden dramaturgischen Bearbeitung. Am 10. März 1934 traf ich Herrn Roth noch einmal in Karlsruhe und machte ihm nähere Mitteilungen über die Absichten meiner dramaturgischen Bearbeitung. Unter anderem erklärte ich ihm, daß die in dem Stück befindliche Parallelszene fallen muß aus Gründen einer notwendigen dramaturgischen Konzentration. Herr Roth nahm meine Mitteilung ohne Widerspruch hin. Es ist weiter notwendig zu wissen, daß nach der Aufführung Friedrich Roth auf meine Frage, wo meine Bearbeitung gegen den Geist und die Gesinnung des Stückes verstößt, keine Antwort gewußt hat. Für diesen Vorgang habe ich Zeugen.

Für mich als Theaterleiter und Regisseur hat die Stellungnahme des Herrn Reichsfachschaftsleiters für Theaterkritik im RDS meiner Behörde gegenüber besondere Bedeutung. Zumal das Hakenkreuzbanner in einer nachträglichen Stellungnahme (liegt in Abschrift bei) den Vorwurf mangelnden Feingefühls gegenüber «einem werdenden Dichter des Dritten Reiches» noch einmal mit nicht mißzuverstehender Deutlichkeit erhebt und dadurch der rein künstlerischen Angelegenheit eine politische Färbung gibt. Und dagegen muß ich mich mit aller Entschiedenheit verwahren. Ich bitte feststellen zu lassen, ob und wo ich gegen den Geist und die Gesinnung des Werkes verstoßen habe; ob es vertretbar ist, das Werk in der Originalform aufzuführen, ohne damit dem Ansehen des Verfassers als einem dichterischen Repräsentanten des Dritten Reiches und dem Ansehen des Theaters zu schaden.

Ich bitte, festzustellen, ob gerade die dritte Szene irgendwelche künstlerische, dichterische oder theatralische Werte enthält, um derentwillen die Szene in dieser Form unter allen Umständen erhalten bleiben muß.

Heil Hitler!
Brandenburg

## Nordisch-Germanisch

## Lebensfundus

Wolfgang Nufer: *Erneuerung des Spielplans* in: *Die Deutsche Bühne*, Oktober 1933, S. 76.

Unser Theater wird wieder deutsch-völkisch sein im Sinne der nationalen Überlieferung und des deutschen Schicksals, nordisch-germanisch im Sinne der Rasse. Wir wissen, daß die Freiheitsbewegung in ihrer höheren Bedeutung keine deutsche Sache allein ist, sondern eine Sache des neuen Europas. Der Bestand Europas war von jeher auf die fruchtbare Gegensätzlichkeit des mittelmeerländischen Geistes zum nordisch-germanischen gegründet. Der bestimmende Vorrang romanischer Staats- und Geistform erstarrte aber allmählich und ist heute im Begriffe, abgelöst zu werden von einer aus unverbrauchtem Lebensfundus gespeisten, jugendlichen Tatkraft des nordisch-germanischen Menschen. Der erstarrten romanischen Formidee steht gegenüber der nordische Wille zur persönlichen und völkischen Lebensleistung. Das neue Europa wird völkisch bedingt sein im rassebiologischen Sinne.

Der Jude, zum Kampf gegen das Bodenständige, Gewachsene und Primitiv-Naive einerseits, wie gegen das Idealistische andererseits aus Selbsterhaltungs- und Geltungstrieb gezwungen, wird sich dabei in den von Natur und Staat gesetzten Grenzen halten müssen.

## Ehre und Pflicht

Dr. Walter Stang: *Großer Künstler kann nur ein großer Charakter sein* in: *Die Deutsche Bühne*, Januar/Februar 1934, S. 9; siehe auch Dr. Walter Stangs Aufsatz in: *Süddeutsche Monatshefte*, 1933–1934, S. 388 f.

Die Kultur eines Volkes ist rassisch bedingt. Der nordisch-germanische Blutbestandteil ist für die politischen und kulturellen Äußerungen des deutschen Volkes bestimmend. Der Führer kennzeichnete auf dem Parteitag zu Nürnberg die Aufgabe, die rassisch bedingte Ordnung der Werte wiederherzustellen. Die obersten Werte des nordischen Menschen aber heißen «Ehre und Pflicht». Sie sind die höchsten Werte germanisch-deutscher Auffassung. Bestimmend für den Charakter ist die innere Weltordnung, die er sich gibt und die immer ein Durchbruch des germanischen Bluterbes ist.

Großer Künstler kann nur ein großer Charakter sein. Der nationalsozialistische Kulturgedanke liegt klar. Die Kultur muß Kultur nordisch-deutschen Charakters sein und der Charakterwert ist Ausgangspunkt der deutschen Kultur. Das eigene Innere muß auf Grund der nationalsozialistischen Ideen gestimmt und verstehend dem Kulturgut gegenüber stehen. Das alles erfordert planmäßige Schulung.

# Die schlafende Walküre von neuem erwecken

Hans Bäcker (Neunkirchen/Saar): *Die Gestalt Brünhilds im deutschen Drama.* – Inaugural-Dissertation zur Erlangung der Doktorwürde der Hohen Philosophischen Fakultät der Rheinischen Friedrich-Wilhelm-Universität, Bonn, Würzburg 1938, S. 67–69. Referenten: Prof. Dr. Karl Justus Obenauer und Prof. Dr. Hans Naumann.

Die Einleitung hatte ergeben, daß in der ursprünglichen Sage Brünhild als die eigentliche Heldin im Mittelpunkt des Geschehens steht. Sie ist dort die von dem großen heroischen Pathos der germanischen Heldenzeit erfüllte, bei weitem wirkungsvollste Gestalt; in ihrem Schicksal liegt die größte Tragik. Der seelische Konflikt, in den die Heldin gerät, ist ewig menschlicher Natur und wird deshalb zu allen Zeiten Teilnahme erwecken. Zugleich liegt über ihrer Erscheinung etwas, das sie über das gewöhnliche Menschendasein hinaushebt. In Sage und Drama war es überall der gleiche Zug, der die Gestalt Brünhilds von den übrigen Figuren abhob und uns ihre Tragik ganz besonders stark empfinden ließ. Das Geheimnisvoll-Seherische, die mythische Herkunft.

Möge deshalb der Nibelungenschatz wieder gehoben und die schlafende Walküre von neuem erweckt werden! Dem von dem Geist unserer Zeit erfüllten Dramatiker könnte ohne Zweifel das Schicksal Brünhilds als Vorwurf zu einer bedeutenden Tragödie dienen.

Für den heutigen Dichter käme es nun darauf an, in dem nordischen Ethos dieses Weibes das deutsche und in seiner Natur unsere eigene Volksnatur zu zeigen.

## Germanisch-Deutsch

## Aufopfernde heroische Hingabe

Dr. Friedrich Möhl: *Was ist deutsche Kunst?* in: *Die Deutsche Bühne,* Januar/Februar 1934, S. 2.

Dr. phil. Friedrich Möhl (Pseudonym Friedrich Karl), * 1875, Kunst- und Literaturwissenschaftler; Dramaturgie; Feuilleton-Schriftleiter der *Bayerischen Staatszeitung;* siehe auch: *Was macht den Künstler zum wirklich deutschen Künstler,* in: *Zeitschrift für Musik,* September 1935, S. 949–951.

Deutsche Bühnenkunst verlangt mehr, verlangt Besonderes. Wir wollen gewiß Dramen, die sich mit deutschen Stoffen beschäftigen, bevorzugen, wenn sie die Voraussetzungen der Kunst und des Dramas überhaupt erfüllen. Aber «deutsch» in der Kunst ist nicht nur der Stoff und das Thema. «Deutsch» kann auch das eigentliche Können, der Geist sein, der sich eines ausländischen Stoffes, ja eines in fremder Sprache verfaßten Dichterwerkes bemächtigt. «Deutsch» in unserem Sinne nenne ich vor allem die Gründlichkeit, die aufopfernde, heroische Hingabe, den unbegrenzten Idealismus, der sich nicht und nirgends anbiedert, der das Beste will und schafft selbst dann, wenn er weiß, daß dieses Werk der Mehrheit der Zeitgenossen nicht geläufig, vielleicht nicht einmal erwünscht, also nicht marktgängig ist.

## Das richtige Bild

Walter Matthes: *Das Bild vom altgermanischen Menschen und die Bühne* in: *Der Autor*, Oktober 1937, S. 23–24.

Je mehr aber das Wissen um das wahre Aussehen des altnordischen Menschen um sich griff, um so mehr wurde der Widerspruch zwischen dem «Theatergermanen» und seinem wirklichen Vorbild als unerträglich empfunden.

Es ist selbstverständlich, daß diese Arbeit stets eine Angelegenheit der künstlerisch schaffenden Phantasie des Bühnenbildners bleibt, dem durch Musik und Handlung eine bestimmte Richtlinie gegeben ist. Aber ebenso wird er heute an dem schönen Bilde des altgermanischen Menschen nicht mehr vorübergehen können, das die Forschung aus den Funden und zeitgenössischen Darstellungen uns für alle Zeiten wieder geschenkt hat.

Einzelnen mögen die Gestalten zunächst ungewohnt vorkommen, wie es in einer Zeitung mit einem leisen Unterton des Bedauerns auch geschrieben wurde. Dies aber ist ebenso unvermeidlich wie unwesentlich. Es ist ja auch sonst eine alltäglich zu beobachtende Erscheinung, daß die Bekanntgabe des echten Germanenbildes im ersten Augenblick Verwunderung und Überraschung auslöst. Aber man hat sich daran gewöhnen müssen und wird dies auch im Theater tun. Wir brauchen dies auch wirklich nicht zu beklagen, denn das richtige Bild vom Germanen spricht soviel stärker und überzeugender zu uns, weil es die Geradlinigkeit und Echtheit der großen Frühzeit unseres Volkes in sich trägt.

## Rätselhaft

Dr. Herbert Senk: *Vom Dramatischen im deutschen Charakter* in: *Deutsche Dramaturgie*, Februar 1943, S. 31; siehe auch Friedrich Brandenburg: *Die innere Umkehr* in: *Das Theater*, Oktober 1933, S. 104.

Gibt es jetzt noch Zweifel darüber, daß das Dramatische in der Tat als Grundzug im deutschen Charakter liegt und, wie mir scheinen will, mit einer viel größeren Kraft als bei den Griechen? Und ist es darum nicht um so rätselhafter, daß aus so viel dramatischer Urkraft «das deutsche Drama» nicht selbst entstand? Ich glaube, es ist nicht rätselhaft, weil so viel dramatische Geladenheit alle gestraffte Form, also auch die dramatische selbst, sprengen mußte. Das ist nicht alles. Etwas rein Psychologisches kommt wohl noch hinzu. Nie hat der deutsche Charakter bis auf den heutigen Tag Muße genug gefunden, sich die Form zu erringen, die ihm bestimmt ist wie dem Charakter jeder anderen Nation. Die politische Geschichte unseres Volkes ist bis in unsere jüngste Gegenwart hinein ohne Aufhören ein dramatisches und tragisches Auf und Ab gewesen, daß nur die Stärksten unter uns, ohne dem dramatischen Zug unserer Geschichte zu erliegen, noch an eine besondere dramatische Form glauben und um sie ringen konnten.

## Deutschtümelei

Dr. Elisabeth Frenzel: *Vom klassischen Geist der Deutschen* in: *Deutsche Dramaturgie*, Juli/August 1944, S. 81.

Dr. Elisabeth Frenzel, * 1915, Schriftstellerin (Theaterwissenschaft und Literaturgeschichte).

Bei der immer in Kreisen unseres Volkes vorhanden gewesenen ehrwürdigen Bewunderung des uns durch eine Vielheit von Renaissancen überkommen und nahegebrachten antiken Erbes ist mehr herausgekommen als eine bloße Kopie. Vielleicht lag das daran, daß, wie wir heute wissen, wir in der griechischen Kunst ja nicht ein uns artfremdes und -fernes Ideal aufstellten, sondern daß sich darin derselbe nordische Geist in einer anderen Variante offenbarte, der auch in unseren germanischen Schöpfungen seinen Niederschlag fand, so daß nur eine mißleitete Deutschtümelei sich gegen ein solches Vorbild empören konnte. Freilich eben unter der Bedingung, daß man nicht sklavischer Nachahmung verfiel. In den besten Schöpfungen dieses klassischen Geistes der Deutschen hat sich eine Synthese aus der germanischen Betonung des Gehalts und dem romanischen Willen zur Form ergeben: Dort, wo wir fühlten, waren wir Romantiker; dort, wo wir formten und gestalteten, haben wir uns der klassischen Formstrenge bedient.

### Blut und Boden

*Blut und Boden*, Leitgedanke der Bauern- und Bodenpolitik im nationalsozialistischen Staat; siehe dazu Richard Walter Darré: *Neuadel aus Blut und Boden*, 1934, Auflage dreiundzwanzigtausend.

## Nur so wächst eine Volksgemeinschaft

Joseph M. Lutz: *Neue Wege zum Volksstück* in: *Der Neue Weg* vom 1. 5. 1935.

Joseph Maria Lutz, * 1893, Schriftsteller (Bühnendichtung, Roman, Novelle, Hörspiel).

Jene dramatische Dichtungsart, die wir mit dem Namen Volksstück zu bezeichnen gewohnt sind, war schon in den Jahren vor dem Kriege in

Verfall geraten und deshalb mit Recht an den wesentlichen Bühnen in Verruf gekommen.

Seit meiner frühesten Jugend habe ich mich, der ich selbst einen guten Schuß oberbayerischen Bauernblutes in meinen Adern habe, gefühlsmäßig gegen diese Art von Theater aufgelehnt. Später dann, als mir innerlichste Berufung selbst die Feder in die Hand zwang, habe ich in Wort und Schrift heftigste Angriffe gegen diese gefährliche Versündigung an echtem bodenständigen Leben gerichtet. Da aber nicht Kritik, sondern nur das Beispiel bessert, glaubte ich mich dem Versuch, selber Volksstücke, wie ich sie verstand, zu schreiben, nicht entziehen zu dürfen. So entstand vor Jahren in unsentimentaler Abwehr mein Stück «Der Zwischenfall» und so entstand auch mein neues Werk «Der Brandner Kaspar schaut ins Paradies» [1].

In meinem neuen Stück habe ich zwei Elemente ursprünglichster Volksdramatik zu vereinigen versucht: volksnahe Handlung aus dem ländlichen Alltag einesteils und Mysterienspiel andernteils. Es ist merkwürdig, daß gerade von unserm verflossenen, so gebildeten Literatentum fast stets übersehen wurde, daß das Mysterienspiel eines der wichtigsten Ausdrucksmittel deutscher Volksdramatik gewesen ist.

Gerade unsere gegenwärtigen Zeitereignisse haben bewußt, auch als Ausgangspunkt zum Politischen, eine neue Ansicht vom Leben in all seinen Formen verkündet.

Nur so lernen sie sich selbst besser verstehen, nur so wächst eine wahre Volksgemeinschaft.

## Der Reichsnährstand interveniert

*Gegen Verzerrung des Bauerntums in der Kunst*, in: *Theater-Tageblatt* vom 19. 10. 1935; *Reichsnährstand*, eine öffentlich-rechtliche NS-Gesamtkörperschaft für die deutsche Landwirtschaft, gegründet von Richard Walter Darré; siehe Johann Ulrich Folker: *Geschichte des deutschen Nährstandes*, 1935.

Mit Hinweis auf das kürzlich in Berlin aufgeführte Schauspiel «Schwarzmann und die Magd» wendet sich das Hauptblatt des Reichsnährstandes mit einer Mahnung an die deutschen Dramaturgen. In dem genannten Stück werde ein «reicher» Bauernsohn dargestellt, der auf egoistische und sadistische Weise ein Dorf knechte. Die Untergründigkeit eines sehr persönlichen Einzelfalls könne aber nicht für die Allgemeinheit gelten, wobei auch die Bemerkung keinen Schutz biete, daß das Stück «vor dem Kriege» spiele. Es wird an die deutschen Dramaturgen appelliert, rein privat gesehene Verzerrungen nicht vor die Öffentlichkeit zu bringen.

[1] Uraufführung am 15. 11. 1934 am Staatsschauspiel in Dresden.

# Blutstrom

Walter Horn: *Der Bauer soll ins Theater* in: *Deutsche Theater-Zeitung* vom 17. 1. 1937.
 Walter Horn, * 1902, Kunstkritiker; Schriftleiter der *Nationalsozialistischen Landpost*; s. a. Helmut Henrichs: *Falsche und richtige Bauerndichtung*, ebd. am 23. 11. 1938.

Die deutsche Bühne ist als das Kampftheater junger leidenschaftlicher Kräfte mit das wesentlichste Ausdrucksmittel unserer nationalsozialistischen Kultur geworden.

Der deutsche Bauer führt im Raum der großen staatspolitischen und geistigen Neuordnung, die der Nationalsozialismus gebracht hat, kein abgeschlossenes Sonderleben mehr, wie in der Verfallszeit, die zu einem unheilvollen Gegensatz zwischen Stadt und Land führte. Jeder bäuerliche Mensch ist heute einbezogen in den Blutstrom des völkischen Gemeinschaftslebens.

Auch künftig soll die Bühne als ein Gleichnis unseres gemeinsamen Schicksals und ein Kampfplatz lebendiger junger Kräfte näher in das Blickfeld des bäuerlichen Menschen gerückt bleiben.

## Bauernballade von Bruno Nelissen-Haken

*Volksspiel als Feier*, in: *Deutsche Bühnenkorrespondenz* vom 23. 1. 1935, Ausgabe A.
 Bruno Nelissen-Haken, * 1901, Schriftsteller (Bühnendichtung, Erzählung); siehe auch Heinrich Guthmann: *Eine Bauernballade – Volkskunst*, ebd. am 30. 1. 1935.

Am Montag, dem 27. Januar, nachmittags 4 Uhr, kommt als Veranstaltung in der NS-Kulturgemeinde die «Bauernballade», ein Spiel von den alten Höfen, von Bruno Nelissen-Haken im Haus der Volksbildung in Berlin zur Uraufführung.

Es handelt sich hier um den Versuch, die festen und klaren Wirkungen eines volkstümlichen und ursprungshaften Theaterspiels aufzuzeigen, das die Vorgänge des bäuerlichen Lebens nicht romantisiert und beschönigt, sondern in oft harter und grausamer Lebenstreue auf die Bühne stellt. Daß diese Forderung gerade an Bauernstücke gestellt werden muß, ist oft genug gesagt worden. Da schreiten die Bauern dieser Ballade schwer und gewichtig über die Schaubühne; es ist in diesem Stück von allen guten und großen Dingen des Bauern die Rede, aber auch von Hader und Zwist, von unglücklicher Liebe, von Jähzorn und Aberglauben. Nur daß die «Bauernballade», wie schon der Titel sagt, all diese Dinge bereits in den Bereich des Sagenhaften und Balladischen gerückt hat – weil eben nicht der einzelne Vorfall, sondern die Gesamtheit des immer gleichen Schicksals die Handlung dieser Bauernballade ergibt.

# Georg Deininger: «Der Bauer im Joch»

Aufsatz in: *Deutsche Bühnenkorrespondenz* vom 19. 10. 1935.

Bildhauer Georg Deininger, Stuttgart, dessen Künstler-Marionettenthea-
ter von der NS-Kulturgemeinde in ihre Arbeit an der Erneuerung des
deutschen Puppenspiels eingegliedert ist, hatte gemeinsam mit der Gaudienststelle Württemberg zur Uraufführung des von ihm geschaffenen
Stückes «Der Bauer im Joch» eingeladen.

Das Spiel führt in die Zeit der deutschen Bauernkriege. Geschichtlich
sind seine Gestalten, Fritz Joos, Führer des Bundschuh, Franz von
Sickingen, Ulrich von Hutten, Götz von Berlichingen, Florian Geyer und
viele andere, für die Deininger nach alten Porträts charakteristische Pup-
pen geschaffen hat. In fünf Bildern wird uns der Bauern Not und Kampf
gezeigt. Und ob dies Geschehen auch vierhundert Jahre zurückliegt,
spürt man in ihm den Geist unserer Tage. Das gleiche Blut, das jene
Männer in ihrem Kampf um deutsches Recht, deutsche Sprache, um
deutsche Freiheit trieb, ist in uns lebendig. So mag auch die Vision, in
der im letzten Bild Jud und Pfaff entlarvt werden, und in der die Hoffnung auf eine Befreiung des deutschen Menschen aufleuchtet, symbolisch hindeuten auf das Befreiungswerk des Führers in unserer Zeit!

## Thilo von Trotha: «Engelbrecht»

Dr. Helmuth Merzdorf: *Dichtung aus nordischem Geist* in: *Hamburger Tage-
blatt* vom 22. 10. 1938.
Thilo von Trotha, 1909–38; Engelbrecht Engelbrechtsson, 1390–1436; über
T. v. Trothas *Engelbrecht* siehe auch Ernst Goetschmann-Ravestrat: *Nordische
Stoffe im deutschen Drama* in: *Deutsche Dramaturgie*, Juli 1942, S. 151.

Als Thilo von Trotha noch unter uns weilte, war sein Werk noch weithin unbekannt. Der junge Dichter hätte als Adjutant des Reichsleiters
Rosenberg, als Leiter der Abteilung Norden im Außenpolitischen Amt
der NSDAP und Hauptschriftleiter der NS-Monatshefte auf mancherlei
Weise den Blick weitester Kreise auf sein Schaffen lenken können.

Das erste Drama des Dichters ist das bäuerliche Trauerspiel «Engelbrecht». Der Bauernführer befreit Schweden von der Herrschaft des Dä-
nenkönigs; doch zu stark sind die ständigen Interessen des Adels und zu
schwach noch die Macht der Idee des Volkes, um diesen Sturmvogel einer kommenden Zeit zum endgültigen Siege gelangen zu lassen. Kaum
ahnt er selbst die Gestalt des kommenden Staates; die politischen Notwendigkeiten im Sinne seines Zieles lehnt er ab. Sollte ein Bauer, der
das Volk befreit hat, sich selbst zum König krönen? Die Macht hatte er
und dennoch schreckt er vor dieser Folgerung zurück. Die Zeit ist noch
nicht reif. Und ein Ritter findet sich, der die Herrschaft des Adels durch

feigen Mord an Engelbrecht wiederherstellt. Im Frühjahr 1937 hat das Kieler Theater sich um die Aufführung verdient gemacht.

## Erich Bauer: «Die Magd des Peter Rottmann»

Aufsatz in: *Deutsche Theater-Zeitung* vom 21. 1. 1941.

Das Mitteldeutsche Landestheater brachte am Sonnabend im Goethe-Theater zu Bad Lauchstädt das Bauerndrama «Die Magd des Peter Rottmann» zu einer eindrucksstarken Uraufführung. Es spricht für die oft bewährte künstlerische Verantwortungsbereitschaft der Gaubühne, daß sie mit diesem Werk von Erich Bauer ein Stück aus der Taufe hob, das sich in leidenschaftlichem Ringen mit einem ernsten, gegenwartsnahen Problem auseinandersetzt: mit der Frage nach der Daseinsberechtigung oder Nichtberechtigung der kinderlosen Ehe. Die an sich harmonische Ehe des Bauern Peter Rottmann zerbricht nach zehn Jahren daran, daß ihr die letzte Erfüllung versagt blieb, daß der Hof vergeblich auf einen Erben wartete. So treibt es den Bauern zu der urgesunden jungen Magd, die ihm den erhofften Sohn schenkt und selbst Herrin auf dem Hofe wird, dem sie den Fortbestand seiner Sippe sicherte. Dieses schlichte Geschehen, das nicht aus einer plötzlichen Leidenschaft, sondern aus der Verpflichtung gegenüber der blutsmäßigen Erhaltung der Art seine Impulse empfängt, findet den dramatischen Höhepunkt in dem herben Verzicht der Bäuerin, der dann allerdings mit ihrem plötzlichen Freitod eine wenig wahrscheinliche Steigerung erfährt: eine entbehrliche Zuspitzung, die überdies auch szenisch durch die unbegreifliche Teilnahmslosigkeit der sich damit gar zu schnell abfindenden Angehörigen eine nicht sehr glückliche Wiedergabe findet.

## Wirtschaftspolitisches Gedankengut

Waldemar Lüders: *Neue Aufgaben für das deutsche Bühnenschrifttum* in: *Deutsche Dramaturgie*, Januar 1943.
Waldemar Lüders, * 1884, Schriftsteller (Bühnendichtung, Lyrik).

Das neue Europa bedarf nicht nur bevölkerungs-, sondern auch wirtschaftspolitisch einer ganz starken Führung, die den Erdteil wieder auf sich selbst stellt, was nur nach autarken Grundsätzen mit Erfolg geschehen kann. Das besprochene wirtschaftspolitische Gedankengut wird z. B. in folgenden Werken behandelt:

«Josef in Chicago» von Fritz Bröger [1]. Ein Getreidespekulant kauft aus Machtgier die gesamte Weizenmißernte auf und wird für diese asoziale Tat mit dem Zufallstod seines Sohnes bestraft.

1 Friedrich Bröger, * 1912; das Schauspiel *Josef in Chicago* ist 1937 erschienen.

«Ich suche die Erde» von Friedrich Roth [1]. Gewissenloser Unternehmer droht, mit amerikanischem Geld deutsche Bauern um ihr Land zu betrügen. Ein ausgewanderter Volksgenosse kehrt zur rechten Zeit heim, ist aber vom Schicksal nicht der Rettung für würdig angesehen, weil er in sich selbst zerfallen ist.

«Die Grunerts» von Walter Stanietz [2]. Ein alter Bauer will von seinem Hof nicht lassen, der seiner Sippe seit vierhundert Jahren gehört hat und nun durch einen Straßenbau zerstört wird. Er stirbt den Freitod, nachdem er seinen, der heimatlichen Scholle entfremdeten Sohn vom Hof gejagt hat.

«Andreas Hollmann» von Hans Christoph Kaergel [3]. Ein Bauer opfert sich selbst und seinen Sohn, um die Heimaterde dem deutschen Volkstum zu erhalten.

«Hockewanzel» von H. Ch. Kaergel. Ein deutsch-böhmischer Volksprediger verteidigt mit seinen Bauern erfolgreich das immer deutsch gewesene Land gegen die Vergewaltigung des tschechischen bischöflichen Kanzlers und dessen Gesinnungsgenossen.

Auch das echt hansischen Geist atmende Drama «Die Schlacht der weißen Schiffe» von Henrik Herse [4] muß hier erwähnt werden.

Alle diese aufgezeigten Probleme sind nicht zeitlich, sondern kehren in der Geschichte immer wieder und werden wohl ewig wiederkehren. Das macht sie einer Gestaltung für die Bühne besonders würdig und läßt die besprochenen Stoffgebiete für eine Dramatisierung besonders geeignet erscheinen.

Es geht nicht nur um eine Neugestaltung unseres Erdteils, es geht um den Bestand Europas überhaupt. Im Osten sind Mächte der Finsternis am Werke, um die Menschheit ihrer elementarsten Lebensrechte und ihrer Würde zu berauben, und vom Westen her drohen unter dem Deckmantel des Liberalismus jüdischer Geschäftsgeist und jüdische Geldtyrannei, unseren Erdteil zu eigenem Nutzen zu zersplittern und zu unterjochen.

---

1 Friedrich Roth, * 1897; sein Drama *Ich suche die Erde* ist bereits 1932 erschienen.

2 Walter Stanietz, * 1907, seine Tragödie *Die Grunerts* ist 1935 erschienen.

3 Hans Christoph Kaergel, * 1889; das Drama *Andreas Hollmann* ist 1933 und *Hockewanzel* 1934 erschienen; über H. Chr. Kaergel siehe auch Bruno Gerhard Orlick: *Zwei deutsche Dramatiker* in: *Deutsche Bühnenkorrespondenz* vom 4. 9. 1935, Ausgabe A.

4 Henrik Herse, * 1895, Schriftsteller (Bühnendichtung, Roman); SS-Obersturmführer im SS-Hauptamt.

## Nationalsozialistischer Realismus

Über diesen Begriff siehe ausführlicher in: *Die Bildenden Künste im Dritten Reich* (Ullstein Buch 33030), S. 216 f.

## Die Volksgenossen

Rudolf G. Binding: *Schauplatz der Nation* in: *Deutsche Kultur-Wacht*, 1933, Heft 28, S. 3–4.

Rudolf G. Binding, 1867–1939, Schriftsteller (Lyrik, Novelle, Essay); ausführlicher über ihn in: *Literatur und Dichtung im Dritten Reich* (Ullstein Buch 33029), S. 104 f.

Das Theater eines Volkes ist nichts Geringeres als der eigentliche Schauplatz seines Lebens: ein Schauplatz, auf dem es mitagiert. Ein Schauplatz, der gar keinen Sinn hat ohne den gefüllten Zuschauerraum. Ein Schauplatz nicht für den noch so guten Schauspieler, sondern für den Zuschauer in Gemeinschaft mit seinem Volksgenossen.

Das ist das Wesen wahren Theaters: daß die Zuschauer die Gemeinschaft des Volksgenossen sind und sich als solche fühlen. Hier wird nicht für Anspruchslose an einem Abend und für Anspruchsvolle an einem anderen gespielt.

## Man muß nach dem Maule des Volkes sehen

Hanns Johst in: *Nationalsozialistische Erziehung*, 1934, S. 7. Siehe auch: *Dr. Goebbels spricht bei der Generalprobe im Deutschen Opernhaus*, in: *BZ am Mittag* vom 14. 11. 1935; Dr. Rudolf Köppler: *Volk und Volksstück* in: *Deutsche Theater-Zeitung* vom 18. 9. 1941.

Ich weiß, daß der liberalistische Mensch sich gegen das Wort Auftragskunst auflehnt. Er sieht darin eine Bedrängung seiner individuellen Freiheit und Unabhängigkeit, und er vergißt nur zu gern, daß es letzten Endes eine Kunst an sich überhaupt nicht gibt. Alle Werke, alle unsterblichen Gleichnisse aller Künste der Welt sind Auftragskunst gewesen, sind Dienst für ein Mehr als einen «Heiligen»-Egoismus. Der Dramatiker des neuen Reiches wird also ganz naturgebunden, ganz natürlich Kind seines Volkes sein müssen, um die Sprache seines Volkes ganz zu kennen, ganz meistern zu können, wie Luther in der religiösen Provinz des deutschen Wesens es erkannte, als er die Bibel übersetzte und als er das bekannte Wort sagte: Man muß nach dem Maule des Volkes sehen, seine Sprache sprechen. Ebenso muß der Dramatiker ganz naiv im tiefsten Sinne des Wortes völkisch sein, um Führer seiner Nation werden zu können, denn nur der vermag richtig zu fühlen, der die Voraussetzung des Wesens einer Körperschaft und einer Gemeinschaft beherrscht und dank dieser Beherrschung allein, dank dieser Kindschaft allein über die Voraussetzungen hinauswächst.

# Gemeinschaftserlebnis

Anton Dietzenschmidt: *Theater des Volkes* in: *Der Neue Weg* vom 15. 2. 1934.
Anton Dietzenschmidt, * 1893, Schriftsteller (Bühnendichtung, Novelle, Kunstkritik); Schriftführer der Sudetendeutschen Kulturgesellschaft; korrespondierendes Mitglied der Deutschen Akademie der Wisssenschaften in Prag; siehe auch Anthes Kiendl: *Werkspiel* in: *Der Autor*, Oktober 1934, S. 11–12; Heinz Steguweit: *Um das neue Maß* in: *Deutsche Dramaturgie*, Mai 1942, S. 97–99.

Jetzt, gerufen und geführt, strömt es in das Theater des Volkes. Unzählige, die niemals ein Theater besuchten, sitzen jetzt im großen Rund und erleben: großes, gewaltiges Theater. Sehen und wissen: das ist nicht Geschäft, hier handelt es sich nicht um etwas Käufliches. Hier, das weiß der Zuschauer, wird ihm nicht etwas verkauft, sondern als weihevolle Gabe dargeboten. So ist seine seelische Bereitschaft eine grundsätzlich andere. Er sitzt aufgetaner, aufgeschlossener vor diesen Künstlern, die ihm als Beauftragte eben der Organisation und eben der Regierung gegenübertreten, deren Staat Ausdruck ihres eigenen Volkes ist. Sie fühlen, wie dasselbe künstlerische Erlebnis sie mit den Künstlern zum Volke verbindet, in dem sie im gleichen Maße dem Göttlichen dienen. So wird das Theater des Volkes Gemeinschaftserlebnis, wie es in ähnlicher Art nur die großen Besucherverbände anbahnten.

## Natürliches Lachen erzeugen

Aus der Rede Heinz von Lichbergs über den Berliner Theaterspielplan: *Bejahendes Zeittheater* in: *Berliner Lokal-Anzeiger* vom 7. 2. 1935, Morgenausgabe. Siehe auch Walter Schmidt: *Unsere Schauspieler auf dem Wege zum Volkstheater* in: *Blätter der Schauspiele Baden-Baden*, 1938–1939, S. 48.

An Hand des Berliner Spielplanes – denn Berlin ist die Stadt, in der die neue deutsche Theaterkultur entstehen soll – machte dann der Vortragende noch weitere bemerkenswerte Ausführungen über die neue und zukünftige Theaterarbeit im einzelnen. Sogenannte Über-Regie müsse abgelehnt werden, wiewohl man sie noch häufig pflege und damit oftmals den Geist einer Dichtung zerstöre. Die Darstellung müsse aufbauend sein, nicht negativ. Das heitere Theater spiele eine große Rolle im neuen Staat, freilich müsse es befreiend wirken und das natürliche Lachen erzeugen, was manche Theater und vor allem sogenannte Kleinkunstbühnen noch nicht begriffen hätten, für die es jetzt keine Warnung mehr gäbe. Im großen und ganzen aber dürfe man berechtigte Hoffnungen für die Zukunft haben.

# Der Frack

Wolf Braumüller: *Spiegelfechtereien um das Thema Theater* in: *Kunst und Volk*, 1936, S. 435; es handelt sich hier um eine Auseinandersetzung mit Dr. Paul Fechter, 1880–1958, Schriftsteller (Literaturgeschichte, Drama, Roman); ausführlicher über ihn in: *Literatur und Dichtung im Dritten Reich* (Ullstein Buch 33029), S. 147 u. a. O.; siehe auch Wolf Braumüller: *Die dramatische Produktion der Gegenwart* in: *Die Neue Literatur*, Juli 1934, S. 437–439.

Das konstruierte Denkgebäude mit all seiner Mitläuferschaft von geistigem Kleinrentnertum spukt auch heute noch in den Gehirnen geistig Vereinsamter und treibt, wenn der Versuch unternommen wird, das eigene Denken mit dem Geist unserer Zeit zu verquicken, die wunderschönsten Blüten. Ein Musterbeispiel, was aus einer Kompromißwirtschaft von überkommenem Denken und unverstandenem neuem Wollen entstehen kann, bietet ein Beitrag von Paul Fechter in der Monatszeitschrift «die neue linie» über die Frage «Warum gehen die Menschen so gern ins Theater?»

Es ist nahezu unglaublich, daß heute im Jahre 1936 mit humanistisch-liberalen Bluffmanieren einer neuen klassentrennenden Tendenz das Wort gesprochen werden kann. Was ist denn das hier aufgezeigte Wunschbild der Souveränität im Frack als dem Gewand des gesellschaftlichen Abends anderes, als die getarnte Feststellung, daß für Herrn Fechter eben der Mensch erst im gutsitzenden Frack beginnt.

Wir müssen Herrn Paul Fechter schon bitten, seinen Frack in jenen seltsamen Häusern einer seltsamen Lust zu tragen, wo rassisch oder weltanschaulich das illegale Laster eines solchen Seelenheroentums mit dem deutschen Volk und seinem Theater nicht mehr in Berührung kommt.

## Auch der Stammtischler

Herbert Ihering: *Weltoffenes Theater* in: *Berliner Tageblatt* vom 27. 3. 1936.

Das deutsche Theater steht an einer Wendung der Zeit mitten im Werden und in der Entwicklung. Es hat seine Sendung begriffen und aller Einseitigkeit und Enge wieder den Rücken gekehrt. Es will sich der Welt zuwenden, weil es im eigenen Lande auf festem Boden steht. Es will einem Weltspielplan und allen Literaturen geöffnet sein. Jede Besinnung auf die eigene Kraft bringt zuerst auch Nebenbestrebungen mit an die Oberfläche. Auch der Stammtischler beginnt sich zu fühlen, wenn an die eigene Stärke appelliert wird. Das ist immer so gewesen – in aller Welt, ohne Unterschied der Völker und Länder. Diese Periode hat das deutsche Theater überwunden. Es steht da in der Umstellung seiner Personalpolitik, in der Heranziehung der guten Kräfte, in der Förderung seiner

Dramatiker und in dem guten Willen, das Mittelmäßige abzustoßen, vom Reiche anerkannt, national, mit einem internationalen Spielplan.

Der Kampf und die Leidenschaftlichkeit, mit der alles im Theater sich abspielt, ist nur ein Zeichen für seine junge Kraft. Das deutsche Theater steht unter diesem Zeichen und ist der Welt geöffnet.

## Koch und Uhrmacher

Karl Schramm: *Der Anspruch des Theaters* in: *Deutsche Allgemeine Zeitung* vom 19. 6. 1943.
Karl Schramm, * 1906, Dramaturg und Spielleiter.

Der Ruhm eines Kochs ist noch nie mit der Feststellung begründet worden, daß er seine Bratpfanne hinreißend zu handhaben wüßte – kein Uhrmacher könnte seine Eignung mit der Sicherheit bewähren, die er sich im Gebrauch seiner Lupe angeeignet hat.

Der Anspruch des Theaters ist nur mächtig, wenn er sich die Gefolgschaft der weiten Öffentlichkeit erzwingen kann. Er ist lächerlich, wenn ihm diese Gefolgschaft nicht wird. Sie kann ihm aber nur werden, wenn sich die Bühne und alles, was mit ihr zu tun hat, nicht durch das «Berufsgeheimnis» schützt – wenn der Anspruch an die Allgemeinheit nicht durch die Nützlichkeit für etwas Besonderes ersetzt wird –, wenn Uhrmacher, Elektriker, Koch, Metzger, Bäcker, Schuster, Schneider, Jurist, Arzt und was es sonst noch gibt, das tun dürfen im Theater, was sie sich untereinander auf das Entschiedenste verbitten: nämlich «hineinreden».

## Tanz

## Erlebnistotalität

Otto Bolte: *Deutscher Tanz* in: *Deutsche Kultur-Wacht*, 1933, Heft 31, S. 14; siehe auch Hanns Hasting-Dresden: *Innere Einheit von Tanz und Musik* in: *Deutsche Bühnenkorrespondenz* vom 2. 2. 1935; Gustav Fischer-Klamt: *Weltanschaulicher Appell an das deutsche Tänzertum* in: *Die Musik*, Mai 1936, S. 565 f; Paul Hoffmann: *Erneuerung der Tanzkunst* in: *Deutsche Theater-Zeitung* vom 8. 8. 1937; Gustav Fischer-Klamt: *Die großdeutsche Tanzidee* in: *Die Musik*, 1939, S. 646 f; Hans Frucht: *Tanz und Musik im nationalsozialistischen Staat* in: *Zeitschrift für Musik*, Mai 1940, S. 261 f; Bruno Roemisch: *Das Tanzdrama der Nordgermanen* in: *Deutsche Dramaturgie*, Juni 1942, S. 130 f; unabhängig davon siehe: *Die geistigen Grundlagen für Körperbildung und Tanz im nationalsozialistischen Staat* im Sonderdruck der *Deutschen Kultur-Wacht*, o. J.

Was ist deutscher Tanz? Kann man heute, da alles erst im Aufbruch, im Werden begriffen ist, schon eine Antwort auf diese Frage geben? Noch ist das Bild des heutigen Tanzes infolge der alles Echte erstickenden Flut von Artfremdem, Sensationellem und Materiell-Sinnlichem, das sich über unsere Tanzstätten ergoß, so verworren, daß nur wenige Berufene, ihrer Zeit vorauseilende, schöpferische Menschen Klärung schaffen können. Solche Klärung bot uns Dr. Rudolf Bode [1], der Fachgruppenleiter für Körperbildung und Tanz bei der Reichsleitung des KfDK, in einer Veranstaltung mit seinen Schülern am 24. Oktober im Bachsaal.

Sicher weiß niemand so gut wie Dr. Bode, wie weit noch der Weg ist zum letzten Ziel, der vollendet gestalteten Bewegung kultischer Ergriffenheit; aber das Entscheidende ist, daß der richtige Weg gefunden wurde: die Verankerung der Erlebnistotalität in der Totalität jeder einzelnen Bewegung; oder, wenn man will, umgekehrt: die Auswirkung des Totalerlebnisses bis in die Totalität jedes einzelnen Bewegungsablaufes hinein. Was hier im Entstehen ist, das ist die Erneuerung des deutschen Tanzes auf der Ebene des durch den Nationalsozialismus entfachten neuen deutschen Kulturwillens, der Unbewußtes und Bewußtes zu einer zwingenden Synthese bringt durch die lebendige Kraft des Glaubens.

## Fremde Elemente

Jutta Klamt: *Vom Erleben zum Gestalten*, Ulm/Donau, o. J., S. 56–57 und 66.

Wie ist es nun um den Geist des deutschen Tanzes bestellt? Dem Außenstehenden fällt etwas auf, – die Betonung der Dinge, die selbstverständlich sind: deutscher Tanz!

Er hört von Gegensätzen, von Bemühungen. Er will zuerst nicht begreifen, daß ein hochentwickeltes Volk allen Ernstes jetzt erst anfängt, um einen Tanz zu ringen. Diese Frage ist aber, so unwahrscheinlich sie klingt, zu einer ganz bitterernsten geworden. Und doch war der Tanz bisher beziehungsarm dem Volksganzen gegenüber.

Warum? Müßte er doch bei einer aus deutschem Wesen entspringenden Formgestaltung, aus solchem Fühlen hervorwachsend, vom Volke auch aufgenommen und bejaht werden.

Wenn der deutsche Tanz noch nicht sein klares Antlitz zeigen konnte, so liegt es daran, daß er fremde Elemente in seinem Aufbau in sich trägt und daß die Tänzerschaft in ihrer großen Mehrheit diesem Wahn noch unterworfen ist. Man hat ihr immer eingeredet und tut es noch, sie könnte sich nur mittels des Fremdartigen in ihren Tänzen ausdrücken. Für

---

[1] Dr. phil. Rudolf Berthold Bode, *1881, Leiter der Bode-Schule, Lehrer für Gymnastik und Rhythmik; Fachgruppenleiter im Kampfbund für Deutsche Kultur; er entwickelte Gymnastik und Tanz «aus der Theorie des nationalsozialistischen Wollens»; siehe hierzu: Léon Poliakov – Joseph Wulf: *Das Dritte Reich und seine Denker*, Berlin 1959, S. 535 f.

den deutschen Menschen war diese Art fremd, und er konnte sich daher auch nur formal mit diesem Tanzgut vertraut machen, so daß auf deutschem Boden nicht das wesensgerechte Ballett gepflegt werden konnte, sondern ein formalistisches, mehr konstruktives Ballett entstand. Ein Ballett, das wir ablehnen.

Welchen Eindruck diese Maßnahmen auf die menschliche Natur ausübten, blieb Nebensache, ob gesund oder ungesund, danach wurde nicht gefragt, – daß der Körper allmählich seine natürliche Form verlor – häßlich wurde, störte nicht – das abstehende Gazeröckchen deckte mitleidsvoll die Auswirkungen dieser fehlerhaften Maßnahmen zu.

Diese rassisch gebundene körperlich-geistige Struktur muß in Betracht gezogen werden und gibt den Ausschlag für die Art der Bewegungsform und Bewegungsgestaltung eines Volkes. Darum heißt es auch «Deutsche Gymnastik», «Deutscher Tanz».

## Der Anruf des Blutes

Mary Wigman: *Deutsche Tanzkunst*, Dresden 1935, S. 11–12.
Prof. Mary Wigman, * 1886, Tanzpädagogin.

Es ist nur natürlich und folgerichtig, wenn das bis zutiefst aufgerüttelte Deutschland die Frage nach dem wahrhaften Deutschtum auch an die Kunst richtet. Die große Umwälzung und Umstellung – einer Sturmflut gleich, die mit elementarer Kraft über Volk und Land brauste – mußte die Gebiete der Kunst genau so ergreifen, wie sie jede andere Lebensgestaltung beeindruckte und beeinflußte. Daß manches Lebens- und Liebenswerte im ersten Ansturm des gewaltigen Geschehens zu Boden gedrückt, vielleicht zermalmt wurde, ist hart für den Einzelnen. Im Zusammenhang mit dem ganz großen Geschehen aber tritt das Einzelschicksal zurück. Und geht es um die Kunst, um wahrhafte und echte, so werden die großen und kleinen Tragödien nicht umsonst gelebt sein. Sie werden, vom Privaten befreit und geläutert, im Symbol des gestalteten Kunstwerkes ihren tieferen Sinn erhalten und erfüllen.

Wir deutschen Künstler stehen heute bewußter denn je im Schicksal unseres Volkes. Und für uns alle ist diese Zeit eine Kraftprobe, ein Sichmessen an Maßstäben, die größer sind, als der Einzelne zu bestimmen vermag. Der Anruf des Blutes, der an uns alle ergangen ist, greift tief und trifft das Wesenhafte. Für den schaffenden Künstler wird sich die Auseinandersetzung mit den aufgerollten Problemen hinter und unter den Realitäten abspielen. Sie wird zwangsläufig auf das Gebiet des Irrationalen verlegt und damit auf die Ebene des symbolhaft Gestaltbaren und Sagbaren gerückt.

# Das Puppenspiel im Neuen Deutschland

Titel des zweiten Kapitels im Buche von Luzia Glanz: *Das Puppenspiel und sein Publikum*, Berlin 1941, S. 83–85; siehe auch Willi Gebel: *Das Puppenspiel* in: *Deutsche Kultur-Wacht* vom 26. 8. 1933, S. 10–11; *Festliche Marionettenspiele des Ortsverbandes*, in: *Die Deutsche Bühne*, Mai 1936, S. 3–4; Sigfried Raeck: *Puppenspiel* in: *Musik in Jugend und Volk*, 1937, S. 104 f.

Das Puppenspiel hatte seine Renaissance erlebt. Aber dem Kasperletheater sowohl als auch dem Marionettentheater fehlte etwas sehr Wesentliches zu seiner freien Entfaltung und ungehemmten Existenzmöglichkeit: Die unvoreingenommene, volksgemäße, lebendige Gemeinschaft, in der sein Spiel ein reines Echo findet. Sie ist da, diese naive Lust am Schauen und einfältigen Erleben, aber sie ist vielfach gehemmt, hält sich verborgen unter dem Zwang einer materialistischen Weltanschauung.

Dieses Fehlen einer echten, von einem einheitlichen Lebensgefühl getragenen Gemeinschaft ist für das Puppenspiel noch entscheidender als für das Menschentheater. Denn Puppenspiel, zumal das Kasperletheater, lebt viel mehr noch als die große Bühne aus der bedingungslosen seelischen Hingabe seiner Zuschauer.

Da stand ein neues Deutschland auf und mit ihm der Glaube an das Echte, das Schlichte und Ursprüngliche, ein Deutschland, in dem wieder um den Sinn einer echten Gemeinschaft gewußt wird, wo man wieder bereit ist, zu schauen und zu glauben. Und in dieser Bereitschaft kann sich erstlich so etwas wie eine kulturpolitische Aufgabe des Puppenspiels erfüllen.

## Zuerst muß die Gesinnungsfrage gelöst werden

Dr. Walter Stang: *Kunst ist Bekenntnis* in: *Berliner Lokal-Anzeiger* vom 17. 1. 1934, Morgenausgabe; siehe auch vom gleichen Autor: *Nationalsozialistische Kultur*, in: *Deutsche Bühnenkorrespondenz* vom 14. 2. 1934; *Kunst ist Gesinnung*, in: *Deutsche Dramaturgie*, März 1943, S. 49–52.

Wie die nationalsozialistischen Ideen auf dem Gebiete des Theaterwesens verwirklicht werden sollen, das ist ein brennendes Gegenwartsproblem. Die deutschen Bühnen waren in der Übergangszeit von einer Unsicherheit in der Spielplangestaltung beherrscht, die behoben werden und auf den richtigen Weg geführt werden mußte. Man hat dem deutschen Publikum viel zu lange die Minderwertigkeit aufgedrängt. Jetzt aber wird das Formale durch den erzieherischen Wert ersetzt. Statt Ästhetik soll jetzt die Seelenhaltung eines Werkes entscheidend sein. Jedes Kunstwerk hat eine Tendenz, ist ein Bekenntnis. Heute regiert die heldische und idealistische Weltauffassung, und die muß sich auf dem Theater durchsetzen. Der Charakter ist heute entscheidend, der Charakter des Dichters und des darstellenden Künstlers. Zuerst muß die Gesinnungsfrage geklärt werden, dann erst kann der Aufbau beginnen.

## Der Begriff Tragik

Dr. Hermann W. Anders: *Die Verwandlung der Tragik* in: *Bausteine zum deutschen Nationaltheater*, September 1935, S. 262–263; siehe auch H. W. Anders: *Die Sendung des deutschen Theaters* in: *Der Neue Weg*, 1935, S. 414–416.

Der Abstand, den wir heute zur individualistischen Tragik gewonnen haben, schafft eine wahrhaft revolutionäre Verwandlung des Begriffes Tragik. Aus den fundamentalen, in ihrer Begrifflichkeit ehernen Grundsätzen der nationalsozialistischen Weltanschauung erwächst aus dem hohen Appell an die tiefsten sittlichen Werte der Persönlichkeit eine Gemeinschaftstragik, die in ihrer dramatischen Ausdrucksform mitten im Werden und Suchen ist. Deutlich kennzeichnen sich die Unterschiede zur antiken Schicksalstragödie und zur überwundenen Individualtragödie ab. Nicht der Mensch schlechthin ist Gegenstand der tragischen Verkündung, nicht das Welterlebnis im Sinne eines kosmopolitischen Weltbildes, sondern Sinn und Wesen des Tragischen sind an Volk und Gemeinschaft gekettet, an deutsche Menschen und die in der deutschen Volkheit vorhandenen Eigenschaften und Werte. Der Nationalsozialismus als Wille zur Hochwertigkeit entspricht geradezu der Tragödie, die höchste Lebensbejahung ist. Denn nicht um Schuld oder Nichtschuld, Glück oder Unglück, Furcht oder Mitleid geht es in der Tragödie, sondern um die Gestaltung der absolut notwendigen Sittlichkeit des tragischen Helden, der ursprünglich und schöpferisch, ohne ein Bedingtsein seines Handelns, für Tat und Willen einsteht. Hier wird sich im neuen Drama die Tragik des Helden nicht nur aus seelischen und geistigen Konsequenzen entwickeln, sondern die Frage, wie verhält sich die Tragik des einzelnen zur Gemeinschaft und zum Volk, wird eine tiefe, innere Strukturwandlung in der Prüfung nach den Ursachen des Tragischen ergeben. Die Gemeinschaftstragik unterscheidet sich gerade dadurch von der Individualtragik, daß sie den Helden in die Basis des Handelns des ganzen Volkes stellt, das heißt, den Helden mit dem sittlich notwendigen Ideal identifiziert. Das bedeutet: die Verantwortung des handelnden tragischen Helden wächst mit der Stärke der Bezogenheit zur Gemeinschaft, der sittliche Konflikt fordert die Entscheidung vor seinem Gewissen und dem Volk, sein Volk ist sein Schicksal und sein Gewissen der Prüfstein für das sittliche Ideal, dem der Konflikt entspringt.

## Organische Durchdringung

Gerhard Riesen: *Die Erziehungsfunktion der Theaterkritik*, Berlin 1935, S. 10.

Vergangene Epochen haben immer wieder versucht, ausführliche Kunsttheorien aufzustellen; doch liefen diese Theorien im wesentlichen auf Werthaltungen hinaus, die sich nach mehr oder weniger rein ästhetischen Gesichtspunkten ausrichteten. Weder Kunsttheorie noch Kunstkritik kann aber im nationalsozialistischen Staate allein von den Gesetzen der Ästhetik bestimmt werden; sondern beide müssen in organischer Durchdringung ein und dasselbe Ziel anstreben: arteigene Kunst vom deutschen Menschen für den deutschen Menschen.

## Charakterlich vorgebildet

Dr. Alexander Schneider: *Der neue Schauspieler* in: *Die Bühne*, März 1936, S. 170–171.
  Dr. Alexander Schneider, *1883; seit August 1933 Chefdramaturg am 1. Städtischen Theater in Düsseldorf.

Das Dritte Reich hat Bedeutung und Würde des Schauspielerberufes stark gehoben, und dieser gesteigerten Geltung entspricht die Notwendigkeit, in den Schauspielunterricht eine bestimmte autoritäre Linie zu bringen. Dieser soll unter der Aufsicht des Staates seine Leistung vermehren und sein Wirken vertiefen.

Folgendes könnte helfen und den Weg zum Ziel bedeutend verkürzen: die Vorschrift nämlich, daß nur junge Menschen zur Ausbildung im Bühnenberuf zugelassen werden, die eine längere Dienstzeit im Jugendlager mitgemacht haben. Befreit davon könnten jene sein, die aus der HJ und dem BDM kommen und so charakterlich vorgebildet und allen Imponderabilien gegenüber gefeit sind. Meine Erfahrungen auf diesem Gebiete bestätigen die Überzeugung, daß dies der einzige und auch zweifellos richtige Weg ist, ohne Umstände, Schwierigkeiten und Zeitverlust eine grundlegende Erneuerung des deutschen Menschen und damit auch des deutschen Theaters, zunächst einmal vom Schauspieler her, zu erzielen. Denn daß die Frage der Erneuerung des Theaters nicht nur eine Angelegenheit der dramatischen Produktion, sondern vor allem auch der schöpferischen Gestaltung durch das Spiel sein muß, unterliegt heute wohl keinem Zweifel. Keine Kunst ist so sehr der Persönlichkeit verhaftet wie die Schauspielkunst. Zur ästhetisch-ethischen Vollendung der Persönlichkeit gehört aber ein festgegründeter, wohlgebildeter Charakter.

## Entbehrlicher Luxus

Robert Stumpfl: *Vom neuen deutschen Drama* in: *Das Innere Reich*, 1937/38, S. 951; siehe auch vom gleichen Verfasser: *Unser Kampf um ein deutsches Nationaltheater*, Berlin 1935, sowie Rolf Badenhausens Besprechung über Stumpfls Buch: *Kultspiele der Germanen als Ursprung des mittelalterlichen Dramas* in: *Die Bühne*, 1937, S. 486.

Nach Überwindung eines extremen Ästhetizismus und l'art pour l'art haben wir heute wieder allgemein verstehen gelernt, daß Kunst mehr bedeutet als ein «Spiel müßiger Laune» und entbehrlichen Luxus, mehr als Unterhaltung bloß und Vergnügen nach getaner Arbeit; daß vielmehr Kunst im Organismus des Volksganzen eine durchaus notwendige, ja eine ganz entscheidende Funktion zu erfüllen hat, daß Kunst – um ein Wort Kolbenheyers zu gebrauchen – Sein vom Sein des Volkes, Wesensform und zugleich wesengestaltendes Wachstum ist. Daraus ergibt sich aber, daß wir in Zeiten eines so gewaltigen Umbruchs, wie er sich eben im deutschen Volke vollzieht, auch auf allen Gebieten der Kunst eine Wandlung erwarten müssen, die sich nicht darin erschöpfen kann, daß irgendwie «selbstverständlich» das politische Geschehen mitgespiegelt wird, sondern darüber hinaus zur Lösung derjenigen neuen Aufgaben im Volksganzen befähigt, die der Kunst zufallen und durch nichts sonst gelöst werden können.

Daß der dramatischen Kunst als ausgesprochenster Gemeinschaftskunst im Dritten Reich eine besondere Bedeutung zukommen sollte, hat man von Anfang an erkannt.

## Wenigstens in Umrissen

Walter Thomas: *Vom Drama unserer Zeit*, Leipzig 1938, S. 59.
Walter Thomas, * 1908, Chefdramaturg und Schriftsteller.

Was also viele unserer zeitgenössischen Dramatiker immer noch lernen können und müssen, das ist bei aller Lust am Dunklen, Triebhaften, an aller musikalischen Melancholie, an aller Shakespeareschen Narren-Metaphysik die klare Kontur, den festen Aufbau, den Willen zum Austrag nicht zu vergessen. Die Tragödie muß hart und unerbittlich sein. Ihre oberste Forderung an den Dichter heißt nicht Grausamkeit, aber inneres Unbeteiligtsein am tragischen Geschick. Mitleid ist in diesem Falle Schwäche, Sentimentalität Talentlosigkeit. Wie im antiken Drama muß der Mensch unerbittlich seinen Schicksalsweg gehen.

Neben diesen, dem Persönlichen und Privaten zugewandten Naturen, stehen kämpferische Erscheinungen, die sich ins Breite und Öffentliche wenden, – bei allem Dichtertum politische Träger des Vermächtnisses Dietrich Eckarts[1], den das nationalsozialistische Deutschland als den Vorbereiter des neuen Dramas anspricht und dessen Mission Hanns Johst sowohl wie Friedrich Bethge, dem als solchem auch die hohe Ehrung des Nationalpreises zugesprochen wurde, übernommen haben.

Aus diesem allem müßte sich das Bild einer neuen Dramatik wenigstens in seinen Umrissen erkennen lassen. Es müßte das Drama einer kommenden Jugend sein, ebenso dichterisch und differenziert, wie es gleichzeitig kämpferisch und unerbittlich sein müßte.

## Unfruchtbarer Ästhetizismus

Dr. Friedrich Rostosky: *Ästhetizismus* in: *Deutsche Dramaturgie*, November/Dezember 1943, S. 171–172; siehe auch vom gleichen Verfasser: *Arbeit und Dienst*, Herrsching 1937; Wolfgang Nufer: *Theater im Umbruch* in: *Der Blick auf die Szene – Beilage zum Theater-Tageblatt* vom 28. 9. 1935.

1 Dietrich Eckart, 1868–1923, kam durch die Übersetzung von Ibsens *Peer Gynt* aufs «Nordisch-Völkische»; Gründer des antisemitischen Blattes *Auf gut Deutsch*; erster Redakteur des *Völkischen Beobachters*; in ihm schrieb er schon am 11. 8. 1921: «In Fetzen die geile Satansbibel, das Alte Testament!» Wegen Beteiligung am Hitler-Putsch vom 9. 11. 1923 in München verhaftet; kurz vor Weihnachten als Schwerkranker entlassen, starb er am 23. 12. 1923; in NS-Veröffentlichungen figuriert er deshalb als «Dichter und Märtyrer»; Hitlers *Mein Kampf* endet mit der Widmung an Dietrich Eckart.

Die Bühne ist und bleibt, so sehr man es bestreiten und gar belächeln mag, wenn nicht eine moralische, so doch eine volkserzieherische Anstalt. Die Richtigkeit dieses Satzes bekommt ein Volk zumeist leider erst dann zu spüren, wenn das Theater hierin versagt hat. Eine Zeit wie die unsrige, in der es um «Sein oder Nichtsein» im nicht mehr individualistisch-hamletischen Sinne geht, in der wir nur die eine Möglichkeit noch besitzen, die hohen Geistesgüter Europas gegen feindliche Horden und ehrfurchtslose Zerstörer und Ausbeuter aus dem Westen bis zum Äußersten zu verteidigen, fordert brennend wie keine bisher Abkehr vom unfruchtbaren Ästhetizismus.

Wir haben weder Platz noch Zeit für eitle Selbstdarsteller, die nur ihr liebes Ich an hohen oder niedren Werken auszuleben trachten, und denen innerlich gleichgültig ist, ob sie heute einen Helden und morgen einen Trottel spielen, wenn nur die Rolle «dankbar» und die Gage klingenden Lohnes ist. Wir brauchen vielmehr Bühnen- und Spielleiter, Schauspieler großer und minderer Begabung, welche wieder ihr Herzblut an eine Dichtung setzen, die es lohnt, das Letzte dafür herzugeben, um sie zu jenem lebendigen «Körper der Zeit» sichtbarlich zu gestalten, der uns Schauende drunten im dunklen Rund nicht minder durchschüttert, wie die gewaltigen Leiden, Untergänge und Überwindungen, die um uns her täglich getragen und geleistet werden.

Erst wenn unsere Bühnenkunst zu jenen Werken greift, deren Ton und Thema uns auf den Nägeln brennen – und ihrer gibt es genug, wenn man sie nur sehen will! –, wird sie des stillen Heldentums würdig sein, dessen Geschichte zu schreiben denen nach uns erst aufgetragen ist.

# Thingspiel

## Heroisch

Siehe zu diesem Teil auch Dr. W. Montenbruck: *Unsere Absicht* in: *Die Deutsche Bühne*, Januar/Februar 1934, S. 4; Paul Beyer: *Das Drama der Zukunft* in: *Der Autor*, Februar 1934, S. 11 f; Egon Fr. M. Aders: *Heroisches Theater im Dritten Reich* in: *Der Neue Weg* vom 15. 2. 1935; Erich von Hartz: *Pathos*, ebd. am 1. 5. 1935; Hans Hinkel: *Der Krieg auf der Bühne* in: *Westdeutscher Beobachter* vom 6. 12. 1936; *Das Kriegserlebnis, ein Wegweiser des Dramas*, in: *Frankfurter Zeitung* vom 16. 4. 1937; Hans Franke: *Vier Arten des heldischen Menschen* in: *Deutsche Dramaturgie*, Mai 1942; Dr. Friedrich Rostosky: *Pathos und Stil*, ebd. im Februar 1943. Vergleiche zum Thema Thingspiel Hildegard Brenner: *Die Kunstpolitik des Nationalsozialismus*, Reinbek 1963.

## «Hier hört eben die Vernunft auf»

Hedda Lembach in: *Nationalsozialistische Monatshefte*, September 1933, S. 464 f.
Hedda Lembach, Schauspielerin des Bayerischen Staatstheaters.

Hier liegen die Aufgaben für den Spielleiter: Diesem inneren Gesetz der Leidenschaft, die erst ausbricht, wenn sie den überpersönlichen Antrieb gefunden hat, muß wieder zu seinem heldischen Pathos in der Darstellung verholfen werden. Es geht nicht, daß man solche Stellen ins Individualistische zurückbiegt und abbiegt, in völliger Verkennung, daß es hier nicht nur um «Natürlichkeit» geht, sondern um den Ausbruch einer heldischen Seelenkraft.

Hier hört eben die Vernunft auf, allein führen zu können und es ist höchste Zeit, daß man nicht dem eigenen kleinen Ich in seiner Leidenschaft zur Entfesselung bis zum «Schaum vor den Lippen» verhilft, sondern daß man auch dort, wo wahrhaft germanische Leidenschaft am vollsten zum Ausbruch drängt, nämlich in der heldischen Hingabe, dem Darsteller wieder «Überschwang» zugesteht. Das Verständnis dafür ist verschwunden, ja man scheut davor, so wie man angefangen hat, das Wort «Moral» zu scheuen. Es ist veraltet, überlebt, alte Schule. Kurz, jüdischer Geist hatte hier seine Richtung durchgesetzt, denn die Einfühlungsfähigkeit der jüdischen Rasse ist groß genug, daß sie auch dies, ihr ganz wesensfremde Grundelement als künstlerisches Ausdrucksmittel begreifen und verwerten hätte können.

# Auf ausdrücklichen Wunsch

Aufruf des Koblenzer Oberbürgermeisters Otto Wittgen an die Koblenzer Bürger in: *150 Jahre Theater der Stadt Koblenz*, Koblenz 1937, S. 62.
Otto Wittgen, * 1881; ab 16. 3. 1933 kommissarischer Oberbürgermeister; ab 4. 8. 1933 zum Oberbürgermeister ernannt.

Koblenzer! Auf ausdrücklichen Wunsch unseres Führers Adolf Hitler soll das Theater am Aufbau des neuen Staates mitschaffen. Der «heldische Mensch» soll das leuchtende Vorbild der geistigen Erneuerung unseres Volkes sein; ihm nachzustreben, ist das Ziel eines neuen Idealismus. Dieses Ziel hat sich auch unser Koblenzer Stadttheater gesteckt. Durch die deutsche Musik geht tausendfach im schönen Gleichnis dieser reine Held. Er soll auch auf unserer Bühne wiedererstehen in allen Formen des künstlerischen Abbildes: Im gesungenen und gesprochenen Drama, und nicht zuletzt in der heiteren Welt der Komödie. – Koblenzer! An euch wird es liegen, unserem Theater seine schöne Aufgabe zu ermöglichen! Ich rufe euch auf: Zeichnet die Anrechtlisten! Gebt dem Theater die wirtschaftliche Grundlage für sein künstlerisches Schaffen! Helft mit an der Durchführung des Spielplanes! Jeder Anrechtplatz ist ein Baustein am geistigen Neubau unseres geliebten Vaterlandes!

Koblenz, im September 1933                                                    Wittgen

## Wir Rassisch-Erweckten

Kurt Gerlach-Bernau: *Drama und Nation*, Breslau 1934, S. 49–50.
Dr. phil. Kurt Gerlach-Bernau, * 1903, Schriftsteller (Drama und Laienspiel).

Die rassische Entartung des Griechentums zum mittelmeerischen Hellenentum war die Ursache der Zerstörung des mythischen, ganzheitlichen Grundes des Dramas und damit des antiken Dramas überhaupt. Wenn wir die ganzheitlich-sozialistische Haltung als nordisches Erbgut in Anspruch nehmen, müssen wir sie auch bei den Germanen nachweisen können.

Der von der nun tonangebenden geistigen Führung geforderte Bezug auf die fremdrassische Ganzheit verhinderte ein germanisches Drama und erzeugte das dramatisch leerlaufende, nur-mimische christliche Spiel, das das Leiden an Stelle des Tuns setzte. Als in der Renaissance mit antiker Hilfe das Politisch-Aktivistische mehr in den Vordergrund trat, triumphierte das Ich über die Ganzheit. Zudem herrschte gerade in den von der deutschen Klassik auf den Schild gehobenen Shakespearedramen der leidende Held vor. Wir Rassisch-Erweckten wollen aber nicht mehr wissen, was der entartete Königssohn Hamlet nicht tut, sondern was der männliche Fortinbras für den Staat leistet. Der rassische

Niedergang war so der Quellbezirk des Widerstaatlichen, Privattragischen, aus dem das unheroische bürgerliche Drama erst seine Entstehung herleiten konnte. Damit erkennen wir, daß nur die Urständ der heldischen Weltanschauung durch den Nationalsozialismus der wahrhaften dramatischen Staats-Aktion in der für die ganze Nation verpflichtenden Gestalt den Boden bereiten kann.

## Schauplatz der Nation

Carl Maria Holzapfel: *Aufbruch zum Nationaltheater* in: *Die Deutsche Bühne*, Mai/Juni 1934, S. 4–5.

Wir bereiten innerhalb der Erlebnisgemeinschaft Deutsche Bühne eine neue, historische Lebensauffassung vor, und diese Lebensauffassung wiederum bereitet vor die heroische Darstellungskraft des Schauspielers, die ein Betätigungsfeld findet in der heroischen Welt des Dichters. Noch ist die Stunde des Dichters im Spielplan der Theater nicht angebrochen. Wir, die wir durch jahrelangen Kampf geschritten sind, wir wollen und können nur gepackt und ergriffen werden durch einen Gestalter unseres Schicksals, der unserm lebendigen Gotterleben nahekommt durch die Wortkraft und die Form des Werkes. Das Theater ist der Schauplatz der Nation. Hier erlebt sie ihr Schicksal, ihren Auf- und Niedergang, ihre Wandlung, ihre Opferung und die Läuterung der Volksseele. Wenn wir dieses klar erkennen, ist es unsere Aufgabe, alles das, was den Niedergang verschuldete, fernzuhalten vom Spielplan der deutschen Theater.

## Revolutionäre größten Stils

Hans Hermann Wilhelm: *Der Sinn der deutschen Revolution und das Drama* in: *Deutsche Bühnenkorrespondenz* vom 29. 8. 1934, Ausgabe A.
  Hans Hermann Wilhelm, * 1892, Schriftsteller (Drama, Roman).

Die große schicksalhafte Aufgabe des Nationalsozialismus ist es, dem Deutschen die absoluten Werte und Maßstäbe zu schaffen, mit denen er sein Wesen und Leben, sein Denken und Tun in Zukunft zu messen hat, an denen er sittlichen Rang und die für ihn höchste Menschenwürde ablesen soll. Revolutionäre größten Stils schreiten dem deutschen Volk heute voran, echte und allein zukunftsträchtige, weil sie nicht den ewigen Schwankungen des deutschen Charakters unterworfen sind.

  Der deutsche Held, sein Sieg oder sein tragischer Untergang, ist daher der vornehmste Gegenstand einer deutschen dramatischen Dichtkunst.

# Herzen rüsten

Josef Buchhorn: *Sinn und Sendung des Theaters* in: *Deutscher Kulturwart*, September 1935, S. 375.
Josef Buchhorn, * 1875, Schriftsteller (Bühnendichtung, Roman, Lyrik, Feuilleton); Referent für Schrifttum beim Landeskulturwalter im Gau Berlin.

Theater soll sammeln: von der Vielspaltigkeit gewesenen Tages zur besinnlichen Einkehr führen. Theater soll erheben: Durcheinander sich überkreuzenden Gefühls zu weihevoller Klarsicht einen. Theater soll Ferne weisen: für kommenden Großtag deutscher Menschheit, den der Führer bereitet, Herzen rüsten, Willen stählen, Kräfte spannen; Glauben über Herzen, Willen und Kräfte als höchste Beschwingtheit setzen und Zuversicht an heute noch fernes Ziel knüpfen, daß der Tag der Deutschen einmal im Glanz der Ewigkeit erstrahlen und durch das in einem Blut verbundene Volk als Bürgen dafür gesichert wird. Dann erst wird Theater seinen tiefsten Sinn und seine höchste Sendung erfaßt und erfüllt haben.

## Definitionen

## «Jetzt, wo Versammlungsraum und Schaubühne identisch werden»

*Thingplätze für Freilichttheater und festliche Kundgebungen* in dem Sonderdruck der Zeitschrift *Bauamt und Gemeindebau*, Hannover o. J., 16. Jahrgang, S. 1; über Theaterbau siehe Benno von Arent: *Gedanken zum Theaterbau im Dritten Reich* in: *Die Bühne*, 1939, S. 386–387.

In zahlreichen Gemeinden sollen nach dem Willen des Reichsministeriums für Volksaufklärung und Propaganda jetzt Freilichttheater und Thingplätze errichtet werden.

Für das durch den Nationalsozialismus zur großen Volksgemeinschaft geeinte deutsche Volk gilt es nun, Stätten der Feier und Geisteserhebung zu schaffen, die der letzte sinnfällige Ausdruck dieser neuen Gesellschaftsform unseres Volkes sind:

Das Theater für das Volk als Gemeinschaft – in dem es eins ist in der Masse der Zuschauer, nicht mehr schichtlich getrennt in «Rang»-Stufen, wo es eins ist mit den Darstellern, den mitten aus seinen Reihen zur Bühne strömenden Massenchören, nicht mehr getrennt von diesen durch die sichtbaren Vorhänge oder den gedachten zwischen dunklem Zuschauerraum und hellerleuchteter Bühne. Für andere, besondere Formen der Schaubühne ist jetzt kein Bedürfnis mehr und können keine Forderungen mehr gestellt werden.

Es gilt, für das deutsche Volk eine neue Kultur – aufgebaut auf ein gesundes Naturgefühl – zu schaffen, und eine der berufensten Stätten hierfür ist das Freilichttheater mit seiner Naturgebundenheit. Aus dieser Erkenntnis heraus ist auch eine bewußte Förderung des Freilichttheaters und künstlerische Hebung des chorischen Spieles unter freiem Himmel vom Reichsministerium für Volksaufklärung und Propaganda angekündigt.

Die Vorfahren unseres Volkes hatten in altgermanischer Vorzeit den «Ring» oder «Thing», auf dem sie sich um ihre Führer versammelten. Der neue Aufmarsch ist der «Thing» unserer Zeit, und was kann es größeres zum Abschluß einer solchen Kundgebung gemeinsamen Willens geben, als seine Krönung und weihevolle Fortführung im Festspiel, in dem dem einigen und wehrhaften Volk Probleme der Kultur lebendig nahegebracht, Sprache und Geste vieler im chorischen Element geformt werden; im «Thing» ist dem neuen Theater die Raummöglichkeit zu seiner höchsten Entfaltung gegeben.

Professor Dr. Carl Nießen [1], der Leiter des Theaterwissenschaftlichen Instituts an der Universität Köln, sagt über diesen neuen Raum: In unseren Theatern wirkte der Zuschauerraum nicht mehr mit, deshalb verdunkelte man ihn und wischte ihn aus, denn er war nur noch Sitzgelegenheit und Pausenlokal gesellschaftlichen Paradierens. Jetzt aber, wo Versammlungsraum und Schaubühne wieder identisch werden, wie im alten Griechenland, jetzt bekommt der Raum wieder eine Rolle.

## Schutz des Thingspiels

Verordnung, abgedruckt in: *Der Autor*, September 1934, S. 7.

Der Präsident der Reichstheaterkammer, Ministerialrat Laubinger, hat folgende Anordnung getroffen:

Es ist untersagt, Theatervorstellungen in geschlossenen Räumen oder im Freien als «Thingspiel» zu bezeichnen oder in einer anderen Art in Verbindung mit dem Wort «Thing» zu bringen. Ebenso ist es den Verlagen untersagt, Verlagswerke als «Thingspiel» oder als «zur Aufführung im Thing oder auf der Thingstätte geeignet» anzukündigen.

1. Die Bezeichnung «Thing», «Thingstätte» oder «Thingplatz» ist nur zulässig für bauliche Anlagen, deren Errichtung durch den Herrn Reichsminister für Volksaufklärung und Propaganda für die Zeit nach dem 15. September 1934 oder von einer Landesstelle des Reichsministeriums für Volksaufklärung und Propaganda in Verbindung mit dem Reichsbund der Deutschen Freilicht- und Volksschauspiele vor dem 15. September 1934 genehmigt und beurkundet worden ist. Anträge auf Errichtung von Thingstätten sind an die zuständige Landesstelle des

1 Prof. Dr. Carl Niessen, * 1890.

Reichsministeriums für Volksaufklärung zu richten und werden von dort aus an den Reichsbund zur sachlichen Prüfung weitergeleitet, der sie dann an das Reichsministerium zur Vorlage an den Herrn Reichsminister einreicht.

2. Als «Thingspiel» dürfen nur solche dramatischen Werke bezeichnet werden, die von dem Herrn Reichsdramaturgen schriftlich als solche zugelassen worden sind. Diese dürfen den Vermerk tragen: «Von dem Reichsdramaturgen lt. Erlaß vom... als Thingspiel zugelassen.» Anträge um Zulassung eines dramatischen Werkes als Thingspiel sind über den Reichsbund der Deutschen Freilicht- und Volksschauspiele zu leiten. Diese Anträge können nur von Mitgliedern der Vereinigung der deutschen Bühnenverleger gestellt werden. Der Reichsbund der Deutschen Freilicht- und Volksschauspiele führt das Register über die zugelassenen Thingspiele und überwacht deren Aufführung.

3. Als «Thingspiel»-Veranstaltung oder unter ähnlichem Namen dürfen nur Veranstaltungen durchgeführt werden, die von der Reichstheaterkammer zugelassen worden sind, nachdem ein Zulassungsantrag bei dem Reichsbund der Deutschen Freilicht- und Volksschauspiele e. V. eingereicht worden ist, der ihn begutachtet und alsdann der Reichstheaterkammer zur Entscheidung vorlegt.

In dem Zulassungsantrag sind der Spielleiter und die Hauptdarsteller anzugeben; ferner sind die von dem Reichsbund der Deutschen Freilicht- und Volksschauspiele e. V. erforderten weiteren Unterlagen beizubringen.

Berechtigt zur Stellung eines Antrags auf Zulassung von «Thingspiel»-Veranstaltungen sind nur solche ständige oder gelegentliche Theaterveranstalter, die im Besitz der durch das Reichstheatergesetz vorgeschriebenen Zulassung sind.

4. Vereinigungen, die nichtöffentliche Theateraufführungen veranstalten, kann die Erlaubnis, ihre Aufführung als «Thingspiel» zu bezeichnen, nicht gegeben werden. Die Bühnenverleger sind verpflichtet, bei der Vergebung von Aufführungsrechten an solche Vereinigungen auf die Innehaltung der Vorschriften dieser Anordnung im Bezug auf das Werk zu achten.

## Die Thesen

Richard Euringer: *Thingspiel – Thesen I* in: *Völkischer Beobachter* vom 20. 6. 1934.

Richard Euringer, * 1891, Schriftsteller (Lyrik, Bühnendichtung, Roman, Hörspiel, Feuilleton, Film); seine *Deutsche Passion 1933* wurde als Hörspiel bei den Heidelberger Reichsfestspielen als Thingspiel uraufgeführt; darüber siehe: *Passion oder Epos*, in: *Deutsche Bühnenkorrespondenz* vom 14. 8. 1934; Euringer veröffentlichte am 3. 7. 1934 im *Völkischen Beobachter* auch noch sein *Thingspiel – Thesen II*, in denen er sich mit Problemen befaßte wie zum Beispiel: *Was wird aus dem Thingspiel, wenn es regnet?* oder *Wie bekommt man gute Plätze?* und *Wird das Thingspiel Pausen kennen?* usw. ...

«Weltanschauliches» über Thingspiele siehe auch Wilhelm Karl Gerst: *Gesinnung und Werk im Aufbau des neuen Reiches* in: *Theater-Tageblatt* vom 12. 9. 1933; Hans Reh: *Mein Weg ins Naturtheater* in: *Die Deutsche Bühne,* November 1933, S. 113 f; Anton Dietzenschmidt: *Fragen des Thingspiels* in: *Der Neue Weg* vom 15. 11. 1934; *Die Thingstätte,* in: *Theater von A–Z, Handbuch des deutschen Theaterwesens,* Berlin 1934, XI c1 – XI c5; Wilhelm von Schramm: *Neubau des deutschen Theaters,* Berlin 1934, S. 59–67; *Bausteine zum deutschen Nationaltheater – Thingspiel-Sonderheft,* Mai 1935, mit Aufsätzen von Wolf Braumüller, Friedrich Fikenscher, Bruno Nelissen-Haken, Gustav Goes; *Bücherschau,* in: *Theater-Tageblatt* vom 23. 10. 1933, Besprechung des Buches *Thing am Heiligen Berg* von Wolfgang Neuschiefer; Wolfgang Braumüller: *Freilicht- und Thingspiele,* Berlin 1935; E. Wernert: *L'Art dans le III. Reich,* Paris 1936, S. 97–100; *Freilicht-Aufführungen der Städtischen Bühnen auf dem Römerberg in der Goethestadt Frankfurt am Main – Amtliche Festschrift,* 1. 7.–31. 8. 1938; Rudolf Kirsten: *Richard Wagner in der Schule* in: *Zeitschrift für Deutschkunde,* 1938, S. 246 f; Dr. Walter Stang: *Gedanken zum Drama der Gegenwart* in: *Nationalsozialistische Monatshefte,* Juni 1939, S. 32 f.

1. Thingspiel und Freilichttheater sind zwei recht verschiedene Dinge. Ein romantisch Ritterstück, unter freiem Himmel gespielt, bleibt Theater und wird nicht Thingspiel.

2. Thingspiel und Naturtheater sind zwei recht verschiedene Dinge. Ritterburgen als Kulissen geben zwar die Illusion ab, die den Pappkasten erübrigt, aber sie bleibt theatralisch.

3. «Thingtheater» ist kein Wort. Von Theaterkünsten weg führt das Thingspiel an die Stätte, die Gerichtstag halten wird. Vom Theaterkunststück weg zum Richtplatz führt das Spiel, nun, da es ernst wird.

4. Feuer, Wasser, Luft und Erde, was beschworen wird, Stein, Gestirn und Sonnenbahn sind die Thingspielelemente. Nixen, Feen, Nymphen, Faune flüchten ins Naturtheater. Auf dem Thingplatz geht das Volk um.

5. Nicht den Spuk verwester Zeiten sucht das Thingspiel zu beleben: kühn verewigt es die Zeit, das noch Fliessende zum Fest. Nicht die Sage lebe auf! Nein, der Alltag werde Sage! Nicht das Mythologische scheine Thema für die Thingstatt, nein, der Tag, der Mythe wird!

6. Ohne Blutschwur und Beschwörung, ohne Acht und Bann kein Thing. An der Bannmeile empfängt Schweigen die verschworenen Scharen. Stumm betreten sie den Richtplatz; denn der Boden ist geheiligt.

7. Der das Spiel trägt, ist das Volk, nicht ein Dutzend Prominenter oder allbekannter Stars. Namenlos sei jeder Name! Ruhmreich sei allein das Volk!

9. Nicht in Haupt- und Staatsaktionen läßt er Schauspieler agieren. Volksaktionen werden Akt. Schöpfungsakt und Opferhandlung. Seine Opfer schaut das Volk, seine Opfer ehrt das Volk und verehrt sie durch

die Handlung. Totenkult ist Thingstattsache. Die Gefallenen stehen auf, und aus Steinen schreit der Geist.

10. Kult, nicht «Kunst», ist Thingstattsache.

11. Handlung, das heißt: Opferhandlung. Handlung, das heißt: heilige Handlung. Nicht «dramatisch», sondern kultisch wird das Blutopfer erneuert aus dem Geist – nicht des Theaters, sondern aus dem Geist – der Richtstatt, die Gerichtstag halten wird.

12. Daß sein Recht dem Opfer werde, wird Gerichtstag abgehalten. Daß dem Blut die Ehre werde wie dem Boden, der es schluckte, wird Gerichtstag abgehalten. Daß dem Volk sein Richtspruch werde, wird Gerichtstag abgehalten.

13. Unter Gottes freiem Himmel, an den Quellen, unter Sternen schöpft das Opfervolk sich Recht und versieht sich seiner Ehre.

## Thingstätten

1933 machte man begeisterte Projekte für Thingspiele, und Otto Laubinger sprach von vierhundert Thingstätten, die in Deutschland errichtet werden sollten. Bayerische Zeitungen hingegen meldeten, daß allein in Bayern vierhundert Thingstätten geplant seien. 1935 wurde jedoch festgestellt, daß erst fünfundzwanzig Thingstätten «im Bau» waren – *Der große Herder*, Freiburg i. B. 1935, Band 11, S. 1173; NS-Ideologen klagen darüber, wie schwer es sei, so ein «Weihespiel der Volksgemeinschaft» überhaupt aufzutreiben – Adolf Gentsch: *Die politische Struktur der Theaterführung*, Dissertation, Leipzig 1942; diese Arbeit wurde bereits 1937 abgeschlossen.

## Der erste Spatenstich

*Germanische Kultstätte wird Thingplatz*, in: *Berliner Lokal-Anzeiger* vom 18. 2. 1934, Sonntagsausgabe; siehe auch: *Das neue Volkstheater*, in: *Völkischer Beobachter* vom 18. 2. 1934; in den Brandbergen bei Halle wurde Kurt Heynickes *Neurode* am 5. 6. 1934 uraufgeführt.

Der morgige Montag wird für die Stadt Halle von besonderer Bedeutung sein. In Gegenwart von Vertretern der Reichsregierung wird draußen auf den Brandbergen der erste Spatenstich zu einem großen Werk getan werden. Der erste deutsche Thingplatz wird hier entstehen.

Die Brandberge sind eine alte Kultstätte aus germanischer Zeit. Darüber hinaus haben sie für die NSDAP Halles besondere Bedeutung bekommen: Hier wurde in den Tagen nach der Machtergreifung manche Massenversammlung abgehalten, in diesem mächtigen Amphitheater, das die Natur gebildet hat. Hier, und das ist die Tradition, sammelten sich vor der Machtergreifung zu manchen Malen die Nationalsozialisten, um dann immer wieder für ihre Ideen in die Stadt zu ziehen. Man hätte, von der natürlichen Eignung des Platzes einmal ganz abgesehen, keinen würdigeren finden können, um den Thingplatz zu errichten.

# Lothar Müthels politische Spielgestaltung

Untertitel von Wolf Braumüllers Aufsatz: *Weltanschauliche Glaubensgestaltung auf der Heidelberger Thingstätte* in: *Deutsche Bühnenkorrespondenz* vom 24. 7. 1935.
  Lothar Müthel, * 1896, Schauspieldirektor, Schauspieler, Regisseur; die Heidelberger Thingstätte wurde am 28. 7. 1934 von Otto Laubinger feierlich eröffnet; über Lothar Müthel siehe «Porträts», S. 239 f..

Um das Thingspiel, die Thingidee, aus dem Wesen der Propaganda wie der Weltanschauung herausgeboren, ist seit seiner ersten Verkündigung eine reiche Diskussion entbrannt, die ebenso aus dem Erahnen künftiger Gestaltung positive Momente, wie aus einer reinen Gefühlssphäre vielleicht nicht gewollte Verwirrungen hervorbrachte.

Selbstverständlich soll damit nicht gesagt sein, daß diese Einbeziehung zu verwerfen oder gar als abzulehnende Spekulation zu verurteilen wäre, das hieße ja den Totalitätsanspruch des Nationalsozialismus auf das Leben und damit natürlich auch auf die Verbindung und Harmonie des Lebens mit der Natur verneinen, sondern es soll damit nur sinnfällig gemacht werden, daß es diesem Schöpfungszwang eines neuen weltanschaulichen Glaubens in seiner künstlerischen Gestaltung im wesentlichen noch an innerer Eigenkraft gebricht, d. h. daß zwischen Vorstellung und Wille und der Sichtbarmachung ein kongeniales Kräfteverhältnis noch nicht vorhanden ist.

Eine Ausnahme gibt es: das ist der Reichsparteitag, die blut- und geistgewordene Thingidee. Hier ist die dynamische Kraft des Willens auch in der kleinsten Äußerung erkenntlich und spürbar und ist in der Gesamtheit eine lebende Monumentalität von ebenso ideelicher wie formgebundener Klarheit.

Der Dichter Kurt Heynicke [1] hat sein Thingspiel «Der Weg ins Reich» (erschienen im Volkschaft-Verlag für Buch, Bühne und Film, Berlin) in engster Gemeinschaft mit dem Spielgestalter, dem Staatsschauspieler Lothar Müthel und unter spezifischer Zugrundelegung der Heidelberger Thingstätte geschaffen. Unter völliger Abkehr von der üblichen «1918 bis 1933» Manier ist hier ein politisches und damit auch weltanschauliches Lehrstück entstanden, das trotz seiner bereits betonten Mängel in der Sinnfälligkeit seiner Person wie in seiner inneren Diktion neue Wege beschreitet.

Das neue Reich ist nicht mehr ersehntes Ziel, sondern reale Tatsache.

---

1 Kurt Heynicke, * 1892, Oberspielleiter und Dramatiker; siehe auch seinen Aufsatz *Erfahrung und Meinung* in: *Der Neue Weg* vom 15. 8. 1935, S. 350.

# Der letzte Versuch: «Dietrich-Eckart-Bühne»

Wolf Braumüller: *Die Dietrich-Eckart-Bühne – Grundlage einer neuen dramatischen Architektur* in: *Bausteine zum deutschen Nationaltheater,* Juni 1936, S. 161; diese Bühne wurde anläßlich der Olympischen Spiele in Berlin 1936 mit Eberhard Wolfgang Möllers *Frankenburger Würfelspiel* eingeweiht; es war der letzte Versuch, dem architektonischen NS-Größenwahnsinn auf der Bühne internationale Zustimmung zu verschaffen; selbstverständlich mißlang dies. Hans Knudsen schrieb damals: «Es gibt wieder eine Theaterstadt Berlin, sie besteht in einem höheren und edleren Sinne, mit großen Pflichten, großen Aufgaben, großen Erfolgen und Wirkungen. Sie durfte, nach drei Jahren ernster und vertiefter Arbeit und Anstrengungen, nun auch jenes neue und große Werk aufnehmen, das den Ausdruck, den Weg für eine neue Form theatralischer Möglichkeiten zeigt: die Dietrich-Eckart-Bühne.» – Dr. Hans Knudsen: *Die Theaterstadt Berlin* in: *Die Bühne,* August 1936, S. 484; siehe auch seinen Aufsatz: *Beobachtungen und Erkenntnisse bei der Probearbeit auf der Dietrich-Eckart-Bühne,* ebd. S. 516–518.

Die allgemeine Spannung auf die Olympischen Spiele, die uns und die ganze Welt gefangenhält, hat das Olympiastadion und seine geistige Schwester, die Dietrich-Eckart-Bühne, bereits zu einer Vorstellung verschmolzen. Diese Synthese von Körper und Geist, die so ihren architektonischen Ausdruck gefunden hat, geht in der Dietrich-Eckart-Bühne jedoch über die augenblickliche Zweckbestimmung hinaus, denn diese Bühne ist nicht allein als Forum des Geistes allgemein gedacht, vielmehr bildet sie in einer dreijährigen Entwicklungsphase die Krönung eines Gedankens aus nationalsozialistischer Weltanschauung und Geisteshaltung: der Errichtung von Fest- und Feierstätten für die neuen Versammlungsstunden des deutschen Volkes.

## Anhang: Stedingsehre

*Stedingsehre – Ein Beispiel völkischer Festgestaltung,* in: *Deutsche Bühnenkorrespondenz* vom 13. 7. 1935, Ausgabe A.

Alfred Rosenberg, der wegen seiner «weltanschaulichen» Vorherrschaft ständig mit der NS-Prominenz im Kampf lag, versuchte mit der *Stedingsehre* ein Gegenstück zu den von Goebbels bombastisch propagierten «Thingspielen» aufzuziehen; die Stedinger Bauern wohnten in den Weser-Niederungen um Hunte und Jade herum, stromabwärts von Oldenburg und Bremen bis ans Meer; 1229–34 wurden die Stedinger in schweren Kämpfen durch Erzbischof Gerhard II. von Bremen unterworfen; über *Stedingsehre* siehe auch: *Weltanschauung – erlebt,* in: *Deutsche Bühnenkorrespondenz* vom 27. 7. 1935; außerdem Dr. Rudolf Ramlow: *Volk und Kunst – ungekünstelt* in: *Bausteine zum deutschen Nationaltheater,* August 1935, S. 229–233.

Am Sonnabend, dem 13. Juli, wird in Gegenwart des Reichsleiters Alfred Rosenberg die NS-Kulturgemeinde die Niederdeutsche Kultstätte

«Stedingsehre» auf dem Bookholzberg in Oldenburg feierlich einweihen. Die Grundsteinlegung dieser Weihestätte fand am 19. Oktober 1934 durch Reichsleiter Alfred Rosenberg, Reichsführer-SS Himmler, Gauleiter Röver [1] und Amtsleiter Dr. Walter Stang im Namen der NS-Kulturgemeinde statt.

Als im vorigen Jahre zum 700jährigen Gedenken des heldischen Todeskampfes der Stedinger Bauern Reichsleiter Alfred Rosenberg und Reichsbauernführer Darré [2] auf Einladung von Gauleiter Röver auf dem Schlachtfeld von Altenesch vor den Zehntausenden sprachen, die unter dem Eindruck eines wiedererlebten Ereignisses der Geschichte deutscher Freiheit und der gewaltigen Kundgebung eines neuen freien Deutschen Reiches diese Stunde erlebten, entstand der Gedanke, die feierliche Erinnerung an den Freiheitswillen dieser deutschen Bauern und an ihr für Freiheit und Ehre vergossenes Blut durch eine regelmäßige Wiederkehr solcher Gedenkstunden aufrechtzuerhalten.

Im künstlerischen Mittelpunkt der 700-Jahr-Feier stand das Festspiel des oldenburgischen Heimatdichters August Hinrichs [3] «De Stedinger». August Hinrichs, allen Deutschen sonst als Dichter derb-fröhlicher, wahrhaft volkstümlicher Komödien ein Name, den wir liebgewonnen haben, hat an diesem Werk bewiesen, daß seine dichterische Gabe über das Volksstück, die bäuerliche Komödie, weit hinausreicht. Die enge Verbundenheit mit der seelischen und landschaftlichen Eigenart seines Heimatgaues gab ihm die Kraft, das bezeichnendste geschichtliche Ereignis seiner Heimat in einer erschütternd lebendigen und dichterisch geschlossenen Form zusammenzufassen. Um die Aufführung in der notwendigen Weite und Eindringlichkeit würdig zu gestalten, hatten sich mit dem Oldenburgischen Landestheater die Niederdeutsche Bühne «Oll'nborger Kring» und die Dorfgemeinschaften der Umgebung zusammengetan. Sie konnten das Schicksal ihrer Vorfahren in ihrer plattdeutschen Muttersprache spielen – kein Wunder, daß selten ein Theaterspiel unter freiem Himmel von solcher inneren Anteilnahme und solcher Begeisterung der Spielenden und der Hörer getragen war, wie diese Festaufführung.

1 Carl Röver, * 1889; seit 1923 NSDAP-Mitglied; ab 1. 10. 1928 Gauleiter von Weser-Ems; ab 5. 5. 1933 Reichsstatthalter in Oldenburg und Bremen.

2 Richard Walter Darré, 1895–1953, Reichsbauernführer und Reichsernährungsminister; er war Diplomlandwirt und beschäftigte sich besonders mit tierzüchterischen und erbbiologischen Fragen; er schrieb u. a.: *Das Schwein als Kriterium für nordische Menschen und Semiten.*

3 August Hinrichs, * 1879, Schriftsteller (Bühnendichtung, Lyrik, Roman); Landesleiter der Reichsschrifttumskammer in Oldenburg i. O.

# Die neue Welle

## Hanns Johst: «Schlageter»

Walter Horn in: *Odal – Organ für Blut und Boden*, September 1938, S. 701.

Albert Leo Schlageter, * 1894, trat im Herbst 1922 in die NSDAP ein und soll angeblich ihr Gründer in Berlin gewesen sein; im Ruhrkampf schloß er sich 1923 der Kampforganisation *Heinz* an, die rückwärtige Verbindungen der französischen Truppen zu zerstören versuchte; nach einem Anschlag auf die Bahnlinie Düsseldorf–Duisburg wurde Schlageter festgenommen, vor ein französisches Kriegsgericht gestellt und zum Tode verurteilt; das Urteil ist am 23. 5. 1923 vollstreckt worden. Die NS-Literatur feierte ihn als Märtyrer; an Hitlers Geburtstag, dem 20. 4. 1933, wurde Hanns Johsts Schauspiel *Schlageter* uraufgeführt. Hanns Johsts Widmung lautete: «Für Adolf Hitler in liebender Verehrung und unwandelbarer Treue.»

Die Schauspieler des Stückes waren damals: Albert Bassermann, Paul Bildt, Hans Joachim Büttner, Erich Dunskus, Walter Franck, Veit Harlan, Clemens Hasse, Ernst Keppler, Alexander Kökert, Maria Koppenhöfer, Fritz Kutschera, Leopold von Ledebur, Hans Leibelt, Otto Mannstaedt, Bernhard Minetti, Edmund Paulsen, Alexis Posse, Harald Rainer, Emmy Sonnemann, Wolf Trutz, Paul Voissel, Walter Werner, Toni Zimmerer.

In diesem Schauspiel sagt Friedrich Thiemann (gespielt von Veit Harlan) den in der NS-Zeit berühmt gewordenen Satz: «Wenn ich *Kultur* höre, entsichere ich meinen Browning.»

Über die Uraufführung von Hanns Johsts *Schlageter* siehe auch die Aufsätze von Bernhard Diebold in: *Frankfurter Zeitung* vom 23. 4. 1933, und Otto Ernst Hesse in: *BZ am Mittag* vom 21. 4. 1933; Abhandlungen über das Schauspiel siehe Hans Heering: *Idee und Wirklichkeit bei Hanns Johst*, Dissertation, Berlin 1938, S. 71–75, und Josef Magnus Wehner: *Vom Glanz und Leben deutscher Bühne*, Hamburg 1944, S. 339–341; bemerkenswert ist noch, daß auch der Philosoph Martin Heidegger 1933 demonstrativ über das Stück *Schlageter* schrieb – Paul Hühnerfeld: *In Sachen Heidegger*, München 1961, S. 113–114 – und daß Johsts *Schlageter* 1934 in Österreich verboten wurde – *Deutsche Bühnenkorrespondenz* vom 3. 3. 1934, S. 4.

Im Jahre 1933 erlebt auch ein anderes Stück von Hanns Johst, *Propheten*, einen großen Erfolg; siehe darüber Bruno E. Werner: *Propheten* in: *Deutsche Allgemeine Zeitung* vom 22. 12. 1933; Bernhard Diebold: *Propheten* in: *Frankfurter Zeitung* vom 22. 12. 1933; Alfred Rosenberg: *Schritt in deutsches Seelenland* in: *Deutsche Bühnenkorrespondenz* vom 4. 1. 1934; das Programmheft der *Propheten* befindet sich im Besitz des Herausgebers.

Johsts Drama «Schlageter» führte die neue geschichtliche Erscheinung des politischen Soldaten auf dem Weg des freiwilligen Opfers zur Vollendung und Läuterung. Diese bekannteste dramatische Dichtung Johsts, die seit dem nationalsozialistischen Umbruch über mehr als tausend Bühnen gegangen ist, schließt den Kreislauf der inneren Entwicklung des Dichters und gibt der politischen Wende das aus dem Erlebnis geborene geistige Sinnbild. In der «Stunde der Sterbenden» rang ein junger Mensch mit sich und der Zeit um den Sinn des Opfers für die Gemeinschaft. Im «Schlageter» ist dieses Opfer bewußter Einsatz, mitreißende Selbsthingabe, Fanal der Freiheit geworden. Schlageter ist die Winkelriedgestalt der deutschen Geschichte. Er lebt in dem Drama Johsts ein gültiges Leben von letzter Schlichtheit und Opferwilligkeit. Erst die Erbärmlichkeit der regierenden Schieber und Parlamentarier reißt den unbekannten Soldaten empor und läßt seine Tat und sein Opfer zum Gewissen der Nation werden. In der Szene der Aussprache Schlageters mit dem Reichswehrgeneral, Exzellenz X., gewinnt das Schauspiel einen Gipfel politischer, menschlicher und dramatischer Aussage, weil es die ungeheure Spannung einer Entscheidung von geschichtlicher Tragweite als geistige Substanz eines kurzen Dialogs wiedergibt.

## Joseph Goebbels: «Der Wanderer»

Fritz Mack: *Das Stück des Reichsministers Joseph Goebbels: Der Wanderer* in: *Leipziger Neueste Nachrichten* vom 16. 5. 1933; die Spielleitung lag in den Händen von Robert Rohde, dem Intendanten des Stadttheaters in Hanau am Main.

Aus den in erster Linie politischen und propagandistischen Absichten dieses Spiels erklärt sich seine besondere, zweckbetonte Form, in der sich die Anschauungen seines Schöpfers über politische Kunst bekenntnishaft verdichtet haben. Der Wanderer, ein hellsichtiger Deuter alles Geschehens, ein weitblickender Seher in Zukünftiges und unbestechlicher Künder der Wahrheit, gibt dem Dichter als dem berufenen Führer seines Volkes zur Einkehr und Selbsterkenntnis Geist von seinem Geist: er macht ihn auf seiner irdischen Wanderung sehend für die Irrtümer und Entartungen des mit ihm lebenden Geschlechts. Er zeigt ihm die ganze grausame Sinnlosigkeit und Unnotwendigkeit im Elend der Armen, er läßt ihn Einblick tun in die vom ursprünglichen Sinn des Christentums abweichende Haltung der kirchlichen Führer mit ihren politischen Sonderzwecken, und er macht ihn hellsichtig dafür, wie in der Wirtschaft seines Volkes krasser Eigennutz vor Gemeinnutz stehen, wie in Industrie und Börse hemmungs- und skrupelloser Erwerbsgeist jeden Gemeinschaftsgedanken überwuchert haben.

Unter Robert Rohdes Spielleitung zeigte uns die Nationalsozialistische Gastspielbühne eine starke, streng disziplinierte, im künstlerischen

Ausdruck sinnvoll nuancierte Aufführung, in der Robert Rohde selbst als Wanderer, Wolfgang Rosenberg als stark innerlich beteiligter Dichter, außerdem aber Jolanthe Loo, Hellmut Neudahl, Ernstpaul Hempel und Gustav Meinecke als Darsteller stärker zu interessieren vermochten.

Das Publikum, von Anfang an lebhaft interessiert, war zum Schluß sichtlich stark beeindruckt und befreite sich durch stürmischen Beifall.

## Mussolini: «Hundert Tage»

W. Fiedler: *Mussolini – Premiere im Staatstheater* in: *Deutsche Allgemeine Zeitung* vom 16. 2. 1934. In: *Bausteine zum deutschen Nationaltheater* wird im Oktober 1933 auf Seite 25 über «dieses Stück, das nach den Gedanken des Duce und dessen [Giovacchino Forzano] tätigster Mitarbeit entstanden ist», gesprochen; siehe auch Hans Stahm: *Mussolinis: Napoleon* in: *Der Angriff* vom 16. 2. 1934; Hans Flemming: *Hundert Tage* in: *Berliner Tageblatt* vom 16. 2. 1934.

Das Staatliche Schauspielhaus hatte gestern seinen großen Tag. In festlichem Rahmen gelangte dort Mussolini-Forzanos «100 Tage» zur Erstaufführung. Das Staatstheater hatte alles daran gesetzt, dieses Napoleon-Schauspiel des Duce so wirkungsvoll und eindrucksstark wie möglich herauszubringen. Die Besetzung zeigte die allerersten Namen: Werner Krauß, Lina Lossen, Gründgens, Kayßler, George, Müthel, Minetti, Clausen, Harlan. Selbst unbedeutende Nebenrollen waren Darstellern von hohem Rang anvertraut.

## Hermecke: «Brüder»

Friedrich Billerbeck-Gentz: *Die SA in der Bühnenliteratur* in: *Die Deutsche Bühne*, Januar/Februar 1934, S. 12.
Hermann Hermecke, * 1892, Oberspielleiter und Dramatiker.

Die deutsche Revolution des Jahres 1933 ist keins der plötzlichen Ereignisse gewesen, sondern eine allmähliche und organisch aus dem Volke herauswachsende Erkenntnis, die als eine Notwendigkeit den Abschluß einer ganzen Epoche bildete, um in eine neue Zeit und einen neuen Staat einzutreten.

Hermeckes Schauspiel «Brüder» stellt einen Teilausschnitt, aber den entscheidenden Teil aus dem Kämpfen der Bewegung dar, in den Rahmen einer Arbeiterfamilie gebracht, deren männliche Glieder verschiedener Parteizugehörigkeit sind: Der Vater alter SPD-Funktionär, Bruder Franz KPD-Mann, Heinz, die Hauptfigur des Stückes, Nationalsozialist, und Richard, politisch ungebunden, leicht, lebendig, durch seinen Humor vermittelnd und ausgleichend, wie die Mutter, die in gleichverteilter Liebe zu allen steht und die Gegensätze zu überbrücken bestrebt ist.

# Pioniere im Strome der Zeit

*Vier junge Dramatiker stellen sich vor,* in: *Deutsche Bühnenkorrespondenz* vom 19. 1. 1935, S. 3–4.

Unter dem Namen «Die Brückenbauer» haben sich vier Dramatiker zu einem Arbeitskreis junger Autoren zusammengeschlossen, deren erste Veranstaltung mit Unterstützung der NS-Kulturgemeinde stattfand. Auf Einladung des Theaters am Schifferbauerdamm traten die vier zum ersten Male vor die Öffentlichkeit, indem sie aus eigenen Werken lasen. Sie gehören der Generation an, die zur Jahrhundertwende geboren wurde und wollen als Pioniere im Strome der Zeit Vorarbeit leisten am neuen deutschen Drama.

Nach einführenden Worten ihres «Vormannes», Hans Mühle[1], las als erster Walter Gutkelch[2] aus seinem märkischen Schauspiel «Der schwarze Schleier». Gutkelch, der seit dem Herbst 1934 Dramaturg des Theaters am Schiffbauerdamm ist, hat hier ein religiöses Drama geschrieben, in welchem, soweit sich das aus den ersten Szenen erkennen ließ, eine freudige, optimistische Lebensgestaltung in Gegensatz zu weltverneinendem, entsagendem Christentum gestellt wird.

Hans Mühle, der Verfasser des Chorwerkes vom Reichsparteitag 1934, «Deutschland gestern, heute und morgen», gestaltet aus eigenen Erfahrungen heraus die Themen von der Not des Grenzlandes und vom Arbeiterschicksal. Er las aus seinem Stück «Volk ans Werk» einige Szenen, die eindrucksvoll das Elend und die Verzweiflung der Menschen darstellten, die dem Schicksal der Arbeitslosigkeit verfallen sind.

Als dritter las Waldemar Reichardt[3] am Vortragstisch. Er brachte heitere Szenen aus seinem «Stück ohne Titel».

Zuletzt trug Helmut Vogt[4] einige Auftritte aus seinem Schauspiel «Kampf um Afrika» vor, in dem das Problem der weißen und schwarzen Rasse zur Debatte gestellt ist.

# Edmund Kiß: «Wittekind»

*Mit Widukind gegen christliche Deutsche,* in: *Katholisches Wochenblatt* vom 17. 2. 1935.
Edmund Kiß, * 1886, Schriftsteller.
Wittekind (Widukind) war der sächsische Herzog, der die Sachsen gegen

1 Dr. jur. Hans Mühle, * 1897, Dozent am Institut für Sozialethik der Universität Berlin.
2 Dr. phil. Walter Gutkelch, * 1901.
3 Waldemar Reichardt, * 1901, Schriftsteller (Bühnendichtung, Roman, Rundfunk, Film, Feuilleton).
4 Helmut Vogt, * 1901, Schriftsteller (Bühnendichtung, Lyrik).

Karl den Großen führte; um die Tragödie «Wittekind» von Kiß entbrannte eine lebhafte Auseinandersetzung; der NS-Lehrerbund von Herne veranstaltete z. B. eine Sondervorstellung für seine Amtswalter «mit ihren Familienangehörigen» im Stadttheater Hagen; Wilhelm Kube, der Gauleiter der Kurmark, setzte sich ebenfalls eifrig für das Stück ein – *Frankfurter Oder-Zeitung* vom 8. 3. 1935; auch der Oberbürgermeister von Hagen i. W., Heinrich Vetter, griff schließlich noch ein; in der *Rheinisch-Westfälischen Zeitung* vom 6. 2. 1935 steht folgende Erklärung von ihm: «Die Uraufführung in Hagen fand am 24. Januar 1935 unter dem begeisterten Beifall des vollbesetzten Hauses statt. Von irgendeiner Unstimmigkeit war nichts zu merken. Am Sonntag, dem 27. Januar, wurde in den katholischen Kirchen von der Kanzel gegen dieses Stück eine Gegenpropaganda entfaltet und zur gleichen Zeit für Donnerstag, 31. Januar, ein ‹Sühnegottesdienst› in allen katholischen Kirchen Hagens beschlossen. Der Sühnegottesdienst hat Donnerstagabend stattgefunden und ist in aller Ruhe verlaufen. Irgendwelche Störungen sind nicht vorgekommen. In den ‹Sühnegottesdiensten› ist auch darauf hingewiesen worden, daß Verhandlungen mit der Stadtverwaltung stattgefunden haben, um das Stück von dem Spielplan abzusetzen. Es sei aber nichts erfolgt. Daraufhin seien Telegramme an den Führer, Dr. Goebbels und Reichsinnenminister Dr. Frick abgesandt, um dieses Stück zu verbieten.

Zu diesen Verhandlungen habe ich folgendes zu erklären: Wir Nationalsozialisten haben von jeher in unserem Kampf für unsere Weltanschauung als Grundlage unserer Bewegung die Rassenfrage, die Blutsfrage, bejaht. Wir sehen in der Revolution mit Recht auch eine Revolution der Kultur. Deshalb haben wir uns von jeher aufgelehnt gegen die Umgestaltung unserer Theater in der Zeit der Vergangenheit. Wir haben gerade auf diesem Gebiete verfolgen können, wie bewußt und systematisch das blutmäßige Empfinden des deutschen Volkes erwürgt werden sollte.»

«Alles dies», so sagt Oberbürgermeister Vetter nach der Aufführung einiger Beispiele weiter, «mußte sich das deutsche Volk gefallen lassen unter der Herrschaft derjenigen, die sich Christen nannten und die christlichen Rechte verteidigten. Im Kampfe um unsere Weltanschauung starben beinahe 400 SA-, SS-Männer und Hitlerjungen. Als diese totgestochen, totgetreten und hinterhältig erschossen auf den Straßen Deutschlands lagen, wurden ihnen von der katholischen Kirche die Sakramente und die Beerdigung verweigert. Wir haben es erleben müssen, daß wir bei der Beerdigung unserer Kameraden unsere Fahnen einrollen mußten und ohne Fahnen und ohne Reden diese Toten ins Grab senken mußten. Wir haben damals keine Sühnegottesdienste gesehen. Wenn sich aber damals schon Dichter fanden, die, angeekelt durch diese systematische Vernichtung des deutschen Volkes, ihr eigenes Blut sprechen ließen, so wurde ihnen die Aufführung dieser Theaterstücke verweigert. Deshalb haben wir das Stück ‹Wittekind› in Hagen zugelassen, um die gesunden Kräfte unseres Blutes aufzurufen gegen die Vernichtung unserer Kultur. Wer sich durch das Theaterstück ‹Wittekind› in seinen religiösen Empfindungen bedroht fühlt, mag es unterlassen, dasselbe zu besuchen. Wir lassen es nicht zu, daß diejenigen, die begeistert das Stück besuchen, gestört werden.»

Siehe auch: *Skandal um Wittekind*, in: *Westfälische Neueste Nachrichten* vom 4. 2. 1935; *Ein Wittekind-Drama*, in: *Landespost Hildesheim* vom 7. 2. 1935; K. H. Engelking: *Ketzer wider das Reich* in: *Hildesheimer Beobachter* vom 9./10.

Wir haben in Nr. 6 unseres Kirchenblattes das Stück «Wittekind» von Edmund Kiß als Tendenzstück gekennzeichnet, das mit veränderten Vorzeichen Gottlosenpropaganda treibt. Es handelt sich bei dem Stück nicht um das künstlerische Bemühen, die Geschichte unseres Volkes durch die dramatische Form darzustellen, sondern um ein Agitations- und Propagandastück, das den Kampf gegen Christentum und Kirche zum Zweck hat. Ohne Rücksicht auf die geschichtliche Wahrheit und den christlichen Glauben von Millionen von deutschen Volksgenossen schlägt das Stück in brutalster und ekelerregenster Art gegen die Kirche los. Wir glaubten mit Recht erwarten zu können, daß eine solche geistige Giftmischerei wie das Stück «Wittekind» sie offenbart, eine einmütige und undiskutable Abwehrfront aller Kreise fände. Wir nahmen selbstverständlich auch an, daß diese erwartete klare Ablehnung aller nicht einzig aus Rücksicht und Achtung vor der Größe und religiösen Sendung unserer Kirche, wohl aber aus tiefverstandener und praktisch durchgeführter Liebe zu unserer Volksgemeinschaft erwachsen würde.

Unser Hoffen hat uns arg im Stich gelassen. Das Machwerk «Wittekind» erfuhr nicht nur Förderung und Verteidigung durch Stellen, von denen man das nicht hätte erwarten sollen, sondern man wagte es sogar, die Verteidigung der Katholiken zu diffamieren. Man meidet es peinlichst, die religiöse und geschichtliche Frage der Diskussion aufzugreifen. Sondern nach dem berühmten Vorbild «Haltet den Dieb!» entpuppt sich unsere Abwehr als getarnte politische Arbeit mit staatsfeindlichem Beigeschmack.

## Hermann Roth: «Flamme des Volkes»

*Flamme des Volkes,* in: *Deutsche Bühnenkorrespondenz* vom 29. 5. 1935.

Überall im Volke und besonders bei der Jugend bemerken wir eine revolutionäre Abkehr von überalterten Werten und Formen. Ein neuer Wille, eine neue Haltung ringen nach Ausdruck, wollen sich in den ihr gemäßen Formen darstellen. Eine der auffallendsten Erscheinungen auf dem Gebiete des Theaters beispielsweise ist die Hinwendung zu ganz neuen Ausdrucksformen, wie sie dem vergangenen Zeitalter völlig unbekannt waren. Das chorische Theater löst das individualistische ab.

Auf der Reichstagung der NS-Kulturgemeinde in Düsseldorf (6. bis 11. Juni) wird dies Wollen Ausdruck finden. Die Tagung findet ihren Abschluß durch die Aufführung von Hermann Roths chorischem «Flamme des Volkes». Sprechchöre aus HJ, SA und Arbeitsdienst werden sich zusammenfinden, um die Chöre des Volkes darzustellen.

Die NS-Kulturgemeinde wird durch die Aufführung des Spiels «Flamme des Volkes» einen Beitrag zu dem Ringen um einen neuen, der Zeit entsprechenden Darstellungsstil zu geben versuchen.

## Friedrich Bethge: «Marsch der Veteranen»

Auszug aus dem *Angriff*, zitiert in: *Spielplanvorschläge des Theaterverlags Albert Langen-Georg Müller Berlin* vom 12. 10. 1935.

Friedrich Bethge, * 1891, Schriftsteller (Drama, Lyrik, Novelle, Kritik); Präsidialratsmitglied der Reichstheaterkammer; ausführlicher siehe «Porträts», S. 220 f.

Friedrich Bethges «Marsch der Veteranen» scheint ein Schulbeispiel für die Gabe des dichterischen Menschen, einen Vorgang der Gegenwart – den Marsch amerikanischer Legionen – in die Vergangenheit und damit zugleich ins Überzeitliche zu erheben und aus einer geschlossenen geistigen Schau zum gültigen Gleichnis werden zu lassen. Den Geist der Front, die vorbildliche Kameradschaft, die sich unter dem Donner der Kanonen erhärtet, hat uns eine ganze Anzahl brauchbarer Theaterwerke aufgezeigt. Bethge geht mit seinem Schauspiel, das die anklägerischen Bittgänge der von Napoleons Heerscharen zusammengeschossenen russischen Armee gestaltet, über sie hinaus. Er erhebt Soldatentum zu einem Lebensstil, prägt vor dem Rund des Kuppelhorizontes wesentliche Vorbilder unseres modernen deutschen Erziehungsideals.

## Hans Rehberg: «Friedrich Wilhelm I.»

*Beobachtet – Festgehalten*, in: *Die Bühne* vom 1. 3. 1936, S. 129; im Dritten Reich wurden die historischen Stücke von Hans Rehberg in der Presse stets groß herausgestellt; man lese nur die Besprechungen seiner *Königin Isabella* von Karl Kühne in: *Schleswig-Holsteinische Tageszeitung* vom 16. 4. 1939, Morgenausgabe; Heinz Grothe in: *Völkischer Beobachter* vom 8. 4. 1939; Max Geisenheyner in: *Frankfurter Zeitung* vom 8. 4. 1939; Dr. Paul Fechter in: *Deutsche Zukunft* vom 16. 4. 1939; Hansgeorg Maier in: *Der Mittag*, Düsseldorf, vom 1. 4. 1939; Bruno E. Werner in: *Deutsche Allgemeine Zeitung* vom 8. 4. 1939; Dr. Carl Weichardt in: *Berliner Morgenpost* vom 8. 4. 1939; Hans Otto in: *Der Westen*, Berlin, vom 8. 4. 1939; F. A. Dargel in: *Berliner Illustrierte Nachtausgabe* vom 8. 4. 1939; Friedrich Märker in: *Danziger Neueste Nachrichten* vom 12. 4. 1939; Bert Hauser in: *NS-Tageszeitung*, Zwickau, vom 12. 4. 1939; Robert Oberhauser in: *NSZ Rheinfront*, Kaiserslautern, vom 14. 4. 1939; Paul Gerhard Dippel in: *Neues Wiener Tageblatt* vom 8. 4. 1939; Frank Vogel in: *Generalanzeiger der Stadt Wuppertal* vom 14. 4. 1939; Dr. Hermann Wanderscheck in: *National-Zeitung*, Essen, vom 12. 4. 1939; Dr. Hans Havemann in: *Preußische Zeitung*, Königsberg, vom 9. 4. 1939.

In diesen Tagen beginnt das Berliner Staatliche Schauspielhaus mit den Proben zu Hans Rehbergs neuem Schauspiel «Friedrich Wilhelm I.», nachdem das gleiche Haus in der vergangenen Spielzeit desselben Dichters erschütterndes Drama «Der große Kurfürst» mit größtem Erfolg uraufgeführt hat, während kurze Zeit darauf das Leipziger Alte Theater sein Lustspiel «Friedrich I.» herausbrachte. Hans Rehberg gehört zu den jungen nationalsozialistischen Dichtern, die wirklich aus der Bewegung heraus gekommen sind, die sich für diese Bewegung mit Leib und Seele eingesetzt haben und daher allein aus dem Geiste solcher Kampferlebnisse heraus zu schreiben vermögen.

## Otto Erler: «Thors Gast»

Aus Otto Erlers Einführung im Programmheft des Deutschen Nationaltheaters Weimar, Spielzeit 1936/37, S. 2–3.

Prof. Dr. Otto Erler, * 1872, Bühnendichtung; Thor, in der nordischen Mythologie Gott des Donners; Otto Erlers *Thors Gast* wurde im Rahmen der *Nordisch Theatertage* 1937 in Weimar aufgeführt; siehe dazu auch Ernst Goetschmann-Ravestrat: *Otto Erler: Die Blutsfreunde* in: *Deutsche Dramaturgie*, November/Dezember 1943, S. 191–192; über Otto Erlers *Struensee* schreibt Rainer Schlösser in: *Politik und Drama*, Berlin o. J., S. 12: «Selbst das Liebesstück ist ohne einen bestimmten weltanschaulichen Hintergrund, der aus der Gemeinschaftsbezogenheit des Dichters und also aus Politischem resultiert, nicht denkbar»; über Rainer Schlösser: *Politik und Drama* siehe den Aufsatz von Dr. Hans Knudsen in: *Deutsche Allgemeine Zeitung* vom 14. 8. 1935.

Die germanisch-deutsche Entwicklung füllt bis jetzt einen Zeitraum von etwa vier Jahrtausenden, und so gewiß die Anfänge dieser Entwicklung bisher nur durch Bruchstücke bildhafter Zeugnisse, durch Funde anderer Art und später erst aufgezeichneter Überlieferungen belegt ist, so gewiß offenbart sie eine kulturschaffende Kraft, die viel genauer als bisher zu erkennen der Deutsche alle Ursache hat, damit er mit berechtigtem Stolze sie sein eigen nennen kann. Das gilt vor allem auch für das religiöse Leben unserer Ahnen. Nur muß man von Wotan, dem Vertreter bald verfallender, germanischer Gottvorstellungen absehen und sich hinwenden zu dem, aus der reinen und starken nordischen Seele geborenen Gott: zu Thor.

## Walter Best: «Der General»

Otto Dron: *Uraufführung: «Der General» von K. G. Walter Best* in: *Deutsche Theater-Zeitung* vom 10. 1. 1937.

Dr. phil. Walter Best, * 1905, Schriftsteller (Drama, Erzählung, Lyrik); SS-Hauptsturmführer.

Walter Best ist dem Gubener Theater kein Unbekannter mehr. In der vorjährigen Spielzeit brachte Intendant Fiala bereits ein Werk von ihm zur Uraufführung, das Schauspiel «Das Reich», das einen großen Erfolg erzielte.

Auch in dem neuen Werke geht es dem Dichter um die Herausarbeitung eines sittlichen Hauptsatzes nationalsozialistischer Grundhaltung, um den Gedanken der Pflicht, der Verpflichtung der Allgemeinheit gegenüber. Nach den eigenen Worten des Dichters hat das neue Drama, das der Dichter mit seinem neuen Werk schaffen wollte, die Aufgabe, den Zeitgenossen zu sagen, daß die Entscheidung des sittlichen Willens, der nicht auf die Befriedigung des Einzelmenschen ausgeht, sondern allein auf die Erhaltung der Gemeinschaft, allein das neue Drama formen können.

## E. W. Möller: «Untergang Karthagos»

Herbert A. Frenzel: *Das Drama der Entscheidung* in: *Die Bühne*, 1938, S. 374 und 376.

Der diesen Satz im «Untergang Karthagos» ausspricht, ist ein Soldat. Der ihn Scipio in den Mund legt, bekannte sich von der ersten Stunde seines Dichtens an zu der politischen Wendung der Kunst. Seine Themenwahl und seine Menschenbezeichnung haben die nationalsozialistische Lebenshaltung zur Voraussetzung. Die eine Dissonanz von Soldatischem- und Spekulantengeist, die in dem Akkord «Der Untergang Karthagos» mitschwingt, ist bereits in dem frühen «Douaumont» [1] angeschlagen. Der Grundton von jüdischem Schmarotzertum klang schon durch den «Rothschild» [2] und der von der Verderblichkeit des Kapitalismus schon im «Panamaskandal» [3] auf. An Möllers Bühnengestalten aber ließe sich ohne Mühe eine Typologie der politischen Einstellung, die ganze Skala von der Indifferenz bis zur klaren Zweckhaftigkeit, ablesen.

Die Kunst ist ein ausgesprochener Staatsauftrag. Was frühere Zeiten Berufung des Künstlers nannten, nennen wir heute Begabung und Aufgabe, das unserem Volke gemäße Menschenantlitz formen zu helfen. Im «Untergang Karthagos» zieht der verschwärmte Menschenrechtler neben dem egoistischen Wirtschaftsführer, die Krämerseele neben dem Einsatzbereiten, die Feigheit neben der Ehre über die Bühne. Das Drama der Entscheidung antwortet mit der Verbindlichkeit des Politikers, nach welchem Vorbild wir zu handeln haben.

1 *Douaumont oder die Heimkehr des Soldaten Odysseus* erschien 1929.
2 *Rothschild siegt bei Waterloo* erschien 1934.
3 *Panamaskandal* erschien 1930.

# Gerhard Schumann: «Entscheidung»

Dr. Hermann Wanderscheck: *Lebende deutsche Dramatiker – Gerhard Schumann* in: *Film-Kurier* vom 30. 7. 1940; siehe auch Paul Kersten: *Gerhard Schumann als Dramatiker* in: *Deutsche Theater-Zeitung* vom 18. 1. 1939.

Gerhard Schumann, * 1911, Schriftsteller (Bühnendichtung, Lyrik); Chefdramaturg der Württembergischen Staatstheater, SA-Oberführer; ausführlicher über ihn in: *Literatur und Dichtung im Dritten Reich* (Ullstein Buch 33029), S. 431 f u. a. O.

*Auch* Gerhard Schumann ist ein junger nationalsozialistischer Dramatiker geworden. Seine Gedichte sind echte politische Lyrik unserer Zeit. Seine dramatischen Pläne kommen nicht von ungefähr. Er erzählt mir, wie er schon in jungen Jahren auf der Schule und später als Student in Tübingen das dramatische Fieber gespürt hat und von ihm ergriffen wurde. Wie er erste dramatische Versuche aufgezeichnet hat und wie seine ersten Skizzen zu seinem ersten und erfolgreichen Drama «Entscheidung» vor sieben Jahren bereits entstanden sind.

«Entscheidung» ist ein Drama vom Erwachen der nationalsozialistischen Idee. Es ist die Auseinandersetzung mit den jüdisch-marxistisch-plutokratischen Kräften der Zerstörung. Mehr noch, es ist die dramatische Entscheidung zur Einordnung, aber auch die Entscheidung gegen die Empörung. So drückt es Schumann aus. So will er sein Stück verstanden wissen.

## Kurt Hesse: «Der Weg nach Lowicz»

Dr. Christian Gehring in: *General-Anzeiger der Stadt Wuppertal*, zitiert in: *Deutsche Theater-Zeitung* vom 27. 2. 1941; über dieses Schauspiel siehe auch: *Um volksdeutsches Schicksal*, in: *Erika*, März 1941.

Dr. phil. Kurt Hesse, * 1894, Oberst im Oberkommando des Heeres.

Vor dem gewitterdüsteren Hintergrund der Augusttage 1939 beginnt der Bericht, in dessen Mittelpunkt ein deutscher Hof steht. Die Spannung zwischen dem Reich und Polen wird immer unausweichlicher. Die Polen treiben dem Kriege zu, und die Deutschen dort wissen, was der Bedrohung dort folgen wird. Sollen sie nun aushalten oder über die Grenze gehen? Unaufhaltsam wälzt sich die Entscheidung heran.

Diesen Vorgang hat Kurt Hesse in sieben Bildern aufgeordnet und mit allen Stimmungen und Spannungen ausgestattet, die den bewegten Szenen innewohnen. Der Bericht hält immer den dramatischen Vorstoß, wobei der latenten Kraft durchweg mehr Gewicht und die eigentlich packende Wucht zukommt, während die äußere Entwicklung die sicher ansteigende Linie führt. Dichterische Größe darf das sechste Bild beanspruchen, wo der treue Diener die Totenwache bei Vater und Sohn hält. Das ist ein Bild, das niemand vergessen wird, der es erlebte.

# Hans Baumann: «Kampf um die Karawanken»

Dr. Hermann Wanderscheck: *Hans Baumann vom Lyriker zum Dramatiker* in: *Film-Kurier* vom 11. 6. 1941.

Hans Baumann, * 1914, Schriftsteller (Lyrik, Drama); über Hans Baumanns *Alexander* siehe: *Deutsche Theater-Zeitung* vom 26. 6. 1941 und über sein Freilichtspiel *Konradin* siehe Adelbert Muhr: *Hans Baumanns neues Festspiel*, ebd. am 31. 7. 1941.

Hans Baumann hat sich als Dichter der Hitlerjugend in einer großen Anzahl von Gedichtbänden und Liederbüchern bewährt. Hier ist ein junger Lyriker erstanden, der das kraftvolle und soldatische Gesicht unserer Zeit in männlichen und energiegeladenen Versen aufzeigt. Wie viele unserer jungen Dramatiker fand auch Hans Baumann den Weg von der Lyrik zum Drama.

Hans Baumanns jüngsten dramatischen Schöpfungen geht ein Schauspiel «Kampf um die Krawanken» voraus, das 1938 zur Uraufführung gelangte. In diesem Drama gestaltet Baumann den Kärntner Freiheitskampf nach dem Weltkrieg. In seinem «Kampf um die Karawanken» bricht der männliche Trommler der Jugend wieder durch. Aus dem Unterstand kommt das Lied und dringt in unsere Zeit:

Und werden wir vom Tode
Ins Regiment gestellt,
Dann lassen wir die Herzen
Dem besten Flecken der Welt.
Wenn wir vorm Feinde fallen,
Dann heben wir die Hand,
Dann fällt mit unsern Herzen
Der Herrgott in das Land.

# Edwin Erich Dwinger: «Der letzte Traum»

Paul Kersten: *E. E. Dwingers: «Der letzte Traum»* in: *Deutsche Theater-Zeitung* vom 2. 11. 1941.

Edwin Erich Dwinger, * 1898, Schriftsteller (Roman, Drama, Lyrik); SS-Obersturmführer; ausführlicher siehe in: *Literatur und Dichtung im Dritten Reich* (Ullstein Buch 33029), S. 425 f.

«Der letzte Traum» nennt Edwin Erich Dwinger diese «deutsche Tragödie», die gleichsam im Spiel des Gestern die stolze Größe unserer Gegenwart zeigt. Wie schon einmal mit dem Schauspiel «Wo ist Deutschland?», der Schlußband von Dwingers Sibirien-Trilogie, «Wir rufen Deutschland», in die theatralische Form übertragen wurde, so ist hier sein Hohes Lied der Baltikumkämpfer «Die letzten Reiter» der Bühne gewonnen. In sechs Bildern, für die die Geschichte selbst den dramatischen Ablauf vorzeichnete und denen der Dichter die von der Glut eines sehnsuchtsvollen Herzens diktierte Sprache gab, werden wir zweimal nach Libau und Mitau und auf einen Gefechtsstand vor Riga geführt. Aber schließt der erste Akt mit dem Bericht von der Erstürmung Rigas, so endet das nur auf zwei Akte verteilte Stück unter dem Donner der englischen Schiffsgeschütze mit der trostlosen Aussicht, daß eine deutsche Hoffnung begraben.

## Aus dem Fronterlebnis

Ernst Goetschmann-Ravestrat: *Nordische Stoffe im deutschen Drama* in: *Deutsche Dramaturgie*, Juni 1942, S. 139.

Aus dem Fronterlebnis, aus den Ruinen eines zertrümmerten äußeren Reiches erwuchs zunächst in einzelnen deutschen Menschen der Wille zur Neugestaltung einer dramatischen Kunst. Keiner Zeitmode verpflichtet, begannen sie ihr einsames Schaffen am Drama, dessen Wurzeln im Nordisch-Heldischen versenkt ruhen. Diesen Kulturstreitern ging es eben nie um den Erfolg, der aus vielen Gründen jahrzehntelang ausbleiben mußte, sondern um den Aufstieg zu deutschem Leben in Deutschland. So schrieb Eberhard König seine «Dietrich von Bern-Trilogie»[1] und der Niedersachse Thomas Westerich sein Atlantismysterium «Hammar»[2], den «Weißen Herzog», ein Mysterium der germanischen Sendung «Niedersachsennot» und «Thule», das Drama eines Volkes. Hermann Burte[3] dramatisierte die Nibelungensage in seinem Werk «Mensch mit uns». Es können im knappen Rahmen dieser Arbeit nicht alle jene Namen aufgezählt werden, welche in den Jahren des «Zusammenbruchs des deutschen Idealismus» still und verschlossen in sich die Glut wahrten und unerkannt ihre Mitarbeit am Aufbau des dramatischen Kunstwerks in Deutschland leisteten.

## Das neue Drama

Titel des zehnten Kapitels von Julius Petersen: *Geschichtsdrama und nationaler Mythos*, Stuttgart 1940, S. 47–53.
   Prof. Dr. Julius Petersen, 1878–1941, Sprachwissenschaftler, Literaturgeschichte, Theaterwissenschaft; siehe hierzu auch Otto C. A. zur Nedden: *Drama und Dramaturgie im 20. Jahrhundert*, Würzburg 1943, S. 80 f.

   1 Eberhard König, * 1880, Schriftsteller (Bühnendichtung, Erzählung, Essay); seine dramatische Trilogie *Dietrich von Bern* besteht aus *Sibisch, Herrat* und *Rabenschlacht;* siehe hierzu Walter Pabst: *Heroismus der dichterischen Tat* in: *Berliner Lokal-Anzeiger* vom 11. 1. 1934, Morgenausgabe.
   2 Thomas Westerich, * 1879, Schriftsteller (Drama, Lyrik, Roman).
   3 Hermann Burte, 1879–1960, Schriftsteller (Bühnendichtung, Lyrik, Roman, Kunst, Malerei); ausführlicher in: *Literatur und Dichtung im Dritten Reich* (Ullstein Buch 33029), S. 90[4].

Ein jüngerer Geschichtsdramatiker, Erich von Hartz [1], verlangt den Übergang zum Kulturtheater, auf dem «die Kampfkraft der Nation ihren Sinn stärkt und steigert». Der Schauspieler von tragisch-heroischem Weltgefühl, der den Helden des Opferspiels verkörpert, muß sich als Weihspieler fühlen. Ihm hat ein tragischer Chor gegenüberzustehen als Vertreter des Volkes, das den Leib der Gemeinschaft bildet. Von der antiken Tragödie soll das Opferspiel der Deutschen, für das in der Tragödie «Odrun» (1938) ein Mythos erfunden wurde, unterschieden sein durch die mittelbare Vergegenwärtigung der Lebensmächte im namenlos Endlichen. Auch die Bühne muß sich auf gleichen Grundlagen in einem unterscheiden.

Der Sprechchor ist nach den Masse-Mensch-Orgien des Expressionismus wieder auf maßvolle antike Form zurückgeführt worden durch Hans Schwarz [2]. Es bleibt nur die Frage, wieweit die Mittlerstelle zwischen Spiel und Zuschauerschaft, die ihm zufällt, in der Anlage der Bühne berücksichtigt werden kann.

Ähnliche Forderungen wie die von Hartz, sind unter stärkerer Beachtung der praktischen Lösung durch Curt Langenbeck [3] aufgestellt worden. An Stelle der Freilichtspiele, die beim deutschen Klima leider nur ein Notbehelf sein könnten, sei für das «dreiseitig wirkende Drama der plastisch-symbolischen Gesinnung» ein Binnenraum-Rundtheater zu schaffen, auf dem es weder Vorhang noch Kulissen noch ein eigentliches Bühnenbild zu geben hat. Das liefe auf etwas Ähnliches hinaus wie der zum Großen Schauspielhaus umgebaute Zirkus in Berlin. Das Spiel selbst muß in eine «höhere Wirklichkeit erhoben werden».

Ähnlich leitet eine spätere Bearbeitung des Hohenstaufenstoffes, Josef Wenters [4] Schauspiel «Der sechste Heinrich» (1938), durch die Einrahmung, in der die «Stimme der Geschichte» laut wird, zur Neuzeit hinüber. Präludium und Postludium spielen 1781 im Dom zu Palermo bei der Eröffnung des Sarges, der den Mächtigen nach sechshundert Jahren unverändert, finster und trotzig, wie er im Leben war, wieder das Tageslicht schauen läßt. Der Anklang an Mythen wie Barbarossa im Kyffhäuser und die von Rethel gemalte Sargöffnung Karls des Großen

1 Erich von Hartz, * 1886, Schriftsteller (Bühnendichtung, Lyrik, Dramaturgie); siehe vom gleichen Autor: *Wesen und Mächte des heldischen Theaters*, Berlin 1934.

2 Hans Schwarz, * 1890, Schriftsteller (Bühnendichtung, Lyrik).

3 Curt Langenbeck, * 1906; Bühnendichtung; Chefdramaturg in München; siehe auch seine Veröffentlichungen: *Der Mensch und sein Göttliches*, in: *Der Blick auf die Szene* – Beilage zum *Theater-Tageblatt* vom 12. 11. 1935; *Dürfen wir uns bei dem jetzigen hohen Stand der Schauspielbühne beruhigen?*, in: *Das Innere Reich*, 1. Halbjahresband 1936, S. 764–770; *Wiedergeburt des Dramas aus dem Geist der Zeit*, München 1940.

4 Dr. Josef Wenter, * 1880, Schriftsteller (Roman, Drama).

in Aachen bedeutet die Zwischenschaltung eines Brückenpfeilers zwischen der dargestellten Vergangenheit und der in der Gegenwart bereiteten Auferstehung.

Der Gedanke des Staates wird umkämpft in der Auseinandersetzung zwischen nordischem und mediterranem Geist beim ultramontanen Ringen zwischen Kaisertum und Papsttum oder im Führerschicksal Friedrichs des Großen, der mit seinen kaiserlichen Gegnerinnen im Streit liegt. Bei aller lockeren Form wird der Anschluß an die geschichtlichen Quellen durch persönliche Mythisierung verdrängt. Hören wir die Stimmen einiger mitten im Schaffen stehender Geschichtsdramatiker der Gegenwart: Ernst Bacmeister [1] spricht von seinem Selbstgestaltungsdrang, den er in die harmonisch empfundene Materie fast blindlings einschiessen lasse, um das ihm notwendige Symbol zu gewinnen. Dabei ist nach seiner Selbsterklärung Siegfried, der Urquell des Lichtes, sein innerliches Lebenssymbol, und er hält in Bezug darauf die Erinnerung fest an den Tag, da er durch Nietzsche zu der Einsicht geführt wurde: «Keine neuen Stoffe und Charaktere, sondern die alten längst gewohnten in immerfort währender Neubeseelung und Umbildung».

Wie Goethe bei seinem Festspiel zu Deutschlands Befreiung in der fremdartigen Fabel des «Epimenides» sein eigenes Erlebnis symbolisierte, so hat Kurt Eggers in seinem «Spiel von Job dem Deutschen» (1933), an den «Prolog im Himmel» anklingend, das standhaft getragene Leiden eines Volkes mysterienhaft verklärt.

---

[1] Dr. phil. Ernst Bacmeister, * 1874; Bühnendichtung.

# Skizzen

## Ernst Barlach

Dr. Reinhold von Jan: *Ernst Barlach und die Zeit* in: *Bausteine zum deutschen Nationaltheater*, März 1935, S. 67.

Ernst Barlach, 1870–1938, Bildhauer und Dramatiker; ausführlich über ihn in: *Die bildenden Künste im Dritten Reich* (Ullstein Buch 33030); als Dramatiker gehörte er dem Expressionismus an; aufgeführt wurden seine Dramen *Der tote Tag*, Schauspielhaus Wien 1919, *Der arme Vetter*, Kammerspiele Hamburg 1919, *Die echten Sedemunds*, ebd. 1921; siehe auch seine Gesamtausgabe *Die Dramen*, 1956; Barlach erhielt 1924 den Kleist-Preis.

Ein Plastiker, den es zur Form des Dramas drängt, beweist, daß ihm das Primitive nur Flucht und Zuflucht sein kann; ein deutscher Künstler, der sich aus der deutschen Seelenlandschaft löst, um in der russischen das wahre Urbild seiner Seele zu entdecken[1], zeigt an, daß ihn, wie Tolstoi, ein Rousseausches Interesse, ein Zurück zur Natur aus der kranken Atmosphäre der Kultur, von der er sich bereits angesteckt fühlt, aus der Natur seiner eigenen Volksheimat zu primitiveren Menschenformen drängt, die dem komplizierten Seelengeschmack einen stärkeren Anreiz bedeuten als die letzten Blüten einer schon entarteten Kulturwelt.

## Christian Dietrich Grabbe

Wilhelm Westecker: *Die Detmolder Grabbetage – Heroische Geschichtsdramen* in: *Die Bühne* 1939, S. 399.

Dr. Wilhelm Westecker, * 1899; Schriftleiter.

Christian Dietrich Grabbe, 1801–36, dramatischer Dichter; siehe über ihn auch W. R.: *Christian Dietrich Grabbe* in: *Völkischer Beobachter* vom 7. 6. 1940; Carl Albert Lange: *Front der Forschung und der Künste* in: *Hamburger Anzeiger* vom 7. 3. 1940; Dr. Oskar Kloessel: *Christian Dietrich Grabbes «Hannibal»* in: *Mainfränkische Zeitung*, Würzburg, vom 11. 11. 1940; Dr. Otto Liebscher: *Christian Dietrich Grabbe und sein Werk* in: *Memeler Dampfboot* vom 20. 11. 1940; Dr. Wilhelm Westecker: *Bochums grandioser Theatereinsatz für Grabbe* in: *Deutsche Theater-Zeitung* vom 20. 7. 1941.

[1] 1906 fuhr Barlach nach Rußland, wo ihm seine künstlerischen Ziele erst klarwurden.

«Was er verehrt, sind Führer, was er liebt, ist das Volk», sagte Reichs-dramaturg Dr. Schlösser über Grabbe in seiner Rede bei der ersten Grabbewoche 1936. (Diese Rede liegt jetzt mit Auszügen aus Grabbes Dramen in dem Bändchen «Grabbes Vermächtnis» gedruckt vor). Denn dieser Dramatiker war ein Dichter der Gestalten und Taten des Reiches schon zu einer Zeit, als es das Reich noch'gar nicht gab. «Grabbe trug», wie Reichsdramaturg Dr. Schlösser sagte, «nahezu als einziger die Fakkel heldischer Gesinnung durch eine Zeit tiefster völkischer Verzagtheit.» Er wußte um die Bedeutung und Wirkung, aber auch um die Konflikte eines geschichtlichen Führers. Gerade durch die Gestaltung des Führertums, aber auch durch die Behandlung des Verhältnisses von Führer und Volk, durch das Gefühl für rassenseelische Unterschiede im Verhalten der Völker ist Grabbe nicht nur seiner Zeit weit voraus, sondern gerade in unseren Tagen ganz zeitgemäß. Man hat ihn bisher nur formal gesehen und daher ganz falsch bewertet. Es zeigt sich immer deutlicher, wie stark Grabbe ein Bahnbrecher einer völkischen Geschichtsauffassung im Drama war.

## Friedrich Hebbel und Heinrich von Kleist

Dr. Kurt Gerlach in: *Nationalsozialistische Erziehung*, 1937, S. 541.
  Dr. Kurt Gerlach, * 1889, Schriftsteller (Spiel, Erzählung); Volksschullehrer.
  Friedrich Hebbel, 1813–63; Heinrich von Kleist, 1777–1811.

In der deutschen Dramatik ist Hebbel von Günther als der am meisten nordische Dramatiker bezeichnet worden. Seine Frauengestalten, so Judith [1] oder Rhodope [2] oder Marianne [3] dürften in ihrer herben Keuschheit am meisten dem nordischen Rassenideal entsprechen. Keine Mädchenprima sollte es daher geben, die nicht wenigstens ein Hebbelsches Drama gelesen hat. Die nordische Gebärde des Angriffs scheint mir aber besonders in dem Kleistschen Dramen «Guiskard», «Hermannsschlacht» und «Prinz von Homburg» gestaltet. Man hat bisher beim letzten Drama den Blick zu ausschließlich auf die Todesfurchtszene gerichtet und übersehen, daß sie doch nur eine Durchgangsstufe in der Entwicklung des Prinzen ist, der nachher den Tod ebenso bewußten eigenen Willens auf sich nimmt wie der Äschyleische Eteokles und der eddische Gunther. Der Kurfürst erzieht den Prinzen zu dieser Haltung, ebenso wie das deutsche Volk seine Führer dazu einst und jetzt dazu zurückführen, wenn es sich selbst im Zweifel oder in der Schande zu verlieren scheint.

1 *Judith*, Tragödie, 1841.
2 Rhodope, Heldin in der Tragödie *Gyges und sein Ring*, 1854.
3 Mariamne, Heldin der Tragödie *Herodes und Mariamne*, 1848.

# Henrik Ibsen

Dr. Otto C. A. zur Nedden: *Drama und Dramaturgie im 20. Jahrhundert*, Würzburg-Aumühle 1940, S. 29–30.
Dr. phil. Otto Carl August zur Nedden, * 1902, Chefdramaturg in Weimar.
Henrik Ibsen, 1828–1906, norwegischer Dichter.

In Italien sammelte Ibsen Material zu einem anderen Werk, das heute über dem «Peer Gynt» [1] und dem späteren Schaffen Ibsens fast ganz in Vergessenheit geraten ist und das doch zu dem Bedeutendsten gerechnet werden muß, was Ibsen überhaupt geschrieben hat, zu dem «weltgeschichtlichen» Schauspiel «Kaiser und Galiläer» [2]. Mehrfach hat Ibsen gerade dieses Werk als sein Hauptwerk bezeichnet. Keines seiner früheren oder späteren Werke ist so umfangreich, sowohl der äußeren Form wie dem inneren Gehalt nach, wie dieses zehnaktige Doppeldrama; keines hat ihn so lange beschäftigt, keines hat aber auch die Mit- und Nachwelt Ibsens vor so große Probleme gestellt, wie dieses grandiose Schauspiel. Wenn im Rahmen unserer Betrachtungen auf dieses Werk etwas näher eingegangen werden soll, so hat das einen doppelten Grund. Einmal bedarf das Werk selbst noch näherer Untersuchungen, die ihm und seiner Bedeutung gerechter werden, als es bisher der Fall war. Stellt es doch eine Epoche der Menschheitsgeschichte dar, eine «Weltenwende», die in eigenartiger und einmaliger Verwandtschaft zu derjenigen steht, in der wir heute leben. Der Kampf Kaiser Julians mit dem «Galiläer» an der Wende von Antike zum Christlichen Mittelalter ist ja letzten Endes nichts anderes als der Kampf des 20. Jahrhunderts um eine neue geistige Welt- und Gottesanschauung. Julian steht am Anfang der christlichen Kulturepoche wie wir heute an ihrem Ende stehen. Die Parallelen drängen sich geradezu auf, und es bedurfte nicht einmal des Begriffes «Drittes Reich», den Ibsen hier aufstellt, um die inneren Parallelen auch äußerlich in Erscheinung treten zu lassen. Gewiß ist der Begriff «Drittes Reich» in «Kaiser und Galiläer» etwas anderes als der aus der politischen Entwicklung Deutschlands in den letzten Jahrzehnten hervorgegangene des Nationalsozialismus. Aufs Geistige und Weltanschauliche übertragen ergeben sich aber sehr wohl Parallelen, wie ja auch Ibsen später selbst solche gezogen hat.

## Shakespeare

Dr. Rainer Schlösser: *Der deutsche Shakespeare* in: *Shakespeare-Jahrbuch*, Herausgeber Wolfgang Keller, Band 74, Weimar 1938, S. 23–24; siehe auch: *Shakespeares germanisches Heldentum*, in: *Berliner Lokal-Anzeiger* vom 26. 4. 1933, Abendausgabe.

1 Erschienen 1867.
2 Erschienen 1873.

Wenn Shakespeare mit so offenen Armen in Deutschland empfangen wurde, dann deshalb, weil gar nicht daran zu zweifeln ist, daß ihn Blutsbande mit uns verbinden. Mit anderen Worten: wir erkennen in dem universalen dramatischen Schaffen von Shakespeare das gleiche rassische Grundelement des Nordischen, auf welches wir die Höchstwerte auch unseres eigenen Volkes zurückzuführen gelernt haben. Günther[1] und Adolf Bartels[2] haben immer wieder auf die nordische Wesenheit Shakespeares hingewiesen, und darin liegt wohl tatsächlich der Schlüssel für die Kernfrage, warum der große Brite uns so viel, ja nicht den Schlechtesten unter uns Alles bedeutete und bedeutet.

Alfred Rosenberg erwähnt in seinem «Mythus des 20. Jahrhunderts» unter jenen nordisch-klassischen tiefen Denkern, welche den Umfang der menschlichen Fähigkeiten ausgemessen zu haben sich rühmen können, auch Shakespeare, und zwar mit einem sehr bezeichnenden Hinweis auf die Gestalten Richards des Dritten und Jagos.

## Anhang: Schillers «Wilhelm Tell»

Friedrich Schiller in nationalsozialistischer Sicht ist bereits in *Literatur und Dichtung im Dritten Reich* (Ullstein Buch 33029) eingehend behandelt worden. Er wurde von den NS-Literaturwissenschaftlern und NS-Kritikern zum «ersten Nationalsozialisten» erklärt. Beispielsweise schreibt Max Wedel – *Das kommende Theater* in: *Tägliche Rundschau* vom 15. 3. 1933: «Die Tell-Aufführung des Deutschen Theaters vor einigen Tagen nehmen wir als Symbol dafür, daß die letzten Reste alten Geistes im deutschen Theaterwesen zerfallen sind.» Es existiert auch ein Interview mit dem «Stellvertreter des Führers» Rudolf Heß von einem Schweizer Berichterstatter, aus dem hier Frage und Antwort zitiert werden sollen – *Die neue geistige Freiheit* in: *Der Autor* vom 1. 1. 1934, S. 9:

*Frage:* Ist die im neuen Deutschland betriebene Heldenverehrung nicht ein Zeichen innerer Schwäche des deutschen Volkes? Muß es aus diesen Heldenbeispielen nicht den Mut schöpfen, der ihm fehlt?

*Antwort:* Wir glauben nicht, daß der nationale Schweizer die Verehrung, die er für einen Wilhelm Tell empfindet, als Zeichen innerer Schwäche auslegt.

Hermann-Christian Mettin: *Die Bedeutung des Staates in Schillers Leben, Weltanschauung und Dramen* – Dissertation, Heidelberg 1934, Referent: Prof. Dr. Arnold Bergstraesser, schreibt auf S. 11 u. a.: «Als Beispiel für die Willkürlichkeit vermeintlich politischer Wirkung sei der Fall angeführt, in dem ‹Wilhelm Tell› 1848 im Königlichen Schauspielhaus bei den Worten: ‹Ein Ober-

1 Prof. Dr. Hans F. K. Günther, * 1891; ab 1920 veröffentlichte er viele Bücher über Rasse in sehr großen Auflagen; im September 1935 erhielt er den Preis der NSDAP für Wissenschaft. Ausführlich über ihn in: *Die bildenden Künste im Dritten Reich* (Ullstein Buch 33030).

2 Adolf Bartels, 1862–1945; Pionier der antisemitischen Literaturgeschichte; ausführlich über ihn in: *Literatur und Dichtung im Dritten Reich* (Ullstein Buch 33029), S. 509 f.

haupt muß sein, ein höchster Richter!› Anlaß zu einer monarchistischen Kundgebung wurde. Solche Fälle ließen sich jeweilig dem Sinn des Dramas widersprechend an einem einzigen klassischen Stück durch die verschiedenen Epochen
der deutschen Theatergeschichte beliebig aufweisen. Nein, der wahrhaft politische Charakter des Dramas liegt tiefer. Ein Theater ist politisch, ist ein Nationaltheater, wenn Zuschauer, Schauspieler und Dramatiker in ihrem Wesen
politische Menschen sind.» Siehe auch Mettin: *Staatsmythos im Drama* in:
*Berliner Börsen-Zeitung* vom 30. 10. 1936; den folgenden Brief schrieb der
Chef der Reichskanzlei, Dr. Hans Heinrich Lammers, im Jahre 1941.

H. C. Mettin war nationalsozialistischer Theaterkritiker.

Um Schillers Drama war es trotzdem im Dritten Reich seltsam bestellt.

*Geheim*

|  |  |
|---|---|
| | Der Reichsminister |
| An | und Chef der Reichskanzlei |
| den Herrn Reichsminister für | *RK. 890 A g* |
| Wissenschaft, Erziehung und | Berlin, den 12. Dezember 1941 |
| Volksbildung | z. Zt. Führer-Hauptquartier |

*Betrifft:* Schauspiel «Wilhelm Tell»
Auf das Schreiben vom 8. November 1941 – E III a 495 g/41 (a) –

Nach dem Wunsche des Führers soll das Schauspiel «Wilhelm Tell» als
Lehrstoff in den Schulen nicht mehr behandelt werden. Eine sofortige
Entfernung der dem Schauspiel «Wilhelm Tell» entnommenen Kernsprüche und Lieder aus den im Gebrauch befindlichen oder jetzt noch im
Buchhandel vorhandenen Lese- oder Geschichtsbüchern hält der Führer aus technischen Gründen nicht für möglich, auch nicht für notwendig. Bei Neuauflagen von Schulbüchern oder bei der Herausgabe neuer
Schulbücher sollen aber derartige Kernsprüche und Lieder aus «Wilhelm Tell» nicht mehr aufgenommen werden.

Abschrift dieses Schreibens habe ich dem Chef der Kanzlei des Führers der NSDAP übersandt.

Dr. Lammers

## 1933 im Ausland

## In London

Der deutsche Botschafter Dr. jur. Leopold von Hoesch schrieb diesen Brief an Hans Esdras Mutzenbecher, den Geschäftsführenden Direktor der *Deutschen Kunstgesellschaft* – einer Gesellschaft für die künstlerischen Beziehungen Deutschlands zum Ausland.

Dr. Leopold von Hoesch, *1881, war seit November 1932 Botschafter in London.

Der Botschafter des Deutschen Reiches in London
den 30. Oktober 1933

Sehr geehrter Herr Mutzenbecher!

Es ist Ihnen bekannt, daß Werner Krauß in diesem Herbst hier in Gerhart Hauptmanns Stück «Vor Sonnenuntergang»[1] aufgetreten ist, und Sie werden sich wohl auch erinnern, in der Zeitung von den Demonstrationen gelesen zu haben, die am Tage der Premiere die Aufführung des Stückes unmöglich zu machen oder zum mindesten zu stören versuchten.

Die Laufzeit des Stückes hat in diesen Tagen ihr Ende gefunden und Herr Krauß ist im Begriff, sich nach Deutschland zurückzubegeben. Die verhältnismäßig geringe Anzahl von Aufführungen, die das Stück erlebt hat, bedeutet keineswegs einen Mißerfolg, vielmehr hat Werner Krauß einen sehr großen persönlichen Erfolg gehabt und die Anerkennung seiner hohen Schauspielkunst war allgemein.

Fragt man sich nach den Gründen, aus denen «Vor Sonnenuntergang» hier nicht zu einem Zugstück geworden ist, so liegt dies einmal wohl daran, daß unzweifelhaft jüdische Elemente gegen den Besuch der deutschen Aufführung agitiert haben, und daß auch sonst manche Engländer in ihrer gegenwärtigen Stimmung es vorgezogen haben, dem Theater, wo deutsche Kunst geboten wurde, fernzubleiben; zum anderen aber an dem Umstand, daß das Stück mit seinen trüben Bildern aus

---

1 *Vor Sonnenuntergang*, Drama von Gerhart Hauptmann, erschienen 1932.

einem Familienleben dem Engländer, der im Theater eben gern Unterhaltung oder schöne Eindrücke sucht, nicht so recht lag. Trotzdem bleibt die Tatsache bestehen, daß Werner Krauß hier eine vortreffliche Lanze für die deutsche Darstellungkunst gebrochen hat, und daß sein Londoner Auftreten deshalb für uns durchaus als ein bedeutsamer Erfolg zu bewerten ist. Allgemeine große Bewunderung hat es erregt, daß Krauß, der die englische Sprache nicht beherrscht, es durch unermüdliche Arbeit fertiggebracht hat, seine Rolle in wohlverständlichem und gut klingendem Englisch zu spielen, und daß seine Kunst unter den sprachlichen Hemmungen nicht im geringsten gelitten hat.

Es lag mir daran, dies ausdrücklich festzustellen, damit die hiesige Betätigung des Herrn Krauß bei den zuständigen Stellen in Deutschland die richtige Wertung findet. Ich wäre Ihnen besonders dankbar, wenn Sie dafür Sorge tragen wollten, daß meine Ausführungen zur Kenntnis des Herrn Krauß vorgesetzten Stellen gelangen.

Mit dem Ausdruck meiner ausgezeichneten Hochachtung zeichne ich, sehr geehrter Herr Mutzenbecher, als

Ihr Ihnen sehr ergebener
v. Hoesch

## In Prag

*Der Brief ist gekürzt; der Briefschreiber Friedrich Hoelzlin ist Schauspieler und Regisseur; sein hier erwähnter Bruder ist der Opernsänger Heinrich Hoelzlin.*

Bitte dieses Schreiben *vertraulich* zu behandeln!

Viareggio, den 27. VII. 1933

Sehr geehrter Herr Mutzenbecher!
Es sind nun nahezu zwei Monate vergangen, daß ich Ihren liebenswürdigen Antwortbrief (M/W. v. 2. 6. 1933) in Prag erhalten habe. Herzlichen Dank für Ihr Schreiben, aus dem ich mit Freude gesehen, daß Sie gern bereit sind, mich als Mitglied weiterhin zu führen. Mittlerweile hat sich die Lage politisch soweit in Prag geklärt, daß beim geringsten Nachweis einer bestehenden Verbindung mit irgendeiner nationalsozialistischen Organisation, jeder Reichsdeutsche, der in der Tschechoslowakai wohnt und dort beschäftigt ist, sofort nach dem Schutzgesetz verurteilt werden kann. – Als am 1. Mai, am Tage der Arbeit, die Deutsche Gesandtschaft aller Reichsdeutschen zu einer großen Feier geladen hatte, da waren die Reichsdeutschen Prags sehr zahlreich gekommen, nur von den 40 reichsdeutschen Mitgliedern des Deutschen Theaters waren 5 erschienen, statt daß sie alle aufmarschiert wären. Es war eigentlich beschämend, daß nicht mehr von den Theaterleuten den Mut aufbrachten. Erschienen waren: Willi Rösner, wir beiden Brü-

der Hoelzlin, meine Frau, die Schauspielerin Ondra [1] und Lisbeth Warnholtz [2]. Entschuldigt war Liebl [3], der beruflich verreist war. Jetzt kommt natürlich in Prag die Judenfrage dazu, d. h. in Prag sind die Deutschen meist nur Juden, die sich zurzeit gekränkt und verletzt vom Theaterbesuch zurückziehen, und damit kracht natürlich das Deutsche Theater in Prag zusammen. Der Intendant Dr. E. [4] gibt sich alle Mühe, den Tschechen, den Juden, den Sudetendeutschen (die zumeist hakenkreuzlerisch sind) zugleich gerecht zu werden. Wir konnten Rosenkavalier wegen des Bekenntnisses Rich. Strauß' zum Nationalsozialismus nicht geben. (Die Direktion erhielt Drohbriefe). Wir gaben dafür Lohengrin mit zumeist jüdischen Gästen. Dafür aber wieder den Juden Prags Nathan den Weisen. Dafür bekommen jetzt aber die Sudetendeutschen Wilhelm Tell, aber (für die Prager) mit einem jüdischen Schauspieler als Tell-Darsteller.

Ich möchte nun Ihren Vorschlag, inaktiv der VKB weiterhin anzugehören, annehmen – alle Voraussetzungen und Vorbedingungen sind ja bei mir gegeben – mit der großen Bitte, mich vorläufig, bis die Dinge politisch geklärt sind, aber keinesfalls auf eine gedruckte Liste zu setzen oder öffentlich zu nennen, mir vorläufig auch kein Propagandamaterial, Mitgliedskarte und dergl. nach Prag zu schicken – sondern diese gesamte Korrespondenz, auch Mitgliedsbeitrag über *meinen Bruder, den Opernsänger Heinrich Hoelzlin, Mannheim, Wespinstr. 6/III* zu schicken. Aber bitte ja nicht vergessen! Mein Bruder ist informiert und wird mir dann in geeigneter Form Bescheid zukommen lassen, bzw. den Beitrag für mich entrichten. Sowie die Lage politisch geklärt ist, werde ich mich gern und sofort offen zur Mitgliedschaft bekennen und Sie es wissen lassen. Von den Prager Kollegen – siehe oben Verhalten am 1. Mai – darf es natürlich auch niemand wissen. Ich wäre Ihnen nun sehr verbunden, wenn Sie mir bis zum 15. August nach Oberaudorf am Inn, Hotel Brünnstein, Bayern, eine wenn auch noch so kurze Antwort zukommen lassen könnten. Jetzt können wir offen schreiben. Nach dem 15. August fahre ich wieder nach Prag.

Mit kollegialen Grüßen          Ihr sehr ergebener Friedrich Hoelzlin

1 Anny Ondra, * 1908, Schauspielerin, seit 1933 verheiratet mit Max Schmeling.

2 Lisbeth Warnholtz, Schauspielerin.

3 Max Liebl, Stellvertretender Direktor des Deutschen Theaters.

4 Wahrscheinlich Dr. Paul Eger, Direktor des Prager Deutschen Theaters im Jahre 1933, denn Intendant war damals Leonhard Kaiser.

# In Teplitz-Schönau

Diesen Brief des Intendanten des Neuen Stadttheaters in Teplitz-Schönau an die Deutsche Kunstgesellschaft gab diese mit einem Begleitschreiben, im Besitz des Herausgebers, am 21. 11. 1933 an Hans Hinkel weiter. Der Brief ist gekürzt.

z. Zt. Berlin, den 18.
Nov. 1933

In Ergänzung zu einem Bericht der Deutschen Gesandtschaft in Prag, der in den nächsten Tagen beim Auswärtigen Amt eingehen wird und in umfassender Weise die Situation der sudetendeutschen Theater behandelt, möchte ich meinerseits nach meinen bisherigen Erfahrungen in Teplitz-Schönau auf die ungemein gefahrvolle Lage des gesamten Deutschtums in der Tschechoslowakei hinweisen.

Die großen Differenzen zwischen den Deutschen und den Tschechen, die schon seit 15 Jahren, seit dem Bestehen der Tschechoslowakischen Republik, in hohem Maße vorhanden sind, sind durch die jüngsten Maßnahmen der augenblicklichen Prager Regierung auf dem Höhepunkt angelangt.

Es ist nötig, auf diese politischen Tatsachen hinzuweisen, um die Situation der deutschen Theater begreifen zu können. Bei schlechtester Annahme der voraussichtlichen Einnahmen für die Spielzeit 1933/34, wobei die unglücklichen Erfahrungen der letztjährigen Arbeitsgemeinschaft und die Abrechnung der Stadtgemeinde zugrunde gelegt wurden, ist der zu erwartende Einnahmebetrag bei weitem nicht erreicht worden, sondern bleibt vielmehr um ca. 110 000 Kronen, also ca. 15 000 Reichsmark, unter der angenommenen Summe. Dieser Einnahmerückgang mußte sich katastrophal auf den Etat auswirken. Es ist ungefähr nur die Hälfte von dem Geld eingegangen, was als ungünstig erwartet wurde. Die Gründe für diesen Rückgang liegen im wesentlichen im Politischen, bzw. in dem durch die politischen Dinge bedingten wirtschaftlichen Zusammenbruch der deutschen Bevölkerung. Die Situation in Teplitz-Schönau ist bezeichnend für die gesamte Theatersituation im ganzen Sudetenland!

Um das Theater in Teplitz-Schönau durchzuhalten, wäre es unbedingt erforderlich, eine höhere Subvention zu bekommen. Bisher hat die Stadt und der Staat zusammen eine Subvention von Kc 210 000 zugegeben. Die Stadt ist im Augenblick nicht dazu imstande, einen Betrag für das Theater zur Verfügung zu stellen, und der Staat ist prinzipiell in keiner Weise an der Erhaltung des deutschen Theaters interessiert. Um das Theater aus eigenen Kräften weiterhin lebensfähig zu halten, habe ich versucht, sämtliche Parteien für das Theater einzuspannen. In einer großen und eindrucksvollen Kundgebung für das

Theater haben sich alle Parteien und alle drei in der Stadt vertretenen Nationalitäten, die deutsche, die jüdische und die tschechoslowakische für die Erhaltung und Unterstützung des Theaters ausgesprochen.

Mit der Gefährdung der deutschen Theater, die zum größten Teil heute bereits schon zusammengebrochen sind und vor einem unaufhaltbaren Zusammenbruch in wenigen Tagen stehen, wird der letzte und entscheidende Höhepunkt der gesamten deutschen Kultur in der Tschechoslowakei vernichtet. Wenn es überhaupt noch möglich ist, Einfluß auf die deutschen Interessen in der Tschechoslowakei zu nehmen, kann dies nur über die deutschen Kultureinrichtungen wie Hochschulen, Institute, Bibliotheken und in erster Linie die Theater geschehen. Im Interesse der Erhaltung der deutschen Theater scheint es mir unbedingt notwendig, daß vom Reich aus an den geeigneten Stellen eingegriffen und eine wirtschaftliche Stützung der Theater durchgeführt wird. Die Gefahr ist außerordentlich groß und die Hilfe muß sehr schnell kommen, da es sonst zu spät ist.

Gerhard Scherler
Intendant in Teplitz-Schönau

## Im besetzten Polen

Dr. Hans Frank: *Staatstheater des Generalgouvernements* in: *Die Bühne*, 1940, S. 266.

Dr. Hans Frank, 1900–45, Generalgouverneur im besetzten Polen; seine Biographie siehe Joseph Wulf: *Das Dritte Reich und seine Vollstrecker – Die Liquidation von 500 000 Juden im Ghetto Warschau*, Berlin 1961, S. 340–373. Als Dr. Frank das Geleitwort schrieb, waren bereits sämtliche Theater im besetzten Polen geschlossen; der Generalintendant des Deutschen Theaters in Krakau war Friedrich Franz Stampe, * 1897; seine Ernennungsurkunde war von Hitler persönlich unterzeichnet – *Die Bühne*, 1944, S. 55; über seine kulturpolitische Aufgabe siehe Stampe: *Aufbauarbeit am Staatstheater des Generalgouvernements in Krakau* in: *Deutsche Dramaturgie*, Mai 1942, S. 117–120; Intendant des Theaters der Stadt Warschau war Franz Nelkel; Intendant des Stadttheaters Lublin Aribert Grimmer; Intendant des Stadttheaters Lemberg war Hans Hansen; Intendant in Lodz – damals hieß es Litzmannstadt – war Hans Hesse; siehe auch Siegfried Nürnberger: *Aufbauarbeit am Theater zu Litzmannstadt* in: *Deutsche Dramaturgie*, 1942, S. 45.

Dr. Hermann Wanderscheck schreibt in *Dramaturgische Appassionata*, Leipzig-Markkleeberg-West 1944, S. 21, u. a.: «Der Krieg hat das Ringen der deutschen Dichter und Dramatiker um eine neue geistige, inhaltliche und szenische Form des Dramas und der Tragödie nicht zum Stillstand zu bringen vermocht. Im Gegenteil, die Geister haben sich kämpferisch und flammend entzündet. Das deutsche Drama steht an einem Wendepunkt. Keine Frage, daß es nicht nur um die Kardinalfrage Schicksalsdrama oder Charakterdrama geht. Es geht um weit mehr: um die Schaffung des Nationaldramas der Deutschen.»

Bemerkenswert ist hier vielleicht noch, daß der Schauspieler Dieter Borsche dem Herausgeber ausführlich erzählte, er habe mit einem Theaterensemble im Winter 1943 *innerhalb* des Vernichtungslagers Auschwitz vor den dortigen SS-Wachmannschaften gespielt. Die Schauspieler wurden dort großzügig bewirtet, von Häftlingen bedient und sahen auch mit eigenen Augen die Häftlingskolonnen. Sie staunten darüber, daß diese im Winter nur die gestreiften Sträflingskittel trugen; aber das Wichtigste ist, daß Dieter Borsche zu berichten wußte, er habe von mehreren SS-Leuten gehört, verschiedene Theaterensembles spielten sehr oft innerhalb des Konzentrationslagers für sie.

Die Eröffnung der Spielzeit 1940/41 des Staatstheaters des Generalgouvernements in Krakau steht im Zeichen des bedeutungsvollsten Ringens um die Durchsetzung des deutschen Volkes. In Krakau, der von deutschen Künstlern durch Jahrhunderte hindurch so überreich gesegneten und so seit je aufs engste mit dem deutschen Kulturschaffen verbundenen Stadt, hat das Staatstheater die besondere Prägung eines stolzen Vorpostens der geistigen deutschen Weltmacht einzuhalten. Das Staatstheater des Generalgouvernements ist aber auch ein Zeichen der Entschlossenheit des Dritten Reiches, in diesem Raum alter deutscher Herrschaft die Führungsrolle unserer Nation zu einer Mission friedlicher Gemeinschaftsarbeit im weiten Weichselraum allen loyalen Bürgern des Generalgouvernements zu gewährleisten.

## An der Front

## «Sehr geehrter Herr Ministerialdirektor»

Der Brief ist an den Ministerialdirektor im Reichsministerium für Volksaufklärung und Propaganda, Hans Hinkel, gerichtet.

Dr. med. Walther Camerer
Oberarzt u. Truppenarzt Fp. 14 339 A.
Im Osten, 23. 5. 43

Sehr geehrter Herr Ministerialdirektor!
Kurz vor meiner Entlassung aus dem Lazarett erhielt ich Ihren Brief als Erwiderung auf mein an Pg Ehlers gerichtetes Schreiben. Aus dem Genesungsurlaub zurückgekehrt, will ich Ihnen nun gleich antworten. Zunächst aber möchte ich Ihnen herzlichst danken, daß Sie trotz Ihrer Arbeitsüberlastung so ausführlich auf mein Schreiben eingingen. Da wir nun schon mal in Gedankenaustausch stehen, erlauben Sie, daß ich nicht nur Ihre Frage beantworte, sondern darüber hinaus all das, was damit zusammenhängt, und was zum Teil in Ihr Aufgabenbereich fällt, mit erörtere. Ich hatte nämlich im Urlaub, vor allem auf der Fahrt ins Reich und wieder zurück ins Feld, vielfach Gelegenheit, mit Kameraden mich über all diese Probleme zu unterhalten, und es war selbst für mich

überraschend: sie hatten alle die gleichen Erfahrungen mit Fronttheatertruppen (auch mit deren Ausnahme natürlich!) gemacht, und auch sonst waren sie alle der selben Meinung in ihrer Einstellung zu den damit zusammenhängenden Problemen. Überhaupt ist die Beschäftigung und das ernsthafte Bemühen um die Gestaltung dieser momentan und für die Zukunft dringlichen Fragen im Kreis der Frontsoldaten viel größer als man gemeinhin annehmen möchte. Erst gestern saß ich mit einem Komp.-Führer (SA-Standartenführer aus Hamburg) und dessen Zugführer (alter HJ-Führer) zusammen, und im Laufe des Gespräches kamen wir auch wieder auf diese Probleme.

Doch nun zunächst zu Ihren Fragen: wann und wo waren Fronttheatertruppen zu beanstanden? Ich hatte nur die erwähnt, die ich selbst gesehen hatte, und das war: eine Berliner Truppe (mit dem kleinen 12jährigen Mädchen) im Ortslazarett Ropscha bei Leningrad etwa zwischen 1. 6.–8. 42, und eine andere, etwa 8 Wochen später, in Nowo Kolonje bei Leningrad. (Die entsprechenden Dienststellen sind längst nicht mehr da und genauere Angaben deshalb nicht erhältlich). Erzählungen und Berichte von Kameraden habe ich absichtlich unberücksichtigt gelassen.

Sie sprachen nun davon, daß solche Entgleisungen heutzutage strengstens geahndet werden. Das ist äußerst begrüßenswert, doch glaube ich, daß man in diesem Fall damit nicht weiterkommt und der Sache – verzeihen Sie, wenn ich Ihnen deshalb einmal widerspreche – wenig dient, wenn man Einzelne bestraft, die von sich aus nicht anders können, die von früher her so erzogen, jetzt nicht mehr umlernen können oder die zwangsläufig «mit den Wölfen heulen!» Der Geist ist faul, und diesem gilt es, zu Leibe zu gehen! Ich halte es deshalb nicht für richtig, daß man die durch die Schließung großstädtischer Nachtlokale freigewordenen Kräfte wahllos den Fronttheatertruppen zuteilt. Das ist m. E. nicht das, was man unter der Parole «Dem Frontsoldaten das Beste!» versteht. Denn die Bedürfnisse einer Minderheit (Zoten etc.) dürfen nicht zum Maßstab auf das Gros werden! Deshalb: Lieber zehn Fronttheatertruppen weniger als eine schlechte zuviel! Denn wie sehr damit nicht nur die Truppe vergrämt, sondern dem gesamtdeutschen Ansehen geschadet wird, schrieb ich schon das letzte Mal. Schließlich: «Lockend und reizvoll braucht nicht nur das zu sein, was hinaufzieht.» (O. A. Ehlers). Auch die Unterhaltung kann erziehen, ohne in ihrem Wert an Unterhaltung zu verlieren! Diese erzieherische Seite ist aber notwendig, je länger der Krieg dauert. Denn ohne das «moralische Gesetz in mir», d. h. im Einzelnen können wir uns als Volk auf die Dauer nicht durchsetzen. Wir erheben doch auf Grund unserer Geschichte und unseres Kampfes einen Führungsanspruch in Europa. Einen solchen Anspruch kann man sich aber nicht *ein*mal erwerben, sondern muß ihn sich täglich verdienen. Alle von uns z. Zt. besetzten Länder lassen sich um so leichter führen, je mehr ihre Völker uns anerkennen müssen. Das setzt aber voraus, daß wir vorbildlich sind! Ich habe aber z. B. im ganzen bolschewistischen Rußland in keiner Zeitung, in keiner Wohnung, Aktbilder irgendwelcher Art gesehen. Man braucht aber nur eine deutsche Illustrierte, eine Zeitschrift oder Frontzeitung (letztere hat sich allerdings seit einiger Zeit sehr gebessert!) aufzumachen und in einen Bunker oder sonstige Unterkunft zu gehen: dort ist alles voll damit. Diese Herunterziehung der Frau zum Weib, dieses bewußte Anstacheln der Sinnlichkeit, bleibt nicht ohne Wirkung. Es muß zwangsläufig zur Dekadenz führen. Ich habe während dieses Krieges nur in einem Land ähnliches gefunden, das war in Frankreich. Dort ist diese Einstellung zur Frau seit Jahrzehnten üblich, und der Erfolg? Lohnt sich hier die Nachahmung? Diese Nation kann uns, so wie sie war und ist, in *Nichts* Vorbild sein! Wir Deutschen haben seit unserer frühesten Geschichte eine ganz natürliche, aber bewußt strenge und hohe Einstellung zu allem Weiblichen gehabt. Die soll man uns nicht nehmen, sonst führt das zum Volkstod! Siehe Frankreich! Und das ist genau das Gegenteil von dem, was wir wollen und brauchen. Es muß deshalb aus Kunst, Theater, Film und Presse all das verschwinden, was diesen üblen Beigeschmack aufweist und mit wahrer Kunst nichts mehr zu tun hat! Allein schon die Summation von Aktbildern jeder, auch künstlerisch vollendeten, Art genügt, denn dies kommt ja in die Hände junger Menschen in einem Alter, wo der dauernde Hinweis darauf schädlich wirken muß. Es sollte deshalb alles in einem gesunden Verhältnis zueinander stehen. Die HJ hat nämlich mit ihrer Erziehung und dem ungezwungenen Zusammensein mit den BDM-Mädels einen so natürlichen und klaren Weg gefunden, daß es unverantwortlich wäre, diese so frisch und gesund erzogene Jugend durch dererlei «Gegenpropaganda» zu verseuchen. Ich bin kein Schwarzseher. Die vielen Ehezerwürfnisse und Entlobungen, die unsere Urlauber aus der Heimat mitbringen, die Zunahme unehelicher Kinder, sowie das Anwachsen der Mütter unter 16 Jahren beweisen dies. Aus diesem Grunde nur versuche ich auch, den Ursachen so scharf nachzugehen. Denn als die führende Nation Europas, die wir sein wollen, können wir uns eine solche Einstellung schon rein biologisch-volkhaft nicht erlauben.

Deshalb, Herr Ministerialdirektor, möchte ich Sie bitten, all das nach Möglichkeit auszumerzen: das gilt für eine frontechte Gestaltung der Truppenbetreuung wie für die angegebenen Gebiete. Man lasse alles so natürlich, wie es ist, und vermeide jede Aufpeitschung, die dem gesunden Geist einer Nation widerspricht.

Ich wiederhole daher nochmal das, was nach meiner Erfahrung der weitaus überwiegende Teil der Landser, – und nach dem sollte man sich richten – vom Fronttheater will: Lieder aus Opern, Operetten und der Heimat sowie entsprechende Musik (Tanzmusik ist ja in der

Hauptsache dem Rundfunk vorbehalten. Hier sind übrigens seit einiger Zeit mitunter tolle Jazzauswüchse zu hören, die sogar unsere Männer abstellen!). Der Landser freut sich an echter akrobatischer Leistung und an einem guten Witz mehr als an einem schlechten. Letztere machen wir nämlich selbst besser!

Er sieht gerne, sehr gerne sogar, ein hübsches Mädel, eine flotte Tänzerin. Bleibt sie in Wort (Ansagerin) und Geste anständig, denkt er viel lieber und nachhaltiger an sie. – Gewiß wollen wir alle hier draußen Zerstreuung, aber eine wohltuende, auflockernde und keine schmutzige! Schicken Sie deshalb lieber nur *eine* gute Truppe, statt drei schlechten. Der Rest schaffe für uns Waffen und Munition!

Entschuldigen Sie, wenn ich so weit ausgeholt habe. Ich wollte Ihnen aber doch ganz offen das sagen, was ich denke und was mir in diesem Zusammenhang notwendig erscheint. Ich stellte nämlich immer wieder fest, daß unheimlich viel kritisiert und geschimpft wird, aber keiner hat den Mut, wenn es darauf ankommt, den Mund aufzumachen. Vorgesetzten und anderen Dienststellen gegenüber ist dann auf einmal alles schön, gut und wunderbar. Diese Dienststellen sind aber meines Erachtens auf eine Kritik angewiesen, denn nur dadurch bekommen sie Anregungen und werden auf Dinge aufmerksam, die ihnen sonst vielleicht im Drang des Vielerlei entgehen.

Ich darf deshalb hoffen, daß Sie mich richtig verstanden haben.

Heil Hitler!

W. Camerer

## «Bericht des Herrn Major Balzer»

Dr. Eberhard Taubert, Generalreferent *Ostraum* im Reichsministerium für Volksaufklärung und Propaganda, sandte Hans Hinkel diesen Bericht.

*Auszug aus dem Bericht des Herrn Major Balzer
vom 1. Juli 1943 über eine Reise zur Ostfront*

Die Propaganda-Einheiten schenken der Theater-Gestaltung jeder Art sowohl für die Soldaten als auch für die Zivilbevölkerung größte Aufmerksamkeit. Was hier oft mit den primitivsten Mitteln geleistet wird. ist erstaunlich und verdient größte Anerkennung. Scheunen werden zu Theatersälen umgebaut, Kulissen mit Pappe und aus Lumpen selbst hergestellt, jede Kleinigkeit – und deren sind so viele beim Theater erforderlich – wird selbst angefertigt oder beschafft, z. T. auch auf dem schwarzen Markt für teures Geld gekauft. So konnte man z. B. auf dem schwarzen Markt in Stalino sogar Schminke kaufen. Diesem Bestreben kommt die starke Theaterfreudigkeit und natürliche Begabung der Zivilbevölkerung sehr zur Hilfe, so daß Musiker, Künstler aller Art, Theaterarbeiter usw. mit nicht allzu großer Mühe ausfindig zu machen sind. Außer der ständigen Betreuung durch deutsche Künstlertrupps sind so in fast allen Teilen, wo Propaganda-Truppen tätig sind, einheimische Künstlerscharen gebildet worden, die für die Truppe und für die Zivilbevölkerung spielen. Die Qualität dieser Künstler ist teilweise hervorragend. Wo derartige Trupps nicht aufgestellt werden konnten, wurden aus den in der Truppe selbst vorhandenen Künstlern verschiedentlich Soldatengruppen gebildet. Hier wird eine materielle Unterstützung durch die KdF-Gruppen erbeten, auch etwa derart, daß die fehlenden weiblichen Künstler der Soldatengruppen durch die KdF-Trupps ergänzt werden können (Gruppe Mitte). Es wurde überhaupt verschiedentlich der Wunsch geäußert, KdF der Truppe zu unterstellen.

Die Eröffnung der Theater und die Möglichkeit für die Zivilbevölkerung, diese zu besuchen, wird überall freudig begrüßt und ist überall ein außerordentlich wertvoller Faktor zur Stimmungsbeeinflussung, da in der Bolschewistenzeit der Besuch der Theater nur der privilegierten Kaste der Juden und Bonzen vorbehalten war.

Ein Versuch der Prop.Abt. W, Smolensk, russische Kabarettkünstler von erstklassiger Qualität auf das Land zu schicken, um vor den Bauern in der Nähe partisanenbedrohter Gebiete Vorstellungen abzuhalten, fiel auf denkbar fruchtbaren Boden.

Im Vergleich mit den russischen Künstlern schneidet der Durchschnitt der KdF-Truppen nach immer wiederkehrenden Mitteilungen teilweise so schlecht ab, daß die Propagandaleiter es mit allen Mitteln verhindern, daß die einheimischen Künstler derartige deutsche Vorstellungen besuchen, damit sie keinen falschen Begriff von der deutschen Kunst bekommen. Den Klagen über die Qualität der KdF-Trupps stehen leider nur wenig positive Stimmen gegenüber, so vor allem der Besuch von Lil Dagover im Abschnitt Orel, von dem jetzt noch gesprochen wird. Auch die Gruppe Buchner wird als ausgezeichnet erwähnt. Im einzelnen wird über teilweise arrogantes Benehmen geklagt, falsche Ausrüstung an Bekleidung, sodaß die Truppe Unterhosen, Stiefel und dergl. liefern mußte. Die Truppe findet auch kein Verständnis für die hohe Bezahlung derartiger mittelmäßiger Kräfte, die dazu oft nur unter Androhung der Meldung dazu zu bringen waren, zu den vorderen Truppenteilen zu gehen. So soll eine 20jährige Nachwuchsschauspielerin, die weder Pflichtjahr noch Arbeitsdienst durchzumachen brauchte, geäußert haben, sie hätte das bei ihren 1 600,– RM Gehalt nicht nötig. Aus derartigen Äußerungen, die sicher übertrieben wiedergegeben werden, wird dann von den Soldaten die Frage gestellt, warum man solche Künstler nicht so wie ihre Frauen in der Heimat im totalen Einsatz dienstverpflichtet. Man sollte bei der Auswahl der KdF-Trupps neben dem Können und Auftreten auch auf die äußere Erscheinung achten, da die Zivilbevölkerung die größten Erwartungen in die deutschen Künstler setzt und diese schärfstens beobachtet. Die deutsche Kunst ist ein wichtiger Posten der aktiven Propaganda in der Zivilbevölkerung.

## Zum Geburtstag von Goebbels

*Die Bühne*, Heft 20, 1937, ist dem vierzigsten Geburtstag von Dr. Joseph Goebbels gewidmet; hier eine der Glückwunschadressen, S. 515–516.

Wenn heute das Deutsche Theater seinem Schutzherrn und Mäzen gratuliert, so geschieht das in dem schönen Bewußtsein, daß der «Doktor» nie anderen Dank als die Leistung gefordert hat, und diese Leistung seinerseits immer durch seinen Dank und durch seine Anteilnahme ermutigte und steigerte. Und wodurch noch?

Durch einige sehr feine, menschliche und männliche Eigenschaften, die ihm eigen sind, und die er dem Theater und seinen Angehörigen gegenüber besonders stark zum Ausdruck bringt:

Er sagt nicht nur seine Meinung offen und ungeschminkt, sondern kann auch ebenso gut und mit Humor die offene Meinung seiner Betreuten ertragen. Er lehnt Subalternitäten in einer Weise ab, die dem Zagsten sogar Mut machen, sich so zu geben, wie er ist.

Er fragt und kümmert sich trotz – oder besser vielleicht infolge – seines großen umfassenden Wissens und Könnens mehr, als er befiehlt. Er steht, wenn er glaubt, hinter einem Menschen und macht diese seine Haltung nicht vom schwankenden Wetter des Erfolges abhängig. Er hat eine zündende Begeisterungsfähigkeit, einen seltenen Sinn für alle Humore der Kunst und des Lebens, kennt alle Dämmerungen und Übergänge der Freude und der Sorge bei uns Thespiskärrnern und sorgt für uns mit einer Unermüdlichkeit, die fast wie ein Wunder erscheint, denkt man an all die anderen großen und schweren Pflichten, mit denen ihn sein verantwortungsvolles Amt belädt.

Wenn wir ihm eben deswegen, und nicht nur weil er ein Minister und unser Vorgesetzter ist, viel Glück und Heiterkeit, Gesundheit und Kraft für das nächste Jahr wünschen, so riecht das natürlich doch ein wenig nach opportunistischer Beflissenheit. – Aber wir können mit bestem Gewissen und sehr viel Verehrung kühnlich behaupten, daß unsere Wünsche ganz auf ihn und sein Glücklichsein und nicht auf uns selber und unser Geborgenheitsgefühl gerichtet sind.

Wir gratulieren und danken von bestem Herzen!

Heinz Hilpert und das Deutsche Theater

## Hanns Johst

Von Hanns Johst gibt es bereits ein Porträt in: *Literatur und Dichtung im Dritten Reich* (Ullstein Buch 33029), S. 171 f u. a. O.; deshalb sei hier nur der Aufsatz *Der Dramatiker Hanns Johst beim Führer*, in: *Die Bühne*, 1939, S. 190–191, wiedergegeben; siehe auch Hanns Johst: *Das Theater der Nation* in: *Der Neue Weg* vom 20. 4. 1933; Otto Brues: *Hanns Johsts dramaturgische Sendung* in: *Bausteine zum deutschen Nationaltheater*, Dezember 1933, S. 79 f; Karl Nils Nicolaus: *Hanns Johst: Maske und Gesicht* in: *Die Bühne*, 1935, S. 112 f.

Der Führer empfängt mich!

Sein Zimmer ist sehr groß. Er sitzt hinter einem breiten Tisch. Er steht auf. Er erleichtert mir den spröden Weg zu sich. Er kommt mir entgegen. Dieser Mann kennt keine Masken. Er trägt immer sein Gesicht.

Dieses Antlitz! Alle Welt kennt es. Jedermann sah es durch tausend und aber tausend Prismen und Perspektiven, aus Hunderten von photographischen, zeichnerischen, malerischen, bildhauerischen Versuchen. Millionen Menschen sahen es, Millionen gewannen verschiedene Eindrücke.

Alle Deutungen dieses Gesichtes müssen von den Augen ausgehen – so meint man beim ersten Augenblick, ganz naturgemäß überschleiert von der Erregung des Gegenübers. Aber der längere Eindruck bestätigt diese Empfindung nicht. Da ist das Haar! Weder Bild noch Plastik brachte bisher dessen Eigensinn und Eigenwilligkeit zum Ausdruck. Eichendorffsche Heiterkeit sträubt sich gegen jede Doktrin. Weder Stahlhelm noch Mütze, weder Kamm noch Bürste, vermöchten zu bändigen, was offen Wind und Wetter gehört. Wie Wolke wirft es bald Schatten über das Gesicht, bald öffnet es die Gesichtszüge durch seinen Schein.

Von einer steinernen Distanz sagen die Schläfen aus. Wie sensible Membranen ruhen sie zwischen Ohr und Auge. Es sind die einsamsten Schläfen, die ich je sah. Ihr Befehl ist Unnahbarkeit.

Nur bei Schädeln großer, geistiger Deutscher findet sich diese ausgesprochen konkave Form. Hier werden Wahrnehmungen unerbittlich filtriert. Man schaut in die Augen, wird von den Augen begrüßt und während dessen von diesen zwei Schläfen aus unter Kreuzfeuer genommen, wahrgenommen und überprüft.

Ich sitze jetzt dem Führer schräg gegenüber. Das Licht der Fenster gibt der Gestalt scharfe Konturen.

«Sie waren im Ausland ... Vielleicht haben Sie es gelesen: ich auch ... Ich war in Venedig ...»

Tatsächlich der Führer sagt ganz naiv: «Vielleicht haben Sie es gelesen.» Dieser Mann setzt nichts voraus. Er beginnt jedes Gespräch sokratisch, völlig voraussetzungslos. Er stellt zu Beginn jede Voraussetzung erst einmal präzis fest. Mißverständnisse werden auf diese Weise restlos ausgeschaltet.

Das Gespräch wächst organisch wie ein Kunstwerk von Feststellung zu Feststellung, Wahrnehmung zu Wahrnehmung, von Entscheidung zu Entscheidung.

Wir sprachen über die Wechselbeziehungen der Kultur zum staatlichen Bewußtsein.

Der Führer klingelt. Baupläne werden gebracht. Große, mittelalterliche Rollen. Der Führer breitet sie auf dem Fußboden aus. Wir knien beide davor. Mit phantastischer Kraft beschwört der Führer aus nackten Grundrissen, aus Linientumulten, aus horizontaler Geometrie plastische Architektur.

Mein Gesicht verwirrt sich im Fieber dieses Augenblickes.

Ein fanatisches «Werde!» schwingt aus der Anschauungsgnade des Mannes neben mir. Die Baupläne verwandeln sich unter meinem Anblick zu einer Landkarte Deutschlands, und des knienden Führers Herz schlägt über diesem am Boden liegenden heiligen Stück Erde. Sein Gesicht steigt wie ein Sturmvogel über weites Land.

Das Ruhende erwacht. Hebt sich, erhebt sich und wächst an die Brust einer unsagbar innigen Fürsorge.

## Friedrich Bethge

### Lebenslauf

Friedrich Bethge
Frankfurt am Main, den 25. 11. 36
Liebigstr. 27 c   F.: 2 06 91

Ich bin am 24. Mai 1891 in Berlin als Sohn des bekannten (1903 verstorbenen) Germanisten Dr. Richard Bethge geboren. Väterlicherseits entstamme ich einem alten pommerschen Geschlecht, mütterlicherseits einer 250 Jahre ununterbrochenen ostpreußischen Pfarrergeneration. Ich besuchte das «Gymnasium zum grauen Kloster» und das Friedrich-Werdersche Gymnasium in Berlin. Nach dem Tode der Mutter – 1911 – verwaist, wurde ich Redaktionsvolontär und später Subredakteur in einem Zeitschriftenverlag in Berlin, da meine schriftstellerische Fähigkeit schon in den letzten Schuljahren sichtbar geworden war. 1914 gab ich meine

Stellung auf und meldete mich im August als Kriegsfreiwilliger beim Colbergschen Grenadierregiment Nr. 9 in Stargard/Pommern; bei diesem Regiment verblieb ich die ganzen Kriegsjahre über. Im Herbst 1914 wurde ich bei Wytschaete (Ypern) verschüttet, 1915 bei Tarnopol durch Beinschuß, 1916 an der Somme durch Granate, 1917 bei Arras (Monchoy) durch Armschuß und 1918 bei Château Salin durch Oberschenkelschuß verwundet. 1916 wurde ich wegen Tapferkeit vor dem Feinde zum Leutnant der Reserve ernannt; ich erhielt das Eis. Kr. 1. und 2. Kl. sowie das Goldene Verwundetenabzeichen (später das deutsche, österreichische und ungarische Frontkämpferkreuz, bzw. Medaille). 1918 erkrankte ich nach meiner fünften Verwundung im Lazarett an einer schweren Grippe und als Folge davon an einer beiderseitigen Knielähmung.

Die Folgen dieser Lähmung verbunden mit zwei Beinbrüchen, die ich als Knabe 1901 erlitten, sowie drei Beinschüssen, gestatten mir keinen Außendienst und zwingen mich, da ich hohe Stiefel nicht mehr tragen kann, auch heute im Dienste des NSDAP stets «lange Hose» zu tragen.

Vom Januar 1919 an (bei der Garde-Kav. Schützen Div. und später bei der Einwohnerwehr Berlin) bis 1923 beteiligte ich mich am Spartakus-Abwehrkampf (Hierfür erhielt ich den Schlageter-Schild). Am 1. IV. 1919 wurde ich als Städt. Angestellter in Berlin eingestellt und 1920 als Beamter übernommen. Neben meinem Beamtendienst übte ich weiter die Schriftstellerei aus und wurde 1923 mit einem Lyrikpreis ausgezeichnet. In der Stinneszeit[1] gehörte ich für ein Jahr der Deutschen Volkspartei an; davor und danach, bis zu meinem Eintritt in die NSDAP, keiner Partei (oder Loge).

Im Februar 1930 wurde mein 1928 entstandenes und vom nationalsozialistischen Geiste erfülltes Kriegsdrama «Reims» uraufgeführt, für das sich auch heute noch Reichskulturwalter Hans Hinkel, MdR., und der Präsident der Reichstheaterkammer Pg Dr. Schlösser besonders einsetzen.

Am 1. Mai 1932 – zur Zeit des noch bestehenden Verbotes der NSDAP für Beamte (durch Severing) trat ich dennoch der Partei bei und war als Blockwart und Vertrauensmann der nationalsozialistischen Beamten tätig, daneben unter Hans Hinkel als Leiter der Abteilung Buch- und Bühnenautoren im «Kampfbund für deutsche Kultur». Im Mai 1933 war ich gezwungen, beim Ministerpräsidenten Pg Göring die Abberufung meines Bezirksbürgermeisters wegen antinationalsozialistischer Handlungsweise zu erbitten, der auch innerhalb 12 Stunden entsprochen wurde.

Am 10. Juni 1933 wurde ich von der Stadt Frankfurt a. M. als Biblio-

1 Hugo Stinnes, 1870–1924, Industrieller und Politiker; 1920–24 gehörte er als Mitglied der Deutschen Volkspartei dem Reichstag an.

theksrat übernommen und zum stellvertr. Generalintendanten der Städt. Bühnen ernannt; kurz danach auch zum Gauhauptstellenleiter des Gaukulturamtes Hessen-Nassau. 1934 wurde ich vom Reichsminister Pg Dr. Goebbels in den «Dichterkreis» und 1935 in den Reichskultursenat berufen. Desgleichen wurde ich 1935 zum Ratsherrn der Stadt Frankfurt a. M. und zum Landesleiter der Reichsschrifttumskammer ernannt. Im Februar 1935 fand in Frankfurt a. M. und in Augsburg die Uraufführung meines Dramas «Marsch der Veteranen» statt, das stärksten Widerhall fand und nach und nach über die meisten deutschen Bühnen geht – so im Herbst 1935 in Berlin (Volksbühne) in Anwesenheit des Reichsministers Dr. Goebbels – und im Mai 1936 in München in der Reichstheaterwoche: in Anwesenheit von Rudolf Heß, Dr. Goebbels, Dr. Ley, Ministerpräsident Siebert [1] und viel hoher und höchster Partei- und Behördenstellen. In diesem Spieljahr wird die Uraufführung zweier älterer Werke von mir stattfinden.

Außer Dramen habe ich jahrelang in Berlin Theaterkritiken geschrieben sowie einen Gedicht- und einen Novellenband herausgegeben, und schließlich mit Ernst Jünger [2] zusammen das Buch «Antlitz des Weltkrieges».

Mein Ziel in meiner Arbeit ist das «große Drama»; mein Stilwille ist auf einen hintergründigen *heroischen Realismus* gerichtet. Pathos liegt mir als altem und vielverwundeten Frontsoldaten nicht – eher eine Art heroischen Humors. So bin ich bemüht zu wirken und zu gestalten aus dem Geiste meines Führers und aus dem Blute meiner Väter und meines Volkes.

Friedrich Bethge

## Ebenso dichterisch wie nationalsozialistisch

| | |
|---|---|
| Herrn | Städtische Bühnen |
| Staatskommissar | (Opernhaus und Schauspielhaus) |
| Hans Hinkel, M. d. R. | Der Chefdramaturg u. stellv. Generalintendant |
| *Berlin* | Frankfurt a. M., den 7. Februar 1935 |
| Preußenhaus | Hochstr. 46, Fernruf 2 06 91 |
| Prinz Albrechtstraße | Be/Go |

Mein lieber verehrter Hans Hinkel!
Es drängt mich, Dir noch einmal auch in Meissners und unserer Frauen Namen für die in solchem Übermaß erwiesene Kameradschaft zu danken.

---

1 Ludwig Siebert, * 1874, bayerischer Ministerpräsident.
2 Ernst Jünger, * 1895, Schriftsteller (Roman, Erzählung, Essay); ausführlicher über ihn in: *Literatur und Dichtung im Dritten Reich* (Ullstein Buch 33029), S. 37–39.

Der Widerhall in der Presse hat mich erfreut – besonders natürlich, daß durchweg selbst da, wo literarische Beanstandungen von besonders «kritischen» Köpfen erhoben wurden, überall die ethische und soldatische Haltung anerkannt wird. Schlösser, soeben von einer schweren Grippe aufgestanden, schreibt mir, daß er den Hungermarsch nun wenigstens gelesen habe, ihn ebenso dichterisch wie nationalsozialistisch finde und künftig gerne Wanderprediger dafür sein werde. Ich freue mich, daß alle alten Mitkämpfer, Parteigenossen und Gleichgesonnene diesmal in ihrem Urteil übereinstimmen.

Nimm also noch einmal Meissners und meinen herzlichsten Dank für die in solchem hohen Maße bewiesene Treue und Kameradschaft. Mit herzlichen Grüßen an alle alten Berliner Mitkämpfer und vor allem auch an Deine liebe Gattin

Heil Hitler!
in alter Herzlichkeit und Treue
Dein Friedrich Bethge

## Hinkels Vorschläge

Hans Hinkel, SS-Oberführer
im Reichsministerium
für Volksaufklärung und Propaganda

An den
Reichsführer-SS *Geschäftszeichen:* Persönliches Schreiben!
über den Chefadjutanten Berlin W 8, den 16. März 1939
SS-Oberführer v. Alvensleben Wilhelmplatz 8–9, Fernsprecher: 11 00 14

*Betr.:* SS-Obersturmführer Friedrich Bethge b. Stab Oa. Fulda/W., geb. 24. 5. 91, SS-Nr.: 276 910

Mein langjähriger Kamerad Friedrich Bethge hat mich gefragt, ob ich nicht seine Versetzung zum SS-Hauptamt beantragen könnte. Bethge tritt immer als SS-Mann auf, möchte jedoch durch die Möglichkeit der Teilnahme an den Kameradschaftsabenden der Führer b/Stab des SS-Hauptamtes noch stärkere Fühlung mit den SS-Kameraden bekommen und würde zu den betreffenden Abenden von Frankfurt/M. nach Berlin fahren.

SS-Obersturmführer Bethge, stellv. Generalintendant und Chefdramaturg der städt. Bühnen in Frankfurt/M. erhielt bekanntlich in Anwesenheit des Reichsführers-SS im Jahre 1937 den deutschen Dichterpreis; sein neuestes und wahrscheinlich größtes Bühnendrama wird am 19. März in Frankfurt/M. uraufgeführt unter dem Titel «Rebellion um Preußen». – Als Frontsoldat wurde Bethge wegen besonderer Tapferkeit zum Offizier befördert; er wurde 8-mal verwundet und erhielt das goldene Verwundetenabzeichen.

Nach dem Obengesagten schlage ich vor:

1. SS-Oberführer Bethge zum SS-Hauptamt zu versetzen.
2. Den Totenkopfring der SS dem B., der noch nicht Träger desselben ist, zu verleihen.
3. Die Verleihung des Ehrendegens des Reichsführers-SS an B. zu erwägen.

Hinkel

## «Krieg und Drama, Dichter und Soldat»

| | |
|---|---|
| Herrn Ministerialdirigent | Städtische Bühnen |
| Reichskulturwalter | Der General-Intendant |
| und SS-Brigadeführer | Frankfurt am Main 1, den 2. 12. 40 |
| H. Hinkel, MdR., | Neue Mainzerstr. 54 |
| *Berlin* | Fernruf: 2 06 91 |
| Reichsministerium für | Postscheckkonto: |
| Volksaufklärung und Propaganda | Frankfurt a. M. 40 390 |

Mein lieber Hans H.!

Ich hoffe, Dir nun in Bälde das gedruckte Buch der «Anke von Skoepen», das die endgültige Fassung enthält, übersenden zu können. Es wird in seinem Kampf gegen den Landesfeind, gegen Pazifismus und politischen Katholizismus «der deutschen Jugend als Mahnmal» gewidmet sein. Auch dem Herrn Minister geht dann selbstverständlich sofort ein Band zu. Wir haben am kommenden Mittwoch die 18. Aufführung, den bisherigen Rekord von ernsten Dramen der Gegenwarts-Literatur in den 7 Jahren.

Von der Reichsführung-SS habe ich zum 9. 11. ds. Js., wie Du mir freundlich in Aussicht stelltest, nichts gehört.

Am 11. 12. ds. Js. muß ich im Auftrag des stellvertr. Generalkommandos in Königsberg aufgrund der Aufführung der «Anke» dort und ihres wehrhaften Charakters einen Vortrag über das Thema «Krieg und Drama, Dichter und Soldat» halten. Auf der Rückreise am 12. oder 13. hoffe ich Dich dann in Berlin begrüßen zu können.

Mit herzlichen Grüßen<br>Heil Hitler!<br>Dein Friedrich Bethge

## «Das Reich»

Ab Mai 1940 wurde die Wochenschrift *Das Reich* von Dr. Goebbels herausgegeben; sie hatte sowohl optisch als auch inhaltlich einen nicht allzu «weltanschaulichen» Charakter; deshalb gelang es, einige etwas abseits vom Dritten Reich stehende deutsche Schriftsteller zur Mitarbeit heranzuziehen; Hauptsache für Goebbels war, daß er jede Woche seine Durchhalteartikel dort austrommeln konnte; vielen eifrigen Nationalsozialisten war *Das Reich* ein Dorn im

Auge; ausführlicher darüber siehe die Dissertation von Hans Kreuzberger: *Die deutsche Wochenschrift: Das Reich*, Wien 1950.

Herrn
Reichskulturwalter
Ministerialdirigent
Hans Hinkel, MdR.
*Berlin*

Städtische Bühnen
Der stellv. Generalintendant
Präs.-Rat im Reichskultursenat
Frankfurt am Main 1, den 11. 2. 41
Neue Mainzerstr. 54, Fernruf: 2 06 91
Postscheckkonto: Frankfurt a. M. 40 390
-g/Wo.

Mein lieber Hans H.!

Anliegend übersende ich Dir das Buchexemplar der «Anke von Skoepen», das der deutschen Jugend als Mahnmal (gegen Rom und den Pazifismus) gewidmet ist und bei der Jugend ja auch den stürmischsten Erfolg gehabt hat. Besonders im deutschen Osten steht das Werk seit 4 Monaten ununterbrochen im Spielplan bei ausverkauften Häusern. Anläßlich meines im Mai bevorstehenden 50. Geburtstages wird noch eine Festausgabe des Werkes auf Bütten gedruckt herauskommen, das meinem alten, hochverehrten Kampfbundführer dann sofort zugehen wird. Selbstverständlich auch dem Minister.

Das «Reich» übrigens, das bereits keine Besprechung meiner Uraufführung «Anke von Skoepen» gebracht hatte, hat jetzt auch neuerdings eine auf meine Veranlassung hingesandte Kritik der Uraufführung der Neufassung von «Pfarr Peder» zurückgeschickt, sodaß meine Dir bereits mitgeteilte Befürchtung, daß der nationalsozialistische Dramatiker Friedrich Bethge bei der Schriftleitung des «Reichs» nicht mehr angeschrieben steht, eine weitere Bestätigung damit zu erhalten scheint. Denn über die Uraufführung beispielsweise von Langenbecks «Schwert» sind *mehrere* Besprechungen im «Reich» gekommen, das «Schwert», das zurückgezogen werden mußte, weil es offenbar von höchsten Parteistellen als Schlüsselstück auf führende Persönlichkeiten des Dritten Reichs aufgefaßt wird. Ich habe also ein bißchen die Vermutung, daß das «Reich» nicht unser Reich ist, sondern vielleicht ein Viertes!

Mit herzlichen Grüßen stets Dein getreuer

Heil Hitler!
Friedrich Bethge

## «Wie sagte Theodor Fontane?»

Theodor Fontane, 1819–98, Dichter und Schriftsteller.

<pre>
                          Städtische Bühnen
                          Der Stellv. Generalintendant
Herrn                     Präs.-Rat im Reichskultursenat
Reichskulturwalter        Frankfurt am Main 1, den 12. 5. 41
Ministerialdirigent       Neue Mainzerstr. 54, Fernruf: 2 06 91
Hans Hinkel MdR.          Postscheckkonto: Frankfurt a. M. 40 390
Berlin                    -g/Wo.
</pre>

Mein lieber Hans H.!
Endlich kann ich Dir nun die Büttenausgabe der «Rebellion um Preußen» zusenden, die die beiden Dramen «Heinrich von Plauen» und
«Anke von Skoepen», die ja zusammen gehören, in einem Band vereinigt. Ich und wir alle würden uns natürlich ungemein freuen, wenn Du
der Feier meines 50. Geburtstages am 24. Mai beiwohnen könntest. Am
Abend findet aus diesem Anlaß die Erstaufführung meines Jugendwer-
kes «Pfarr Peder» statt. Dieses letztere Werk wie auch die «Anke» in
ihrem gemeinsamen Kampf gegen artfremde römische Einflüsse lege ich
meinem hohen SS-Kameraden insbesondere ans Herz, wenn auch die
allzu nationalsozialistischen Berliner Intendanten von diesen Werken
allen keine Notiz nehmen und den gebürtigen Berliner selbst zu seinem
50. Geburtstag noch ignorieren. Wie sagte Theodor Fontane, als ihn zu
seinem 70. Geburtstag drei jüdische Berliner Intendanten beglückwün-
schen kamen? «Und wo bleibt mein märkischer Adel?» – so frage ich:
«und wo bleiben meine nationalsozialistischen Berliner Intendanten?»
    Mit herzlichen Grüßen

                          Heil Hitler!
                          Dein getreuer Friedrich Bethge

## Der Reichsführer SS

<pre>
                          Der Reichsführer-SS
                          Persönlicher Stab
An den                    Berlin SW 11, den 17. 5. 1941
Reichskulturwalter        Prinz-Albrecht-Straße 8
SS-Brigadeführer Hans Hinkel    Tgb. Nr. A/2/61/41, Lü./R.
Berlin W 8                Bei Antwortschreiben
Wilhelmplatz 8–9          bitte Tagebuch-Nummer angeben.
</pre>

Der Reichsführer-SS hat mich beauftragt, Ihnen auf Ihr Schreiben vom
5. 5. 1941 mitzuteilen, daß er sehr gern bereit ist, Ihrer Bitte zu entspre-

chen, aus Anlaß des 50. Geburtstages des Dichters des Marsches der
Veteranen eine besondere Ehrung vorzunehmen.

SS-Hauptsturmführer Bethge soll zu seinem Geburtstag SS-Obersturmbannführer werden und das Vereidigungsbild erhalten, das nach
Ansicht des Reichsführer-SS Sie am besten überreichen würden.

Ich werde den Chef des SS-Personalhauptamtes, SS-Gruppenführer
Schmitt, entsprechend unterrichten.

Heil Hitler!
i. A. Unterschrift
SS-Sturmbannführer

## Eberhard Wolfgang Möller

Dr. Hermann Wanderscheck: *Gespräch mit E. W. Möller* in: *Deutsche Theater-Zeitung* vom 25. 7. 1937.

Eberhard Wolfgang Möller ist der echte nationalsozialistische Dramatiker. In seinen dramatischen Dichtungen nimmt das «Frankenburger
Würfelspiel» eine besondere Stellung ein. Es ist das Beispiel einer verpflichtenden völkischen Dramatik, die das Wesentliche, die weltanschauliche Dichtung, will. Die zahlreichen Aufführungen dieses national-poli-
tischen Festspiels in diesen Tagen und die Ankündigung der Bühnen,
das Werk in der kommenden Spielzeit im Innenraumtheater (in Berlin
im Schiller-Theater) zu spielen, haben uns bewogen, mit Möller über die
Funktion der neuen deutschen Dramatik zu sprechen, ein Thema, das
Möller mit dem Verfasser zu wiederholten Malen besprochen hat.

Das Staatsaktliche, das Staatsdramatische setzt sich als solches klar
von allen dramatischen Wiederbelebungsversuchen der Vergangenheit
ab. Möller sieht zwei Kategorien des Theaters: das unterhaltsame oder
komödiantische Theater und das nationale. Im allerhöchsten Wertsinne
offenbart sich das nationale Drama als politische Tat. Und Möller ist
sich bewußt, daß dieses nationale Theater, wenn es zu einer wahrhaft
schöpferischen Erlebnisform vordrängen und werden soll, in einem kon-
sequenten Stilzusammenklang ganz neuer theatralischer Mittel aufge-
hen muß. Das Staatsaktliche erhält zum ersten Male eine funktionale
Bedeutung für das Drama.

Möller bejaht unsere Erkenntnis, daß es ewige Gesetze des Theaters
gibt, daß diese unvergänglich sind wie das Theaterspielen überhaupt.
Diese ewigen Gesetze des Theaters sind im wesentlichen nicht nur dra-
maturgischer Art oder nur Reizmittel für die Bühne. «Das Theater gehört zu den Ideen», bekennt Möller spontan und findet mit dieser schla-
genden, philosophischen Aussage schon eine aufhellende Kennzeichnung des Geheimnisses aller echten Theatralik. Das Theater ist eine
gottgegebene Idee, eine Idee, die eine Zeit vergessen oder übersehen

kann, die aber fortlebt. Vor zwanzig Jahren hatte man diese Idee ver-
kannt. Da ging man daran, das Theater zu entweihen, das Theater zu
brutalisieren, die dramatische Erfüllung zu vernebeln. Das Theater gehörte nicht mehr zu den Ideen, es gehörte zu den Propagandamitteln
der politischen Parteien.

### Dr. Hans Knudsen

## Weg und Ziel

Aufsatz der Schriftleitung *Die Bühne*, 1935, S. 27, als Dr. Hans Knudsen die
Schriftleitung dieser Theaterzeitschrift übernahm; hier nur der letzte Absatz;
Ende März 1938 schied Dr. Hans Knudsen wieder aus der Schriftleitung *Die
Bühne* aus.

Wir wollen nicht mit Versprechungen locken, wir wollen es nur als unser Recht ansehen, heute zu sagen, wie wir unsere Wegrichtung und
unser Ziel sehen, und wir beginnen unsere Arbeit mit dem Bekenntnis
zu einer Idee, die des vollen Krafteinsatzes wert und würdig ist, zur Idee
des deutschen Theaters für den deutschen Menschen, in dem Sinne, wie
unser Führer und Reichskanzler Adolf Hitler den Weg gewiesen hat.

## Es käme dann schneller zur Wirkung

Hier ist noch darauf hinzuweisen, daß Goebbels Hans Hinkel zum «Sonderbeauftragten für die Überwachung und Beaufsichtigung der Betätigung aller im
deutschen Reichsgebiet lebenden nichtarischen Staatsangehörigen auf künstlerischem und geistigem Gebiet berufen» hat; siehe auch: *12 Uhr Blatt* vom 26. 7.
1935; im Reichsministerium für Volksaufklärung und Propaganda gab es auch
ein «Sonderreferat Hinkel (Judenfragen)».

Die Bühne
Zeitschrift für die Gestaltung
des deutschen Theaters
Herrn                                  Schriftleitung: Dr. Hans Knudsen
Reichskulturwalter Hinkel              Neuer Theaterverlag GmbH.
*Berlin W 9*                           Berlin W 30, am 15. August 1936
Voss Str. 9                            Bayerischer Platz 2 – Dr. K/Ro

Sehr geehrter Herr Reichskulturwalter Hinkel,
ich danke Ihnen sehr für den zweiten Aufsatz «Ein jüdisches Theater in
Berlin –?». Den ersten habe ich bereits in Satz gegeben, er erscheint im
1. September-Heft, diesen nehme ich ins 2. September-Heft. Da Sie am
Donnerstag in der Pressekonferenz selbst von diesen Fragen gesprochen

haben, könnte ich mir vorstellen, daß Ihnen möglicherweise daran liegt, daß dieser Aufsatz *bald* erscheint. (Die «Bühne» ist im August nur in *einer* Doppelnummer herausgekommen). So möchte ich mir die Frage erlauben, ob Sie wohl diesen zweiten Aufsatz dem «Neuen Theater-Tageblatt» vielleicht überlassen würden, dessen Schriftleitung ich für ein paar Wochen vertretungsweise übernommen habe. Er käme dann *schneller* zur Wirkung, würde wohl dann auch in die Tagespresse übernommen werden. Ich würde ihn dann etwa gleichzeitig mit der «Bühne» bringen. Ich bitte aber, das nur als einen Vorschlag in dem Sinne *rascherer* Wirkung anzusehen, und brauche nicht zu sagen, daß ich den Aufsatz an sich viel lieber für die «Bühne» behielte.

> Mit verbindlichen Empfehlungen
> Heil Hitler!
> Knudsen

## Die großartige Lösung

Die Bühne
Zeitschrift für die Gestaltung
des deutschen Theaters

Herrn Reichskulturwalter
Hans Hinkel
*Berlin W 8*
Wilhelmplatz

Schriftleitung: Dr. Hans Knudsen
Neuer Theaterverlag GmbH.
Berlin W 30, am 9. September 1936
Bayerischer Platz 2 Dr. K/Ro

Sehr geehrter Herr Reichskulturwalter Hinkel,
ich übergebe Ihnen hierbei mein kurzes Referat über die Aufführung im Jüdischen-Kulturbund-Theater und lege auch den Bericht meines Arbeitskameraden Dr. Wanderscheck vom Neuen Theater-Tageblatt bei. Mein Bericht soll an die Rheinisch westfälische Zeitung, Essen, und deren Nebenblätter, sowie an die Braunschweigische Allgemeine Zeitung und die Ostdeutsche Morgenpost in Beuthen gehen. Das Referat von Dr. Wanderscheck ist gedacht für den Freiheitskampf, die Leipziger Tageszeitung, die Pommersche Zeitung, die Westfälische Landeszeitung und das Hakenkreuzbanner.

Wenn Sie nichts einzuwenden haben gegen die beiden Referate, so wäre es wohl am einfachsten, wenn Sie uns telefonisch Ihre Zustimmung übermitteln ließen. Wenn Sie andererseits in die Referate noch das eine oder andere einbezogen wünschen, so lassen Sie uns das bitte wissen. Ich möchte Ihnen auch im Namen der übrigen Herren unseres Hauses, die die Aufführung besuchen durften, unseren besten Dank aussprechen. Es war uns allen ungemein wichtig, einmal Augenzeuge der Einrichtung zu sein, die Sie getroffen haben; diese Kenntnis aus eigener Anschauung läßt am besten sehen, wie großartig die Lösung der

Frage ist, und ich denke, daß der Abdruck unserer kurzen Referate dem Außenstehenden etwas von dieser Überzeugung übermittelt.

Mit erneutem Dank

Heil Hitler!
Ihr ergebener
Knudsen

## Zum Wohle des deutschen Theaters

Herrn
Dr. Hans Knudsen
Hauptschriftleiter der «Bühne»
*Berlin W 30*   Bayrischer Platz 2                         3. Dezember 1936

Sehr geehrter Herr Dr. Knudsen!
Zu Ihrem 50. Geburtstag sende ich Ihnen meine herzlichsten Glückwünsche und gebe gleichzeitig der Hoffnung Ausdruck, daß Ihnen noch recht lange Jahre alle Arbeitskraft zum Wohle des deutschen Theaters erhalten bleiben möge.

Heil Hitler!
Ihr Hinkel

## Mit aller Hingabe und Arbeitsfreudigkeit

Dr. Hans Knudsen
Berlin-Steglitz, Alsen Straße 8
Fernruf: G 2 Steglitz 16 06

Sehr geehrter Herr Reichskulturwalter Hinkel,
aufrichtigen Herzens danke ich Ihnen für Ihren Glückwunsch zu meinem 50. Geburtstag. Sie haben mir damit eine große Freude bereitet, und ich kann Ihnen nur das Versprechen geben, daß ich die mir gestellten Aufgaben mit aller Hingabe und Arbeitsfreudigkeit weiterhin zu leisten mich bemühen werde, und erbitte mir dafür Ihr Vertrauen.

Wenn Sie es nicht als Unbescheidenheit ansehen, möchte ich mir erlauben, Ihnen die kleine Schrift zu übergeben, mit der Dr. Sikorski und meine Verlagskameraden mich überrascht haben.[1]

Mit erneutem herzlichem Dank

Heil Hitler!
Ihr Ihnen verbundener
10. 12. 36.                                       Hans Knudsen

---

[1] Gratulationsschrift mit Eugen Klöpfers Einleitung im Besitz des Herausgebers; ihr Titel *Hans Knudsen zum 50. Geburtstag*, 2. Dezember 1936, Herausgeber Dr. Wolfgang Lenk und Alfred Pradl. Es handelt sich hier um Dr. Hans Sikorski, den Verleger und Inhaber vom Neuen Theaterverlag.

# Die notwendige Erklärung

Dr. Hans Knudsen
Berlin-Steglitz, Alsenstr. 8
den 4. 7. 1939
Fernruf: 72 16 06

Sehr verehrter Herr Staatsrat,
wenn ich heute noch einmal darauf zurückkomme, daß ich das von mir
für die Ausstellung «Gebt mir 4 Jahre Zeit»[1] hergegebene Buch von
Piscators «Politisches Theater»[2] nicht zurück erhalten habe und an den
Schriftwechsel darüber erinnere, so tue ich das, weil sich – bei der
Dringlichkeit, die der Besitz dieses Buches jetzt hat – eine Möglichkeit
gezeigt hat, das Buch zu beschaffen. Herr Dr. Richter vom «Deutschen
Propaganda-Atelier», Lichterfelde, Kamillenstr. 4, hat sich bereit erklärt, mir das Buch von Dienst wegen wieder zu besorgen. Dafür aber
müßte von Ihnen, sehr geehrter Herr Staatsrat Hinkel, eine Erklärung
vorliegen, daß es unbedenklich und notwendig ist, mir das Buch zu besorgen. Diese Erklärung macht wohl um so weniger Schwierigkeiten,
als ich für meinen Lehrauftrag an der Universität Berlin in der Tat das
Piscator-Buch für die kulturpolitischen und fachlichen Arbeiten dringend brauche. Die Bescheinigung könnte etwa den Tenor haben: Herr
Dr. Knudsen, Lehrbeauftragter an der Universität Berlin, braucht für
seine akademische Lehrtätigkeit und wissenschaftliche Theaterfor-
schungsarbeit das Buch von Piscator «Politisches Theater». Da er sein
eigenes Exemplar z. Zt. für die Ausstellung «Gebt mir 4 Jahre Zeit»
zur Verfügung stellt hat, soll es ihm neu beschafft werden. Es besteht
kein Bedenken, Herrn Dr. Knudsen für die genannten wissenschaftlichen Zwecke das Buch zu besorgen. – So etwa wollte Herr Dr. Richter
eine Bescheinigung Ihrerseits haben. Ich wäre Ihnen sehr, sehr dankbar,
wenn Sie meine Bitte erfüllen könnten, damit ich nun doch noch das mir
wirklich ganz unentbehrliche Buch wieder in die Hand bekomme.

Heil Hitler!
Ihr ergebener H. Knudsen

## «Was noch entscheidender ist»

Archiv der Akademie der Künste, West-Berlin. Schon am 6. 12. 1940 setzte sich
der Reichsdramaturg Dr. Rainer Schlösser in einem Brief an Prof. Dr. Julius
Petersen für eine Honorarprofessur für Dr. Knudsen ein. In diesem Brief
schreibt er u. a.: «Inzwischen hat sich meine schon seit der Systemzeit her-

---

1 Über die Ausstellung *Gebt mir 4 Jahre Zeit* siehe: *Die Bildenden Künste
im Dritten Reich* (Ullstein Buch 33030), S. 351 f.
2 Piscators Buch *Das Politische Theater* ist 1929 erschienen.

rührende Ansicht, daß Dr. Knudsen in dem Gebiete der dramaturgischen Arbeit eine auch parteipolitisch zu bejahende Stellung einnimmt, nur verstärkt.» Brief im Archiv der Akademie der Künste.

Zu den im Text erwähnten Personen: Prof. Dr. Heinrich Harmjanz, * 1904, Sprachwissenschaft und Volksforschung; SS-Sturmbannführer, am 16. 12. 1939 vom Beauftragten des Himmlerschen *Ahnenerbe* zum *Generaltreuhänder* für den gesamten polnischen Kultur- und Kunstbesitz einschließlich sämtlicher Vermögenswerte ernannt. – Prof. Dr. Hans Heinrich Borcherdt, * 1887, Literatur- und Theaterwissenschaftler.

An Herrn Ministerialrat
Professor Harmjanz
*Berlin*
Reichserziehungsministerium

Ministerialdirigent Dr. Schlösser
im Reichsministerium
für Volksaufklärung und
Propaganda
T 6000/389 2/7
Berlin W 8, den 7. 11. 1942

Sehr verehrter Herr Professor!

Zugegeben, daß Sie nach Lesung dieser Zeilen vielleicht doch die etwas unwillige Frage aufwerfen, was Endesunterzeichneter eigentlich sich mit solcher Beharrlichkeit mit Dingen befasse, die nicht in seine Zuständigkeit gehören, möchte ich trotzdem nicht unterlassen haben, mich erneut für den, wie Sie wissen, von mir hochgeschätzten Dr. Knudsen zu verwenden. Denn wenn auch nicht zuständig, so bin ich bei Lichte besehen doch sehr interessiert an einer, die Theaterwissenschaft betreffenden und solcherweise sich auf die Theaterpraxis beziehenden personellen Entscheidung, wie sie in Berlin zur Debatte steht. Einmal als Reichsdramaturg, dem sehr viel daran gelegen sein muß, an der entscheidensten Stelle, nämlich in der Reichshauptstadt, eine Persönlichkeit am Werke zu sehen, die auch die Gegebenheiten des lebendigen und seienden Theaters von Grund auf kennt und, was noch entscheidender ist, nie anders als unter völkischen Gesichtspunkten öffentlich und nachweislich auch in den vergangenen Jahrzehnten bewertet hat, und andererseits als Chef des Hauptamtes III der Reichsjugendführung, der mit seinen Ratschlägen jüngeren Kameraden, die sich über das theaterwissenschaftliche Studium dem praktischen Theater zuwenden wollen, zur Verfügung zu stehen hat. Von beiden Standorten aus muß ich immer wieder versichern, daß die nunmehr auch offizielle Einsetzung des de facto an der Berliner Universität ja schon tätigen Dr. Knudsen begrüßenswert wäre, weil ihn eben fachlich-sachliche, menschliche und politische Bande mit jenen Stellen verknüpfen, die seit 1933 für das Theaterleben verantwortlich sind. Aus Gründen, die mir persönlich nicht näher bekannt sind, kann ich das von anderen, auf dem theaterwissenschaftlichen Gebiete tätigen Herren, etwa Herrn Professor Niessen in Köln und Professor Borcherdt in München, nur sehr bedingt sagen, so daß mir umso mehr an einem Verbindungsmanne gleichsam zwischen hier und dort gelegen sein muß. Hinzu kommt noch der Gesichtspunkt, daß, nachdem Professor Kindermann nach Wien gehen wird, um dort als ein Mann mit ähnlich glücklicher Fühlung nach der nationalsozialistischen Theaterpolitik hin sein theaterwissenschaftliches Institut aufzubauen, durch eine definitive Regelung in Berlin das Gleichgewicht zwischen den führenden Metropolen der dramatischen Kunst sichergestellt werden müßte.

Wenn ich recht unterrichtet bin, hegt die Fakultät Knudsen gegenüber wohl einige Bedenken, weil er nicht genug Bücher geschrieben habe. Abgesehen davon, daß ich einige Theaterwissenschaftler kenne, von denen ich persönlich wünschen würde, sie hätten weniger Bücher geschrieben, scheint mir das im Falle Knudsen doch ein etwas zu weitgehendes Vorbeisehen an den zweifellosen kulturpolitischen Verdiensten zu sein, die sich der Genannte in den $1^1/_2$ Jahrzehnten zwischen 1918 und 1933 erworben hat. In den wenigen Fällen, wo ich Zeuge eines solchen kulturpolitischen Bemühens sein durfte, ja durch solche Leistungen in die Lage versetzt wurde, selbst den nationalsozialistischen kulturpolitischen Kampf zu aktivieren und solcherweise zu den Aufgaben, die mir heute gestellt sind, vorzustoßen, bin ich, wie auch diese Zeilen verraten, von einer außerordentlichen Beharrlichkeit, allerdings nur jenen Persönlichkeiten gegenüber, die wie Sie dieser im Grund doch wohl sympathischen Haltung Ihr Verständnis nicht versagen.

Könnte nun nicht doch, nachdem über der Sache schon so viel Zeit verstrichen ist, vom Ministerium aus, was ja ein durchaus legales und schon oft geübtes Verfahren ist, die Ernennung Dr. Knudsens erfolgen, auf dem die sachliche Arbeit bereits ruht und dem es an nachweislichen Lehrerfolgen nicht fehlt? Wenn dieses Wort Ihnen hierfür da ich bei aller Bescheidenheit meine Befürwortung als diejenigen eines doch auch als Einzelperson für die geistigen Dinge des Theaters zu einem gewissen Kredit Gelangten der Erwägung wert halten darf, dienlich sein könnte, würde mich das um Dr. Knudsens willen mit besonderer Genugtuung erfüllen.

Heil Hitler!
Ihr sehr ergebener
Schlösser

## Aus einem Gutachten von Prof. Flemming

Das folgende Dokument befindet sich im Yivo Institute for Jewish Research in New York und stammt aus dem Hauptamt Wissenschaft beim Beauftragten des Führers für die Überwachung der gesamten geistigen und weltanschaulichen Schulung und Erziehung der NSDAP (Amt Rosenberg).

Prof. Willi Flemming, * 1888, Professor für deutsche Philologie und Theaterwissenschaft; das Gutachten ist vom 27. 6. 1943; darüber hinaus befindet sich im Yivo-Archiv auch noch ein Gutachten von Prof. Franz Koch vom 18. 8. 1943, in dem dieser feststellt, «daß die wissenschaftlichen Leistungen Herrn Knudsens nicht hinreichen können, seinen Anspruch auf eine Professur zu rechtfertigen».

Herr Dr. Hans Knudsen ist mir seit seiner Studentenzeit persönlich bekannt, und habe ich ihn nie aus den Augen verloren. Seine 1912 erschienene Dissertation über den Schauspieler Beck [1] war leidliches Mittelmaß. Seitdem hat er keine wissenschaftliche Arbeit veröffentlicht. Er war lange Zeit Assistent am Theaterwissenschaftlichen Institut und als Oberlehrer nur halb beschäftigt, ohne jedoch zu eigener wissenschaftlicher Forschung und Publikation zu gelangen. Dagegen hat er sich als Theaterrezensent betätigt. Im Reallexikon für deutsche Literaturgeschichte hat er eine Reihe von Stichworten bearbeitet und zwar ganz oberflächlich, ohne gründliche historische Kenntnisse, einfach miserabel. Ohne jemals eine Habilitation versucht zu haben, erhielt er etwa 1937 ohne Anforderung der Fakultät einen Lehrauftrag für Theaterkritik. Seine akademische Lehrtätigkeit machte nach Aussagen der Studenten keinen wissenschaftlich fundierten und anregenden Eindruck. Einem Studenten, der bei ihm Übungen mitgemacht hatte und promovieren wollte, stellte er kein Thema, sondern verwies ihn an mich. Solange noch mehrere allbekannte Forscher auf dem Gebiet der Theatergeschichte vorhanden sind, die zunächst mal eine Anwartschaft auf einen Lehrstuhl haben und zumal eben erst in Wien das erste Ordinariat dieses Faches errichtet wurde, wäre es ungerecht, ausgerechnet Herrn Knudsen dafür vorzuschlagen. Auch könnte das in Fachkreisen, nicht zuletzt des Auslandes, als ein ungünstiges Zeichen deutscher Kulturentwicklung ausgelegt werden.

Politisch und charakterlich scheinen mir folgende Tatsachen bemerkenswert:

Knudsen ist Schüler von Max Herrmann [2], der aus seinem Judentum nie einen Hehl gemacht und im Kolleg den Antisemitismus als «größte Kulturschande» anzuprangern keine Gelegenheit verpaßte. Ihm ist Knudsens Dissertation gewidmet, sein freiwilliger Assistent und unermüdlicher Herold war er und gab in diesem Sinn die Festschrift zu seinem 60. Geburtstag heraus. Durch ihn als Präsidenten für Theatergeschichte wurde er deren Geschäftsführer und ließ zu ihrem Flor keinen der prominenten Juden ungekeilt. Ebenso vermied er zu Vorträgen anders gerichtete Persönlichkeiten heranzuziehen. Bald nach 1933 tauchte er als Parteigenosse wieder auf und warb schließlich als Präsident der Gesellschaft

1 Heinrich Beck, 1760–1803, Schauspieler und Dramatiker.
2 Prof. Dr. Max Herrmann, *1865, Professor an der Berliner Universität und 1922 Begründer des Theaterwissenschaftlichen Instituts ebendort.

für Theatergeschichte Herrn Minister Popitz [1], der dann auch Verständnis für die Errichtung eines Lehrstuhls dieses Faches zeigte. Jedoch hat die Berliner Fakultät sich zweimal, zuletzt 1941/42, negativ zu seiner Anfrage betr. Herrn Knudsen verhalten. Durch sein Verhalten scheint Herr Dr. Knudsen den Anschein erweckt zu haben, als ob er, da der reguläre Weg ihm zu schwer ist, auch die Vermittlung anderer Stellen sucht.

Flemming

## An den Parteigenossen Härtle

Heinrich Härtle, * 1909 (Pseudonym Helmut Steinberg); siehe seine Bücher: *Nietzsche und der Nationalsozialismus*, München 1937, und *Weltanschauung und Arbeit*, Berlin 1940.

| | |
|---|---|
| An den | Nationalsozialistische |
| Beauftragten des Führers | Deutsche Arbeiterpartei |
| für die Überwachung der gesamten | Partei-Kanzlei |
| geistigen und weltanschaulichen | München 33, den 22. 12. 1943 |
| Schulung und Erziehung der NSDAP, | Führerbau 15/4. 1. 44 Sa |
| z. Hd. Pg. Härtle | III D/7-Schei- |
| *Berlin W 35*, Margarethenstr. 18 | 3230/7-Knudsen |

*Betrifft:* Beauftragung des Dr. Knudsen mit der vertretungsweisen Wahrnehmung des Lehrstuhls für Theaterwissenschaft der Universität Berlin – Dortiges Fernschreiben vom 20. Juli 1943 – Nr. 38.26 –

Dem Reichserziehungsministerium ist mit Schreiben vom 5. August 1943 mitgeteilt worden, daß gegen die Beauftragung des Lehrbeauftragten an der Universität Berlin Dr. Hans Knudsen mit der vertretungsweisen Wahrnehmung des neuerrichteten Lehrstuhls für Theaterwissenschaft in der Philosophischen Fakultät der genannten Universität in politischer Hinsicht zwar keine Bedenken erhoben werden, daß aber seine wissenschaftlichen Leistungen für die Wahrnehmung der Professur nicht ausreichen.

Hierzu hat das Reichserziehungsministerium sich unter Hinweis auf das in Abschrift beigefügte Gutachten wie folgt geäußert:

Es könne die Auffassung der Berliner Philosophischen Fakultät, daß die beteiligten Herren einen Theater*geschichtler* bevorzugen, nicht berücksichtigen. Mit Recht habe der Rektor der Universität Berlin diese Auffassung der Sachverständigen-Vertreter der Fakultät als zu eng ab-

---

1 Prof. Dr. Johannes Popitz, 1884–1944 (hingerichtet); seit April 1933 Preußischer Finanzminister.

gelehnt. Er sei der Ansicht, daß ein Lehrstuhl für Theater*wissenschaft* sich besonders mit den neuzeitlichen Problemen des Theaters zu befassen habe und daß der Inhaber hierbei nur insoweit eine gründliche Kenntnis der Geschichte benötige, als dies die Entwicklung der jetzigen Aufgaben aus der Geschichte und Art des Theaters erfordert. Ihm erscheine vor allem ein Wissenschaftler, der sich mehr um die praktische Seite des Theaters bemüht, auf diesem Lehrstuhl durchaus am Platz. Auch von dem Reichsdramaturgen im Reichsministerium für Volksaufklärung und Propaganda werde die Besetzung des Berliner Extraordinariats mit Dr. Knudsen auf das stärkste befürwortet. Dr. Knudsen habe zudem in seiner bisherigen Lehrtätigkeit die besten Beziehungen zu der Generalintendanz der Preußischen Staatstheater angeknüpft.

Heil Hitler!

i. A. Looft

## Herbert Molenaar

Herbert Müller-Molenaar, * 1886, Schriftsteller (Lyrik), Regisseur und Schauspieler; Leiter des Sprechchors der SA-Brigade 52 und des Gausprechchors der NSDAP; ausführlicher über ihn in: *Literatur und Dichtung im Dritten Reich* (Ullstein Buch 33029), S. 127.

## «Hochverehrter Pg Hinkel»

Berlin SO 16,
Köpenickerstr. 40 IV l,
den 13. Januar 1934
*Stempel:* Eingegangen 14. Jan. 34

Hochverehrter Pg Hinkel!

Zwei Gründe zwingen mich zu diesen Briefzeilen.

Erstens bedauere ich von ganzer Seele, mit meinem 52 SA-Männer starken Sprechchor am 24. ds. Mts. nicht an der Feierstunde vor der Arbeitsfront, bei der Sie selbst sprechen werden, teilnehmen zu können. Als mich am Montag vor einer Woche Frau Reichenberg vom KfDK anrief, um mir Ihren Wunsch, den ich so von Herzen gern erfüllt hätte, zu übermitteln, hatte ich gerade für meinen Sprechchor ein langfristiges, ihn allabendlich verpflichtendes Engagement für die «Räuber»-Vorstellungen des Gr. Schauspielhauses abgeschlossen. Diesen Vertrag mußte ich tätigen, weil ich wegen pekuniärer Sorgen nicht wußte, wie ich auf andere Weise den Sprechchor, der inzwischen künstlerisch eine recht beachtliche Form angenommen hat, am Leben erhalten könne. Ich bitte Sie, hochverehrter Pg Hinkel, aus diesem Grunde, mir meine Absage, die mir schwer genug gefallen ist, nicht mißdeuten zu wollen.

Zweitens erachte ich es für meine Pflicht, Ihnen mitzuteilen, daß mich die Vorgänge des letzten Montag (d. 8. ds. Mts.) im neuen Deutschen

Bühnenklub, die mich vollkommen überraschten, da ich im Klub nur sehr selten und kurzfristig zu treffen bin, tief erschüttert und empört haben. Ich war und bin nicht der Mann, um augenblicklichen Vorteils willen meine Gesinnung zu verkaufen. Mein inneres und äußeres Bekenntnis gehört also ohne egoistische Triebe oder Beimischung der Stelle an, die ein positives Recht darauf hat. Guttaten, die mir von anderer Seite zuteil geworden sind, werden nie im Stande sein, meine Objektivität zu vernichten. Ferner zwingt mir jeder alte Kämpfer der Bewegung, solange er ein solcher bleibt, die größte Hochachtung ab, und wie ich der Idee täglich im wahrsten Sinne treu zu sein bestrebt bin, halte ich auch jenen Vorkämpfern gegenüber die Treue und wache darüber, daß ihr Bild nicht versehrt wird. Täte ich dieses nicht, wäre ich nicht wert, daß Gott mir je die Verse ins Herz gelegt hat, die ich aus elementarstem Empfinden heraus schrieb und noch heute schreibe.

Dieses Ihnen, hochverehrter Pg Hinkel, mitzuteilen, war mir ein tief empfundenes Bedürfnis.

Ich hätte diesen Brief bereits viel früher an Sie gesandt, wenn mir zum Schreiben desselben einige Muße geblieben wäre. Augenblicklich indessen bin ich durch die «Räuber»-Proben, den SA-Dienst und meine Lehrtätigkeit bei einem Reichsführerschulungskursus der Reichsleitung des Arbeitsdienstes in Kalkberge derart in Anspruch genommen, daß ich zu keiner Stunde der inneren Sammlung komme und endlich die Nacht zur Hilfe nahm, um dieses, mir auf dem Herzen brennende Bekenntnis an Sie, hochverehrter Pg Hinkel, zu skizzieren.

Ich verbleibe mit

Hitler – Sieg Heil!
stets Ihr treu ergebener
und getreuer Herbert Molenaar

## «Zuerst einen Nationalsozialisten»

An den Reichskulturwalter
Parteigenossen Hans Hinkel, MdR.
*Berlin-Wilmersdorf-Friedenau*
Kaiserallee 100

Herbert Molenaar
Berlin W 8, den 3. April 1935
Friedrichstr. 68
Fernspr.: A 2 55 23

Sehr geehrter Parteigenosse Hinkel!
Ich möchte nicht verfehlen, Ihnen mitzuteilen, daß ich vor einem Vertragsabschluß an die Volksbühne stehe, den ich, dies möchte ich ausdrücklich erwähnen, nur infolge dringender Notlage eingegangen bin. Ich schreibe dieses an Sie, sehr geehrter Parteigenosse Hinkel, nicht etwa in der Absicht zu klagen oder mich zu beklagen, sondern ganz allein zu Ihrer Orientierung. Ich hoffe nämlich immer noch, daß einmal der Tag kommen wird, an dem ich die seinerzeit von Ihnen angedeutete Stellung

antreten kann, die zuerst einen Nationalsozialisten und erst in zweiter Linie einen Künstler erfordert. Ich bin der festen Überzeugung, daß Sie, sehr geehrter Parteigenosse Hinkel, trotz der langen Spanne Zeit, die zwischen unseren damaligen Begegnung und heute liegt, diesen Ihren Ausspruch nicht vergessen haben, sondern vielmehr bis heute nicht in der Lage gewesen sind, ihn in die Tat umzusetzen. Ich will mit diesen Briefzeilen nur unterstreichen, daß ich, sollte ich auch inzwischen längst in anderer Position untergekommen sein, gern dieselbe wieder aufgeben würde, wenn Sie mich gebrauchen können.

Heil Hitler!

stets Ihr sehr ergebener Herbert Molenaar

## Tuchfühlung

Herbert Molenaar Sturmführer
Referent im Gaupropagandaamt
des Gaues Gross-Berlin NSDAP
Abteilung Kultur
Berlin SO 16, den 7. Juni 35
Köpenicker Str. 40, F 7 26 15

Sehr verehrter Pg Hinkel!

Seien Sie, bitte, nicht ungehalten, wenn ich trotz der Anhäufung Ihrer Arbeit, Ihnen einen Brief und dazu noch an Ihre Privatadresse schreibe. Indessen, dringende Notwendigkeit treibt mich dazu.

Zum ersten Male trete ich an Sie mit einer persönlichen Bitte heran, die ich, Ihnen vorzutragen, zugleich für meine Pflicht halte.

Bei Ihren Aufräumungsarbeiten werden Sie neuer Kräfte für vakante Stellungen benötigen. Sollten Sie dabei gewillt sein, auf meine Person zurückzugreifen, was ich freudig begrüßen würde, so bitte ich Sie, nicht ausser acht lassen zu wollen, daß ich, bevor ich im Jahre 1929 zur Bewegung stieß, ein durch bereits jahrzehntelange praktische Arbeit an künstlerisch geleiteten Theatern des Reiches und Berlins accreditierter Regisseur und Darsteller war, der nie sein deutsches Herz verkauft und seit Beginn seiner Bühnenlaufbahn vielmehr stets für deutsche Kultur nachdrücklich gekämpft und auch gelitten hat.

Ich, der ich allein schon durch meine Zugehörigkeit zur SA in enger Tuchfühlung mit dem schaffenden deutschen Volke lebe und aus seinen Kräften meine eigenen ergänze, bin befähigt, jede Intendanten- oder Regiestellung selbst an einer ersten Bühne auszufüllen und mit Umsicht kulturpolitische Aufbauarbeit zu leisten. Dazu kommt, daß ich nie als Parteigenosse müssig geblieben und noch heute wie zur Kampfeszeit ohne Rücksicht auf persönlichen Schaden für die Belange der NSDAP einzutreten gewöhnt bin. Meine vorgesetzte SA- und Gaudienststelle stellt mir in jeder Hinsicht das beste Zeugnis aus. So kann ich mich im Hinblick auf meine bisherige Lebensarbeit auch Ihnen, hochverehrter Pg. Hinkel, als Helfer mit bestem Gewissen empfehlen.

Heil Hitler!
stets Ihr getreuer
Herbert Molenaar

## Lothar Müthel

Dr. Hermann Wanderscheck: *Der Schauspieler des Dritten Reiches – Gespräch mit Staatsschauspieler Lothar Müthel* in: *Deutsche Theater-Zeitung* vom 13. 6. 1937; Lothar Müthel trat erst am 1. 5. 1933 in die NSDAP ein, NSDAP-Mitgliedsnummer 2 590 811.

Der Nationalsozialismus hat nicht nur eine Verwandlung der dramatischen Dichtung herbeigeführt, er hat auch die Schauspielkunst verwandelt. Dem politischen Glauben und Gesetz einer ganzen Nation mußte auch der Schauspieler in der künstlerischen Konsequenz eingefügt werden, wenn er nicht durch eigene Gestaltungssubstanz die neuen durchfeuerten und durchlichteten Charakterisierungs- und Kampfbewegungen der Darstellung eroberte. Lothar Müthel ist eine von den künstlerischen Naturen, die den hochbewußten Kampfgestalten des geschichtlichen Schauspiels und der Tragödie in der neuen dramatischen Geistgestaltung den ehernsten schauspielerischen Ausdruck verliehen haben.

In einem Gespräch, das Lothar Müthel vor dem Antritt seiner Reise nach Paris als Mitglied der deutschen Delegation zum Internationalen Theaterkongreß mit dem Verfasser führte, war der «Schauspieler des Dritten Reiches» Gegenstand bedeutsamer Bekenntnisse Müthels. Müthel ist durch seine Verkörperung eines Schlageter in Hanns Johsts gleichnamigen Schauspiel, eines Thomas Paine im Schauspiel «Thomas Paine» von Hanns Johst, eines Struensee in Eberhard Wolfgang Möllers «Der Sturz des Ministers», eines Mark Antonius in Shakespeares «Julius Cäsar», eines Marquis Posa und eines Tasso in den Vordergrund eines politisch-aktivistischen Schauspielertums gerückt.

Wie stehen Dramatiker und Schauspieler heute zueinander? Der nationalsozialistische Dramatiker, der einen neuen Dialog mit kämpferischem Gefälle schreibt, verlangt einen Schauspieler der politischen Intensität. Die Figuren und Personen verlangen ein Bekennertum. Die Form dieses Bekennertums wird von der dramatischen Dichtung vorgeschrieben. Sie ist eine Form der stilistischen und weltanschaulichen Disziplin, Zucht und gradlinigen Haltung, eine Form der stählernen Romantik in der konzentrierten Dialektik und Tragik.

Idee und Bekennertum sind eine unlösbare Einheit eingegangen. Fiebernd und voller Einsatzbereitschaft drückt sich der neue Schauspieler in dieser neuen, kraftgeladenen, spannungsvollen Dialogbewegung aus.

Ob er den Revolutionär gegen den liberalistischen Gedanken oder den Verkörperer des ewigen Soldatentums darstellt, immer verlangt das neue Drama die neue Gestaltungsform. Müthel sieht die Proklamation des Bekenntnisses in der schauspielerischen Kraft des Ausdrucks, in der inneren Glut, in der fanatischen Leidenschaft, im Glauben, der zum Kampf auch außerhalb der dichterischen Kampfbewegung verpflichtet.

Kapitel III

ARTFREMDES THEATER

## Weltanschauliches

### Verlotterung und Verleumdung

Friedrich Hussong: *Deutsches Theater* in: *Berliner Lokal-Anzeiger* vom 9. 5.
1933, Morgenausgabe, gekürzt.
Friedrich Hussong, Chefredakteur des *Berliner Lokal-Anzeiger*.

Was die Schriftsteller, die Bühnenleiter, die Darsteller eines in anarchistischem Individualismus sich zersetzenden Theaterwesens aus der Schaubühne, dieser moralischen und nationalen Anstalt Schillers, gemacht haben, dieser Haufen von Scherben und schmutzigem Abfall, diese chaotische Nervenanstalt, dieses wüste Laboratorium hilfloser Probierer, das wagt wohl niemand mehr mit einem Wort zu verteidigen.

Für jemanden, der seit so viel Jahren gegen die Verlotterung und Verluderung der deutschen Bühne in Kulturbolschewismus und Sittenfäulnis, in Ganovenehre und Verbrecherverklärung, in Charitéluft und grinsender Skepsis, in Halbwelt und Unterwelt, in Zeittheaterei ohne jede zeitliche Gültigkeit und erst recht ohne jeden Keim für die Ewigkeit kämpfte – für ihn ist es natürlich ein Glück, zu erleben, wie die Regierung eines national auf- und umgewühlten Deutschlands sich mit der ganzen Kraft, die sie zur Verfügung hat, sich einer Sache annimmt, für die man diese Jahre hier nichts tun konnte, als immer wieder gegen all diese Sünde wider den Geist Einspruch tun mit Hohn und Haß und immer wieder daran erinnern, daß trotz alledem und alledem der ewige Beruf der Kunst und die für eine nationale Kultur lebenswichtige und unentbehrliche Aufgabe eines deutschen Theaters bestehen bleibe.

# Platons Traum

Thilo von Trotha: *Rasse und Bühne* in: *Deutsche Bühnenkorrespondenz* vom 21. 4. 1934, gekürzt.

Die Rassengesetzgebung des Dritten Reiches, deren Ziele Reichsinnenminister Dr. Frick[1] erst kürzlich auf einem Vortragsabend des Außenpolitischen Amtes der NSDAP klar umriß, hat vor allem eine Aufgabe: die Aufartung des Volkes. Ob es sich um die Ausschaltung Fremdrassiger oder um den Schutz vor Minderwertigen handelt, oder um Hilfe für erbtüchtige Familien, alles dies dient nur jenem einen Ziel, von dem einst Platon träumte und das sich nun, getragen von einem einheitlichen Volkswillen, schneller und leichter verwirklichen läßt, als man je erwartet hatte.

Wir wissen heute, daß keine politische Idee ohne ihre kulturelle Verklärung sich auf die Dauer halten kann. Nicht anders kann es mit dem Rassengedanken des neuen Reiches sein. Und damit wendet sich der Blick jedes ernsten Nationalsozialisten sofort auf jene Einrichtung, die Schiller einmal «moralische Anstalt» nannte: das Theater.

## Schaukunststücke

Dr. Ferdinand Denk: *Hans Brandenburgs Zukunftsschau des deutschen Theaters* in: *Der Neue Weg* vom 15. 10. 1935, Auszug.

Dr. phil. Ferdinand Denk, * 1900, Kunstkritiker.

Hans Brandenburg, * 1885, Schriftsteller (Lyrik, Roman, Essay, Novelle).

Siehe auch Friedrich Billerbeck-Gentz: *Das kommende Drama* in: *National-sozialistische Monatshefte*, Februar 1934, S. 191.

Das liberalistische Theater konnte die weltanschauliche Zerrissenheit der Zeit nicht überbrücken, es war ja ihr einseitiger Ausdruck. Das Volk mied dieses Theater, denn es sah sein Leben und Schicksal nicht mehr gestaltet, nicht mehr erhöht und in sinnvollen Zusammenhang mit einem Ganzen gebracht. Und so saß nur ein genießendes Publikum in einem gesellschaftlichen Zuschauerhaus und ließ sich zu seinem Vergnügen und nicht zur Erschütterung und Erhebung – dazu war es nicht mehr fähig – vorspielen. Natürlich beherrschte das Serienstück mit privaten Inhalten die Bretter, die nicht mehr die Welt bedeuteten. Läppischer Operettensingsang und ausstattungsreiche Revuen waren die letzten Ausläufer dieses Theaters, das im Grunde nur Schaukunststücke zu bieten hatte.

1 Dr. jur. Wilhelm Frick, 1877–1946; er und der Braunschweigische Minister Dietrich Klages machten Hitler 1932 durch Ernennung zum Regierungsrat zum deutschen Staatsbürger; 1933 wurde Frick Reichsinnenminister.

# Das Erbgut

Felix Emmel: *Theater aus deutschem Wesen*, Berlin 1937, S. 34, Auszug.

In mancherlei Zusammenhang noch wird in dieser Schrift das Wort «Blut» auftauchen. Gegenüber allem leichtfertigen Gebrauch dieses Wortes soll daher sofort festgestellt werden, was wir darunter verstehen. Blut wird von uns nicht wortwörtlich, sondern im übertragenen Sinne gebraucht werden.

Das Erbgut umfaßt das körperliche und stets auch das geistig-seelische Grundgefüge. Kurz: die Einheit von Leib, Geist und Seele eines Menschen ist bereits – natürlich noch unentfaltet – in seinem Erbgute, in seinem «Blute» gegeben. Wenn wir daher in dieser Schrift von einem «Schauspieler des Blutes», einem «Spielleiter des Blutes» sprechen und bereits vor 12 Jahren davon gesprochen haben, so bedeutet es, daß nicht Umwelteinflüsse deren Wirken primär von außen bestimmen, sondern tiefste volkhafte Erbanlagen und ursprünglichste Wesenskräfte.

## Wie eine parlamentarische Regierung

Wilfried Bade: *Zeitnahe Kunst* in: *Die Bühne*, 1941, S. 126–127, Auszug.
Wilfried Bade, * 1906, Schriftsteller (Lyrik, Roman, Kulturpolitik); ausführlicher über ihn in: *Literatur und Dichtung im Dritten Reich* (Ullstein Buch 33029), S. 345.

Ein liberalistisches Zeitalter unter dem Banne jüdischer und individualistischer Auffassungen kannte daher auch diesen Begriff zeitnahe überhaupt nicht. Er ersetzte ihn – eine grundsätzliche Fälschung in der Begriffsbedeutung dieses Wortes zugleich vornehmend – durch den Ausdruck «modern». Wie viele Abhandlungen wurden nicht über «moderne» Kunst geschrieben, wie viele Definitionen versucht und wie viele Galerien und Museen zu dem Zwecke gegründet, das unmögliche nachzuweisen – daß es eine «moderne» Kunst gäbe!

Es ist nun eine alte Grundwahrheit, daß falsche Voraussetzungen zwangsläufig zu falschen Ergebnissen führen und so mußte denn auch dieser Versuch, nachzuweisen, daß es «moderne» Kunst gäbe, in einem völligen Chaos scheitern. In immer rascherer Folge lösten sich angebliche Kunstrichtungen ab. Zum Schluß war es so, daß die einzelnen Ismen noch nicht einmal so lange lebten, wie eine parlamentarische Regierung.

# Erkrankungen

Adolf Hitler: *Mein Kampf*, München 1935, S. 284, Auszug.

Sobald man die Entwicklung unseres Kulturlebens seit den letzten 25
Jahren vor dem Auge vorbeiziehen läßt, wird man mit Schrecken sehen, wie sehr wir bereits in der Rückbildung begriffen sind. Überall
stoßen wir auf Keime, die den Beginn von Wucherungen verursachen,
an deren unsere Kultur früher oder später zugrunde gehen muß. Auch
in ihnen können wir die Verfallserscheinungen einer langsam abfau-
lenden Welt erkennen. Wehe den Völkern, die dieser Krankheit nicht
mehr Herr zu werden vermögen!

Solche Erkrankungen konnte man in Deutschland fast auf allen Gebieten der Kunst und Kultur überhaupt feststellen. Alles schien hier
den Höhepunkt schon überschritten zu haben und dem Abgrunde zuzu-
eilen. Das Theater sank zusehends tiefer und wäre wohl schon damals
restlos als Kulturfaktor ausgeschieden, hätten nicht wenigstens die Hof-
theater sich noch gegen die Prostituierung der Kunst gewendet.

## Veranstaltungen

## Virgil und Ludendorff

*Rasse und Soldatentum*, in: *Deutsche Bühnenkorrespondenz* vom 12. 5. 1934,
Ausgabe A.

Unter dem Leitwort «Rasse und Soldatentum» stand eine Sonderver-
anstaltung des Kasseler Staatstheaters anläßlich des SA-Tages und
bildete den Inhalt einer sehr eindringlichen Ansprache von Sturmbannführer Dr. Erich Mohr – Kassel, die den hellen Geist nordischen
Soldatentums aufzeigte. Die Staatskapelle verschönte die Feierstunde
mit der Leonoren-Ouvertüre Nr. 3, Rienzi-Ouvertüre, dem Vorspiel zum
dritten Akt von Tristan, mit «Tod und Verklärung» von Richard Strauß
und der Zilcherschen Tondichtung «An mein deutsches Land». Kam-
mersänger Fritz Fritzau sang das Schwertlied Siegfrieds. – Ausgezeich-
nete Beiträge vermittelte Georg Buttlar als Sprecher. Großen und be-
deutungsschweren Worten von Äschylos, Virgil, Horaz, Friedrich dem
Großen, Clausewitz, Moltke und Ludendorff folgte Beumelburgs [1] pak-
kender «Flandernsoldat».

---

[1] Werner Beumelburg, 1899–1963, Schriftsteller (Kriegsgeschichte, Zeitgeschichte); sein *Flandernsoldat* erschien 1927. Näheres in: *Literatur und Dichtung im Dritten Reich* (Ullstein Buch 33029), S. 403 u. a. O.

# Alexander Paul: «Schwiegersöhne»

Besprechung in: *Völkischer Beobachter* vom 27. 2. 1936, gekürzt.

Dr. rer. nat. Alexander Paul (Pseudonym Karsten Pagel), Bühnendichtung.
In der Einleitung zu dieser Besprechung heißt es: «Der Reichsausschuß für Volksgesundheitsdienst, der unter der Leitung von Ministerialdirektor Dr. Arthur Gütt steht, unterhält eine eigene Theatergruppe, die Stücke aufführt, die die wissenschaftlichen Erkenntnisse der Rassenforschung zum Thema haben. So ist im vergangenen Jahre an vielen Stellen des Reiches und auch in Berlin das Schauspiel ‹Erbstrom› von Konrad Dürre gespielt worden.»
Dr. med. Arthur Julius Gütt, * 1891, war Leiter der Abteilung Volksgesundheit im Preußischen Innenministerium und Schriftsteller (Drama, Kritik, Erbbiologie, Rassenhygiene); er war auch im Reichsausschuß für Freilichtbühnen und Volksschauspiele. – Diese Art Schauspiele wurden im Dritten Reich im Zusammenhang mit der Propaganda gegen sogenannte unheilbar Kranke, denen die Euthanasie drohte, aufgeführt.

In diesem Jahr hat die unter der Leitung von Heinz Gorges stehende Bühne das Schauspiel «Schwiegersöhne» von Alexander Paul auf dem Spielplan, das in einer Sonderaufführung im Landwehrkasino am Zoo gezeigt wurde. Dieses Werk schildert in einer einfach und klar konstruierten Fabel, welches Unheil eine Einstellung, die nichts von den Erkenntnissen der Vererbungslehre wissen will, über eine Familie bringen kann.

In dem Hause eines evangelischen Pfarrers der alten Schule sind zwei Töchter und ein Sohn groß geworden. Der Bruder des Pastors ist ein Arzt, der sich seit Jahren mit den Fragen der Rasse und Vererbung befaßt und dessen Gedankengänge auch der Sohn des Pastors folgt. Trotz seiner Wissenschaft und Erkenntnis kann er die Ehe seiner Nichten mit einem Erbkranken und einem judenstämmigen «Deutschen» nicht verhindern. – Nun entwickeln sich in den drei Akten des Schauspiels die Folgen dieser Mißehen. Der erbkranke Gatte der ältesten Tochter muß in eine Anstalt gebracht werden, die andere Tochter wird von ihrem Mann, der immer mehr die charakteristischen Merkmale der Rasse aufweist, der er eigentlich zugehört, an Leib und Seele verseucht. Nur der Sohn des Pastors, der wegen der Einstellung seines Vaters aus dem Elternhaus in den Arbeitsdienst gegangen ist, heiratet ein erbgesundes Mädchen. Diese Schicksalsschläge in der eigenen Familie und der gesunde Sinn des Sohnes überzeugen schließlich auch den am Alten hängenden Pastor von der Richtigkeit der Erkenntnis der neuen Wissenschaft.

# E. W. Möller: «Das Opfer»

Walter May: *Der neue Eberhard Wolfgang Möller – Das Spiel «Das Opfer»
wurde in Hermannstadt uraufgeführt* in: *Deutsche Theater-Zeitung*, vom 18.
12. 1941, gekürzt.

Der junge Dichter des nationalsozialistischen Deutschlands, Eberhard
Wolfgang Möller, hat es unternommen, die Gesetzmäßigkeit dieser
Auseinandersetzung von Blut und Rasse am Beispiel auslanddeutschen
Kampfes in die dichterische Form eines festlichen Spieles zu gießen.
Daß der Dichter Möller dabei – als Deutscher aus dem Reich zu uns
kommend – in die tiefste seelische Regung dieses Kampfes einzudringen
und aus den letzten Geheimnissen des Mythus vom Blut die dramatische Gewalt seiner Handlung zu schöpfen vermochte, ist in unseren
Augen nicht nur ein Zeichen göttlicher Begnadung eines großen Künstlers, sondern gleichzeitig der Beweis dafür, daß im Reich das Schicksal
deutscher Siedler im Ostraume wieder in seiner geschichtlichen Bedeutung für Blut, Volk und Raum erkannt und erlebt wird.

Wenn der Woiwode als Vertreter einer anderen Rassenwelt erklärt:
«... es muß das Blut sich mit dem Blut vertragen,
was immer oben war, das muß hinab,
und das Verachtete muß oben liegen
und so, wie wenn ein Mann ein Weib beschläft,
in brünstiger Vereinigung gewaltsam
jahrtausendalter Gegensatz verschmelzen.»
so versündigt er sich an den ewigen Gesetzen des Blutes, und weil er
diesen Satz zu seinem Herrschaftsprinzip erhebt, muß er fallen.


## Varia

## Ein kleines, verschollenes Landstädtchen

*Erika Mann gegen Bergwald-Theater Weißenburg*, in: *Deutsche Kultur-Wacht*
vom 15. 2. 1933, S. 16, Auszug; Erika Mann ist die älteste Tochter Thomas
Manns.

Weißenburg, ein kleines verschollenes Landstädtchen, wo ehedem ein
karolingischer Königshof stand, besitzt seit drei Jahren durch das ener-
gische Betreiben seines Bürgermeisters ein Bergwaldtheater. Unter wun-
dervollen hohen Buchen, gleichsam in eine Schlucht eingebettet, liegt
diese prachtvolle Naturbühne.

Im Sommer 1932 wurde Erika Mann vom Intendanten Schmidt als
Schauspielerin engagiert; sie sollte unter anderem auch bei den Schillerschen Dramen mitwirken. Als dies in nationalen Kreisen bekannt

wurde, entstand ein allgemeiner Protest und die Leitung des Kampfbundes für Deutsche Kultur in München und Nürnberg sah sich veranlaßt, Einspruch gegen die Verpflichtung Erika Manns zu erheben. Zu unmöglich erschien eine Erika Mann als eine Schillersche Heldenfigur.

## Dreiste Tat

*Ein Theaterbesuch mit Folgen – Dreiste Polinnen im Reichsgautheater*, in: *Ostdeutscher Beobachter* vom 14. 1. 1942.

Immer nur ins Kino zu gehen, befriedigt auf die Dauer nicht. Man muß sich auch einmal etwas Besseres leisten. So dachten auch Halina und Zelona als sie sich vor ein paar Tagen durch eine Bekannte Karten zu der Sonntagsnachmittagsvorstellung im Großen Haus besorgen ließen. Beide sprechen und verstehen zwar kein Wort deutsch, aber das macht ihnen offenbar ebensowenig aus wie die Tatsache, daß sie als Polinnen in einem deutschen Theater nichts zu suchen haben.

Ihre Hoffnung, dort ein gutes Balett zu sehen, konnte allerdings nicht in Erfüllung gehen. Sie hatten sich zu sehr im Spielplan vergriffen. Es gab Iphigenie. Aber sie hatten noch mehr Pech. Nicht immer kann man im Theater die ungefährliche Rolle des stummen Zuschauers spielen. Sie jedenfalls mußten Rede und Antwort stehen, als ein anderer Besucher bat, den Platz mit ihm zu tauschen. Und da es mit der Sprache etwas stark haperte, fand der Theaterbesuch der beiden Mädchen durch amtliches Einschreiten ein vorzeitiges Ende.

Am Montagmorgen wurden die beiden Polinnen durch die Polizei bereits dem Amtsrichter vorgeführt. Sie erhielten für ihre dreiste Tat jede vier Monate Straflager.

# Mit den Augen der Rassenseele

Rassenseele ist der Grundbegriff von Rosenbergs *Der Mythus des 20. Jahrhunderts*; eine gründliche Studie über diesen Begriff schrieb Hanz Schwarz: *Volkstumsphilosophie – Eine Absicht* in: *Blätter für deutsche Philosophie*, 1937, Bd. 10, S. 307 f; unter der gleichen Überschrift werden in *Literatur und Dichtung im Dritten Reich* (Ullstein Buch 33029), S. 462–483, bereits einige Schriftsteller, die auch Dramatiker waren, behandelt.

## Ein Gutachten von Friedrich Bethge

Städtische Bühnen
(Opernhaus und Schauspielhaus)
Der Chefdramaturg
Gau-Kulturwart f. Hessen-Nassau
Frankfurt a. M., den 13. Okt. 1933
Hochstr. 46, Fernruf: Hansa 20691

*Gutachten*
über das hauchzarte Seelendrama «Eine Seele in Not» von L. Berner [1], (Vertriebsstelle Deutscher Bühnenschriftsteller), das nur in einem Kammerspieltheater zur Wirkung gelangen kann. Jeder größere Bühnenraum – wie etwa das Schauspielhaus der Städtischen Bühnen – tötet es ab. In Frankfurt käme etwa der *Raum* des Neuen Theaters in Frage.

Es fragt sich nun, ob das Werk dem Rhein-Mainischen Künstlertheater, Interdanten Werkhäuser, zu empfehlen wäre, wofür die geringe Personenanzahl spräche. Ich stelle diese Empfehlung der Gau- und Landesstellenpropagandaleitung anheim. Ich selber kann als Gaukulturwart diese Empfehlung trotz des unleugbaren dichterischen Wertes und Gehaltes als Nationalsozialist nicht verantworten. Es handelt sich – wie schon oben angedeutet, um ein überzartes Seelendrama aus der Atmosphäre etwa Jens Peter Jakobsen [2], Hermann Bangs [3], Ibsens,

1 Friedrich Bethge schreibt irrtümlicherweise L. Berner, aber tatsächlich handelt es sich hier um L. Bergner.
2 Jens Peter Jacobsen, 1847–85, dänischer Schriftsteller (Roman, Novelle, Lyrik).
3 Herman Bang, 1857–1912, dänischer Schriftsteller.

Tschechow[1] oder «Der einsamen Menschen»[2] von Gerhart Hauptmann, also um eine Kunst- und Menschengattungs-Äußerung, deren bloße Existenz wir, wie alles Kranke, Überfeinerte negieren müssen. Der einzige Gedanke, der für uns von programmatischem Interesse sein könnte, der der Vererbung krankhafter Veranlagung, spielt eine zu untergeordnete Rolle und wird vor allen in einem überempfindsamen Bürgermilieu abgehandelt, das selbst in den gesunden Vertretern dieser Schichten von unserem nationalsozialistischen Publikum mit Recht abgelehnt wird. Das Motto des Gesamtwerkes steht für mich am Anfang der Seite 40:

A: «Es gibt zu viel kaputte Menschen heutzutage, wollen alle geflickt werden», B: «und noch mehr kaputte Seelen». – Das sind die untergehenden problematischen Geschlechter der nahen Vergangenheit, deren blosse Existenz in unserer Erinnerung gespenstig wirkt und einen Schauer erweckt. All diese Kranke hat der Krieg und nach ihm unser Führer hinweggefegt.

Alle diese Menschen, sofern sie noch leben sollten, sind schon lange tot, ohne es zu wissen. Es gibt keine «einsamen Menschen» mehr, sondern nur noch eine Volksgemeinschaft.

Ich stelle anheim, von dieser meiner Stellungnahme weitgehenden Gebrauch zu machen.

Der Chefdramaturg
Gau-Kulturwart f. Hessen-Nassau
Friedrich Bethge

## Shakespeare: «Typisch undeutsch»

Dr. Hermann Wanderscheck: *Deutsche Dramatik der Gegenwart*, Berlin 1938, S. 40, Auszug.

Über den «undeutschen» Shakespeare gab es im Dritten Reich genauso viele Artikel und Studien wie über den «deutschen» oder «nordischen» Shakespeare; zu den sonderbarsten «weltanschaulichen» Auffassungen darüber gehört der Vortrag von Dr. Hans F. K. Günther in der Deutschen Shakespeare-Gesellschaft: *Shakespeares Mädchen und Frauen* in: *Shakespeare-Jahrbuch*, Weimar 1937, S. 85–108.

Dort, wo Shakespeare heute und alle Zeit seine großen Wirkungen erziele, sei er typisch undeutsch. Wie seine Stoffe typisch englisch wären, so auch sein Stichwortdialog, den zu übernehmen alle deutschen Dramatiker sich gesträubt hätten. Shakespeare sei schließlich die gro-

1 Anton P. Tschechov, 1860–1904, russischer Schriftsteller.
2 *Einsame Menschen*, Drama in fünf Akten von Gerhart Hauptmann; der Held, Johannes Vockerath, begeht wegen der Verständnislosigkeit seiner Umgebung und aus unglücklicher Liebe Selbstmord.

ße Ausrede geworden, er sei «ein Gerücht», «eine weiße Dame» in der deutschen Dramaturgie. Shakespeare als Vorbild habe den deutschen Dramatikern das Leben nur verbittert, stets sei die deutsche Dramatik von fremden Vorbildern nur verleitet worden.

## Georg Kaiser

Josef Nadler: *Literaturgeschichte des deutschen Volkes*, Berlin 1941, Bd. 4, S. 227, Auszug.
    Prof. Dr. Josef Nadler, 1884–1963, Literarhistoriker; ausführlicher über ihn in: *Literatur und Dichtung im Dritten Reich* (Ullstein Buch 33029), S. 367 (1).

Georg Kaiser, 1878, aus Magdeburg, hat alle Wandlungen von einem fast zügellosen Feinsinn bis zur bolschewistischen Verneinung alles Gültigen vollzogen. Seine Stücke sind nur von einer denkgeübten Vernunft zu erfassen. Aber das traf schließlich auch auf Ludwig Rubiner zu. Kaisers geistige Anreger und dramatische Lehrmeister bilden eine bunte Reihe von Dostojewskij und Hölderlin bis zu Wedekind und Sternheim. Vor dem Kriege hat Kaiser vergeblich um die Gunst des Parketts gerungen. Seine ersten Stücke sind hämische oder groteske Verzerrungen großer Vorwürfe der Weltliteratur, so «König Hahnrei» des Tristan. Mit dem Drama «Die Bürger von Calais» 1914 kam er nach dem Kriege unvermittelt empor. Der Gedanke des Stückes von der Geburt eines neuen Menschen war der bürgerlichen und kommunistischen Jugend durch Nietzsche geläufig. Er kehrt in vielen von Kaisers Stücken wieder. Sie haben alle ihre Beziehungen zum Tage. «Hellseherei» 1929 ist vielleicht Kaisers zartestes Stück, ein Spiel von der sehend gewordenen jungen Frau, die nicht sehen wollte, und der Wiedervereinigung fast schon getrennter Herzen. Diese Stücke führen alle eine chaotische Zeit auf die Szene. Sie sind Erzeugnisse eines berechnenden Verstandes, der mit dem Herzen kein Organ gemeinsam hat. Aber sie sind mit jener sachlichen Absicht zusammengesetzt, die den Werkstücken eines technischen Zeitalters gemäß ist.

## Hugo von Hofmannsthal

Kurt Gerlach: *Drama und Rasse* in: *Deutsche Dramaturgie*, Mai 1942, S. 106, Auszug.
    Hugo von Hofmannsthal, 1874–1929, Schriftsteller (Lyrik, Drama, Essay); Mitherausgeber der Zeitschrift *Morgen* und Herausgeber der *Neuen deutschen Beiträge*; über seine Zusammenarbeit mit Richard Strauss, dem er die Libretti schrieb, ausführlich in: *Musik im Dritten Reich* (Ullstein Buch 33032); die hier erwähnte Tragödie in Versen, *Elektra*, wurde am 30. 10. 1903 in Berlin uraufgeführt.

Jedenfalls muß gerade die Untersuchung eines jüdischen deutschsprachigen Dramas auf unsere Frage nach der blutbedingten, lebensgesetzlichen Grundlage der Kunst eine entscheidende Antwort geben. Wir wählen das Drama «Elektra» von Hofmannsthal, weil wir hier zugleich die Möglichkeit haben, die Nachdichtung mit dem griechischen Urbild zu vergleichen, wobei wir nicht nur die «Elektra» des Sophokles, sondern auch die «Orestie» von Aischylos heranziehen wollen. Schon Heinemann [1] (Die tragischen Gestalten der Griechen in der Weltliteratur) stellte fest, daß das Zerfasern und Zergliedern der innersten Regungen der menschlichen Seele die eigentliche Domäne Hofmannsthals sei. Er solle die Hörer aufregen, ihre Sinne reizen, ihre Leidenschaft aufpeitschen, was der keuschen Kunst des Aischylos und Sophokles ganz fern gelegen habe, während Euripides die ersten Anfänge dieser Bevorzugung des Pathologischen, Perversen und Lasterhaften zeige. Hofmannsthal tue das aus dem Grunde, weil die Tugend und das Gesunde langweilig seien, das Kranke und der Nervenkitzel dagegen immer interessant seien. Alle Gestalten der «Elektra» außer Orest sind nun irgendwie krank. Während die sophokleische Elektra durch all den Schmutz und die Gemeinheit ihrer buhlerischen Umgebung wie ein weißer Schwan hindurchzieht und ihre große Seele davon unberührt bleibt, geht Hofmannsthals Elektra an diesem Schmutz sittlich zugrunde. Nach Heinemann wolle uns der jüdische Dichter zeigen, wie ein sinnlich veranlagtes Mädchen infolge der Unterdrückung des Triebes und durch die Unsittlichkeit ihrer Umgebung schamlos und pervers werde.

## Das jüngere deutsche Bühnenschrifttum

Waldemar Lüders: *Neue Aufgaben für das deutsche Bühnenschrifttum* in: *Deutsche Dramaturgie*, Januar 1943, S. 5–6, Auszüge.

Wieweit Rassenprobleme im deutschen – insbesondere im jüngeren deutschen Bühnenschrifttum behandelt worden sind, mögen folgende Beispiele zeigen:

«Herzog Theodor von Gothland» von Christian Dietrich Grabbe. Der ganz aus dem Triebmäßigen emporwachsende Haß des Negers Berdoa beruht auf der wohl nie erlöschenden Feindschaft des unterdrückten Negers gegen den Europäer, der schwarzen gegen die weiße Rasse.

Eberhard Wolfgang Möller hat in mehreren Werken diese Probleme behandelt. In «Bauern» kämpfen die Siebenbürger Deutschen gegen die Übergriffe der ungarischen Landesfürsten um ihre Rasse und ihr Volkstum. In «Aufbruch in Kärnten» erheben sich Kärntner Bauern

1 Karl Heinemann, 1857–1927, Literarhistoriker.

gegen ihre slawischen Nachbarn, die den ihnen günstigen Ausgang des Weltkrieges benutzen wollen, um immer deutsch gewesenes Land neu zu besetzen.

Walther Gottfried Kluckes [1] Schauspiel «Alja und der Deutsche» gehört gleichfalls hierher. Im Kampf zwischen Pflicht und Neigung entschließt sich Otto I. von der fremdrassigen Alja, der er in leidenschaftlicher Liebe verfallen ist, abzulassen. Er tötet sie in der Schlacht gegen die Dänen.

---

[1] Walther Gottfried Klucke, * 1899, Schriftsteller (Bühnendichtung, Hörspiel, Roman, Novelle).

## Grundsätzliches

## Im Schatten

*Reichsminister Dr. Goebbels vor den deutschen Bühnenleitern*, in: *Berliner Lokal-Anzeiger* vom 9. 5. 1933, Auszug. Siehe auch: *Eine Unterredung mit Staatskommissar Hinkel*, in: *Deutsche Bühnenkorrespondenz* vom 31. 1. 1934.

In kurzen Zügen streifte Minister Dr. Goebbels auch die Judenfrage. Er meinte, daß in den letzten Jahren die deutschen Künstler oft von der Bühne verbannt waren. Nun hätten sie zurückgefunden. Der Jude könne kein Interpret des deutschen Volkstums sein. Wenn er daher in der nächsten Zeit im Schatten stehen müsse, so wäre dies nur gerecht und billig. Minister Goebbels wandte sich dann gegen das Schlagwort, daß die Kunst international sein müsse. Das liege heute weit hinter uns. Jede Kunst sei um so internationaler, je tiefer sie aus dem Volk emporsteige. Die «Meistersinger» würden in Paris nur deshalb gespielt, weil sie ein deutsches Werk seien.

## Unmöglich

Kurt Engelbrecht: *Deutsche Kunst im totalen Staat*, Lahr in Baden 1933, S. 20, gekürzt.
Pfarrer Kurt Engelbrecht, * 1883, Schriftsteller (Roman, Essay).

Unmöglich kann ein jüdischer Schauspieler – auch nicht bei der denkbar größten Anpassungs- und Nachahmungsfähigkeit – einen deutschen Charakter auf der Bühne glaubwürdig darstellen. Man denke sich nur einmal die Rolle des Faust durch einen Juden, die des Gretchen durch eine Jüdin besetzt! Unmöglich! Dem jüdischen Geiste wird das Faustische immer ein Buch mit sieben Siegeln bleiben, weil es seiner Art grundsätzlich widerspricht.

Nein, Rasse und Weltanschauung, Rasse und Denkweise sind so stark und innig ineinander verbunden und verpflichtet, stehen in so zahlreichen, unerforschlichen, geheimnisvollen Beziehungen zueinander, daß es auch der gewiegtesten Anpassungs- und Einfühlungskunst nicht gelingt, sie irgendwie vorzutäuschen und ihre Bilder glaubhaft in der Kunst uns vor Auge und Ohr erscheinen zu lassen, wenn sie nicht tief darin wurzeln.

## Deutsches Theater jüdischer Nation

Kapitel in Dr. Hans Severus Zieglers Buch: *Wende und Weg*, Weimar 1937, S. 75–76, Auszug.

Die Wahrheit ist: Wir haben seit der Jahrhundertwende ein deutsches Theater jüdischer Nation, und es versteht sich von selbst, daß diese Bühne nicht der Spiegel der deutschen Volkstumskultur, sondern des jüdischen Zeitgeistes gewesen ist und sein mußte.

Der jüdische Autor wurde vom jüdischen Verleger gemacht, durch den jüdischen Theateragenten dem jüdischen Dramaturgen, der sich auch an den Hoftheatern breitmachte, weiterempfohlen, vom jüdischen Regisseur in Szene gesetzt und endlich von der jüdischen Presse oder von der judengenössischen gepriesen, als handele es sich um einen neuen Shakespeare oder Goethe. Ich entsinne mich noch sehr gut aus der Nachkriegszeit, daß das mystizistische Theaterstück «Der Spiegelmensch» des Juden Franz Werfel [1] als das seit Goethes «Faust» größte Werk der dramatischen Literatur Deutschlands, und nicht nur vom «Berliner Tageblatt», hingestellt und Werfels Lyrik wie einst die von Heinrich Heine als wertvollste Lyrik neben oder nach Goethe verherrlicht wurde.

## Gerade hier

Gauhauptstellenleiter Dr. A. Perizonius: *Die Bewegung und das Theater* in: *150 Jahre der Stadt Koblenz*, Herausgeber Richard Werkhäuser, Koblenz 1937, S. 71, gekürzt.
    Dr. A. Perizonius, Mitglied der Verwaltungsbehörde des 1. Theaters in Koblenz.

Der Kampf der nationalsozialistischen Bewegung war stets ein Ringen um eine Weltanschauung. Politische Ziele waren nur die äußere Erscheinung für das Ringen um den seelischen und geistigen Umbruch unseres ganzen Denkens.

    Gegen das «freie Spiel der Kräfte» einer liberalen Zeit, das die deut-

---

1 Franz Werfel, 1890–1945, einer der bedeutendsten Lyriker des deutschen Expressionismus; seine Romane erzielten Millionenauflagen; *Der Spiegelmensch* wurde am 15. 10. 1921 in Leipzig uraufgeführt; ausführlich über Werfel siehe: *Literatur und Dichtung im Dritten Reich* (Ullstein Buch 33029), S. 28 f.

sche Nation in einen Zustand des Anarchismus bedrohlich weit absinken ließ, richtete der Nationalsozialismus die Autorität als absolutes Lebensgesetz auf.

Rücksichtslos mußten deswegen alle jene Zersetzungserscheinungen ausgemerzt werden, die diesem Willen der Bewegung entgegenstanden. Für das Gebiet des Theaters galt es, die Zuverlässigkeit und Eignung von Autoren und Komponisten als Voraussetzung für einen deutschen Spielplan hinsichtlich des geistigen Gehaltes und Wertes ebenso zu überprüfen wie das gesamtdramatische Schaffen im Sinne der nationalsozialistischen Gesamtforderung eines lebendigen und volksnahen Theaters. Gerade hier wurde das Judenproblem in das hellste Rampenlicht gezogen. Es muß immer wieder betont werden, daß die Judenfrage keine Personalfrage ist, sondern daß es sich um ein grundsätzliches Problem handelt. Ebenso wie das ganze deutsche Volk an den furchtbaren Jahren bis 1933 als Gesamtheit nach seiner Niederlage schwer zu tragen hatte, so mußte auch das Judentum in seiner Gesamtheit und als Einzelperson die Folgen seiner verbrecherischen Tätigkeit übernehmen.

## Das große Verdienst

Dr. Hans Knudsen: *Der Jude auf dem deutschen Theater – Zu dem Buche von Dr. Elisabeth Frenzel* in: *Völkischer Beobachter* vom 21. 8. 1940, gekürzt.

Dr. Elisabeth Frenzel beschäftigte sich nicht nur mit den Juden auf der deutschen Bühne, sondern schrieb auch über *Juden im Französischen Theater* in: *Deutsche Dramaturgie*, November 1942, S. 257–259; während des Krieges schrieb sie fast ausschließlich über solche Themen; es befinden sich im Inhaltsverzeichnis der *Deutschen Dramaturgie* des Jahres 1942 von ihr verschiedene Aufsätze wie: *Der Rassengedanke im Drama seit Franz Grillparzer*, S. 14 f; *Ernst von Possarts Abstammung*, S. 40 f; u. a. m. In der April-Nummer 1943 der Zeitschrift befindet sich auch wieder ein Aufsatz von ihr mit dem allgemeinen Titel: *Juden im Theater*, und in der März/April-Nummer 1944: *Der Anteil der Juden an der Entstehung der deutschen Privattheater*; auch in der *Neuen Literatur*, Juni 1940, S. 150 f, wies Dr. Elisabeth Frenzel auf die «jüdischen Schleichwege» hinter den Kulissen des Wiener Theaters hin; ihr Aufsatz: *Die Darstellung von Judenrollen*, in: *Die Bühne*, 1940, S. 244–245, hat folgende Einleitung der Redaktion: «Die Verfasserin des folgenden Aufsatzes, der die Grundgedanken eines weiten Stoffgebietes umreißt, gab soeben im Deutschen Volksverlag, München, ein Buch ‹Judengestalten auf der deutschen Bühne› heraus, das seine Bedeutung für Theaterwissenschaft und Kulturpolitik erweisen wird. Das Buch gehört in die Reihe der Veröffentlichungen junger Wissenschaft, die im nationalsozialistischen Geiste fachliches Können und kulturpolitische Sicherheit an der Erforschung bedeutender geschichtlicher Zeugnisse bewähren.» Dr. Elisabeth Frenzel bereitete auch für das Amt Rosenberg ein *Lexikon der Juden im Theater* vor, das nicht erschien. Dokument CXLI – 145: Rapport von Dr. Elisabeth Frenzel über die Arbeiten der Sektion *Theater* im Amt Rosenberg vom 25. Juni 1944.

In der Erörterung des zerstörenden Einflusses, den das Judentum auf die Kultur Deutschlands ausgeübt hat, genügte es im allgemeinen, auf die Tatsachenverhältnisse der Systemzeit hinzuweisen. Am sinnfälligsten und am greifbarsten ließen sich die ruinösen Zustände wohl am Theater zeigen. Es war schlagend, wenn man zahlenmäßig belegen konnte, daß 80 v. H. der Berliner Theaterleiter Juden waren, daß von 95 Bühnenverlegern Deutschlands im Jahre 1919 bereits 55, im Jahre 1924 von 108 nicht weniger als 72 jüdisch waren; aber daß im Jahre 1925 auf 260 Uraufführungen 95, im Jahre 1932 auf 280 immer noch 85 jüdische Autoren kamen. Das waren gewiß beschämende Zahlen, aber mit dem Augenblick, da man der Theaterfrage und dem Problem des jüdischen Anteils und Einflusses beim Theater einmal historisch nachgeht, ergibt sich mit fast erschreckender, aber bestimmt erregender Deutlichkeit, in welchem Maße die ganze Entwicklung des deutschen Theaters sich mit der Judenfrage entsetzlich hat herumschlagen müssen, in dem Sinne, daß die Juden mit klarer Überlegenheit das Theater immer wieder benutzt haben, um für sich und ihre Macht etwas herauszuholen und den Deutschen dumm zu machen.

Es ist das große Verdienst von Dr. Elisabeth Frenzel (Berlin), diesen Problemen einmal wissenschaftlich nachgegangen zu sein; die erstaunlich reichen Ergebnisse legt sie nun vor («Judengestalten auf der deutschen Bühne – Ein notwendiger Querschnitt durch 700 Jahre Rollengeschichte», München 1940, Deutscher Volksverlag, 285 S.). Das Buch von Elisabeth Frenzel ist ein grundsätzlich und kulturpolitisch höchst wichtiges Buch, in der gegenwartsbezogenen und gut lesbaren Darstellung ein Vorbild moderner Wissenschaft.

## Systematisch geleitet

Georg August Koch: *Von der Sendung des deutschen Schauspielers* in: *Deutsche Dramaturgie*, Februar 1942, S. 37, Auszug.
  Georg August Koch, * 1883, Schauspieler, Spielleiter, Sänger; 1942 spielte er den Shylock in *Der Kaufmann von Venedig*, s. S. 281.

Die verschiedenen «Ismen» der letzten Jahrzehnte, wie Impressionismus, Naturalismus und so weiter, sind ebenfalls nichts als Umschreibung für eine gänzlich andere Einstellung gegenüber den plastischen Formungen, welche bis dahin das Gesetz des Absoluten im Wissen um das, was gut und böse ist, vom bekennenden Künstler kategorisch gefordert hatte. – Nicht etwa ein gänzlich Neues, ein Naturgewächs aus den Urelementen der Schauspielkunst war das, was den Naturalisten erzeugte, denn Echtheit des Gefühls, Wahrheit des Ausdrucks in Wort und Geste, in sich versunkene Intensität waren von jeher die Grundstoffe für alles Tun eines jeden wahren Schauspielers. Vielmehr war hier wirksam der agonale Ausdruck des Skeptizismus der zur Herrschaft drängenden Klassen, das Ressentimentsgefühl der hassenden Unterschicht, systematisch geleitet vom jüdischen Machtwillen, der Sturm zu laufen begann gegen den wohlgeratenen Menschen auf der Bühne, in dem der neue soziale Aberglaube die Wurzel alles Elends, «der alten, der elenden Zeit», zu sehen sich gewöhnt hatte. Besonders stark stürzte sich der Generalangriff dieser Mächte auf das Theater in Berlin und erfocht dort einen Scheinsieg, der nicht nur zur restlosen Vernichtung eines traditionsgebundenen Theaters wie des Königlichen Schauspielhauses führte, sondern auch alle Theater des zweiten Reiches unter die Stil- und Darstellungstyrannei der neu entstehenden Berliner Theaterkonfektion zwang.

## «In einer Zeit der schärfsten politischen Auseinandersetzung»

Jutta Kahlmann: *Das war jüdisches Theater* in: *Die Bühne*, 1943, S. 244, Auszüge.

In einer Zeit der schärfsten politischen Auseinandersetzung mit den vernichtenden Kräften des Judentums ist es wichtig, auch die zersetzenden Einflüsse dieser Rasse im Theaterleben der Systemzeit und der Zeit des deutschen Niederganges eingehend zu untersuchen. Es ist eine, angesichts der jüdischen Mentalität durchaus erklärliche Tatsache, daß der Jude wohl kaum in einer Kunstgattung so festen Fuß fassen konnte, wie beim Theater und später beim Film. Mit seiner starken Intellektualität und kalten Berechnung erkannte er hier schon früh ein weites Wirkungsfeld für seine finanzielle Unternehmungs- und Ausbeutungsgabe und zugleich für seine politischen Machenschaften.

Kalte Routiniers spielten Stücke, die aus kaltem und berechnendem Intellektualismus entstanden waren, die herzlos, nur mit eisiger Berechnung auf ihre Wirkung hin inszeniert waren: Was wirkte, was zersetzte und was das deutsche Volk immer mehr in die Hände des jüdischen Kommunismus auslieferte, das war die richtige «Ware» der Berliner und sonstigen «deutschen» jüdischen Bühnenleiter.

## Abstammung

### Die Ausführungen des Dr. Gercke

*Rasse muß sich bewähren*, in: *Deutsche Bühnenkorrespondenz* vom 27. 10. 1934, Ausgabe A.

Dr. Achim Gercke, * 1902; 1926 Eintritt in die NSDAP und Gründung des *Archivs für berufsständische Rassenstatistik* in Göttingen; ab 1933 Sachverständiger für Rassenforschung beim Reichsinnenministerium; siehe über ihn auch: *Die Bildenden Künste im Dritten Reich* (Ullstein Buch 33030), S. 321 f.

In seinen Ausführungen betonte Dr. Gercke, daß er nach langjähriger, vorbereitender Arbeit heute in der Lage sei, gewissenhafte und zuverlässige Auskünfte zu erteilen, so daß derjenige, den man zu Unrecht nichtarischer Abstammung verdächtige, vor Schaden bewahrt bleibe und andererseits allen denen die Maske vom Gesicht gerissen werden könne, die sich unter dem Vorwand arischer Abstammung auch heute noch an Plätze stellen, wo nur Deutsche hingehören. Der Redner wies auf die große Verantwortung hin, die der Gutachter habe. Er selbst sei aber bereit, auf Grund seiner langjährigen Erfahrung diese Verantwortung in vollem Umfange auf sich zu nehmen. Im übrigen wies der Vortragende darauf hin, daß sich rassische Bewertung nicht in Akten festlegen lasse, sondern daß sich eine wertvolle Rasse erst in der Bewährung zeige. Wenn jeder einzelne durch eigene Gesunderhaltung und durch den Aufbau einer erbreinen Familie sein rassisches Verantwortungsbewußtsein beweise, nur dann sei über die Gegenwart hinaus eine Brücke geschaffen zu einer besseren deutschen Zukunft.

## Nichtarier auf deutschen Bühnen

Als Nachricht in: *Frankfurter Zeitung* vom 6. 3. 1934.

Berlin, 5. März. Amtlich wird mitgeteilt: Der Reichsminister für Volksaufklärung und Propaganda hat an die Landesregierungen folgendes Ersuchen gerichtet:

In zunehmendem Maße wird beobachtet, daß Nichtarier, die bereits verschwunden und größtenteils offenbar ins Ausland geflüchtet waren, in Theatern, Varietés, Kabaretts usw. wieder auftreten. Ich weise darauf hin, daß das Auftreten auf deutschen Bühnen von der Zugehörigkeit zu einem der Fachverbände der Reichstheaterkammer abhängig ist (§ 4 der I. Durchführungsverordnung zum Reichskulturkammergesetz, RGBl I, S. 797) und daß Nichtariern die Aufnahme in diese Verbände gemäß § 10 der bezeichneten Verordnung regelmäßig verweigert wird. Ich bitte deshalb, die Polizeibehörden anzuweisen, in allen in Frage kommenden Fällen den Nachweis der Verbandszugehörigkeit zu verlangen und, wenn er nicht erbracht werden kann, das Auftreten zu verhindern. Ich stelle weiter anheim, Fälle, in denen eine Verbandszugehörigkeit nachgewiesen wird, zur Kenntnis des Präsidenten der Reichstheaterkammer zu bringen, damit der Fall einer Nachprüfung unterzogen wird. Ich bitte um nachdrückliche Durchführung meines Ersuchens. Es darf nicht dahin kommen, daß sich das Publikum gegen das Auftreten von Elementen, von denen es bereits befreit zu sein glaubte, mit Selbsthilfe zur Wehr setzt.

# Im Sinne der vorstehenden Bestimmungen

Bekanntmachung in: *Der Neue Weg* vom 15. 10. 1935; siehe auch: *Keine Nicht-Arier-Rückkehr an deutsche Bühnen*, in: *Illustrierte Deutsche Bühne*, April 1934, S. 22; *Judenfrage auf deutscher Bühne*, in: *Deutsche Bühnenkorrespondenz* vom 16. 5. 1934, Ausgabe A; *Betrifft: Auftreten von Nichtariern auf deutschen Bühnen*, in: *Amtliche Mitteilungen der Reichsmusikkammer* vom 21. 3. 1934.

Voraussetzung für die Aufnahme in die Fachschaft Bühne ist, unbeschadet der Erfordernisse des § 10 der I. Durchführungsverordnung zum Reichskulturkammergesetz vom 1. 11. 1933, die Erbringung des Nachweises der arischen Abstammung des Antragstellers sowie dessen Ehegatten. Der Nachweis wird durch Vorlage von Urkunden erbracht, die die Religionszugehörigkeit des Antragstellers, seiner Eltern und seiner beiderseitigen Großeltern bei der Geburt bzw. Taufe erweisen. Auf die gleiche Art haben Verheiratete auch die arische Abstammung ihrer Ehegatten nachzuweisen.

Parteigenossen können an Stelle der obenbezeichneten Urkunden eine Bescheinigung ihrer zuständigen Parteidienststelle vorlegen, wonach sie dort ihre arische Abstammung nachgewiesen haben. Diese Bescheinigung hat auch die Unterlagen zu bezeichnen, auf Grund derer der Nachweis als erbracht angesehen worden ist.

In Berlin wohnende Antragsteller haben die erforderlichen Unterlagen der Fachschaft Bühne unmittelbar vorzulegen; die außerhalb Berlins wohnenden Antragsteller haben den geforderten Nachweis den Landesleitern der Reichstheaterkammer gegenüber zu erbringen, die auf jedem Aufnahmegesuche zu bescheinigen haben, daß der Ariernachweis im Sinne der vorstehenden Bestimmungen erbracht worden ist.

Berlin, den 10. Oktober 1935                    Fachschaft Bühne

## Bei außerehelicher Geburt

*Mitteilungen der Fachschaft Bühne*, in: *Die Bühne*, 1937, S. 68, Auszug.

Der Abstammungsnachweis soll die blutmäßige Abstammung klarstellen. Es ist daher in jedem Falle einer außerehelichen Geburt des Nachweispflichtigen oder eines Elternteiles der natürliche Vater, also der Erzeuger, zu ermitteln und (gegebenenfalls mit seinen Vorfahren) in den Ahnenspiegel aufzunehmen (nicht etwa Pflege-, Stief- oder Adoptiveltern!). Vielfach wird die Geburtsurkunde des außerehelich Geborenen oder die Urkunde über die spätere Heirat der Mutter Eintragungen enthalten, die Aufschluß über den natürlichen Vater ergeben. Es ist hierbei nur darauf zu achten, daß diese Urkunden nicht zu alt sind, da sonst die

Möglichkeit besteht, daß darin nachträglich wichtige Beurkundungen nicht vermerkt wurden. In diesen Fällen empfiehlt es sich, bei den betreffenden Standes- oder Pfarrämtern neue Auszüge anzufordern.

## Ein weiterer Aufruf

*Aufruf zur Einreichung des Ariernachweises,* in: *Die Bühne,* 1937, S. 575, gekürzt.

Die Mitglieder der Reichstheaterkammer (Fachschaft Bühne) mit den Mitgliedsnummern 49 000 bis 52 000 werden hiermit aufgefordert, innerhalb vier Wochen den Abstammungsnachweis für sich und, falls sie verheiratet sind, auch für ihren Ehepartner zu erbringen. Es wird hierbei auf die Bekanntmachungen im zweiten November- und ersten Dezemberheft 1936, im ersten und zweiten Januar- und im ersten Februarheft 1937 der Zeitschrift «Die Bühne» hingewiesen.

Die Obleute der Fachschaft Bühne werden gebeten, für die Durchführung dieses Aufrufes an ihren Theatern Sorge zu tragen.

### Entlassung und Rücktritt

## Victor Barnowskys Rücktritt

Als Nachricht in: *Vossische Zeitung* vom 10. 4. 1933, gekürzt; im *Berliner Lokal-Anzeiger* vom 10. 4. 1933 wird die Nachricht mit dem Satz kommentiert: «Die neue Zeit braucht andere Stücke und andere Männer!»

Wie wir bereits gestern meldeten, hat Victor Barnowsky die Direktion des Komödienhauses niedergelegt. Der Kampfbund für deutsche Kultur hat ihn in einem Briefe zum Verzicht auf seine Konzession aufgefordert. Als kommissarischer Leiter der Bühne wurde der bisherige Vorsitzende des Lokalverbandes der Bühnengenossenschaft am Komödienhaus Hanns Nachreiner eingesetzt. Damit wird ein Kapitel Berliner Theatergeschichte abgeschlossen, das hier bereits bei mehreren Anlässen gewürdigt worden ist. Denn Victor Barnowsky hat sich seit 28 Jahren auf allen Posten seiner Direktionsführung, im Kleinen Theater, Lessing-Theater, Künstlertheater, Stresemanntheater und Komödienhaus als ein ehrlich um Qualität und Leistung bemühter Theaterdirektor erprobt, dem eine Fülle von Talenten ihr Bekanntwerden in Berlin verdankten, und der auch als Dramaturg das Kunstleben unserer Stadt entscheidend gefördert hat.

# Entlassungen am Badischen Staatstheater

Als Nachricht in: *Deutsche Allgemeine Zeitung* vom 5. 5. 1933.

Die Pressestelle beim Staatsministerium teilt mit: Der Staatskommissar für das Ministerium des Kultus und Unterricht hat gemäß § 3 des Gesetzes zur Wiederherstellung des Berufsbeamtentums den Generalmusikdirektor Krips [1] sowie den Schauspieler Brand [2] vom Staatstheater in Karlsruhe unter Auflösung der Verträge aus dem Dienst des badischen Staatstheaters entlassen. Die Entlassung tritt bei Brand mit sofortiger Wirkung, bei Krips mit Ablauf des 31. August in Kraft.

## Bühnenvertriebsstelle in arischen Händen

Als Nachricht in: *Der Angriff* vom 28. 9. 1935.

Der «Angriff» hat kürzlich in einer Glosse auf den unhaltbaren Zustand hingewiesen, daß der Jude Neruda noch immer Direktor der Vertriebsstelle Deutscher Bühnenschriftsteller und Komponisten war und ihm unter anderem die dramaturgische Betreuung der Werke eines Dietrich Eckart oblag. Wir erfahren jetzt, daß mit Genehmigung des Präsidenten der Reichstheaterkammer und auch Hans Hinkels Dr. Hans Sikorski die gesamte alleinige Leitung der Vertriebsstelle übernommen hat. Neruda ist ausgeschieden. Die zuständige Stelle des Reichsministeriums für Volksaufklärung und Propaganda legt Wert auf die Feststellung, daß sich somit dieses Unternehmen in einwandfreien arischen Händen befindet.

## Jessner und Barnay

*Deutsches Theater von ehedem*, in: *Deutsche Allgemeine Zeitung* vom 28. 8. 1936, Auszüge.
Leopold Jessner, * 1878, Intendant des Staatlichen Schauspielhauses Berlin und Regisseur; Paul Barnay war Intendant der Vereinigten Theater in Breslau.

Man muß sich vergegenwärtigen, daß ein Jessner wagen konnte, auf der Bühne des Staatlichen Schauspielhauses, fast ohne Widerspruch des versnobten Publikums, einen «Hamlet im Frack» darzubieten, dessen zersetzende politische Tendenz nur mit den Inszenierungen des Kommunisten Piscator verglichen werden konnten. Ebenso konnte der ehemalige jüdische Direktor der Breslauer Theater Barnay-Horowitz, um nur ein

---

1 Josef Krips, * 1902.
2 Hermann Brand, Schauspieler und Regisseur.

Beispiel außerhalb der Reichshauptstadt zu nennen, mit seinen bolschewistischen Parteistücken jahrelang unser deutsches Theater beschmutzen, ohne ernstlichen Widerstand von Seiten des Publikums zu finden. Das zeigt so recht, wie inzwischen auch eine Gesundung des deutschen Zuschauers erfolgt ist.

Nach der Machtübernahme mußte dann auch der jüdische Direktor Barnay schleunigst das Reich verlassen.

## Die Hauptfigur stellte Albert Bassermann dar

In: *Die Neue Literatur*, 1936, S. 119, gekürzt.

Albert Bassermann, 1867–1952, Schauspieler, verließ Deutschland 1934, da seine Frau Else Jüdin war; Träger des Iffland-Rings; August Wilhelm Iffland, 1759–1814, gehörte zu den führenden Persönlichkeiten des Theaterlebens; er war Schauspieler, Theaterleiter und Dramaturg; der Iffland-Ring, mit dem Porträt Ifflands in Diamanten eingefaßt, wird jeweils vom Träger dem seiner Ansicht nach besten deutschen Schauspieler weitergegeben; vor Bassermann trugen ihn: Ludwig Devrient, Emil Devrient, Theodor Döring, Friedrich Haase. – Unter dem Titel: *Eine unbegreifliche Tat Bassermanns* brachte der *Berliner LokalAnzeiger* vom 27. 3. 1935, Morgenausgabe, folgende Nachricht: «Der verstorbene Schauspieler Alexander Moissi ist auf eine mehr als sonderbare Weise von Albert Bassermann bei seiner Einäscherung geehrt worden. Bassermann hat nämlich den Iffland-Ring, der sich jeweils an den besten deutschen Schauspieler nach dem Tode seines derzeitigen Besitzers weitervererbt, dem toten Moissi an den Finger gesteckt und damit zugleich den Ring der Vernichtung preisgegeben. Das bedeutet nicht nur einen Affront gegen Iffland, als Stifter des Ringes, der niemals daran denken konnte, einen Toten mit der Verleihung des Ringes ehren zu wollen, sondern auch nur eine zu deutliche Geste gegen Deutschland und alle an deutschen Bühnen wirkenden Schauspieler. Bassermann hat bekanntlich vor etwa einem Jahr Deutschland verlassen, weil nicht ihm, sondern seiner Frau, der Jüdin Else Schiff, Schwierigkeiten beim Auftreten auf deutschen Bühnen entstanden waren. Bassermann ging außer Landes, und es wurden ihm von keiner Seite Steine hinterher geworfen. Nunmehr hat Bassermann offenbar geglaubt, sich rächen zu müssen, obwohl ihm selbst nichts angetan worden war und es damals auch nur an ihm gelegen hätte, den veränderten Verhältnissen in Deutschland nach der nationalen Erhebung gebührend Rechnung zu tragen. Um so befremdender wirkt das, was er jetzt glaubte, mit dem Ifflandring tun zu können, obwohl er sich zum mindesten darüber hätte klar sein müssen, daß er über diesen Ring kein beliebiges Verfügungsrecht hatte, sondern an die nationale Bestimmung der Ehrung gebunden blieb. Bassermann hat sich selbst damit am meisten geschadet, und er wird auch in der übrigen Welt kein Verständnis für eine Handlung finden, durch die er der eigenen Nation und seinen deutschen Berufskollegen ins Gesicht schlug.»

**Eine feine Sache!** Wie der Wiener «Christliche Ständestaat» mit Entzücken meldet, fand vor kurzem im «Theater in der Josefstadt», dessen

Direktor der Jude Ernst Lothar [1] ist, die Aufführung eines frommen Jesuitenstückes «Die erste Legion» statt. Verfaßt hat es angeblich ein Amerikaner Emmet Lavery, arische Abstammung unwahrscheinlich [2]. Übersetzt und «mit sicherem Griff dem Ganzen die gemäße geistige Haltung gegeben» hat Friedrich Schreyvogl [3]. Die Hauptfigur stellte Albert Bassermann dar. «Reinhardts bewährte Darstellergarde» war «Träger aller wichtigen Rollen.» «Das Stück enthält nur solche», versichert der Berichterstatter des «Christlichen Ständestaates», Emmerich Sadowa (arische Abstammung unwahrscheinlich).

## Exkurs über Max Reinhardt

Max Reinhardt, 1873–1943 (im Exil), Theaterleiter, Regisseur und Schauspieler; für NS-Theaterwissenschaftler oder NS-Theaterkritiker war schon sein Name ein Schimpfwort, wie etwa auch «Systemzeit» als Begriff für die Weimarer Republik; siehe Heinz Herald: *Max Reinhardt – Bildnis eines Theatermannes*, Hamburg 1953, und Ernst Stern: *Bühnenbildner bei Max Reinhardt*, Berlin 1955.

## Max Reinhardt scheidet aus

Als Nachricht in: *Berliner Lokal-Anzeiger* vom 4. 4. 1933, Morgenausgabe, Auszug; siehe auch: *Deutsche Kultur*, ebd. am 5. 4. 1933; *Das Deutsche Theater ohne Max Reinhardt*, in: *Vossische Zeitung* vom 13. 4. 1933; *Der Künstler des Systems als Schwerbetrüger*, in: *Arbeitersturm*, Linz, vom 16. 5. 1938; *Des Juden Max Reinhardt große Abfuhr*, in: *Hakenkreuzbanner* vom 30. 7. 1938; *Die Juden in Deutschland*, München 1939: «Es bleibt symbolisch, daß Reinhardt den Weg von den Klassikern in den Zirkus ging» – ebd. S. 260–261; Theodor Fritsch: *Handbuch der Judenfrage*, Leipzig 1944, S. 351; Dr. Heinz-Ernst Pfeiffer: *Buchbesprechungen* in: *Bausteine zum deutschen Nationaltheater*, November 1935, S. 249–250.

Die Direktion Achez-Neft des Deutschen Theaters hat nach einer Besprechung mit dem Kommissar z. b. V. Hinkel vom preußischen Kultusministerium die Entscheidung getroffen, daß Max Reinhardt (Goldmann) nichts mehr mit der künstlerischen Leitung des Deutschen Theaters zu tun hat.

1 Prof. Dr. Ernst Lothar, * 1890, Schriftsteller und Kritiker; er war Redaktionsmitglied der *Neuen Freien Presse* in Wien und wurde zum Hofrat ernannt; 1938 emigrierte er in die Schweiz, dann nach Frankreich, schließlich floh er in die USA.

2 Emmet Lavery, * 1902.

3 Prof. Dr. Friedrich Schreyvogl, * 1899, Schriftsteller (Roman, Kritik); Professor an der Akademie für Musik und darstellende Kunst in Wien.

# Minderwertige und seelenlose Kunst

Dr. Johann von Leers: *Juden sehen dich an*, Berlin 1933, 5. Aufl., S. 61.

   Dr. Johann von Leers, * 1902, Schriftsteller; ausführlicher über ihn in: *Literatur und Dichtung im Dritten Reich* (Ullstein Buch 33029), S. 73 [2] u. a. O.; am 16. 6. 1933 schickte Max Reinhardt aus dem englischen Oxford der Hitler-Regierung einen Brief, in dem er über seine Tätigkeit in Deutschland berichtete, siehe Heinz Herald: *Max Reinhardt – Bildnis eines Theatermannes*, Hamburg 1953; er schreibt darin u. a.: «Meine Arbeit auf der Bühne ist mir immer die wesentlichste Aufgabe gewesen. Ich habe alle Ursache anzunehmen, daß ich mit meiner Tätigkeit dem Theater auch in schwerer Zeit hätte entscheidend helfen können. Das neue Deutschland wünscht jedoch Angehörige der jüdischen Rasse, zu der ich mich selbstverständlich uneingeschränkt bekenne, in keiner einflußreichen Stellung. Ich könnte aber auch, selbst wenn dies geduldet werden würde, in solcher Duldung niemals die Atmosphäre finden, die meiner Arbeit notwendig ist. Ohne Wohlwollen kann ein künstlerisches Theater gerade unter den heutigen Umständen nicht bestehen. Die lebendige Kunst des Theaters ist ja nicht nur abhängig vom Können, sondern auch vom Gönnen» – ebd. S. 145; weiter schreibt Reinhardt: «Der Entschluß, mich endgültig vom Deutschen Theater zu lösen, fällt mir naturgemäß nicht leicht. Ich verliere mit diesem Besitz nicht nur die Frucht einer siebenunddreißigjährigen Tätigkeit, ich verliere vielmehr den Boden, den ich ein Leben lang bebaut habe und in dem ich selbst gewachsen bin. Ich verliere meine Heimat. Was das bedeutet, brauche ich denen nicht zu sagen, die diesen Begriff über alles stellen» – ebd. S. 146; Reinhardt schließt seinen Brief mit den Worten: «Wenn ich nun aus den gegebenen Umständen die einzig mögliche Folgerung ziehe und dem Staat meinen Besitz überlasse, so nehme ich mit gutem Gewissen die Überzeugung mit mir, daß ich damit eine Dankesschuld abtrage für meine langen und glücklichen Jahre in Deutschland» – ebd. S. 149.

«Professor» Reinhardt (eigentlich Jud Goldmann) beherrschte zeitweilig als Theater-Hoherpriester nicht weniger als vier Theater in Berlin, nämlich die «Komödie», die «Kammerspiele», das «Berliner Theater» und das «Theater am Kurfürstendamm». Getaugt haben sie unter ihm alle nichts. Seine minderwertige und seelenlose Kunst wurde von der jüdischen Presse mit Leidenschaft dem Volke aufgeredet.

## Max Reinhardt in NS-Sicht

Dr. phil. Adolf Gentsch: *Die politische Struktur der Theaterführung*, Dresden 1942, S. 279–284, gekürzt; in seinem Buch gab er eine Zusammenstellung der von Reinhardt inszenierten Stücke, und zwar wie folgt unterteilt: «deutsche Autoren», «jüdische Autoren», «ausländische Autoren», ebd. S. 344–345; siehe auch Kapitel 11 im gleichen Buche, *Das Judentum*, S. 264 f.

   Bemerkenswert ist Rudolf Pechels Würdigung der Verdienste Reinhardts: *Max Reinhardt*, in: *Deutsche Rundschau*, September 1933, S. 209–210. – Dr. Rudolf Pechel, 1882–1961, Herausgeber und Chefredakteur der *Deutschen Rundschau*; 1942–45 im Konzentrationslager Sachsenhausen.

Die Überprüfung der theatergeschichtlichen Bedeutung des «Deutschen Theaters» in Berlin und die Erforschung seines tatsächlichen geschichtlichen und politischen Wertes ist eine wesentliche Aufgabe der publizistischen Theaterforschung. Im Zusammenhang dieser Arbeit kann nur auf einige auffallende Grundzüge im Führungscharakter des «Deutschen Theaters» hingewiesen werden.

Neben klassischen Bühnenwerken, deren Star, Joseph Kainz[1], den Ruf des «Deutschen Theaters» begründet hat, wurden hier die zeitgenössischen jüdischen Bühnenschriftsteller Lindau[2], Blumenthal[3], Lubliner[4], Fulda[5] usw. aufgeführt. Mit seinem Nachfolger Otto Brahm[6] (Abrahamsohn), der das «Deutsche Theater» 1893 übernahm, bekam das naturalistische Drama und der naturalistische Schauspielstil eine feste theatralische Wirkungsstätte. Nach einer folgenden einjährigen Episode unter dem jüdischen Literaten Paul Lindau zog 1905 Max Reinhardt (Goldmann) als Besitzer in das Deutsche Theater ein, dessen Eigentümer er bis 1934 blieb.

Max Reinhardt-Goldmann und sein Bruder Edmund, der die geschäftliche Leitung der Reinhardt-Bühnen innehatte, stammen aus einer galizisch-jüdischen Familie. Max Reinhardt wurde in Baden bei Wien geboren, und in noch jugendlichem Alter beendete er seine schauspielerische Elevenzeit mit dem Engagement am Deutschen Theater. Er machte sich bald als Regisseur selbständig und erzielte in einem neuen, unnaturalistischen «schönen» Stil starke Bühnenerfolge, mit denen er den Grund zu seiner außerordentlich erfolgreichen Laufbahn legte. Hieran waren – neben seinem unbestreitbaren theatralischen Geschmack und Talent, seinem Instinkt für begabte Darsteller und szenische Wirkungen – der Gegensatz seiner Bühnenwirkung zu dem nüchternen, naturalistischen Stil, seine Möglichkeit, alle bühnentechnischen Neuerrungenschaften auszunutzen, das Luxusbedürfnis des Vorkriegs-Bürgertums und die jüdische Propaganda maßgebend beteiligt. Der Herzog von Koburg ernannte ihn zum Professor, und die französische Regierung verlieh ihm das Kreuz der Ehrenlegion.

1 Josef Kainz, 1858–1910, Schauspieler.

2 Paul Lindau, 1839–1919, Herausgeber der Wochenschrift *Die Gegenwart* und der Monatsschrift *Nord und Süd;* siehe auch seine beiden Bände: *Nur Erinnerungen,* Berlin 1917.

3 Oskar Blumenthal, 1839–1917, Theaterkritiker am *Berliner Tageblatt.*

4 Hugo Lubliner, 1846–1911, Dramatiker.

5 Ludwig Fulda, 1862–1939, Lustspieldichter und Übersetzer von Molière, Beaumarchais, Ibsen, Shakespeare u. a.; Mitglied der Akademie der Dichtung, aus der er 1933 ausgestoßen wurde; siehe dazu: *Literatur und Dichtung im Dritten Reich* (Ullstein Buch 33029).

6 Otto Brahm, 1856–1912, Schriftsteller, Regisseur und Mitbegründer, gemeinsam mit Maximilian Harden und Theodor Wolff, der Zeitschrift *Freie Bühne.*

Es ist nicht verwunderlich, daß die Vorkämpfer eines abstrakten Kunstbegriffs und die Ideologen eines unnationalen «Welttheaters» Max Reinhardts Regie bewunderten und daß sich sein Stil im Zeitalter des Kunstliberalismus erheblich auswirkte und verbreitete.

Reinhardt dachte «welttheatralisch», und auch die deutschen Klassiker waren ihm ein Stück Weltliteratur. Seine Leistungen besaßen europäischen Maßstab. Der Geist des Kunstliberalismus, für den er als Jude besonders prädestiniert war und dessen letzter und wirksamster Ausleger er auf dem Theater wurde, erlaubte es ihm, sich über alle völkischen Bedingtheiten hinwegzusetzen. Er besaß ein traditionell jüdisches Theater, dem von vornherein die besondere Unterstützung und Fürsorge des mächtigen jüdischen Intellektualismus galt, und er wirkte in einer Zeit, in welcher der Gedanke der «Freiheit» und die Eigenwertigkeit der Kunst immer tiefere Wurzeln schlug.

Die publizistische Bewertung Max Reinhardts muß von der Tatsache ausgehen, daß unter der Fiktion eines «Deutschen» Theaters sich ein Mittelpunkt jüdischer Kulturbeeinflussung bildete, der zu einem wesentlichen Träger internationaler, demokratischer und gegenvölkischer Anschauungen und Lehren wurde und der den subjektiven Kunststil und das individuelle Kunsterleben bedeutend förderte. Die «übernationale» Tendenz Reinhardts kommt in seiner Theaterleitung klar zum Ausdruck.

### Jüdischer Kulturbund

Im Juni 1933 ist der *Jüdische Kulturbund e. V.* gegründet worden; am 6. 3. 1935 kam die *Anordnung der Reichskulturkammer über den Reichsverband jüdischer Kulturbünde* heraus, in: *12-Uhr-Blatt* vom 26. 7. 1935 und *Völkischer Beobachter* vom 7. 8. 1935; Hans Hinkel, der «Sonderbeauftragte für die Überwachung und Beaufsichtigung der Betätigung aller im deutschen Reichsgebiet lebenden nichtarischen Staatsangehörigen auf künstlerischem und geistigem Gebiet», hatte dafür eine Anzahl von Zensoren zur Verfügung. – Hauptaufgabe des *Kulturbundes deutscher Juden* war es, den entlassenen und verfemten jüdischen Künstlern Arbeitsmöglichkeiten in einem Kultur-Ghetto zu verschaffen; diese Idee stammte von dem Opernregisseur Kurt Baumann, aber ihre Verwirklichung war vor allem das Werk von Dr. Kurt Singer, bis 1933 Intendant der Städtischen Oper Berlin, Julius Bab, Theaterkritiker und Dramaturg, Generalmusikdirektor Joseph Rosenstock, bis 1933 in Mannheim, Dr. Werner Levie, Nationalökonom der *Vossischen Zeitung*, und Herbert Fischer, Leiter der Künstlerhilfe bei der Jüdischen Gemeinde. Als 1941 die *Endlösung der Judenfrage* anlief, wurde der *Jüdische Kulturbund* aufgelöst; siehe dazu auch die Dissertation von Irmela Goebel-Vidal: *Das Theater des jüdischen Kulturbundes zu Berlin 1933–1941* (Freie Universität Berlin), noch im Manuskript. Siehe auch Herbert H. Freeden: *Jüdisches Theater in Nazideutschland*, Tübingen 1964. – Am 1. 10. 1933 eröffnete der Kulturbund die Saison mit einer Aufführung von Lessings *Nathan der Weise* im Berliner Theater. Um die Zeit zählte die Organisation bereits 17 000 Mitglieder in Berlin. Lediglich jenen Mitgliedern, die einen Personalausweis mit Bild vorlegen konnten, war laut Regierungsanordnung der Besuch der Veranstaltung gestattet. – Der Kulturbund beschäftigte rund dreißig Schauspieler und Sänger, zehn Bühnenarbeiter, sechsundzwanzig Logenschließer und Garderobenfrauen. Im ersten Jahr fanden 170 Theaterabende statt; eine Viertel Million Mark wurden damals an Gagen, Gehältern, Löhnen und Honoraren gezahlt, einschließlich der dreißig Kammermusikabende, der vierzehn Chorkonzerte, zehn Liederabende, hundertvierzehn Vortragsabende und siebzehn Sonderveranstaltungen sowie drei Kinderveranstaltungen; Dramaturg war Fritz Jessner; man spielte Shakespeare, Lessing, Shaw, Molière, Tolstoj, Ibsen, Schnitzler, Molnár, Werfel, Pirandello u. a. m. Später wurden ausländische und auch deutsche Autoren verboten, siehe Doris Schaaf: *Der Theater-Kritiker Arthur Eloesser – Theater und Drama*, Herausgeber Hans Knudsen, Berlin 1962, S. 111–112; siehe auch: *A Jewish Theatre under the Svastica*, Year Book 1, London 1956, S. 142 f, Publications of the Leo Baeck Institute; siehe die Äußerungen von Hans Hinkel: *Hinkel über seine Aufgaben* in: *Frankfurter Zeitung* vom 28. 7. 1935; *Ein Interview mit Hinkel*, ebd. am 30. 7. 1935; *Nur eine einzige jüdische Kulturorganisation*, in: *BZ am Mittag* vom 7. 8. 1935; *Die Judenfrage in unserer Kulturpolitik*, in: *Die Bühne*, 1936, S. 514 f; *Hinkel über das eigene Kulturleben der Juden in Deutschland*, in: *Deutsche Allgemeine Zeitung* vom 15. 11. 1938; *Wohin mit den Juden?*, in: *Die Bühne*, 1939, S. 3 f.

## Ferdinand Bruckner soll beabsichtigen

Ferdinand Bruckner (Pseudonym für Theodor Tagger), 1891–1950, Dramatiker; er gründete 1917 die avantgardistische Zeitschrift *Marsyas* und 1923 das Berliner Renaissance-Theater; 1933 emigrierte er nach Frankreich, 1936 in die USA; Ende 1933 wurde sein Stück *Die Rassen* in Zürich uraufgeführt, siehe: *Deutsche Bühnenkorrespondenz* vom 24. 1. 1934; dasselbe Stück wurde seltsamerweise in London verboten – «Die englische Zensur hat die Aufführung verboten mit der Begründung, daß man in England kein Stück aufführen dürfe, das einen befreundeten Staat herabzusetzen geeignet ist», so schrieb *Die Deutsche Bühnenzeitung* triumphierend am 11. 4. 1934 unter der Überschrift: *England verbietet Bruckners: Rassen.*

| | |
|---|---|
| An | Der Reichsdramaturg im Reichsministerium |
| Herrn Staatskommissar | für Volksaufklärung und Propaganda |
| Hans Hinkel | *Geschäftszeichen: Abt. VI* |
| *Berlin* | Berlin W 8, den 5. 12. 1933 |
| Unter den Linden 4 | Wilhelmplatz 8–9, Fernruf: A 1 Jäger 0014 |

Sehr geehrter Herr Staatskommissar!
In der Anlage reiche ich Ihnen die vom jüdischen Kulturbund Rhein-Ruhr Ihnen zur Genehmigung vorgelegten Stücke zurück und bemerke zu den einzelnen Manuskripten folgendes:
Ferdinand Bruckner soll, ausländischen Pressenotizen zufolge, beab-

sichtigen, in Paris mehrere Stücke zu starten, die sich mit dem national-sozialistischen Deutschland auseinandersetzen. Was dabei herauskommen wird, kann man sich bei Herrn Tagger ohne weiteres vorstellen. Schon dieses Faktum spricht gegen eine Genehmigung. Sachlich scheint eine Ablehnung mir ferner dadurch begründet, daß es von uns aus nicht geduldet werden darf, daß ein Jude ausgerechnet Kleist dramatisch ausschlachtet.

Gegen das an sich harmlose Stück «Der Unbestechliche» von Hofmannsthal wäre nichts einzuwenden, falls ein gewöhnliches Privattheater sich dieses Stückes annehmen wollte. Wird indessen die komische Hauptrolle von einem *Juden* gespielt, und werden, was mehr als naheliegend ist, die anderen Rollen «arisch» karikiert, so scheinen mir doch Gefahren in Richtung einer tendenziösen Verallgemeinerung vorzuliegen.

Heil Hitler!

Schlösser

## Besuch im Berliner jüdischen Theater

Bericht von Dr. Hermann Wanderscheck, im Besitz des Herausgebers, wahrscheinlich für Hans Hinkel verfaßt. Siehe auch Herbert H. Freeden: *Jüdisches Theater im Dritten Reich* in: *Aus Politik und Zeitgeschichte*, Beilage zu *Das Parlament*, 6. 11. 1963.

Im Sommer 1933 hat Reichskulturwalter Hans Hinkel im «Reichsverband der jüdischen Kulturbünde» sämtliche jüdischen Kulturorganisationen zusammengefaßt. Im Rahmen des jüdischen Kulturbundes wurde die «Kulturbundbühne» gegründet, die jüdischen Schauspielern Gelegenheit zur Betätigung gab und ihre Durchführung in die Hände der jüdischen Besuchermassen legte. Nur Juden sind Mitglieder des Kulturbundes und Besucher der Kulturbundbühne. Der Umfang der Organisation erstreckte sich auf Theateraufführungen, periodisch stattfindende Symphonie- und Unterhaltungskonzerte, Vortrags- und Kleinkunst-Abende. Daneben wurde eine jüdische Jugendbühne gegründet. Der Spielplan des «Jüdischen Kulturbundes Berlin» sieht neben Schauspielen und Opern Donizettis, Verdis, Offenbachs, Shakespeares, Bruno Franks und Franz Molnars auch hebräische Schauspiele vor. Die Jugendbühne wird neben Max Brod [1] und Ossip Dymow [2] auch Kleist spielen. Wir hatten Gelegenheit, einer Aufführung der «Kulturbundbühne» beizuwohnen. Die «Goldene Kette», das Drama einer chassidischen Familie

1 Dr. Max Brod, * 1884, Dramaturg; Herausgeber von Franz Kafkas sämtlichen Werken.
2 Ossip Dymow, * 1878, russischer und jiddischer Schriftsteller; sein Drama *Nju* wurde in den Berliner Kammerspielen von Max Reinhardt aufgeführt.

von Jizchok Leib Perez [1] in einer nach dem jüdischen Original ergänzten und freien Nachdichtung von Siegfried Schmitz [2] stand auf dem Spielplan. Die «Goldene Kette» ist der Zusammenschluß der priesterlichen Organisationen, der Rabbiner, die die chassidische Gemeinde führen. Der Rabbi Salomo, der das Schlußgebet des Sabbats nicht sprechen will, um den ewigen Feiertag in der Welt zu sichern, wird von der Gemeinde entsetzt. Sein Sohn Pinchas wird Rabbi, der die Seelen durch das düstere Gesetz erlösen will. In die Gemeinde dringt die Vernunft des aufgeklärten Westens durch einen emanzipierten Arzt. Ihm bedeutet die Natur und ihre Gesetze alles. Zu ihm fühlt sich Lea, die Enkeltochter des Pinchas, hingezogen. Ihm folgt sie, fort aus Haus und Gemeinde. Wieder zerspringt ein Glied der «Goldenen Kette». Des Pinchas Sohn Mosche wird Rabbi. Gewaltsam sucht er inmitten der Gemeinde die Ekstase, die Gott erreicht. Aber auch er bricht zusammen. Jonathan, sein eigener Sohn, tritt ihm entgegen. Er ruft: «Gott prüft man nicht.» Nun wird Jonathan Rabbi und die goldene Kette schlingt sich weiter.

Diese Dichtung aus theologischer Vernunft gab Aufschluß über die Gefühlswelt des Chassidismus. Die Inszenierung zeigte starke symbolische Gestik und düstere Strenge. Die jüdische Darstellung war der rituellen Tendenz des Werkes verhaftet.

Dr. Wanderscheck

## Hinkel vereinbart mit der Gestapo

*Kulturghetto der Juden*, in: *Der Führer – Hauptorgan der NSDAP Gau Baden* vom 18. 8. 1935, Auszüge.

Berlin, den 17. August. Zwischen dem Geheimen Staatspolizeiamt Berlin und dem Sonderbeauftragten des Reichsministers für Volksaufklärung und Propaganda, Staatskommissar Hinkel, sind eindeutige Richtlinien für die Tätigkeit des Reichsverbandes der jüdischen Kulturbünde im deutschen Reichsgebiet vereinbart worden. Diese Richtlinien besagen, daß nur noch der Reichsverband der jüdischen Kulturbünde den organisatorischen Zusammenschluß aller jüdischer Kulturorganisationen im gesamten Reichsgebiet darstellen darf. Sitz der verantwortlichen Reichsleitung des Reichsverbandes ist Berlin. Sämtliche jüdische Kulturorgani-

---

1 Jizchok Leib Perez, 1851–1915, hebräischer und jiddischer Schriftsteller; Klassiker der jiddischen Literatur; siehe Joseph Wulf: *J. L. Perez*, Buenos Aires 1948, jiddisch; das Drama *Die Goldene Kette*, 1907, gehört zu den besten Schöpfungen der jiddischen Literatur.

2 Dr. phil. Siegfried Schmitz, 1886–1942 (im Exil durch Selbstmord); 1919–27 Redakteur der zionistischen *Wiener Morgenzeitung* und später des Wochenblattes *Stimme*; veröffentlichte viele Essays und Feuilletons über jüdische Literatur, Kulturgeschichte und Folklore.

sationen mit Ausnahme der Schul- und Kultusgemeinden müssen bis zum 15. September einschließlich dem Reichsverband eingegliedert sein und stehen von diesem Tage an unter der Leitung des von Staatskommissar Hinkel eingesetzten Vorstandes in Berlin. Über die Frage der Mitgliedschaft in einem lokalen Verband des jüdischen Kulturbundes besagen die nunmehr von allen zuständigen Stellen genehmigten Richtlinien, daß Mitglieder nur Juden oder Nichtarier im Sinne des Berufsbeamtengesetzes sein können. Jedoch können auch Ehegatten von Mitgliedern eines jüdischen Kulturbundes, auch wenn sie selbst arisch sind, einer solchen Organisation angehören.

Die Richtlinien weisen die lokalen Organisationen des Reichsverbandes an, tunlichst Räume zu benutzen, deren Eigentümer, Mieter oder Pächter Nichtarier sind.

Als Organ des Reichsverbandes jüdischer Kulturbünde wurden die «Mitteilungen des Reichsverbandes» genehmigt. Für den redaktionellen Inhalt dieser Mitteilungen sind alle Personen in der Leitung der Berliner Zentrale verantwortlich. Es ist selbstverständlich, daß sich die Veranstaltungen des Reichsverbandes und aller ihm angeschlossenen Organisationen und der Inhalt dieser «Mitteilungen des Reichsverbandes» in keiner Form gegen den nationalsozialistischen Staat, seine Einrichtungen und seine Gesetze wenden dürfen. Allen Mitgliedern des Reichsverbandes jüdischer Kulturbünde ist die aktive oder unterstützende Betätigung auf künstlerischem und kulturellem Gebiet nur im Rahmen des kulturellen Eigenlebens des in Deutschland ansässigen Judentums erlaubt.

### Sonderreferat Hinkel

Obwohl Hans Hinkel erst 1935 zum «Sonderreferenten» für jüdische geistige und kulturelle Arbeit ernannt wurde, war er praktisch bereits sofort nach Hitlers Machtergreifung der Diktator aller ausgestoßenen jüdischen Künstler.

## Herr Intendant Kurt Singer unterrichtete

Dr. Kurt Singer, 1885–1944 (in Theresienstadt), war Arzt und Musiker; ausführlicher über ihn in: *Musik im Dritten Reich* (Ullstein Buch 33032).

An das Preuss. Ministerium für
Wissenschaft, Kunst und Volksbildung
z. Hd. des Herrn Staatskommissars
Hans Hinkel MdR.,
Vorsitz. des Preuss. Theaterausschusses     Köln, den 10. August 1933
*Berlin W 8*, Unter den Linden 4     Dischhaus, Brückenstr. 19

Betrifft: Genehmigung eines jüdischen Kunstvereins im Rhein-Ruhrbezirk.

Hochverehrter Herr Staatskommissar,
Für Köln und mehrere preussische Großstädte des Rhein-Ruhrbezirks ist
die Gründung eines gerichtlich einzutragenden jüdischen Kunstvereins
(Gesellschaft der Freunde des Theaters und der Musik in Interessenge-
meinschaft mit dem «Kulturbund Deutscher Juden») geplant. Ein wesentliches Ziel des Vereins und seiner Veranstaltungen ist die Arbeitsbe-
schaffung für eine Anzahl von Künstlern und technischen Arbeitskräften,
die sonst den Arbeits- und Wohlfahrtsämtern zur Last fallen würden.

Herr Intendant Dr. Kurt Singer, Berlin, unterrichtete den Arbeitsausschuß des Kölner Vereins über die Bedingungen, unter denen die Genehmigung des «Kulturbunds Deutscher Juden» erteilt worden ist. Diese
Bedingungen werden auch für unsere Vereinsgestaltung maßgebend
sein. Es werden grundsätzlich nur Juden Mitglieder werden können
und nur Mitglieder werden Zutritt zu den geschlossenen Vereinsveran-
staltungen haben. Das Programm der Veranstaltungen kann auf Wunsch,
ebenso wie das des «Kulturbunds Deutscher Juden» der von Herrn Staatskommissar bezeichneten Stelle vorgelegt werden.

Der Unterfertigte bittet um Genehmigung bezw. Unbedenklichkeits-
erklärung des in Aussicht genommenen Vereins und seiner Veranstaltungen.

| | |
|---|---|
| *Stempel:* | Mit dem Ausdruck der vorzüglichen Hochachtung |
| Eingegangen 14. Aug. 1933 | Der Arbeitsausschuß des jüdischen |
| Erl: 24. 8. F | Kunstvereins im Rhein-Ruhrbezirk |
| *handschriftlich: erledigt* | i. A. Gerhard David |
| Dr. Singer 2.³⁰ Mittwoch | Dipl. Kfm., Dr. rer. pol. |

## «Wir teilen Freud und Leid»

| | |
|---|---|
| Herrn | Walter Pinthus |
| Staatskommissar des Preußischen | Berlin-Westend, 30. September 1933 |
| Staatsministeriums Hinkel | Eschen-Allee 21 |
| *Berlin W 8* Wilhelmstr. 63/64 | Tel.: J 9 Heerstraße 4213 |

Der Unterzeichnete gehört dem «Kulturbund deutscher Juden» als Mitglied an.

Meine Frau, mit der ich seit 12 Jahren in glücklicher Ehe lebe, ist Chri-
stin und erhält keine Eintrittskarte. Ich erlaube mir daher die ergebene
Bitte auszusprechen, zu gestatten, daß meine Frau gemeinsam mit mir
die Vorstellungen besuchen darf. Wir teilen Freud und Leid gemeinsam
und ein Theaterbesuch ohne meine Frau wäre für mich undenkbar.

Indem ich hoffe, keine Fehlbitte getan zu haben, zeichne ich

*handschriftlich:* kein Präzedenzfall          mit Hochachtung
                                               Walter Pinthus

# Grundsätzlich

Herrn Walter Pinthus        Hans Hinkel, MdR.–Staatskommissar
*Bl-Westend*, Eschenallee 21     6. Oktober 1933

Ich bestätige den Eingang Ihres Schreibens vom 30.9. und teile Ihnen mit, daß Ihre Frau als Nichtjüdin den Vorstellungen des Kulturbundes Dt. Juden grundsätzlich nicht beiwohnen darf. Um keine Präzedenzfälle zu schaffen, dürfen hier keine Ausnahmen gemacht werden.

                                                Hinkel

## Bitte nochmals

An den Amtlichen Preußischen
Theaterausschuß, Leitung          Düsseldorf,
Herr Staatskommissar Hans Hinkel, MdR.   den 19. Dezember 1933
*Berlin*                         Himmelgeisterstr. 54

Ich komme heute nochmals auf mein Schreiben vom 6. Dez., meine Tochter Liesel betreffend, zurück. Ihre Antwort vom 9. Dezember fasse ich weder als Ablehnung, noch als Zusage auf; es besteht also für mich nach wie vor eine Unklarheit. Nachdem aber inzwischen die Zeitungen von einem neuen Erlaß des Herrn Kultusministers berichten, der die Zulassung von Kindern von Kriegsteilnehmern nichtarischer Herkunft zu den Kunstakademien und Kunstschulen etc. ermöglicht, bitte ich nochmals, zu meinem Schreiben Stellung zu nehmen und mir schriftlich zu bestätigen, daß der Aufnahme meiner Tochter in die Staatliche Schauspielschule der Städtischen Bühnen Düsseldorf Bedenken Ihrerseits nicht entgegenstehen.

Für eine baldige Antwort wäre ich dankbar.     Heil Hitler!

                                        Alfred Preis

## Ein langjähriges Mitglied des Staatstheaters Berlin

Herrn
Staatsrat Hans Hinkel    Jüdischer Kulturbund in Deutschland e. V.
Reichsministerium für     Abteilung Gesamtorganisation
Volksaufklärung         Berlin SW 68, Stallschreiberstr. 44
und Propaganda        Fernruf: 17 37 12 (Leitung: Fernruf: 17 77 35)
Abteilung II A          *Unser Zeichen:* Dr. L/A.
*Berlin W 8*           *Datum:* 3. Februar 1939
Wilhelmplatz 8–9      *Betrifft:* Schauspieler Martin Chassel

Sehr geehrter Herr Staatsrat!
wenn ich heute in einer Eingabe mich an Sie direkt wende, so geschieht das in einer mehr persönlichen Angelegenheit:

Der Ihnen sicherlich bekannte Schauspieler Martin Chassel (früher Martin Wolfgang), langjähriges Mitglied des Staatstheaters Berlin und des Deutschen Theaters Berlin, geboren am 1. August 1891 in Magdeburg, ist im Zuge der Ausbürgerungsgesetzgebung vor einigen Jahren staatlos geworden und jetzt im Rahmen der allgemeinen Ausweisung staatloser Juden mit einer Frist von 8 Wochen aus dem Deutschen Reichsgebiet verwiesen worden.

Chassel ist seit dem ersten Tage des jüdischen Kulturbundes bei uns tätig. Er hat in teilweise ergreifenden Leistungen unsere Menschen zu rühren gewusst, obwohl eine schwere, seine Schaffenskraft vernichtende Krankheit ihn in jungen Jahren getroffen hat. Er leidet an Multiplesklerose und ist im Gehen sehr behindert, so dass er kaum mehr die Bühne betreten kann. Mit einem rührenden Optimismus kämpft er heute noch um Rollen und fühlt sich absolut in der Lage, noch als Schauspieler zu wirken. Wir haben ihn von Jahr zu Jahr weiter engagiert und würden dies auch tun, solange es überhaupt Jüdischen Kulturbund gibt, weil er hin und wieder noch in kleinen Rollen verwendbar ist und darin eine Lebensbestätigung findet. An eine Auswanderung *ist bei diesem Mann, der mit einer* Arierin verheiratet ist *und in guter Ehe lebt,* nicht zu denken, da kein Land ihn in diesem Krankheitszustandaufnehmen würde; an eine Heilung ist gleichfalls nicht zu denken.

Nun sehe ich keine Möglichkeit, Chassel, der uns allen ein guter Freund und ein immer liebenswerter Mensch ist, zu helfen, wenn nicht von höherer Stelle für ihn ein Einsatz erfolgt. Ich wage es deshalb einmal persönlich eine Bitte auszusprechen, dass vielleicht durch Befürwortung beim Ausländeramt des Herrn Polizeipräsidenten eine Aufhebung dieser Ausweisung (II 3130, Chassel, Martin, 91) erfolgen könnte, die den Mann und seine Ehefrau in gleicher Weise trifft (die Ausweisung gilt auch für die Ehefrau), und die den beiden Menschen jede Möglichkeit nimmt, zu existieren. Das Verbleiben im Inland ist ohne Rücknahme der Ausweisung unter schwerste Strafe gestellt, und eine Auswanderungsmöglichkeit gibt es nach meinem Ermessen nach Lage der Dinge für diesen Menschen überhaupt nicht.

Ich habe mit der Ehefrau gesprochen, dass ich alles tun werde, um den beiden Menschen in ihrem an sich schon grossen Unglück zu helfen, und bitte deshalb ergebenst, diesen Brief als das zu betrachten, als was er gemeint ist, als einen Hilferuf dieser beiden Menschen, die keine Möglichkeit haben, sich an Sie direkt zu wenden.

> In ausgezeichneter Hochachtung
> Ihr ganz ergebener Levie

*handschriftlich:*
1) aus grundsätzlichen Erwägungen nichts zu machen. An die entstehende Zentralstelle für jüd. Auswanderung verweisen. Antwort nicht schriftlich geben!

2) Frl. Framm m. d. Bitte um Erledigung
3) z. d. A.          EW 6/2          erl. F. 8/2 (mit Levie telefoniert)

*Handschriftliche Randnotiz zu rot unterstrichenem Text (hier kursiv gedruckt):*
Das lieben wir nicht sehr

## Diversa

## Nunmehr auch der Stahlhelm

*Das Publikum wehrt sich,* in: *Deutsche Bühnenkorrespondenz,* Februar 1933, S. 3, Auszug.
  *Der Stahlhelm, Bund der Frontsoldaten,* wurde am 13. 11. 1918 in Magdeburg von Franz Seldte gegründet; am 28. 3. 1934 ist er in *Nationalsozialistischer Deutscher Frontkämpferbund (Stahlhelm)* – weiter unter Führung Franz Seldtes – umbenannt worden.

Intendant Maisch[1] am Mannheimer Nationaltheater weigerte sich jüngst, den Wunsch einer deutschen Besucherorganisation zu erfüllen, die Rollen von Frontsoldaten, welche von Juden dargestellt wurden, umzubesetzen. Das deutsche Volk hat rassisch «echte» Besetzungen sogar durch Neger und Halbblut als besonders sorgfältige Feinheit der Regie hinzunehmen, aber es darf um Gotteswillen nicht verlangen, daß nordische Gestalten deutscher Kunst auch von nordischen oder mindest nicht gänzlich artfremden Menschen dargestellt werden. Man läßt einen deutschen Kaiser von Herrn Kortner[2] spielen, man hat seinerzeit einen Achill mit Herrn Moissi erlebt, um nur zwei Beispiele für eine jahrzehntelang geübte Nichtachtung gegen deutschrassiges Volkstum aus der Unzahl der Fälle herauszugreifen. Allein die Zeiten, in denen deutsche Bühnenleiter ungestraft deutsche Art verleugnen konnten, sind vorbei. Im Falle Maisch ist zum Widerspruch der Nationalsozialisten erfreulicherweise nunmehr auch der des Stahlhelms getreten. Vielleicht fangen doch die Bühnenleiter allmählich an zu begreifen, daß das deutsche Volk im Erwachen ist.

## Agnes Straub liest Briefe Rosa Luxemburgs

Als Nachricht in: *Deutsche Bühnenkorrespondenz,* Februar 1933, S. 5.

Vor kurzem ging durch alle Zeitungen die Nachricht, daß Generalintendant Gustav Lindemann[3] in einem Schreiben an die Genossenschaft

  1 Herbert Maisch, seinerzeit Intendant des Preußischen Theaters der Jugend.
  2 Fritz Kortner, * 1892, Schauspieler und Regisseur.
  3 Gustav Lindemann, 1872–1960, Generalintendant, Oberspielleiter und Schauspieler.

Deutscher Bühnenangehöriger und an den Deutschen Bühnenverein den Wunsch ausgesprochen habe, der Goldtopas seiner Frau mit ihrer Halskette, ein Geschenk der Königin von Württemberg, möge für eine Reihe von Jahren immer von der deutschen Schauspielerin getragen werden, die in ihrem Streben menschlich-geistig und künstlerisch dem Schaffen Louise Dumonts [1] nahesteht. Die Wahl fiel auf Agnes Straub [2], deren dankende Erklärung, die Wahl annehmen zu wollen, ebenfalls durch die ganze Presse ging. Wir wünschen, daß die deutschgesinnten Theaterleiter und das deutschgesinnte Theaterpublikum gleichfalls so weitreichend und lärmend davon unterrichtet werden mögen, daß eine Schauspielerin, die sich im ganzen Reich in den Rollen arischer heldischer Frauengestalten feiern läßt, anderseits als Interpretin der Briefe einer Rosa Luxemburg [3] an die Öffentlichkeit tritt. Sie will auf solche Weise anscheinend die bei der Verleihung des Topases gestellte Bedingung erfüllen: zu beweisen, daß sie in ihrem menschlich-geistigen Streben der verstorbenen Jüdin Dumont nahesteht. Die deutschgesinnte Öffentlichkeit wird sich das zu merken haben!

## Juden unerwünscht

*Als Nachricht in: Theater-Tageblatt vom 12. 10. 1935, gekürzt.*

Die Kieler Lichtspieltheater haben im Verein mit der Baubetriebsgemeinschaft 13 «Freie Berufe» der DAF den Beschluß gefaßt, Juden den Besuch ihrer Theater nicht mehr zu gestatten.

Ferner hat die Generalintendanz der Städtischen Theater am Eingang des Stadttheaters eine Bekanntmachung anbringen lassen, wonach der Besuch des Theaters durch Juden unerwünscht sei. [4]

## Keine Künstlernamen

*Juden dürfen keine Künstlernamen führen, in: Berliner Lokal-Anzeiger vom 31. 11. 1935.*

In Vereinbarung mit dem Geheimen Staatspolizeiamt hat die zuständige Stelle im Reichsministerium für Volksaufklärung und Propaganda allen jüdischen Künstlern das Führen von sogenannten Künstlernamen (Pseudonymen) untersagt. Dieses Verbot gilt auch für die im Rahmen des Reichsverbandes der jüdischen Kulturbünde tätigen nichtarischen Personen.

1 Louise Dumont, 1862–1932, Schauspielerin und Theaterleiterin; Gustav Lindemanns Frau.

2 Agnes Straub, 1890–1941, Schauspielerin.

3 Rosa Luxemburg, 1870–1919 (durch politischen Mord), sozialistische Publizistin und Politikerin.

4 Generalintendant der Vereinigten Städtischen Theater in Kiel war 1935 Hans Schulz-Dornburg.

## E. W. Möller: «Rothschild siegt bei Waterloo»

Dr. Hans Knudsen: *Der Dramatiker als Deuter der Geschichte – Eberhard-Wolf-gang-Möller-Abend im Rose-Theater* in: *Deutsche Theater-Zeitung* vom 27. 11. 1936.
Paul Arthur Max Rose, * 1900, Regisseur, Intendant, Oberspielleiter und Schauspieler.
Siehe auch Josef Magnus Wehner: *Vom Glanz und Leben deutscher Bühne*, Hamburg 1944, S. 361–362, über dieses Stück E. W. Möllers.

Der Regisseur Paul Rose läßt den Schauspieler Georg August Koch den Juden Rothschild mehr auf die satirischen Züge hinarbeiten, so daß die tiefe Tragik um einiges überspielt wird. Der Schluß ist in der nieder-schmetternden Vereinsamung des reich gewordenen Gauners vom Dich-ter her entblößender. Hier im Rose-Theater wird die protzige Überheb-lichkeit, das freche, auf das Geld pochende unausgesprochene «Nu, wenn schon!» allerdings stoßkräftig noch einmal zusammengefaßt. Es gelin-gen Rose große szenische Ausgestaltungen. In der Börsen-Szene und am Schluß arbeitet er mit hohen Hintergrund-Aufbauten. Im Anfang be-nutzt er einen Szenen-Bau auf der Drehbühne, mit dem der Anfang leb-haft und locker einsetzt. Überhaupt läßt Rose die Wirkungsmöglichkei-ten, die das Stück mitbringt, hier voll und schwer ausströmen. Das Schie-bertum dieses Rothschild wird auch dort noch deutlich, wo wir sonst eine echte Lebensangst gehört haben, wenn er also von der schaurigen Über-fahrt berichtet. Sein Schaudern klingt hier auch nach gespieltem Theater, jedenfalls ist jeder Trumpf auf den Eindruck abgestimmt, den er bei den Börsenleuten machen könnte.

## Otto C. A. zur Nedden: «Der Jude von Malta»

Wolf Margendorf: *Der Jude von Malta und das Judenproblem auf der eng-lischen Bühne – Zur Weimarer Uraufführung des Schauspiels von Otto C. A. zur Nedden*, o. J.; Sonderdruck; das Buch selbst erschien 1938 in München; die Uraufführung fand am 11. 4. 1939 im Deutschen Nationaltheater Weimar bei den Osterfestspielen 1939 statt; das Schauspiel in fünf Akten entstand nach der Idee des englischen Dramatikers Christopher Marlowe, 1564–93; Marlowe schrieb *The Jew of Malta* um 1589; in deutscher Übersetzung erschien das Stück erstmals 1831; siehe auch Dr. Gerhard Köhler: *Der Jude von Malta* in: *Deutsche Theater-Zeitung*, Ostern 1939.

Fehlte dem «Juden» Marlowes die innere dramatische Entwicklung zur widermenschlichen «Übernatur Barabas», so zeichnete zur Nedden das logisch typisierte, rassebedingte Charakterbild eines echten Juden, ohne daß hinter den machtvollen Glaubenskonflikten die äußeren Vorgänge einer reichbewegten, historisch-politischen Handlung vernachlässigt wurden.

Von Zeile zu Zeile wächst Barabas zu seiner vernichtenden Größe, ein Teufel in Menschengestalt! Aber ein Teufel von unheimlicher Dynamik, der eben durch die folgerichtige Virtuosität seines Verbrechertums, durch die Unerschöpflichkeit seiner geistigen Hilfsmittel fasziniert. Seine Gestalt bleibt nicht nur eine psychologische Studie, sondern wird durch die meisterhafte Schöpfung, im dritten Akt zum «Idealbild» des erbarmungslos-rachsüchtigen, christenhassenden, ja weltfeindlichen Juden, der selbst mit den Machtmitteln des Gouverneurs unfähig ist, die Herrschaft auszuüben, der nur zerstören kann und muß.

## «Lieber Stürmer»

*Puppenspiel über einen bösen Juden*, in: *Der Stürmer*, Nr. 16, April 1936, gekürzt.

Das antisemitische Wochenblatt *Der Stürmer* wurde 1923 von Julius Streicher gegründet; ausführlicher darüber siehe: *Presse und Funk im Dritten Reich* (Ullstein Buch 33028); Julius Streicher, 1885–1946; 1923 am Hitler-Putsch in München beteiligt; 1933 von Hitler zum Leiter des *Zentralkomitees zur Abwehr der jüdischen Greuel- und Boykotthetze* ernannt.

Lieber Stürmer!
Die Kinder der «Nationalsozialistischen Jugendheimstätte Groß-Möllen» in Pommern wollen dir auch einmal einen Gruß senden. Wir lesen mit großem Interesse jede Woche deine Berichte. Der Stürmer ist und bleibt ein gern gesehener Gast in unserem Haus. Durch ihn lernen wir den Juden kennen, so wie er ist. Wir besitzen auch einen einfachen Stürmerkasten. Wir schneiden die Bilder aus dem Stürmer aus und nageln sie in unserem Tagesraum an eine besondere Tafel. Da können die Jungen und Mädchen die Juden in ihrem Aussehen genau kennenlernen. Nun wollen wir dir aber noch von einer anderen Art und Weise erzählen, die wir hier anwenden, um den Juden allen Kindern richtig vor Augen zu führen. Jeden Sonnabend spielt uns unser Heimleiter mit seinem Handpuppenspiel ein Stück vom Juden vor. Wir besitzen eine Puppe, die einen richtigen Juden darstellt. Sie hat eine Nase wie der Satan. Wenn dann der Kasper kommt, dann rufen wir ihm zu, er möge den bösen Juden vertreiben. Wenn aber der Jude im Spiel zu uns sagt, wir sollten ihm helfen, dann rufen wir einfach den Kasper heraus.

Nun spielen wir regelmäßig Stücke von Juden, die unser Heimleiter aus dem Stürmer herausliest. Wir können kaum die Zeit erwarten, bis es wieder Sonnabend ist. Wir grüßen dich, lieber Stürmer, mit einem kräftigen Heil Hitler!

## Anhang: Shakespeares «Der Kaufmann von Venedig»

Selbstverständlich war Shakespeares *Der Kaufmann von Venedig* für die Manager des Dritten Reiches ein willkommenes Material für ihre antisemitische Propaganda. 1933 führten es zwanzig Gesellschaften sechsundachtzigmal auf – siehe: *Deutsches Shakespeare-Jahrbuch*, 1934, S. 240; 1934 brachten es zwölf Bühnen – ebd. 1936, S. 239; 1935 führten es acht Gesellschaften neununddreißigmal auf – ebd. 1936, S. 238; 1936 brachten es fünf Gesellschaften einundvierzigmal – ebd. 1937, S. 228; 1937 führten es drei Gesellschaften fünfundvierzigmal auf – ebd. 1938, S. 255; 1939 ist es von drei Gesellschaften dreiundzwanzigmal aufgeführt worden – ebd. 1940, S. 259.

## Shylock

Dr. Karl Pempelfort: *Er besteht auf seinem Schein* in: *Königsberger Tageblatt* vom 31. 3. 1935, gekürzt; der Aufsatz erschien im Zusammenhang mit der Aufführung von *Der Kaufmann von Venedig* im Königsberger Schauspielhaus unter Oberspielleiter Hans Tügel. – Über den Shylock in NS-Sicht siehe auch Wilhelm Grewe: *Shylock oder die Parodie der Rechtssicherheit* in: *Deutsches Volkstum*, 1936, S. 77 f; Wolfgang Stroedel: *Shakespeare auf der deutschen Bühne* in: *Schriften der deutschen Shakespeare-Gesellschaft*, 1938, S. 82 f; Joachim Müller: *Shakespeare im Deutschunterricht* in: *Zeitschrift für Deutschkunde*, 1939, S. 499 f; Friedrich Baser: *Rasse und Geschichte in der Oper* in: *Deutsche Dramaturgie*, 1942, S. 127.

Die schwerste Sorge bereitete «Der Kaufmann von Venedig». Was sollte man auch mit einem Stück anfangen, in dem ein Jude eine Belehrung erfährt, die so gar nicht im Sinne der liberalistischen Auffassung war. Man wies darauf hin, daß der Jude in diesem Stück ein arbeitsamer und haushälterischer Mensch sei, während die Christen leichtsinnige und verschwenderische Nichtstuer seien, die sich im Augenblick der Gefahr von einer Frauensperson retten lassen müßten.

So argumentierte man und versuchte, in völliger Umkehrung des Sachverhalts den Shylock zu einem Märtyrer zu machen. Man stützte sich dabei auf die Worte, die Shakespeare dem Shylock selbst in den Mund legte: Wenn ihr uns kitzelt, lachen wir nicht, wenn ihr uns stecht, bluten wir nicht, und wenn ihr uns beleidigt, sollen wir uns nicht rächen? Aber mit diesen Worten enthüllt sich sogleich ihr innerer Sinn. Shylock ist es nicht um sein Recht zu tun, sondern um seine Rache. Was aber ist Rache? Ist sie eine mannhafte Gegenwehr? Nein, sie ist die Taktik, die einen Schlag nicht sofort im offenen Kampf abwehrt, sondern die ihn feige einsteckt und tückisch auf die günstige Gelegenheit wartet, bis der Gegner sich in einer wehrlosen Lage befindet, um ihm ohne Gefahr und mit dem Schein des Rechtes den Todesstoß zu versetzen. So schluckt Shylock alle Demütigungen herunter, die er ja nun empfängt, weil er sich selbst seiner Würde begibt.

Und so bietet er seinem sich in Not befindenden Gegner einen Pakt mit einer lustig scheinenden, aber im Grunde teuflischen Bedingung an, die ihm ein Pfund Fleisch aus der Brust des Schuldners zuspricht, wenn dieser die entliehene Summe nicht rechtzeitig zahlen kann. Der königliche Kaufmann ging diesen Pakt ein, weil er im Ernst nicht glaubte, daß seine Bedingung je fällig würde. Shylock aber schlug den Pakt vor, weil er hoffte und wünschte, daß er in Kraft treten würde. Das Schicksal ging nun seinen Weg. Der Kaufmann hat alles verloren. Shylock verlangt vor Gericht sein Recht, das heißt, sein Recht auf seine Rache. Das Gericht soll entscheiden. In dieser prüfenden Stunde scheiden sich die Welten und enthüllen ihres Wesens Kern bis auf den Grund. Der königliche Kaufmann, der nicht das Geld um des Geldes willen liebte, sondern nur um den Freunden zu helfen, um dem Leben dienen zu können, verzichtet gern auf alles. Er steht zu seinem Wort und ist bereit, es bis zum bitteren Ende zu erfüllen. Zum Tode gereift, bietet er seinem Gegner die Brust dar. Und wie er, so sind auch seine Freunde, bisher leichtsinnig und leichtlebig, bis auf den Grund gewandelt. Sie springen ein für ihren Freund, wollen das Letzte hergeben, sich selbst opfern, um ihn zu erretten.

Das Geheimnis dieser beiden Welten wird erst uns klar, die wir wissen, daß sie der Ausdruck zweier Rassengegensätze sind. Shakespeare hat, ohne diese Zusammenhänge zu kennen, den Geist dieser Elemente gezeichnet und damit ein Problem aufgerollt, das für uns heute aktuellste Bedeutung besitzt.

## Shylock in Regie von Paul Rose

Wilhelm Grundschöttel: *Shylock im Fasching – Paul Rose inszenierte den Kaufmann von Venedig* in: *Völkischer Beobachter* vom 2. 9. 1942, gekürzt; wie einige, die diese Vorstellung selbst sahen, dem Herausgeber bestätigten, hatte Rose ein paar Statisten unter die Zuschauer verstreut, die beim Auftreten Shylocks in Schmährufe und Schimpfen ausbrachen; es sei daran erinnert, daß die Aufführung Ende 1942 stattfand, als die *Endlösung der Judenfrage* bereits in vollem Gange war; der Schauspieler Georg August Koch spielte den Shylock im Rose-Theater; siehe auch Werner Höfer: *Shylock als Komödienfigur* in: *Berliner Zeitung* vom 1. 9. 1942; Paul Fechter: *Shylock bei Rose* in: *Deutsche Allgemeine Zeitung* vom 1. 9. 1942; F. A. Dargel: *Großer Beifall im Rose-Theater* in: *Berliner Illustrierte Nachtausgabe* vom 1. 9. 1942; Annemarie Closterhalfen: *Shakespeare komödiantisch* in: *Berliner Lokal-Anzeiger* vom 2. 9. 1942; *Der Kaufmann von Venedig*, in: *Charlottenburger Zeitung* vom 2. 9. 1942.

Paul Rose hielt es bei diesem Shakespeare mit der Komödie, und da sich die Handlung nun einmal in Venedig zuträgt, setzte er auf einen Schelm anderthalbe und inszenierte fröhlich-frisch im Stil der Comedia dell'arte, mit mannigfachen Kapriolen nicht sparend. Dabei nahm er die Gefahr in Kauf, Sinn und Gedanken des Dichters zu verschleiern. Im Spiel der Hände, Füße, Leiber barg sich schämig der tiefere Geist. Gleichsam inkognito reiste er durch die munteren Szenen. Doch einmal forderte er gebieterisch sein Persönlichkeitsrecht. Vor dem Tribunal, das dem auf seinem Schein bestehenden Juden Shylock die vernichtende Blamage schafft, stand er als Ankläger gegen die Rasse auf. Und Paul Rose ließ von der Empore die Volkesstimme mit empörten Rufen und gellenden Pfiffen einfallen, und hier unterstrich auch ein Echo aus dem Parkett den Höhepunkt des Abends. Der Schluß mit der Idylle dreier Liebespaare auf mondübergossener Terrasse ist dann in Sommernachtsstimmung getaucht, wozu jetzt auch Humperdincks [1] untermalende Musik, auf der vervollkommneten Hausorgel zelebriert, recht gut paßte, und ein geschwänzter, aber stummer Puck nebst vier Elfen leitet demgemäß das Stück aus.

## Werner Krauß als Shylock

Karl Lahm: *Shylock der Ostjude* in: *Deutsche Allgemeine Zeitung* vom 19. 5. 1943, gekürzt; siehe auch Lothar Müthel: *Zur Dramaturgie des Kaufmanns von Venedig* in: *Neues Wiener Tageblatt* vom 13. 5. 1943; Siegfried Melchinger: *Müthels Neuinszenierung im Burgtheater* in: *Neues Wiener Tageblatt* vom 17. 5. 1943; Dr. Richard Biedrzynski: *Der neue Shylock* in: *Völkischer Beobachter* vom 22. 6. 1943; Dr. Biedrzynski schreibt auch in seinem Buch *Schauspieler, Regisseure, Intendanten*, Heidelberg/Berlin/Leipzig 1944, S. 35, u. a. wie folgt: «Bis mit einem Schlage und mit einem spukhaften Schattenzug etwas widerlich Fremdes, verblüffend Abschreckendes über die Bühne schleift, im schwarzen Rocklor mit dem grellgelben Synagogenschal eine dukatenklimpernde Marionette – der Shylock von Werner Krauß.»

Zur Zahl der bis Ende des Jahres 1942 aus Wien bereits «ausgesiedelten» Juden siehe Léon Poliakov – Joseph Wulf: *Das Dritte Reich und die Juden*, Berlin 1955, S. 243–248. Es handelt sich um den Bericht des Inspekteurs für Statistik im Dritten Reich, Dr. Richard Korherr, den dieser am 19. 4. 1943 für Heinrich Himmler erstellte. – Über die «Aussiedlungen» von jüdischen Schauspielern in Wien siehe W. Th. Ademann: *Bis der Vorhang fiel – Aufzeichnungen aus den Jahren 1940–1945*, Dortmund 1947, S. 51–53.

Wien, 18. 5. Einer Neuinszenierung des «Kaufmanns von Venedig» im Burgtheater war die Ankündigung vorausgegangen, daß Werner Krauß

---

1 Engelbert Humperdinck, 1854–1921; 1890 Lehrer an der Musikhochschule in Frankfurt a. M.; 1896 erhielt er den Titel Königlich Preußischer Professor; 1900 Leiter einer Meisterklasse an der Musikhochschule in Berlin, Mitglied des Senats der Königlichen Akademie der Künste.

einen völligen Bruch mit der seit 50 Jahren geübten Darstellung des Shylock vorzunehmen, und daß Lothar Müthel seine Regie ganz auf den Ton und die Zauberkraft des phantasievollen Lustspiels einzustellen beabsichtige.

Die Maske allein schon, das von grellrotem Haar- und Bartwuchs umrahmte blaßrosa Gesicht mit den unstet pfiffigen Äuglein, der speckige Kaftan mit dem umgeschlagenen gelben Kulttuch, der gespreizte, schleppende Gang, das hupfende Fußstampfen in der Wut, die krallige Gestik der Hände, das gröhlende oder murmelnde Organ – dies alles eint sich zum pathologischen Bild des ostjüdischen Rassentyps mit der ganzen äußeren und inneren Unsauberkeit des Menschen bei Hervorhebung des Gefährlichen im Humorigen.

TEIL II

FILM

Kapitel I

# GESTEUERTER FILM

# Gleichschaltung

In: *Film-Kurier* vom 12. 5. 1933 schreibt der Kultusminister Bernhard Rust unter der Überschrift: *Der Sinn der Gleichschaltung* folgendes: «Jeder muß erkennen, daß es kein Richtungswechsel ist, den wir erleben, sondern die fundamentale Tatsache, daß der größte Teil des deutschen Volkes wieder zu sich selbst erwacht ist. Unaufhaltsam schreitet diese Bewegung fort, bis eines Tages das ganze deutsche Volk für das neue Werk gewonnen und sich seine Organisationen für Politik, Wirtschaft und Kultur geschaffen haben wird.

Als neulich ein Rektor mir die Frage vorlegte: ‹Ja, warum schalten Sie denn jetzt gleich, das hat man doch früher auch nicht getan?›, da erwiderte ich: ‹Das ist eben der Unterschied. Früher war alles ungleich geschaltet. Unsere Gleichschaltung bedeutet, daß die neue deutsche Weltanschauung als schlechthin gültig die beherrschende Stellung über allen anderen einnehmen soll›.»

Im Prinzip wurde die Gleichschaltung des Films im Dritten Reich durch das Propagandaministerium betrieben. Dort gab es die Abteilung V – Film –, die sich mit der «Betreuung» des Films befaßte. In seinem Buch: *Das Reichsministerium für Volksaufklärung und Propaganda*, Berlin 1940, S. 23–24, schreibt Georg Wilhelm Müller u. a.: «So nimmt die Filmabteilung auf die gesamte Spielfilm- und Kulturfilmproduktion sowie auf den gesamten Filmeinsatz entscheidenden Einfluß. Wenn auch die Hauptverantwortung für die Produktion der staatsmittelbaren Filmfirmen bei den Produktionschefs liegt, so ist seit kurzem die Filmabteilung mit der vorherigen Prüfung der Filmvorhaben befaßt. Hierdurch ist es möglich, ungeeignete Vorhaben von vornherein zu unterbinden, bei außenpolitisch oder militärisch erheblichen Themen die notwendigen Fachstellen zu beteiligen, sowie Geschmacklosigkeiten und unkünstlerische Entgleisungen rechtzeitig vorher zu beseitigen. Besonders stark ist die Einflußnahme der Filmabteilung auf die Gestaltung der Wochenschau, die ihrer hervorragenden staatspolitischen Bedeutung gemäß vom bloßen Beiwerk zum Pflichtbestandteil des Programms aller Filmtheater wurde. So ist der Leiter der Filmabteilung – zugleich Leiter der Deutschen Wochenschauzentrale – für die Redaktion der Wochenschau (Planung, Einsatz und Formung) allein verantwortlich; ihm obliegt auch die Konzeption und Gesamtüberwachung der Herstellung staatlicher Propagandafilme und oft sogar die Gestaltung größerer Dokumentarfilme.» Hier nun einige Kostproben für die Entwicklung des Films in dieser Richtung.

# In Aussicht genommen

*Der Reichskanzler kündigt an: Ministerium für Propaganda und nationale Kultur*, in: *Licht-Bild-Bühne* vom 8. 3. 1933, gekürzt.

Von besonderer Seite wird uns bestätigt, daß bei der geplanten Errichtung eines Reichsaufklärungs- und Propagandaministeriums, wie sie jetzt von den zuständigen Ressorts geprüft wird, der Film einen hervorragenden Platz einnehmen wird; eine besondere Filmstelle ist in Aussicht genommen. Die Einzelheiten dieses Projekts werden gleichfalls in den verschiedenen Ressorts bearbeitet.

## Keine Halbheiten

*Das Propagandaministerium*, in: *Licht-Bild-Bühne* vom 9. 3. 1933, Auszug.

Über Dr. Goebbels' Pläne ist so viel bekannt, daß er entscheidenden Wert auf die Zusammenfassung aller Möglichkeiten der Propaganda zu einheitlicher Wirkung legen würde. Alle Mittel der Aufklärungstätigkeit müssen nach seiner Ansicht, die von Reichskanzler Hitler geteilt wird, in der neuen Zentralstelle vereinigt werden. Dr. Goebbels ist, so wird versichert, entschlossen, sich auf keine Halbheiten einzulassen. Schwierigkeiten bei anderen Stellen seien nicht mehr vorhanden; auch mit dem Auswärtigen Amt sei bereits weitgehende Übereinstimmung erzielt worden. Auch der Posten des Staatssekretärs in der neuen Zentralbehörde soll, wie wir erfahren, mit einem Nationalsozialisten besetzt werden.

## Der Reichsverband wird umgebildet

Als Nachricht in: *Film-Kurier* vom 18. 3. 1933, Auszug; es geht um den *Reichsverband Deutscher Lichtspieltheaterbesitzer e. V.*; die Nachricht schließt mit folgender Erklärung: «Hierzu gibt der Vorstand des Reichsverbandes folgende Erklärung: Die neue Zeit braucht neue Männer! Die Bahn frei zu machen, ist das Gebot der Stunde! Wir treten zurück!»

Berlin, 18. März. – Die Umwandlung des Reichsverbandes nach dem Willen der Mehrheit der im Reichsverband vertretenen Verbände hat sich in den gestrigen Abendstunden vollzogen. Was in der letzten Delegiertensitzung vom 9. Februar noch nicht erreicht werden konnte, ist gestern der Leitung der Notgemeinschaft in legaler, fairer Form – und wie betont werden muß – nach eingehender Agitation und in völliger Übereinstimmung mit allen maßgebenden Unterverbands-Kreisen geglückt; Adolf Engl übernahm die kommissarische Leitung des Reichsverbandes, nachdem der alte Vorstand, in letzter Stunde die Zeichen der

Zeit richtig deutend, geschlossen zurücktrat und in würdiger Form die Geschäfte an Engl übergab.

## Mit außerordentlichen Vollmachten

*Der deutsche Film wird wieder auferstehen,* in: *Der Film* vom 1. 4. 1933, Auszug.

K. Berlin, 1. April. – Am gestrigen Freitag, vormittags 11 Uhr, traten im Hotel «Russischer Hof» zu Berlin die Vorstandsmitglieder des Reichsverbandes Deutscher Lichtspieltheaterbesitzer e. V. zu einer außerordentlichen Generalversammlung zusammen, auf der Adolf Engl einstimmig zum Präsidenten mit außerordentlichen Vollmachten für die Zeit vom 31. März 1933 bis zum 31. März 1935 ernannt wurde.

## Durchführung der Gleichschaltung

*Dr. Luitpold Nusser, Hauptschriftleiter des Film-Kurier,* in: *Film-Kurier* vom 5. 4. 1933.

In Durchführung der Gleichschaltung des deutschen Filmwesens mit den Absichten der Reichsregierung wurde Dr. Luitpold Nusser, der bisherige Leiter der Unterabteilung Filmpresse in der Hauptabteilung Film der Reichspropagandaleitung der NSDAP, zum Hauptschriftleiter des «Filmkurier» bestellt. Dr. Nusser war jahrelang Hauptschriftleiter der «Deutschen Filmzeitung». Über seine schriftstellerische und redaktionelle Tätigkeit hinaus ist er auch als Dramaturg und Regisseur hervorgetreten und ist somit auch mit der Praxis des deutschen Filmwesens vertraut.

## Der «Film» gleichgeschaltet

Als Nachricht in: *Der Film* vom 15. 4. 1933, gekürzt.

Wir geben unseren Lesern bekannt, daß der Verlag der Wochenschrift «Der Film» einer völligen Umgestaltung unterzogen wurde. Der bisherige Verleger, Herr Max Mattisson, ist ausgeschieden; an seine Stelle traten Männer der nationalen Front, die den «Film», der, im 18. Erscheinungsjahr stehend, eines der ältesten Fachblätter der Kinematographie ist, im Sinne der heutigen Regierung weiterführen werden. Äußeres Zeichen für diese Gleichschaltung ist die Überführung des Verlages Mattisson in den «Verlag Der Film» G. m. b. H. Mit diesem sichtbaren Bekenntnis zum neuen Staate gibt sich «Der Film» das Leitmotiv zur künftigen Arbeit am deutschen Film. War es schon bisher sein Bestreben, um die Weltgeltung und ein hohes künstlerisches Niveau der deutschen Filmkunst zu ringen – manche Worte der großen Rede des Ministers Goebbels vor der «Dacho»[1] sind im «Film» immer wieder schon seit Jahren ausgesprochen worden – so wird es nunmehr in noch gesteigerter Form unsere Aufgabe sein, für die volksmäßig bedingte deutsche Filmschöpfung einzutreten.

«Der Film» wird auch in Zukunft seine Objektivität bewahren. Mit einer Ausnahme freilich: er wird niemals dulden, daß der deutsche Film durch die Gosse skrupelloser Geschäftemacherei gezogen wird, sei es auch im nationalen Mäntelchen. Er wird im Gegenteil, getreu den Grundsätzen der Regierungsstellen, das seinige zum Wiederaufbau der deutschen Filmkunst mit allen Kräften beitragen und hofft auf weitere fruchtbare Zusammenarbeit mit seinen Freunden und Lesern.

## Goebbels spricht zur Ufa

*Bedeutsame Goebbels-Rede*, in: *Film-Kurier* vom 27. 4. 1933, Auszug.

Ufa = Universum Film A. G.; die Ufa, 1917 gegründet, war das größte deutsche Filmindustrie-Unternehmen; die Betriebe lagen in Berlin-Tempelhof und Berlin-Babelsberg; die Ufa besaß in Deutschland 120 Lichtspieltheater mit 120 000 Plätzen; 1932 beschäftigte der Konzern etwa 5000 Angestellte und Arbeiter; die Aktienmehrheit gehörte der Hugenberg-Gruppe; Alfred Hugenberg, 1865–1951, war Reichstagsabgeordneter und Vorsitzender der Deutschnationalen Partei; neben der Ufa kontrollierte er über die *Wirtschaftsvereinigung* eine große Anzahl Zeitungen; 1931 unterzeichnete er die sogenannte *Harzburger Front* mit Hitler; bis Juni 1933 war er Reichswirtschaftsminister der Hitler-Regierung.

Berlin, 27. April. – Der Herr Reichsminister für Volksaufklärung und Propaganda, Dr. Goebbels, besuchte gestern am späten Nachmittag auf Einladung der Ufa deren Aufnahmegelände in Neubabelsberg und sprach dabei zu seinen in der NSBO zusammengeschlossenen Parteigenossen. Aus dem Inhalt der bedeutsamen Ansprache war zu entnehmen, daß ihm Nachrichten von Miesmacherei und Pessimismus aus Kreisen des deutschen Filmwesens bekanntgeworden seien. Unruhe sei in das Filmschaffen gekommen. Er wolle diese Gelegenheit ergreifen, um darauf hinzuweisen, daß er der Allerletzte sei, der den deutschen Film sterben lassen wolle. Man müsse ihn im Gegenteil nunmehr doch so weit kennen, daß ihm gerade die Filmkunst ans Herz gewachsen sei. Er werde auf ihre Förderung mit allen Mitteln bedacht sein. Bisher habe allerdings der deutsche Film seine tiefste Aufgabe nicht erfüllt, nämlich die

1 Dacho = Dachorganisation der Filmschaffenden Deutschlands e. V. wurde am 8. 5. 1933 vom Kampfbund für Deutsche Kultur und der Nationalsozialistischen Betriebszellenorganisation (NSBO) ausgeschlossen und am 1. 7. 1933 aufgelöst; siehe dazu: *Licht-Bild-Bühne* vom 9. 5. 1933.

Aufgabe einer jeden Kunst: Vorkämpfer nationaler Kultur zu sein, sondern er habe in unwürdiger Weise Schuhputzerdienste geleistet und sei allen Erscheinungen hinten nachgehinkt. Das werde jetzt anders werden. Auch im Film sei Gleichschaltung Voraussetzung.

## Im Anschluß an unsere gestrige Unterhaltung

Der Brief stammt von Wolfgang Breithaupt (Pseudonym Wolfgang Ertel), * 1892, dem Feuilletonchef des *Berliner Tageblatts*; siehe auch seinen Artikel: *Gleichschaltung des Films*, in: *Berliner Tageblatt* vom 30. 4. 1933.

Im *Reichsfilmblatt* vom 5. 8. 1933 steht unter der Überschrift *Zügellosigkeit im Berliner Tageblatt* folgendes: «Im ‹Berliner Tageblatt› produziert sich Herr W. Ertel-Breithaupt als zügelloser Beleidiger unseres Chefredakteurs Felix Henseleit. Herr Ertel-Breithaupt versucht den Lesern des ‹Berliner Tageblatts› grobe Unwahrheiten aufzutischen. Der Ton – um das im voraus zu bemerken – kennzeichnet Herrn Ertel-Breithaupt selbst. Dieser Ton, der im Zeichen persönlicher Verunglimpfungen und im Zeichen absoluter Unsachlichkeit steht –, dieser Ton ist kein gutes Zeugnis für Herrn Ertel-Breithaupt. Wenn wir uns mit der Person des Herrn Ertel-Breithaupt und mit seinen Anwürfen heute befassen, so tun wir das nur, weil er diese Anwürfe in einem Blatt veröffentlicht, das zu den großen Zeitungen gehört. Vorliebe für Unsachlichkeiten scheint Herrn Ertel-Breithaupts besonderes Charakteristikum zu sein.»

| | |
|---|---|
| Herrn | Berliner Tageblatt |
| Staatskommissar Hinkel | und Handels-Zeitung, |
| Preußisches Kultusministerium | Verlag Rudolf Mosse |
| Berlin W 8 | Berlin SW 19, den 28. 6. 33 |
| Unter den Linden 4 | Rudolf Mosse Haus |

Sehr geehrter Herr Staatskommissar,
im Anschluß an unsere gestrige Unterhaltung erlaube ich mir, Ihnen in der Anlage die besprochene Schrift Ihres Pg Johnsen [1] zu übersenden.

Mit deutschem Gruß
Ihr sehr ergebener
Breithaupt

1 Nach der «Beurlaubung» Adolf Engls übernahm Oswald Johnsen die Leitung des Reichsverbandes deutscher Lichtspieltheaterbesitzer e. V.; über ihn schrieb das *Film-Journal* am 8. 10. 1933 unter der Überschrift: *Nicht die Person – die Sache ist wichtig* folgendes: «In Johnsen begrüßen wir den zielbewußten politischen Leiter der nationalsozialistischen Lichtspieltheaterbesitzer, dessen Betrauung mit dem wichtigen Posten des Reichszellenleiters sowie mit weiteren höchst einflußreichen politischen Positionen der beste Beweis für die hohe Schätzung ist, deren sich Oswald Johnsen mit Recht bei den zuständigen höchsten Stellen erfreut.»

# Im Rausch

Diese von W. Breithaupt übersandte Schrift des Pg. Johnsen illustriert die ganze Atmosphäre, die 1933 bei der Gleichschaltung herrschte. Sie ist gekürzt.

Oswald Johnsen,
z. Zt. Berlin SW 68,
Friedrichstr. 24 III
Berlin, den 23. Mai 1933
Telefon Dönhoff 2715

Rundschreiben Nr. 11 an alle unsere Mitglieder!

Liebe Kollegen und Parteigenossen!

Seitdem ich dem Rufe, nach Berlin überzusiedeln und dort an der Quelle, wo alle Geschicke und letztenendes alle Beschlüsse für die Neugestaltung des Filmwesens ihren Ursprung haben, Folge leistete, haben sich ungeheuer viel Dinge abgespielt. Es ist nicht von Nöten, an dieser Stelle auf jedes Einzelne genau einzugehen, schon einmal deswegen, weil die allermeisten Vorkommnisse streng vertraulich behandelt werden müssen, und andererseits es nicht notwendig ist, unsere Mitglieder mit diesen furchtbaren, teils ungeheuerlichen, Sorgen zu belasten. Ich weiß, daß mich ihr restloses Vertrauen trägt, und ich werde niemals dieses Vertrauen brechen. Sie müssen aber auch, wenn Sie wissen, wie wir für Sie kämpfen, ganz ruhig Ihre Pflicht tun, so wie wir Ihnen das in den langen Jahren gesagt haben. Wenn jeder an seinem Platz seine Pflicht tut, und sich um das kümmert, was ihm zukommt, so wird es leicht sein, den Aufbau der neuen deutschen Filmindustrie vorzunehmen.

Ich habe gerade in den letzten Tagen und Wochen so oft gehört, daß alles viel zu langsam ginge und daß man auf die Regelung der Kartensteuerfrage und andere Probleme wartete. Zugegeben, die Regelung der Kartensteuerfrage ist das Wichtigste, was vorgenommen werden muß! Wenn Sie aber bedenken, daß gegenwärtig die Regierung das außenpolitische Problem in einem Maße bedrückt und interessiert, wie zuvor nichts anderes, so werden Sie mir als deutsche Männer und Nationalsozialisten zugeben müssen, daß wir, wenn das ganze Wohl und Wehe der Nation auf dem Spiele steht, zurückzustehen haben.

Die wahren Ereignisse von ungeheurer Wucht und Größe, die Befreiung und Umklammerung, wirtschaftlicher und geistiger Einkreisung durch die Rede des Reichskanzlers Adolf Hitler zu erleben!!! [1]

Wer wie ich Gelegenheit hatte, die Ereignisse aus allernächster Nähe zu sehen, der wird bekunden müssen, daß ein Aufatmen durch alle

1 Johnsen meint wohl die Hitler-Rede vom 1. Mai 1933 am *Feiertag der deutschen Arbeit*, siehe: *Völkischer Beobachter* vom 2. 5. 1933.

Menschen gegangen ist, und daß diese wirksame Entlastung schon in vielen Teilen spürbar ist. Meine Kollegen! Wenn der Reichskanzler Adolf Hitler verstand, solche ungeheuerlichen Probleme zu meistern, so dürfen wir deutsche Volksgenossen unbesorgt sein, daß er auch uns, die vielen drückenden und lastenden Filmexponenten, aus dem Druck durch eine befreiende Tat erlösen wird.

## «Neuer Club Bühne und Film» eröffnet

Als Bericht in: *Licht-Bild-Bühne* vom 3. 7. 1933, gekürzt.

Unter der stärksten Beteiligung von Bühnen- und Filmkünstlern, von Presseleuten und Filmschaffenden aller Sparten, fand am gestrigen Sonntag im Haus der Presse, seinem zukünftigen Heim, die feierliche Eröffnung des «Neuen Club Bühne und Film» statt. Das Haus der Presse wies einen Besuch auf, wie er in diesem stark besuchten Haus bisher kaum gesehen war. Ein Blick von der Balustrade zeigte dicht gedrängt nebeneinander Prominente und Nichtprominente, meist in braunen Uniformen, die vielen Damen in hellen Sommerkleidern. Bei günstigem Sommerwetter sprach im Garten des Hauses der Presse zunächst der Vorsitzende des Clubs, Benno von Arent [1]. Voraussetzung für das Clubleben sei selbstverständlich die nationalsozialistische Idee. Das Ziel des Clubs gipfelte in wohlverstandener, nationalsozialistischer Kameradschaftlichkeit.

Dann sprach Staatskommissar Hinkel über den politischen Hintergrund der neuen Zeit, vor dem sich die Veranstaltung der Eröffnung des neuen Clubs abhebt. Durch dieses Zusammenkommen der Bühnen- und Filmschaffenden mit den Presseleuten ergäbe sich die Möglichkeit, Mißstände zu beseitigen und Miesmacherei zu überwinden. Alte und neue Nationalsozialisten sollen hier zusammengebracht werden und zu einer Gemeinschaft verbunden werden, die auch außerhalb des Hauses der Presse als des neuen Klubheims in der Lage sei, nationalsozialistische Ideen zu erkämpfen.

## Das Filmkammergesetz

Als Bericht in: *Berliner Börsenkurier* vom 23. 7. 1933, Auszug; der Berichterstatter irrt sich, denn es handelt sich lediglich um ein «Gesetz über die Errichtung einer *vorläufigen* Filmkammer», nicht jedoch um das *Filmkammergesetz* vom 22. 7. 1933, *RGBl.* 1933, I, S. 351; siehe auch: *Amtliche Begründung zum Gesetz über die Errichtung einer vorläufigen Filmkammer*, in: *Reichsanzeiger* vom 18. 7. 1933; offiziell wurde die Reichsfilmkammer erst mit der Ver-

---

1 Über Benno von Arent in dieser Eigenschaft siehe: *Kämpfer und Künstler*, in: *Film-Kurier* vom 23. 12. 1933.

öffentlichung des Reichskulturkammergesetzes vom 22. 9. 1933 – siehe ausführlich in: *Die bildenden Künste im Dritten Reich* (Ullstein Buch 33030), S. 102–103 – in die Reichskulturkammer eingegliedert; § 3 des Reichskulturkammergesetzes.

Zum Filmkammergesetz hat Reichsminister Dr. Goebbels die im Gesetz vorgesehenen Durchführungsbestimmungen und Anordnungen erlassen. Darin wird zunächst festgestellt, daß die Spitzenorganisation der Deutschen Filmindustrie als solche nunmehr die Bezeichnung «Filmkammer» führt und mit der Eigenschaft einer Körperschaft öffentlichen Rechtes ausgestattet wird. Die laufenden Verträge, insbesondere die internationalen Abmachungen, gehen unverändert damit auf die Filmkammer über, die bisherigen Verbände bleiben als Träger der Filmkammer bestehen.

## Willi Krause Reichsfilmdramaturg

*Reichsfilmdramaturg: Schriftleiter Willi Krause*, in: *Licht-Bild-Bühne* vom 3. 2. 1934.
   Willi Krause (Pseudonym Peter Hagen), * 1907; Schriftsteller (Roman, Lyrik, Hörspiel); früher Redakteur des *Angriffs*; er befaßte sich kaum jemals mit dem Film; wie später viele Fachleute festgestellt haben, verstand er auch gar nichts vom Film.

Reichsminister Dr. Goebbels hat im Reichsministerium für Volksaufklärung und Propaganda die Stelle eines Reichsfilmdramaturgen geschaffen und in sie den Schriftleiter des «Angriff» Willi Krause berufen. Der Reichsfilmdramaturg hat die Aufgabe, die Filmindustrie in allen wichtigen Fragen der Filmherstellung zu beraten, die ihm vorzulegenden Manuskripte und Drehbücher zu prüfen und rechtzeitig zu verhindern, daß Stoffe behandelt werden, die dem Geist der Zeit zuwiderlaufen. Das Arbeitsgebiet des bisher bei der Reichsfilmkammer bestehenden Dramaturgischen Büros ist damit auf den Reichsfilmdramaturgen übergegangen. Alle Manuskripte und Filmentwürfe sind daher künftig nicht mehr der Reichsfilmkammer, sondern dem Reichsfilmdramaturgen einzureichen.

## Hans Jürgen Nierentz Reichsfilmdramaturg

Als Nachricht in: *Licht-Bild-Bühne* vom 31. 3. 1936.
   Hans Jürgen Nierentz, * 1909.

Der Reichsfilmdramaturg Willi Krause hat dem Reichsminister für Volksaufklärung und Propaganda seinen Wunsch vorgetragen, ihn am 1. April 1936 aus seinem Amte zu entlassen, da er sich künftig als freier schaffender Künstler in der Filmproduktion betätigen möchte. Reichsminister Dr. Goebbels hat diesem Wunsche entsprochen und gleichzeitig dem Reichsfilmdramaturgen seinen Dank für die dem Reiche geleisteten wertvollen Dienste ausgesprochen.

Hans Jürgen Nierentz, langjähriger Kamerad Willi Krauses und in der letzten Zeit sein engster Mitarbeiter, wurde von Dr. Goebbels zu seinem Nachfolger berufen. Hans Jürgen Nierentz kam 1931 als Berichterstatter zum Angriff. Anfang 1932 berief Dr. Goebbels, der damals noch Herausgeber dieses Blattes war, ihn zum Leiter der kulturpolitischen Schriftleitung, die er bis 1934 führte. 1935 war Nierentz Leiter der Abteilung Kunst und Weltanschauung im Reichssender Berlin. Danach wurde er Mitarbeiter des Reichsfilmdramaturgen Willi Krause. Aber nicht nur diese Arbeiten, die sich in einem gewissen Rahmen bewegten, füllten ihn aus; er ist einer der jungen Dichter der nationalsozialistischen Bewegung. Heute erklingt bei politischen Kundgebungen, in den Schulen und durch den Rundfunk hinausgetragen in alle Welt, das von ihm textierte Lied «Flieg, deutsche Fahne, flieg!»

## Amtswalter-Vereidigung

Bekanntmachung in: *Licht-Bild-Bühne* vom 2. 2. 1934; *Amtswalter* war eine NS-Bezeichnung für Amtsträger der gleichgeschalteten Organisationen. Die Bekanntmachung ist gekürzt.

Alle Amtswalter (ZO- und Spartenobmänner, Schriftwarte, Presse- und Propagandawarte, Blockwarte, Stützpunktobmänner ZO-Helfer), die ein Amt in der NSBO-Fachgruppe Film haben, müssen zu der Vereidigung auf den Führer antreten. Amtswalter, die in Theaterbetrieben usw. beschäftigt sind, müssen sich für diesen Tag freimachen und haben für eine Vertretung in ihrem Betrieb zu sorgen.

Am Sonntag, dem 25. 2. 1934, vormittags 6 Uhr, in Tempelhof, Kaiser-Wilhelm-Strasse. – Die gesamte Veranstaltung endigt etwa 3 Uhr.[1]

Amtswalter, die im Besitz einer Uniform sind, treten in Volluniform an, ohne jegliches Rangabzeichen; Amtswalter, die keine Uniform haben, treten wie folgt an: Dunkle Hose, Braunhemd ohne Rangabzeichen und blaue Tuchmütze mit NSBO-Abzeichen. Alle Amtswalter müssen die Hakenkreuzarmbinde anlegen. Amtswalter, die in der SA oder SS sind, treten dazu nicht in der SA- oder SS-Uniform an, sondern in der Partei-Uniform.

Die erforderlichen Verpflichtungsscheine zur Vereidigung auf den Führer müssen bis Freitag, den 23. 2. 1934, bei der NSBO-Fachgruppe Film,

---

[1] Die angegebenen Uhrzeiten stehen so im Original, obwohl es seltsam anmutet, wenn eine Vereidigung schon um sechs Uhr früh beginnt und neun Stunden dauert.

Abteilung Organisation, zwecks Unterschrift, in Empfang genommen werden. Spätere Nachfragen können nicht mehr berücksichtigt werden. – Amtswalter, die gleichzeitig politische Leiter in ihrer Ortsgruppe der NSDAP sind, nehmen an der Vereidigung ihrer Ortsgruppe teil, sie müssen aber bis Freitag, den 23. 2. 1934, eine Bescheinigung ihrer Ortsgruppe abgeben, daß sie dort vereidigt werden.

Heil Hitler!

Carl Auen Hauptfachgruppenleiter

## Reichsfilmarchiv: «Im Geist des Führers»

*Das neue Archiv für Filmideen*, in: *Der Autor*, März 1934, S. 14, gekürzt; diese Anordnung ist vom 1896 geborenen Arnold Raether unterzeichnet, der ab September 1930 NSDAP-Mitglied war, im November 1932 Amtsleiter der NSDAP-Reichsleitung wurde und im Mai 1933 ins Propagandaministerium kam; über die Eröffnung des Reichsfilmarchivs berichtet u. a. der *Berliner Lokal-Anzeiger* vom 5. 2. 1935, Morgenausgabe, unter der Überschrift: *Der Führer im Harnack-Haus, Dahlem*: «Am gestrigen Abend wurde das Reichsfilmarchiv im Harnack-Haus-Dahlem durch Reichsminister Dr. Goebbels feierlich eingeweiht. Die Bedeutung des Tages zeigt die Tatsache, daß während der Vorführung der Filme auch der Führer und Reichskanzler erschien. Alles, was an dem künstlerischen Neuaufbau des Films mitarbeitet, hatte sich eingefunden. Aus der Fülle der Gesichter seien genannt: Staatssekretär Funk, Oberregierungsrat Raether, der Präsident der Reichsschrifttumskammer Blunck, der Leiter der Filmfachschaft Auen, der Filmpionier Meßter, der Schöpfer des Filmarchivs, Regierungsrat Dr. Böttger, Direktor Correl von der Ufa, Prof. Schmalstich, die Schauspieler Willy Fritsch, Theodor Loos, Paul Hartmann, Alfred Abel, Harry Liedtke, die Schauspielerinnen Brigitte Helm, Luise Ullrich, Lil Dagover, Marianne Hoppe, die Regisseure Ucicky und Steinhoff.» Siehe auch: *Der Führer und Dr. Goebbels bei den Filmschaffenden*, in: *Deutsche Filmzeitung*, München, vom 10. 2. 1935.

Im Geist des Führers und als Ausdruck der Verehrung unserem Reichspropagandaleiter Dr. Goebbels gegenüber wird hiermit ein Filmarchiv gegründet. Damit soll zuerst im deutschen Filmwesen, vor allem im Interesse der Filmwirtschaft, Unproduktives möglichst ausgeschaltet, und Schöpferisch-Produktives gefördert werden. Die Führung des Archivs hat die Unterabteilung Presse der Reichspropagandaleitung. Sie ist mir unmittelbar verantwortlich und bestimmt alle notwendigen weiteren Einzelheiten.

## SA-Oberführer Fischer spricht

*Kulturspiegel und Propagandawaffe*, in: *Berliner Lokal-Anzeiger* vom 11. 3. 1939, Auszug.

Hugo Fischer, * 1902, stellvertretender Reichspropagandaleiter der NSDAP, nahm 1923 am Hitler-Putsch in München teil.

Über den Film als Propagandawaffe sprach der stellvertretende Reichs-propagandaleiter, SA-Oberführer Fischer. Gerade das vergangene Jahr hat bewiesen, welche Bedeutung dem Film als Propagandamittel bei den großen politischen Aufgaben zukommt und welche hervorragende Arbeit die 30 000 Filmdienststellen der Partei geleistet haben. Es sei nur an den Einsatz der deutschen Filmpropaganda bei der Heimkehr der Ost-mark und des Sudetenlandes erinnert. Die Tonfilmwagen der Partei seien als Künder einer neuen deutschen Epoche in die entlegensten Orte und Gebiete gekommen. Seiner Bedeutung entsprechend müßten Partei und Staat vom deutschen Film verlangen, daß er deutsch in Anlage und Format, nationalsozialistisch in seinen Gedankengängen und wirklich volkstümlich in Haltung und Sprache sei.

# Filmprüfstelle

## Der Leiter der Berliner Filmprüfstelle spricht

Als Bericht in: *Berliner Tageblatt* vom 4. 11. 1934, gekürzt.

Im Rahmen der Vortragsreihe «Vom Werden des Films» der neuerrichteten Fachschaft der Lessing-Hochschule «Film und Filmwesen» sprach der Leiter der Filmprüfstelle Berlin, Regierungsrat Heinrich Zimmermann, über «Zensur und Film».

Regierungsrat Zimmermann ging kurz von der historischen Entwicklung der Filmzensur aus und von den Kämpfen, die um sie seit ihrem Bestehen im Jahre 1919 geführt wurden.

Durch das am 16. Februar 1934 erlassene Filmzensurgesetz sei zum erstenmal in der ganzen Zensurgeschichte überhaupt das Negative, die Verbotsbestimmung, hergeleitet worden aus der positiven Generalaufgabe einer kulturellen Förderung eines deutschen Films, oder seine Hinaufhebung auf die Stufe einer edlen Unterhaltung und eigengesetzlichen Kunst. Gegenüber den, auch noch heute zuweilen erhobenen Angriffen auf die Zensur, betonte Regierungsrat Zimmermann, daß der Zensor nicht vom Standpunkt des einzelnen handeln könne, sondern das Allgemeine und Gemeinsame beachten müsse.

## Nachzensur

*Nachzensur aller Filme, die vor 1933 zugelassen wurden,* in: *Frankfurter Zeitung* vom 8. 7. 1935.

Berlin, 6. Juli. Der Reichsminister für Volksaufklärung und Propaganda hat eine 6. Verordnung zur Durchführung des Lichtspielgesetzes erlassen. Hierzu wird von zuständiger Stelle mitgeteilt: «Im Zeichen vorübergehender Filmknappheit ergibt sich für die Filmindustrie die Notwendigkeit, auf ältere Tonfilme und sogar Stummfilme zurückzugreifen. Hierbei ist es wiederholt vorgekommen, daß Filme zur Vorführung gebracht worden sind, die auf Grund des im liberalen Staat geltenden Lichtspielgesetzes zugelassen worden waren. In verschiedenen Fällen ist sogar die Vorführung von Filmen mit nichtarischen Mitwirkenden festgestellt worden, deren Zulassung in heutiger Zeit nicht mehr in Frage kommt. Zwar ist ein großer Teil der mit den Zielen der nationalsozialistischen Regierung nicht zu vereinbarenden Filme im Wege des Widerrufsverfahrens auf Grund des neuen Lichtspielgesetzes ausgemerzt worden. Um jedoch nunmehr alle Filme, die mit dem Geist der neuen Zeit nicht vereinbar sind, endgültig vom Umlauf in den deutschen Lichtspieltheatern auszuschließen, bedarf es einer grundsätzlichen Regelung dahin, daß alle vor der nationalsozialistischen Erhebung für Stumm- und Tonfilme erteilten Zulassungen außer Kraft treten. Den Herstellern dieser Filme bleibt es überlassen, die für eine Vorführung geeignet erscheinenden Filme einer Nachprüfung durch die Filmprüfstelle unterziehen zu lassen, für die selbstverständlich die Bestimmungen des von der nationalsozialistischen Regierung erlassenen Lichtspielgesetzes maßgebend sind.»

## Eine der wichtigsten Erneuerungen

Arnold Bacmeister: *Nationalsozialistisches Ideengut in der neuen Filmzensur* in: *Westfälische Landeszeitung* vom 27. 5. 1936, Auszug.
   Arnold Bacmeister war Vorsitzender der Kammer II in der Filmprüfstelle.

Eine der wichtigsten Neuerungen, die das Lichtspielgesetz vom 16. Februar 1934 gebracht hat, ist die der Film-Prüfstelle auferlegte Pflicht, zensurmäßig gegen Filme vorzugehen, die der nationalsozialistischen Gefühlswelt des deutschen Volkes widersprechen.
   Gemäß § 7 des Lichtspielgesetzes ist einem Film die Zulassung zu versagen, wenn die Prüfung ergibt, daß seine Vorführung geeignet ist, das nationalsozialistische Empfinden zu verletzen. Trifft dies nun hinsichtlich eines Teiles der dargestellten Vorgänge zu, so sind nach § 9 des Gesetzes die zu beanstandenden Teile zu entfernen und in amtliche Verwahrung zu nehmen. Damit ist der deutschen Filmzensur die Aufgabe erwachsen, den gesinnungsmäßig vollzogenen Umbruch des deutschen Volkes und seine daraus sich ergebende charakterliche, seelische und weltanschauliche Haltung gegen Angriffe zu schützen, die eine Verhöhnung oder Herabwürdigung dieser Haltung bedeuten.

## Die neue positive Zensur

*Deutsche Filmarbeit im Dritten Reich*, in: *Der Angriff* vom 26. 9. 1936, Auszug; siehe auch Direktor Hermann Boss: *Filmzensur als Hüterin deutscher Kultur* in: *Rundfunk und Film im Dienste nationaler Kultur*, Herausgeber Richard Kolb und Heinrich Siekmeier, Düsseldorf o. J., S. 335 f.

Die Wandlung, die sich hier in zweieinhalb Jahren vollzogen hat, stellt wohl das wichtigste Stück Geschichte in der Gesamtentwicklung des Films dar, und diese Geschichte in übersichtlicher und lückenloser Form geschildert zu haben, ist das Verdienst Dr. Alexander Jasons, dessen «Handbuch des Films 1935/36» soeben im Verlag von Hoppenstedt & Co., Berlin, erschienen ist.

Ganz ungeschminkt zeigt Jason in dieser Geschichte des Films die Mißstände, die nach dem Umsturz von 1918 und der Aufhebung der Zensur in Deutschland herrschten. Aber auch durch die im Jahre 1920 wieder eingeführte Filmzensur wurden diese Mißstände nicht beseitigt, denn als Polizeizensur konnten wohl fertige Filme verboten werden, die öffentliches Ärgernis erregten, aber auf die Herstellung selbst hatte diese Zensur keinen Einfluß.

Die Aufgaben unserer heutigen Prüfstellen bestehen dagegen weniger in einer negativen, verbietenden Art, sondern sie sind durchaus positiv, indem sie bereits bei der Prüfung der Drehbücher beginnen und den Produktionsgesellschaften Vorschläge für notwendige Änderungen machen.

## Das Verfahren der Filmzensur

Aufsatz von Dr. Hans Erich Schrade in: *Presse-Dienst der Reichsfilmkammer* vom 12. 1. 1937, S. 6–7, gekürzt.

Nach der Machtergreifung durch den Nationalsozialismus erhielt auch die Filmzensur, die nunmehr vom Reichsministerium des Innern zum neugegründeten Reichsministerium für Volksaufklärung und Propaganda überging, eine völlig neue Grundausrichtung, die ihren Niederschlag im Lichtspielgesetz vom 16. Februar 1934 fand. Dieses Gesetz gibt die Grundlage für das Zensurverfahren und für die Entscheidungen des nationalsozialistischen Zensors.

Zunächst sei festgestellt, daß ohne Unterschied alle Filme, die öffentlich zur Vorführung gelangen, der Zensurpflicht unterliegen. Dazu gehören also nicht nur die großen Spielfilme und die Kulturfilme, die im Vordergrund des allgemeinen Interesses stehen, sondern ebenso jeder Werbefilm und auch beispielsweise jeder stumme Schmalfilm, den irgendwo ein Amateur von einer sportlichen oder Vereinsveranstaltung hergestellt hat und den er in seinem Klub oder Verein zeigen will, denn der «öffentlichen Vorführung werden Vorführungen in Klubs, Vereinen und anderen geschlossenen Gesellschaften gleichgestellt» (§ 4 des Lichtspielgesetzes). Alle für den Film und seine Prüfung geltenden Bestimmungen finden auch auf die Filmreklame sinngemäß Anwendung. Alle Plakate, Photos und Handzettel, die in der Öffentlichkeit für einen Film werben, müssen der Prüfstelle vorgelegt werden. Filme und Filmreklame unterliegen somit durch die Prüfpflicht den im Lichtspielgesetz festgelegten Grundsätzen der nationalsozialistischen Filmzensur.

Alle Filme ohne Spielhandlung, also Kulturfilme, dokumentarische Filme und Werbefilme, werden vom Kammervorsitzenden ohne Zuziehung irgendwelcher Beisitzer geprüft; er trifft nach der Besichtigung seine Entscheidung, die er im einzelnen Fall schriftlich begründet. Jeder Spielfilm, d. h. jeder Film, der eine fortlaufende Spielhandlung enthält, um derentwillen er hergestellt wurde (§ 1 Absatz 2 des Lichtspielgesetzes), kommt in eine Kammersitzung. Zu jeder dieser Sitzungen werden 4 Beisitzer zugezogen. Die Beisitzer sind bekannte und ausgesuchte Persönlichkeiten der Einzelkammern der Reichskulturkammer, die von den Präsidenten der Einzelkammern vorgeschlagen und von Reichsminister Dr. Goebbels ernannt werden. Wesentlich ist, daß die 4 Beisitzer lediglich beratende Stimme haben. Es wird bei der Urteilsfindung nicht abgestimmt, sondern der Vorsitzende entscheidet allein und hat für seine Entscheidung auch die Verantwortung zu tragen. Damit ist eine einheitliche, grundsätzliche Linie, in den Entscheidungen eine einheitliche Spruchpraxis garantiert. Nach der vollzogenen Prüfung und der erfolgten Zulassung erhält jeder Film seinen Reisepaß.

# Verbote

Die nachstehenden Filmverbote oder Ausschlüsse von Filmschauspielern werden chronologisch aufgeführt; anfangs geschah das – wie es im NS-Jargon hieß – aus «spontanen» Gründen, später auf ausdrücklichen Wunsch des Propagandaministers, der Film-Prüfstelle oder der Reichsfilmkammer; die Begründungen für die Ausschlüsse der Filmschauspieler sind natürlich nur nationalsozialistische Behauptungen und müssen nicht der Wahrheit entprechen.

## Gegen den Van de Velde-Film

Als Nachricht in: *Deutsche Allgemeine Zeitung* vom 5. 7. 1933.

Theodor Hendrik Van de Velde, 1873–1937, Arzt und Sexualforscher; am 10. 5. 1933 wurden seine Bücher bei der sogenannten «Verbrennung undeutschen Schrifttums» vernichtet; siehe darüber ausführlicher in: *Literatur und Dichtung im Dritten Reich* (Ullstein Buch 33029), S. 44 f.

Im Einvernehmen mit den zuständigen städtischen Behörden hat die Kieler Studentenschaft eine Protestaktion eingeleitet, und es ist schließlich gelungen, die sofortige Einstellung der Aufführungen des Films «Wege zur guten Ehe» durchzusetzen. Obwohl dieser Aufklärungsfilm, der die «Liebe, wie die Frau sie braucht» demonstrieren will, von der obersten Berliner Zensurinstanz am 16. Mai bedenkenlos freigegeben worden ist und seitdem unbeanstandet und unter großem Zulauf in zahlreichen deutschen Kinos gezeigt werden konnte, glaubte die Kieler Studentenschaft deshalb zu ihrem Einspruch verpflichtet zu sein, weil in diesem Werk eine «schlecht versteckte Propaganda für die Ideen van de Veldes» gemacht werde.

Van de Veldes Bücher sind anläßlich des am 10. Mai inszenierten Autodafés dem Scheiterhaufen übergeben und öffentlich verbrannt worden. Es könne – so argumentiert die Kieler Studentenschaft – daher nicht geduldet werden, daß dem deutschen Volk von einem mißliebigen Autor im Film Belehrungen erteilt würden, deren soziale und sexualethische Haltung dem Lebensstil des deutschen Sozialismus von Grund aus widersprechend sei. Um unliebsame Zwischenfälle zu vermeiden, hat das Kieler Lichtspieltheater dem Wunsch der Kieler Studentenschaft nachgegeben und hat den Van de Velde-Film vom Spielplan abgesetzt.

## Stefan Zweig: «Amokläufer»

*Amokläufer verboten*, in: *Film-Kurier* vom 10. 8. 1933, gekürzt.
Stefan Zweig, 1881–1942 (durch Selbstmord in der Emigration), Schriftsteller.

Das dramaturgische Büro der Filmkammer teilt mit: Der Herr Reichsminister für Volksaufklärung und Propaganda hat unterm 28. April dieses
Jahres die Verfilmung der Novelle von Stefan Zweig «Amokläufer»
wegen erheblicher inner- und außenpolitischer Bedenken untersagt. Der
Autor Stefan Zweig steht auf der schwarzen Liste, und seine Bücher
wurden öffentlich verbrannt.

## Skandal um die Jüdin Bergner

Als Nachricht in: *Fränkische Tageszeitung* vom 10. 3. 1934.
Elisabeth Bergner, * 1897, Schauspielerin; der hier erwähnte Regisseur Paul
Czinner drehte ab 1924 mit der Bergner eine Reihe von Filmen, die internatio-
nalen Ruf erlangten.

Berlin. – Donnerstag Abend fand im Kapitol am Zoo die deutsche Uraufführung des in England hergestellten Films «Katharina die Große»
statt, in dem die Hauptrolle die jüdische Schauspielerin Elisabeth Bergner spielt und in dem ferner der jüdische Regisseur Paul Czinner die
Regie führt, der ebenso wie seine Frau Elisabeth Bergner im vorigen
Jahre aus Deutschland ausgewandert ist.
Das Publikum nahm gegen den Film eine außerordentlich scharf ab-
lehnende Haltung ein und protestierte lebhaft gegen die Aufführung.

«Katharina die Große» abgesetzt.
Berlin. – Auf Grund der bei der Berliner Erstaufführung des Filmes
«Katharina die Große» vorgekommenen Demonstrationen hat der Präsident der Reichsfilmkammer Vorsorge getroffen, daß weitere Vorführungen des Films mit der jüdischen Darstellerin Elisabeth Bergner nicht
mehr stattfinden.
So erstaunlich es ist, daß ein Film, in dem die Jüdin Bergner die Hauptrolle spielt und der von ihrem Mann, dem Juden Czinner gemacht ist,
überhaupt erst zur Vorführung in Deutschland zugelassen wird, so er-
freulich ist es, daß der inzwischen gesundete Geschmack des deutschen
Filmpublikums sofort gegen den Versuch der Juden, sich auf dem Umwege über die ausländische Produktion wieder in Deutschland einzuschleichen, so nachdrücklich protestiert, daß eine weitere Vorführung
solcher Filme unterbleibt.

# «Das Hohe Lied» mit Marlene Dietrich verboten

**Als** Nachricht in: *Licht-Bild-Bühne* vom 16. 3. 1934.

*Das Hohe Lied*, Roman von Hermann Sudermann, 1857–1928; Marlene Dietrich, * 1904; Schauspielerin; Goebbels bemühte sich, die Dietrich nach Deutschland zurückzuholen und bot ihr Riesengagen an; sie lehnte ab.

Am 14. März hat die Oberprüfstelle über die Beschwerde der Paramount-Film AG. gegen das Verbot des Marlene-Dietrich-Films «Das Hohe Lied» durch die Filmprüfstelle verhandelt. Die Beschwerde wurde auf Kosten der Beschwerdeführerin zurückgewiesen, der Film von der Oberprüfstelle unter Vorsitz von Ministerialrat Dr. Seeger [1] erneut verboten. Als Beisitzer fungierten die Herren Dr. Plugge [2], Heinz Tovote [3], Dr. Heinz Dähnhardt und Menke. Für das Verbot waren folgende Entscheidungsgründe der Oberprüfstelle maßgebend:

Der Film ist nach dem deutschen Roman «Das Hohe Lied» (Sudermann) gedreht, spielt erkennbar im Deutschland der Vorkriegszeit, zeigt ein deutsches Schloß, einen deutschen Husarenobersten und eine deutsche Schauspielerin in den tragenden Rollen. Da das Ausland nicht die gleichen Vergleichsmöglichkeiten hat wie wir, wird der Film daher als typisch für die Zustände im Vorkriegs-Deutschland und für den deutschen Menschen angesehen werden. Im Mittelpunkt der Handlung ein deutscher Oberst, der sich für 1000 Mark ein Mädchen kauft, es zwar heiratet, dann aber in plumpester Form damit protzt, wie er sie zur Dame der Gesellschaft abgerichtet hat und in Gegenwart ihres früheren Geliebten zynisch offenbart, daß er sich mit dessen Hilfe und mit niedrigen Mitteln in ihren Besitz gesetzt hat. Denselben Tiefstand zeigt die Rolle der weiblichen Hauptdarstellerin: erst einfaches und unverbildetes Landmädchen, dann Geliebte eines Bildhauers, Frau eines Obersten, Ehebrecherin, Straßenmädchen und schließlich wieder Geliebte desselben Bildhauers. Trägerin dieser Rolle ist eine deutsche Schauspielerin, die sich in Amerika mit Vorliebe in Dirnenrollen gefällt und in der ganzen Welt als Deutsche bekannt ist. In beiden Figuren, die typisch deutsch erscheinen, wird Deutschland getroffen und in einer Weise verzerrt und entstellt, daß die Welt ein völlig falsches und unsachliches Bild von Deutschland erhält.

Ein solches gegen Deutschland gerichtetes Machwerk in Deutschland vorzuführen, wäre würdelos und würde eine Gefährdung des deutschen Ansehens im Sinne des § 7 des Lichtspielgesetzes vom 16. Februar 1934

1 Dr. jur. Ernst Seeger, 1884–1937, Leiter der Abteilung Film im Propagandaministerium.

2 Dr. jur. Walther Plugge, * 1886, Mitglied des Präsidialrates der Reichsfilmkammer.

3 Heinz Tovote, 1864–1946, Schriftsteller (Roman, Novelle, Geschichte).

bedeuten (vgl. die Urteile der Oberprüfstelle vom 1. August 1924 und 5. Mai 1928 – Nr. 325 und 420). Die Kostenentscheidung folgt aus § 2 der Gebührenordnung vom 8. März 1934.

Seeger

## Zwei Filmverbote

Als Nachricht in: *Frankfurter Zeitung* vom 22. 7. 1934.

Die Filmoberprüfstelle hat die Aufführung der Filme «Nana»[1] und «Men in white» untersagt. Zur Begründung des Verbotes von «Nana» wird gesagt, daß die Stütze eines Staates, selbst eines fremden Staates, der Soldat, nicht mit einem Dirnenstoff in Zusammenhang gebracht werden dürfe, denn zu leicht würden hierdurch Staatsautoritäten untergraben. Zum Verbot von «Men in white» wird bemerkt, daß der neue deutsche Staat der Ausbildung des Ärztenachwuchses besonderes Augenmerk zuwende. Der Arzt solle in das Leben hineingeführt werden, er solle zu einem Menschen erzogen werden, der seine Mitmenschen verstehe, um ihnen helfen zu können. Diesen hohen Zielen widerspreche dieser Film, denn 1. glorifiziere er die außergewöhnliche Stellung eines Arztes, der ohne jede Verbindung zu seinen Patienten stehe und nur seiner hohen Wissenschaft lebe und arbeite, 2. stemple er den Patienten in diesem Riesenkrankenhaus zur Nummer und Zahl, wodurch das Vertrauen des Publikums, besonders des kranken Menschen zum Arzt nicht gesteigert werden könne[2], 3. rückten die privaten Interessen eines Teiles dieser Ärzte in den Vordergrund, während in den Nebenzimmern Kranke mit dem Tode rängen.

## Die Provokation

*Bestätigtes Filmverbot*, in: *Völkischer Beobachter* vom 29. 9. 1934.

Berlin, 28. April. Gegen die Entscheidung der Prüfstelle, die dem Film «Männer um eine Frau» wegen der Mitwirkung des amerikanischen Boxers Max Baer als Hauptdarsteller die Zulassung versagte, hatte die Metro Goldwyn Mayer-Film AG. Beschwerde eingelegt. Die Oberprüfstelle hat in ihrer heutigen Sitzung diese Beschwerde zurückgewiesen

1 *Nana* (1880), ein Roman des französischen Schriftstellers Émile Zola, 1840 –1902.
2 Ein Jahr *vor* dieser Nachricht – am 14. 7. 1933 – war im Dritten Reich das Gesetz «zur Verhütung erbkranken Nachwuchses» erlassen worden, ein Ausgangspunkt für die spätere Entwicklung des NS-Euthanasie-Programms, der Sterilisation und verschiedener Experimente an Menschen in den Konzentrationslagern.

und das Verbot aufrechterhalten. In Übereinstimmung mit der Prüfstelle und dem von dieser Stelle vernommenen Sachverständigen des Reichsministeriums für Volksaufklärung und Propaganda hält die Oberprüfstelle daran fest, daß die Zensur nicht einfach an der Tatsache vorbeigehen könne, daß das deutsche Volk die Vorführung von Filmen mit jüdischen Hauptdarstellern als Provokation empfinde. An diese Art Filme müsse deshalb ein besonders strenger Maßstab gelegt werden. Vorwiegend sei es das Verhältnis des jüdischen Darstellers, der nach Ansicht der Oberprüfstelle obendrein ein durchaus negroider Typ sei, zu den in dem Film mitspielenden nichtjüdischen Frauen, das eine Verletzung des nationalsozialistischen Empfindens im Sinne des neuen Lichtspielgesetzes vom 16. Februar 1934 enthalte. Aus diesem gesetzlichen Verbotsgrunde sei die fernere Vorführung des Films, und zwar sowohl in der Originalfassung wie in der deutschen Fassung nicht mehr angängig.

## Verleih und Ausfuhr verboten

*Alte Filme mit nichtarischen Darstellern sind verboten,* in: *Frankfurter Zeitung* vom 15. 6. 1935.

Berlin, 14. Juni. Die «Nationalsozialistische Parteikorrespondenz» schreibt: «Verschiedentlich konnte beobachtet werden, daß Filme mit nichtarischen Darstellern, die vor dem 30. Januar 1933 hergestellt und von der Filmprüfstelle zugelassen wurden, wieder in Lichtspieltheatern auftauchen. Es muß darauf hingewiesen werden, daß diese Filme, insbesondere wenn in ihnen Schauspieler mitwirken, die als Emigranten bekannt sind, verboten sind. Neben der Vorführung ist auch die Verleihung und Ausfuhr solcher Filme untersagt und wird, da hierin eine Verletzung des Nationalbewußtseins zu erblicken ist, als große Unzuverlässigkeit angesehen, die geahndet zu werden verdient.»

## Sammelrundschreiben

Sammelrundschreiben: A Nr. 4/38, B Nr. 40/38, C Nr. 4/38 der Reichsfilmkammer, Fachgruppe Filmherstellung, Inländischer Filmvertrieb, Kultur- und Werbefilm, vom 24. 2. 1939; darin sind auch viele Komponisten angegeben, die der Leiter der Reichsmusikprüfungsstelle für den Film verbot; Auszüge.

Der Herr Reichsminister für Volksaufklärung und Propaganda teilt mit, daß der Ausschluß des Werner Finck aus der Reichskulturkammer die sofortige Zurückziehung aller derjenigen Filme bedingt, in denen Finck auftritt oder die dieser besprochen hat (ausgenommen Wochenschauen). Es ist daher erforderlich, daß alle in Frage kommenden Bildstreifen unverzüglich aus dem Verkehr gezogen werden. Zwecks Feststellung, welche Filme mit Finck von der angeordneten Zurückziehung erfaßt werden und wann deren Uraufführung erfolgte, werden die Verleihfirmen ersucht, eine Meldung hierüber sowie über die von ihnen ergriffenen Maßnahmen zur Unterbindung weiterer Vorführungen von Filmen, an oder in denen Finck mitgewirkt hat, bis spätestens zum 6. März 1939 zukommen zu lassen.

Der Herr Reichsminister für Volksaufklärung und Propaganda hat die weitere Betätigung der nichtarischen ausländischen Staatsangehörigen Victor Blumenfeld, Berlin W 50, Kurfürstendamm 237, und J. Braunstein, Berlin-Schöneberg, Barbarossastr. 50, auf dem Gebiet des Filmwesens in Deutschland untersagt. Die Mitgliedsfirmen werden hiervon unterrichtet mit dem Hinweis, daß Verstöße hiergegen ein Ordnungsstrafverfahren nach sich ziehen.

Heil Hitler!
Unterschrift

## Anhang: 1944 — Sondergenehmigungen

### «Der blaue Engel» und «The Great Dictator»

Das Dokument ist gekürzt: *Der blaue Engel* mit Marlene Dietrich und Emil Jannings war ein Welterfolg; *The Great Dictator* mit Charlie Chaplin ist eine Parodie auf Hitler.

|  |  |
|---|---|
| | Der Leiter des Reichsfilmarchivs |
| Herrn | –Nr. 90– |
| Reichsminister | Berlin, den 15. August 1944 |

*Betr.*: Ausleihung von Filmen, die zur öffentlichen Vorführung nicht zugelassen sind.

| Antragsteller | Film | Zweck und Personenkreis |
|---|---|---|
| Ufa-<br>Filmkunst<br>GmbH. | «Der Blaue Engel»<br>(Deutschland 1930<br>– ernster Unter-<br>haltungsfilm) | Besichtigung durch Produktions-<br>leiter Schönmetzler, Spielleiter<br>Weidemann für das Filmvorhaben:<br>«Schenke zur ewigen Liebe» |
| Auswärtiges<br>Amt | «The great<br>Dictator» (amerik.<br>Hetzfilm m. Komö-<br>diencharakter,<br>1940) | Besichtigung durch den<br>Herrn Reichsaussenminister [1]<br>mit seinem Stab. |

Heil Hitler!
Unterschrift

*Die Anträge werden befürwortet*

[1] Joachim von Ribbentrop.

309

# «Dybuk» für Rudolf Schleier

*Dybuk* wurde nach dem gleichnamigen Drama des jiddischen Schriftstellers
Sch. Anski, 1863–1920, gedreht, und zwar 1938 in Warschau unter der Regie
von Michael Waszynski; Hauptdarsteller waren die berühmten Schauspieler des
jiddischen Theaters Abraham Morewski, Lily Liliana, Dina Halpern u. a.; über
die antijüdische Betätigung des Gesandten Schleier im Zusammenhang mit den
«Aussiedlungen» in die Vernichtungslager siehe Léon Poliakov – Joseph Wulf:
*Das Dritte Reich und seine Diener*, Berlin 1956, S. 106, 112–113; Schleier war
auch einer der Manager der «Tagung der Judenreferenten des Auswärtigen
Amtes», 1944, Protokoll ebd. S. 158–168; die Tagung fand am 3. und 4. April
1944 in Krummhübel statt.

Der Leiter des Reichsfilmarchivs

Herrn                     Nr. 93
*Reichsminister*          Berlin, den 28. August 1944

**Betr.:** Ausleihung von Filmen, die zur öffentlichen Vorführung nicht
zugelassen sind.

*Antragsteller Film      Zweck und Personenkreis*
Auswärtiges   «Dybuk»  Besichtigung durch Herrn Gesandten Schleier,
Amt           (jüdischer  der die anti-jüdischen Fragen beim «Auswär-
              Spielfilm)  tigen Amt» behandelt, zu informatorischen
                          Zwecken

                                          Heil Hitler!
*Der Antrag wird befürwortet.*             Unterschrift

# Reichsfilmkammer

## Organisatorisches

## Gliederung und Aufbau

Dr. phil. Gerhard Menz: *Der Aufbau des Kulturstandes*, München–Berlin 1938, S. 58–59, gekürzt.
Siehe auch die Dissertation von Kurt Wolf: *Entwicklung und Neugestaltung der deutschen Filmwirtschaft seit 1933*, Heidelberg 1938; Referenten: Prof. Dr. Walter Waffenschmidt und Prof. Dr. Carl Brinkmann.

Eine vorläufige Filmkammer war schon vor Erlaß des Reichskulturkammergesetzes gegründet worden, da die Neuordnung auf diesem wichtigen Gebiet besonders vordringlich erschien. Es ergingen dazu das Gesetz vom 14. Juli 1933 [1] und die Durchführungsverordnung vom 22. Juli 1933 [2]. Nach Errichtung der Reichskulturkammer wurde die vorläufige Filmkammer in diese als Reichsfilmkammer eingefügt. Für den Aufbau der vorläufigen Filmkammer waren die vorhandenen Verbände und Organisationen herangezogen worden. Sie sind im Laufe der Zeit in Richtung des Fachschaftsgedankens umgewandelt worden. Die Kammer gliedert sich in üblicher Weise in Hauptabteilungen mit Referaten und Untergliederungen.

I. Allgemeine Verwaltung, II. Politik und Kultur, III. Künstlerische Betreuung des Filmschaffens, IV. Filmwirtschaft, V. Fachschaft Film, VI. Filmproduktion, VII. Inländischer Filmbetrieb, VIII. Filmtheater, IX. Film- und Kinotechnik mit den Fachausschüssen, X. Kultur- und Werbefilm und Lichtspielstellen.

In den Gauen gibt es Beauftragte des Präsidenten der Reichsfilmkammer, ferner, soweit erforderlich, gebietsmäßige Untergliederungen der Abteilungen.

1 *Reichsgesetzblatt* 1933, Bd. 1, S. 483.
2 *Reichsgesetzblatt* 1933, Bd. 1, S. 531.

# Die Rede des Präsidenten Dr. Scheuermann

*Die Zukunft des Films,* in: *Frankfurter Zeitung* vom 21. 9. 1934, Auszug.
Dr. jur. Fritz Scheuermann, * 1887, siehe auch «Denunziationen», S. 324 f;
Präsident der Reichsfilmkammer: Rechtsanwalt und Notar Dr. Fritz Scheuermann; zum Präsidialrat gehörten: Oberregierungsrat Arnold Raether (Beauftragter des Propagandaministeriums), Ministerialrat Dr. Botho Mulert (Reichswirtschaftsministerium), Dr. Franz Belitz (Reichskreditgesellschaft AG), Carl
Auen und Theodor Loos. – Siehe hierzu auch: *Erweiterte Aufgaben der Filmkreditbank,* in: *Vossische Zeitung* vom 14. 8. 1933; Carl Auen, Leiter der
Reichsfachschaft Film: *Die Gemeinschaft der Filmschaffenden Deutschlands* in:
*Filmwelt* vom 25. 4. 1935.

München, 20. Sept. Die Reichsfilmkammer trat am Donnerstag in München unter Vorsitz ihres Präsidenten Dr. Scheuermann zu einer Arbeitstagung zusammen. Vor Beginn der internen Beratungen empfing der
Präsident die Vertreter der Presse. Die Wahl Münchens als Tagungsort
– so erklärte er – sei erfolgt, um die Bedeutung Münchens als Hauptstadt der Kunst zum Ausdruck zu bringen. Grundsätzlich stellte dann
Dr. Scheuermann fest, das künstlerische Ziel der Reichsfilmkammer sei
nach den Richtlinien des Reichsministers Dr. Goebbels der absolute Film,
ein künstlerisch, musikalisch, völkisch und technisch selbstständiges
Kunstwerk. Wir wollten nicht weiter einen Film haben, der ein Abklatsch abgespielter Operetten und dergleichen sei. Gegenüber der ausländischen Boykottpropaganda sei festzustellen, daß gewiß auch weiter
die Schaffung großer nationalsozialistischer Propagandafilme erstrebt
werde, daß aber diese Filme nur eine Sache des Inlandes seien; denn der
Nationalsozialismus sei nach einem Worte Adolf Hitlers keine Exportware. Exportware dagegen solle der deutsche Film werden, der als Kunstwerk sich internationale Geltung und Anerkennung verschaffe. Bei der
Schaffung des künstlerischen Films würden die landwirtschaftlichen,
bodenständigen Kräfte volle Beachtung finden.

## Berechtigung zu Filmvorführungen

Als Nachricht in: *Völkischer Beobachter* vom 19. 1. 1934.

Berlin, 18. Januar. Die Kulturfilmstelle der Reichsfilmkammer teilt mit:
Die Berechtigung, Filme, und zwar gewerblich oder gemeinnützig in öffentlichen oder geschlossenen Veranstaltungen vorzuführen, ist nach
den gesetzlichen Bestimmungen nur noch Mitgliedern der Reichsfilmkammer gestattet. Mit Ausnahme der ortsfesten Lichtspieltheater müssen alle Lichtspielstellen, also Wandervorführer, Firmen, die Werbefilme vorführen, Vereine und Körperschaften privaten und öffentlichen
Rechts, bis spätestens 1. Februar 1934 in den zuständigen Fachverband

der Reichsfilmkammer, die «Reichsvereinigung Deutscher Lichtspielstellen, Berlin W 35, Bendlerstr. 33a», aufgenommen sein. Schon jetzt können bei fehlender Mitgliedschaft Veranstaltungen geschlosen werden. Nach dem genannten Zeitpunkt findet jedoch eine allgemeine Kontrolle statt.

## 1935: Prof. Lehnich neuer Präsident

*Neuer Präsident der Filmkammer*, in: *Berliner Lokal-Anzeiger* vom 19. 10. 1935, Morgenausgabe, Auszug.

Prof. Oswald Lehnich, * 1895; 1927 Professor für Volkswirtschaftslehre an der Universität Tübingen; «Als einer der ersten Dozenten in Tübingen trat er der NSDAP und SS als förderndes Mitglied bei» – siehe: *Der Präsident der Reichsfilmkammer zurückgetreten*, in: *Frankfurter Zeitung* vom 19. 10. 1935; seine Parteinummer war 855 209; seine SS-Nummer 265 884. – Unter Lehnich bestand 1935 die Leitung der Reichsfilmkammer aus folgenden Mitgliedern: Vizepräsident Hans Weidemann, Geschäftsführer Karl Melzer; Präsidialrat: Prof. Dr. Lehnich, Dr. Fritz Scheuermann, Direktor Dr. Franz Belitz, Ministerialrat Dr. Botho Mulert, Theodor Loos, Carl Auen, Carl Froelich und Karl Melzer.

Der Präsident der Reichsfilmkammer, Dr. Fritz Scheuermann, hat den Präsidenten der Reichskulturkammer, Reichsminister Dr. Goebbels, gebeten, ihn von seinem Amt als Präsident der Reichsfilmkammer zu entbinden, um die Möglichkeit zu haben, sich in größerem Umfange als bisher filmwirtschaftlichen und anwaltlichen Aufgaben zu widmen. Reichsminister Dr. Goebbels hat diesem Wunsche entsprochen mit dem Ausdruck des Dankes an Dr. Scheuermann für die am Neuaufbau des deutschen Films in den letzten Jahren geleistete erfolgreiche Arbeit. Dr. Scheuermann, der Mitglied des Präsidialrates der Reichsfilmkammer bleibt, übernimmt die Leitung der Filmkreditbank.

Zum Präsidenten der Reichsfilmkammer hat Reichsminister Dr. Goebbels den württembergischen Staatsminister SS-Oberführer Prof. Dr. Lehnich berufen. Gestern mittag empfing Reichsminister Dr. Goebbels den Präsidenten Dr. Scheuermann und Staatsminister Prof. Dr. Lehnich zwecks Übernahme der Geschäfte durch den neuen Präsidenten der Reichsfilmkammer. Gleichzeitig hat Reichsminister Dr. Goebbels an Stelle des zurückgetretenen Oberregierungsrates Raether den Leiter der Fachschaft Film, Hans Weidemann[1], zum Vizepräsidenten der Reichsfilmkammer bestellt.

1 Hans Jakob Weidemann, * 1904; Eintritt in die NSDAP am 1. 7. 1928, Mitgliedsnummer 97 362; 1932/33 stellvertretender Gauleiter im Gau Essen; Reichsfilmdramaturg der NSDAP; ab 20. 4. 1936 Stab D der Berliner Obersten SA-Führung mit dem Rang Sturmführer.

# Die Landesleiter sind gleichzeitig
# die Gaustellenleiter der Partei

*Reichskulturkammer*, in: *Kölnische Zeitung* vom 1. 12. 1935, Auszug.

Die Reichsfilmkammer, deren Präsident Prof. Dr. Oswald Lehnich ist, soll das deutsche Filmgewerbe im Rahmen der Gesamtwirtschaft fördern, die Interessen der einzelnen Gruppen untereinander sowie gegenüber den öffentlichen Organen vertreten und einen gerechten Ausgleich zwischen den in diesem Berufszweig Tätigen herbeiführen. In der örtlichen Gliederung sind die Landesleiter der Reichsfilmkammer gleichzeitig Gaustellenleiter der Partei und unterstehen dem Landeskulturwalter.

## Sonderkommission für Fragen der Weltanschauung

1936 bestand die Reichsfilmkammer aus: Präsident Prof. Dr. O. Lehnich, Vizepräsident Hans Weidemann, Geschäftsführer Karl Melzer, Präsidialrat: Prof. Dr. Lehnich, H. Weidemann, K. Melzer, Dr. Franz Belitz, Dr. Botho Mulert, Carl Froelich, Dr. Ernst Seeger, Hans Jürgen Nierentz, Willi Krause, Siegmund Jung, Eugen Klöpfer.

| | |
|---|---|
| Parteigenosse Hinkel | Der Präsident der Reichsfilmkammer |
| Reichskulturkammer | *Geschäftszeichen: Mel/No 5024* |
| *Berlin W* | Berlin W 35, den 9. Juli 1936 |
| Wilhelmplatz 8/9 | Bendlerstr. 33, Fernspr.: Sammel-Nr. B 2 8991 |

Sehr geehrter Parteigenosse Hinkel!

Mit der Eingliederung der früheren Fachverbände in die Reichsfilmkammer wurde der äußere organisatorische Aufbau dieser Kammer abgeschlossen. Die früheren Interessentenverbände wurden zu Fachgruppen der Reichsfilmkammer und damit zu Mitträgern der ständischen Organisation.

Um der ständischen Selbstverwaltung sichtbaren und lebendigen Ausdruck zu geben, wurden von mir eine Reihe von Fachausschüssen für wirtschaftliche, technische und künstlerische Fragen eingesetzt, in denen die Reichsfilmkammer stets in engster Fühlung mit den Standesvertretern alle im Interesse der Mitglieder und des Staats- und Gemeinwohls liegende lebenswichtige Fragen zu lösen sucht.

Über das Wirtschaftliche, Technische und Künstlerische hinaus wirft der Film ständig neue und schwerwiegende weltanschauliche Probleme auf, die nicht ohne dauernden und fruchtbaren Gedankenaustausch mit allen den Stellen gelöst werden können, zu deren Aufgaben die weltanschauliche Erziehung des deutschen Volkes gehört. Deshalb beabsichtige ich, eine Sonderkommission für Fragen der Weltanschauung im Film, der im Gegensatz zu den obengenannten Ausschüssen keine Standesver-

# Personal=Bericht

Ehrenführer, zugeteilt

des SS-Standartenführers   Prof. Dr. Lehnich,   dem SS-Oberabschnitt
<br>(Vorname)                        (Vor- und Zuname)                        (Wüttbrg. und Baden)
<br>Südwest.

Mitglied-Nr. der Partei:   855 209   SS-Ausweis Nr.   noch unbekannt

Seit wann in der Dienststellung:   Beförderungsdat. z. letz. Dienstgrad:   8.II.1935.

Geburtstag, Geburtsort (Kreis):   20. Juni 1895 in Rosenberg (Oberschl.)

Beruf: 1. erlernter:   Studium der Rechts- und   2. jetziger:   Württ. Wirtschaftsminister
<br>Staatswissenschaften
<br>Wohnort:   Stuttgart,   Straße:   Heidehofstraße 40

Verheiratet?   Ja   Mädchenname der Frau:   Gerstenberg   Kinder?   3   Konfession:   ev.

Wirtschaftliche Verhältnisse:   Geordnet

Vorstrafen:

Verletzungen, Verfolgungen und Strafen im Kampfe für die Bewegung:

---

# Beurteilung:

I. Rassisches Gesamtbild:   Mittelgross, blond, kräftig

II. 1. Charakter:   offener Charakter

    2. Wille:   energisch, fester Wille

    3. Gesunder Menschenverstand:   sehr klug, erfasst schnell

    Wissen und Bildung:   sehr gute Bildung, Hochschuldozent

    Auffassungsvermögen:   In Wirtschaftszusammenhängen besonders bewandert

    Nationalsozialistische Weltanschauung:   einwandfrei

III. Auftreten und Benehmen in und außer Dienst:
<br>(Besondere Neigungen, Schwächen und Fehler)

    Einwandfreies Benehmen in und ausser Dienst. Schwächen oder
<br>    Fehler nichts zu bemerken.

SV K 21
<br>SS-Vordruck-Verlag W. F. Mayr, Miesbach (Bayer. Hochland)

*Die SS-Beurteilung eines Präsidenten der Reichsfilmkammer (erste Seite)* treter angehören, im Bereich der Reichsfilmkammer zu bilden. Ich würde es lebhaft begrüssen, wenn Sie, sehr geehrter Parteigenosse, dieser Sonderkommission beitreten und sich aktiv an ihren Arbeiten beteiligen würden. Für eine baldige Stellungnahme wäre ich Ihnen sehr verbunden.

Heil Hitler!

Dr. Lehnich

## Verzeichnis der Landesleiter Film

Rundschreiben der Reichsfilmkammer, Fachgruppe Kultur- und Werbefilm, vom 29. 7. 1938.

Landeskulturwalter *Adolf Schmidt*, Gau Baden, Karlsruhe, Ritterstr. 22

Landeskulturwalter *Hans Kolbe*, Gau Bayerische Ostmark, Bayreuth, Wölfelstr. 4

Landeskulturwalter *Hermann Brouwers*, Gau Düsseldorf, Düsseldorf, Freiherr v. Steinstr. 23

Landeskulturwalter *Arnold Fischer*, Gau Essen, Essen, Thomaehaus, Friedrichstr. 1

Landeskulturwalter *Werner Wächter*, Gau Groß-Berlin, Berlin SW 19, Leipzigerstr. 81

Landeskulturwalter *Wilhelm Maul*, Gau Halle-Merseburg, Halle/S., Merseburgerstr. 2

Landeskulturwalter *Hans Bäselsöder*, Gau Franken, Nürnberg-O, Schlageter Platz 5

Landeskulturwalter *Erich Schmidt*, Gau Hamburg, Hamburg 1, Harvestehuder Weg 22

Landeskulturwalter *Wilhelm Stöhr*, Gau Hessen-Nassau, Frankfurt/M., Gutleutstr. 8/12

Landeskulturwalter *Albert Urmes*, Gau Koblenz-Trier, Koblenz, Mainzerstr. 54

Landeskulturwalter *Richard Ohling*, Gau Köln-Achen, Köln, Claudiusstr. 1

Landeskulturwalter *Heinrich Gernand*, Gau Kurhessen, Kassel, Wilhelmshöher Allee 7

Landeskulturwalter *August Scherer*, Gau Kurmark, Berlin W 35, Kurmärkische Str. 2

Landeskulturwalter *Dr. Fritz Ihlenburg*, Gau Magdeburg-Anhalt, Dessau, Straße des 30. Januar 5

Landeskulturwalter *Waldemar Vogt*, Gau Mainfranken, Würzburg, Adolf Hitler Str. 24

Landeskulturwalter *Alfred Wilke*, Gau Mecklenburg, Schwerin/M., Mozartstr. 12

Landeskulturwalter *Otto Nippold*, Gau München-Oberbayern, München, Prannerstr. 20

Landeskulturwalter *Friedrich Schmonsees*, Gau Ost-Hannover, Lüneburg, Schießgrabenstr. 18

Landeskulturwalter *Joachim Paltzo*, Gau Ostpreußen, Königsberg, Mitteltragheim 40b

Landeskulturwalter *Kuno Popp*, Gau Pommern, Stettin, Friedrich Karlstr. 9 II

Landeskulturwalter *Rudolf Trampler*, Gau Pfalz-Saar, Neustadt a. d. W., Reichspostgebäude, Bahnhofstr. 2

Landeskulturwalter *Heinrich Salzmann*, Gau Sachsen, Dresden A 1, Ostra Allee 27

Landeskulturwalter *Walther Berger*, Gau Schlesien, Breslau 1, Oberpräsidium, Neumarkt 1/8

Landeskulturwalter *Gustav Schierholz*, Gau Schleswig-Holstein, Kiel, Gauhaus 1

Landeskulturwalter *Georg Traeg*, Gau Schwaben, Augsburg, Schmiedeberg C 152/1

Landeskulturwalter *Herbert Huxhagen*, Gau Süd-Hannover-Braunschweig, Hannover, Dincklagestr. 3/4

Landeskulturwalter *Wilhelm Brüstlin*, Gau Thüringen, Weimar, Sophienstr. 9

Landeskulturwalter *Ernst Schulze*, Gau Weser-Ems, Oldenburg, Meinardusstr. 4

Landeskulturwalter *Fritz Schmidt*, Gau Westfalen-Nord, Münster i. W., Bismarckallee 5, II

Landeskulturwalter *Hermann Brust*, Gau Westfalen-Süd, Bochum, Wilhelmstr. 15/7

Landeskulturwalter *Adolf Mauer*, Gau Württemberg-Hohenzollern, Stuttgart-N, Kronprinzenstr. 4

## 1939: Ein neuer Präsident

*Zur Ernennung Prof. Carl Froelichs*, in: *Film-Kurier* vom 3. 7. 1939, gekürzt.

Gleichzeitig wurde Karl Melzer Vizepräsident und Assessor Heinz Tackmann Geschäftsführer der Reichsfilmkammer; so blieb es bis zum Ende des Dritten Reiches; ausführlicher über Carl Froelich siehe: *Der Altmeister des deutschen Films*, in: *Völkischer Beobachter* vom 2. 5. 1939; Gerhard Weise: *Carl Froelich* in: *Der Angriff* vom 3. 5. 1939; Dr. Hans Ermann: *Carl Froelich: Der Film im Kriege* in: *Völkischer Beobachter* vom 22. 10. 1939; Carl Froelich: *Nationale Filme als internationale Erfolge* in: *Der deutsche Film*, Sonderausgabe 1940/41, S. 5–6.

Der Reichsminister für Volksaufklärung und Propaganda hat den Präsidenten der Reichsfilmkammer, Staatsminister a. D. SS-Oberführer Prof. Dr. Lehnich, auf dessen Wunsch mit Wirkung vom 30. Juni 1939 von seinen Dienstpflichten entbunden, nachdem die ihm im Rahmen der

Reichsfilmkammer gestellten besonderen Aufgaben als erledigt zu betrachten sind. Prof. Dr. Lehnich wird sich wieder wirtschaftlichen und wirtschaftswissenschaftlichen Arbeiten widmen.

Gleichzeitig hat Reichsminister Dr. Goebbels den Filmregisseur und zweimaligen Träger des National-Filmpreises, Prof. Carl Froelich, zum Präsidenten der Reichsfilmkammer ernannt. Der bisherige Geschäftsführer Melzer wurde zum Vizepräsidenten und der Abteilungsleiter Tackmann zum Geschäftsführer der Kammer bestellt.

Der neue Präsident der Reichsfilmkammer, der im September 64 Jahre alt wird, steht seit Jahrzehnten in der ersten Reihe der deutschen Filmschaffenden. Sein Name ist mit vielen Erfolgen des deutschen Films verbunden, die Darstellung seines Lebenswerkes weist zahlreiche Daten auf, die aus der Geschichte der Filmkunst nicht wegzudenken sind. Vor fast vier Jahrzehnten kam Carl Froelich zum Film. Er war Techniker, hatte bei Siemens gearbeitet.

Schon die Vorkriegszeit sah ihn als Regisseur. Im Kriege war er für die Oberste Heeresleitung auf dem Gebiete der Flugzeugkinematographie tätig. Im Rahmen seiner eigenen Gesellschaft schuf er als Produzent und Regisseur viele Erfolge des stummen Films. Lange Zeit hindurch inszenierte er die Henny-Porten-Filme [1].

Es war kein Zufall, sondern die Frucht nie ermüdender Aktivität auf künstlerischem und technischem Gebiet, daß der erste wirklich überzeugende – damals sagte man «hundertprozentige» – deutsche Tonfilm von Carl Froelich geschaffen wurde.

Am 20. Januar 1937 verlieh ihm der Führer den Titel Professor, am 1. Mai 1939 erhielt er zum zweiten Male den staatlichen Filmpreis.

## Betrifft: Parteigenossen Karl Melzer

Am 29. 11. 1943 wurde der SS-Untersturmführer Karl Melzer, SS-Nr. 340 789, zum Führer im Reichssicherheitshauptamt (RSHA) ernannt.

| | |
|---|---|
| An den | Reichsministerium |
| Reichsführer-SS | für Volksaufklärung und Propaganda |
| Persönlicher Stab | Berlin W 8, den 12. Juli 1939 |
| *Berlin SW 11* | Wilhelmplatz 8–9, Fernsprecher: 11 00 14 |
| Prinz Albrechtstr. 8 | *Geschäftszeichen:* P/O |

*Betr.:* Parteigenossen Karl Melzer
*Bezug:* Ihr Schr. v. 10. 7. 39 – Pt./Lü.–A/14/83/39.

---

1 Henny Porten, 1900–60, Star in der Anfangszeit des deutschen Films; ihr Mann, Dr. med. Nikolaus von Kaufmann, war Jude und lebte jahrelang unter der Drohung der Deportation; Hitler, Göring und Goebbels hielten sehr viel von der Kunst Henny Portens und legten ihr nahe, sich von ihrem Manne scheiden zu lassen; sie tat es jedoch nicht.

Der zum Vizepräsidenten der Reichsfilmkammer ernannte Parteigenosse Karl Melzer ist mir seit Jahren dienstlich und persönlich genauestens bekannt.

Leider ist der Parteigenosse Melzer in den vergangenen Jahren als Geschäftsführer der Reichsfilmkammer immer sehr anonym aufgetreten. Obwohl der Genannte seiner Einstellung nach Nationalsozialist ist und er infolge seiner Dienststellung die Dinge in seinem Bereich hätte entscheidend beeinflussen können, verzichtete er sehr oft darauf, um sich, wie unsere Kameraden annehmen, persönliche Unannehmlichkeiten zu ersparen. Aus diesem Grunde hat Pg Melzer *von sich aus* auch wahrscheinlich eine engere Zusammenarbeit mit mir vermieden, trotz der Gelegenheiten, die ich ihm gab und die ihm dienstlich zur Verfügung standen. Über dieses inaktive und unkämpferische Verhalten hinaus kann ich dem Parteigenossen Melzer menschlich nur das beste Zeugnis ausstellen.

Wenn der Vizepräsident Melzer den schwarzen Rock der SS tragen möchte, will ich mich nicht dagegen aussprechen; ich kann jedoch von mir aus eine Übernahme mit einem höheren Dienstgrad als den eines *SS-Untersturmführers* auf keinen Fall befürworten. Jeden höheren Dienstgrad müßte sich der Parteigenosse Melzer erst durch entsprechenden Einsatz seiner Person verdienen.

Heil Hitler!
H. Hinkel

# Dr. Goebbels über die Zentralisierung des deutschen Films

Bericht der *BZ am Mittag* vom 11. 3. 1939, gekürzt.

Reichsminister Dr. Goebbels sprach gestern Abend in der Krolloper zu den Filmschaffenden. Er stellte dem, was vorher von Staatsschauspieler Liebeneiner [1] und Dr. Spoerl [2] über die Filmkunst gesagt worden war, grundlegende Gedanken über die Filmorganisation gegenüber. Dabei ging er von den einschneidenden personellen Umänderungen aus, zu denen er sich vor wenigen Wochen gezwungen sah, und die er nun in überzeugender Klarheit begründete.

Noch einmal ließ er die traurigen Verhältnisse vor seinen Hörern erstehen, die sich auf dem Gebiete des Films bis zur Machtübernahme in Deutschland breit gemacht hatten.

Dr. Goebbels schilderte, wie auch der Nationalsozialismus im Jahre 1933 durchaus vor der Möglichkeit gestanden habe, resignierend den

---

1 Prof. Wolfgang Liebeneiner, * 1905, Schauspieler und Regisseur.
2 Dr. jur. Heinrich Spoerl, 1887–1955, Schriftsteller (Film, Bühnendichtung, Roman).

Film höchstens als eine Zwitterkunst zu werten und ihm nur mit der politischen Zensurschere zu begegnen. Der nationalsozialistische Staatsgedanke aber schließe die totale politische Willensgestaltung des deutschen Volkes in sich, und da sei es ganz unmöglich gewesen, am Film vorbeizugehen, der ja doch auch damals schon Millionen Menschen in Deutschland erfaßt hatte. Deshalb sei es für die nationalsozialistische Auffassung ein unmöglicher Standpunkt gewesen, einer anonymen Menschengruppe ein Erziehungsinstrument des Volkes zu überlassen, das eine mindestens ebenso große Reichweite wie etwa die Volksschule besitze.

Wenn ein Staat für sich in Anspruch nehme, einem Kinde das Einmaleins und das ABC beizubringen, wieviel größer sei dann das Anrecht des Staates auf alle Mittel und Möglichkeiten, die zur Erziehung und Lenkung des Volkes dienen können. Neben Presse und Rundfunk sei eines dieser Mittel der Film.

Die Willensbildung eines Volkes sei ebenso wichtig wie die äußere Bewaffnung, die erst dann ihren wahren Wert erhalte, wenn auch ein geschlossener Wille dahinterstehe. «Eine kluge, vorausschauende Staatsführung» – und tosender Beifall war das Echo dieser Ausführung des Ministers – «muß sich von vornherein all die Mittel sichern, die dazu angetan sind oder auch nur angetan sein können, ein Volk in seiner Willenskraft zu erziehen, zu lenken und zu stärken.»

## 1940: In Einklang gebracht

Karl Melzer: *Die Aufgaben der Reichsfilmkammer* in: *Der deutsche Film*, Sonderausgabe 1940/41.

Als in Deutschland bei der Machtübernahme durch den Nationalsozialismus der totale Führungsanspruch des Staates auch auf den Film ausgedehnt wurde, wurden alle damit in Verbindung stehenden Maßnahmen im Ausland mit allergrößter Skepsis betrachtet. Verständlich war es, daß die aus dem deutschen Film zwangsweise ausscheidenden Elemente – und das waren diejenigen, die auch in anderen Ländern den Film zur politischen und wirtschaftlichen Spekulation mißbrauchten – dem deutschen Filmschaffen in künstlerischer und wirtschaftlicher Hinsicht den Untergang voraussagten. Dies war ja schließlich ihr Wunsch. Der deutsche Film aber war, nachdem er die notwendige Reinigungsaktion vollzogen hatte, so lebenskräftig, daß er innerhalb des deutschen Kulturlebens sehr schnell einen bedeutenden Platz einnehmen konnte und daß seine künstlerische Entwicklung ihn schließlich an die Spitze der europäischen Filmproduktion brachte.

Die sofortige Zusammenfassung des gesamten Berufsstandes und aller in ihm tätigen Menschen war die organisatorische Voraussetzung dafür, daß durch gemeinsame Arbeit aller Sparten des deutschen Filmschaffens dieses Ziel erreicht wurde. In der Reichsfilmkammer fand der deutsche Film seine Organisationsform; in ihr werden die verschiedenen Interessen der einzelnen Sparten miteinander in Einklang gebracht.

Filmhersteller, Filmkünstler, Filmverleiher und Filmtheaterbesitzer, die in der Reichsfilmkammer zusammengefaßt sind, haben das gefährliche liberalistische Denken, das auch in ihrem Beruf eines Tages keinen Ausweg mehr gezeigt hätte, mit manchen Opfern überwunden. Ihre Berufsauffassung entspricht heute der Lebensanschauung, die der nationalsozialistische Staat von allen Gliedern erwartet.

## Anordnungen

### Film-Negative

*Anordnung betreffs Vernichtung von Film-Negativen vom 18. 12. 1933 in: Filmhandbuch,* herausgegeben von der Reichsfilmkammer, bearbeitet von Heinz Tackmann, Berlin o. J., S. VI A 5 a–c.

Hierdurch ordne ich an, daß bis auf weiteres die vorhandenen Negative von Spiel-, Kultur- und Werbefilmen und Wochenschauen tönend wie auch stumm ohne Genehmigung der Reichsfilmkammer weder vernichtet noch in das Ausland verbracht werden dürfen. Für jeden einzelnen Antrag auf Verbringung in das Ausland oder Vernichtung ist die Genehmigung der Reichsfilmkammer einzuholen. Bei Zuwiderhandlungen würde ich mich gezwungen sehen, von den mir gesetzlich zur Verfügung stehenden Mitteln der Ordnungsstrafe oder des Ausschlusses aus den Verbänden Gebrauch zu machen.

### Lichtspielgesetz

*Reichsgesetzblatt* 1934, Bd. 1, S. 95, vom 16. 2. 1934.

Den hier zitierten ersten Paragraphen folgen noch dreißig weitere. Sie regeln die Prüfung der Filme im einzelnen, die Ausfuhr der in Deutschland verbotenen ins Ausland, falls sie das deutsche Ansehen oder die Beziehungen zu fremden Staaten nicht schädigen; ergibt die Prüfung, daß ein Film, gegen staatliche, religiöse, sittliche, künstlerische oder nationalsozialistische Empfindungen verstößt, wird er verboten; die Prüfstelle entscheidet, ob ein Film staatspolitisch, kulturell, volksbildend, künstlerisch wertvoll oder geeignet ist, als Lehrfilm im Unterricht verwandt zu werden, ebenso, ob ein Film für Jugendliche unter achtzehn Jahren freigegeben wird; der Reichsminister für Volksaufklärung und Propaganda kann jederzeit einen von der Filmprüfstelle bereits genehmigten und zugelassenen Film durch die Oberprüfstelle nochmals prüfen und gegebenenfalls dann verbieten lassen; die Filmprüfstelle hat die Bilder, den Text in Wort und Schrift sowie Gesang und Musik zu prüfen, ebenso die zum Film gemachte Reklame, für die die gleichen Bestimmungen gelten; die Entscheidung der Filmprüfstelle in Berlin hat im ganzen Reichsgebiet Gültigkeit; innerhalb von zwei Wochen kann gegen eine Ablehnung der Zulassung Beschwerde eingelegt werden, über die dann die Oberprüfstelle endgültig entscheidet; das Gesetz sieht eine ganze Anzahl von Übergangs- und Strafbestimmungen vor, teils Geldstrafen, teils jedoch auch Gefängnisstrafen, Einziehung des Films oder bei Rückfall sogar das Verbot, weiterhin im Lichtspielgewerbe tätig zu sein. Das Gesetz trat am 1. März 1934 in Kraft.

Die Reichsregierung hat das folgende Gesetz beschlossen, das hiermit verkündet wird:

*Vorprüfung*

§ 1   Spielfilme, die in Deutschland hergestellt werden, müssen vor der Verfilmung dem Reichsfilmdramaturgen im Entwurf und im Drehbuch zur Begutachtung eingereicht werden. Spielfilme im Sinne dieses Gesetzes sind Filme, die eine fortlaufende Spielhandlung enthalten, um derentwillen sie hergestellt worden sind.

§ 2   Der Reichsfilmdramaturg hat folgende Aufgaben:
1. die Filmindustrie in allen dramaturgischen Fragen zu unterstützen,
2. die Filmherstellung bei dem Entwurf (Manuskript) und bei der Umarbeitung von Filmstoffen zu beraten,
3. Filmstoffe, Manuskripte und Drehbücher, die ihm von der Industrie vorgelegt werden, daraufhin vorzuprüfen, ob ihre Verfilmung mit den Bestimmungen dieses Gesetzes vereinbar ist,
4. die Hersteller verbotener Filme bei der Umarbeitung zu beraten,
5. rechtzeitig zu verhindern, daß Stoffe behandelt werden, die dem Geist der Zeit zuwiderlaufen.
Der Reichsfilmdramaturg führt ein Register der zur Eintragung in dieses Register angemeldeten Filmtitel.

§ 3   Der Reichsfilmdramaturg teilt der Filmprüfstelle (§§ 16, 20) laufend ein Verzeichnis der von ihm genehmigten Entwürfe und Drehbücher mit.

## Nachrichten für die Presse

*Anweisung an die Fachverbände der Reichsfilmkammer* vom 21. 6. 1934 in: *Filmhandbuch*, herausgegeben von der Reichsfilmkammer, bearbeitet von Heinz Tackmann, Berlin o. J., S. VI A 6 a.

Ein besonderer Fall gibt mir zu folgender Anweisung Veranlassung:
Eine Firma, die ein eigenes Pressebüro unterhält, hat Dinge, welche

die gesamte Filmwirtschaft und nicht nur die eigene Firma berühren, an die Presse weitergegeben, und zwar wie ein Nachrichtenbüro durch Versendung von vervielfältigten Korrespondenznotizen. Dadurch ist die Behandlung von Fragen, die für die Gesamtheit des deutschen Filmwesens von Bedeutung war, erschwert und falsch geführt worden. Die unmittelbare Vergebung von Nachrichten an die Presse, insbesondere an die Filmfachpresse, welche auf Gesamtbelange des deutschen Filmwesens Bezug haben, also nicht bloß die eigene Firma und deren Erzeugnisse bzw. Belange betreffen, ist unzulässig. Es bedarf vor ihrer Weitergabe der Fühlungnahme mit der Reichsfilmkammer oder der Übermittlung der Nachricht an diese zur weiteren Veranlassung. Für Anregungen in dieser Hinsicht bin ich jederzeit dankbar und bitte, sie eintretendenfalls mir zu übermitteln. Ich ersuche, diese Anweisung in den Kreisen Ihrer Mitglieder bekanntzumachen.

## Anordnung betreffs Filmberichterstatter

Dritte Anordnung vom 21. 12. 1934 in: *Filmhandbuch*, herausgegeben von der Reichsfilmkammer, bearbeitet von Heinz Tackmann, Berlin o. J., S. 1.

Auf Grund des § 25 der Ersten Durchführungsverordnung zum Reichskulturkammergesetz vom 1. November 1933 (Reichsgesetzblatt I, S. 797) ordne ich an:

Meine Anordnungen vom 22. Oktober 1934 und 1. November 1934 erhalten folgende Fassung:

Die gewerbliche Herstellung von Aktualitätsaufnahmen gelegentlich staatspolitischer oder parteiamtlicher Veranstaltungen ist nur zulässig, wenn der Aufnehmende a) Mitglied des Verbandes der Deutschen Kultur-, Lehr- und Werbefilmhersteller oder der Reichsfachschaft Film [1] ist und b) einen Ausweis über seine Zulassung zur Herstellung von Aktualitätsaufnahmen mit sich führt, welcher vom Reichsminister für Volksaufklärung und Propaganda oder einer von dort bestimmten Stelle ausgestellt ist.

## Bildstreifen ehemaliger staatsfeindlicher Organisationen

Anordnung vom 2. 4. 1935 in: *Völkischer Beobachter* vom 20. 4. 1935.

Auf Grund des § 25 der Ersten Durchführungsverordnung zum Reichskulturkammergesetz vom 1. November 1933 (Reichsgesetzblatt I, S.

---

1 Später Fachgruppe Filmherstellung – Inländischer Filmvertrieb – Kultur- und Werbefilm und Fachschaft Film.

797) ordne ich zur Verhütung von Mißbrauch mit noch vorhandenen Bildstreifen ehemaliger staatsfeindlicher Organisationen an:

1. Sämtliche Mitglieder der Reichsfilmkammer haben bis zum 25. April anzugeben, ob sie noch im Besitze von Negativ- oder Positiv-Filmen sind, die von oder für verbotene Verbände oder Organisationen hergestellt worden sind oder staatsfeindlichen Charakter haben.

2. Sofern solche Filme vorhanden sein sollten, ist gleichzeitig eine Aufstellung darüber einzureichen.

3. Eine Vernichtung dieses Materials ist ohne Genehmigung des Reichsministeriums für Volksaufklärung und Propaganda unzulässig.

4. Zuwiderhandlungen ziehen Ausschluß aus der Reichsfilmkammer nach sich.

## Denunziationen

## Dr. Kurt Plischke über Präsident Scheuermann

An
Pg Hinkel, M.d.R.
Berlin

Dr. Kurt Plischke
Berlin SW 29, am 2. Juli 1935
Bergmannstr. 59, I

Werter Pg Hinkel!

In der Angelegenheit Scheuermann berichtete mir Herr Krazer, der sich auf Ihr an ihn gerichtetes Schreiben nach Berlin begeben hat, in mündlicher Unterredung folgendes:

Der offizielle Vater von Scheuermann war der Rechnungsrat Scheuermann, das Hausfaktotum und die rechte Hand des Reichsstatthalters in Straßburg, Wedel [1]. Dieser stammte aus der Hohenloheschen Zeit. Hohenlohe hatte ihm einen Posten gegeben. Scheuermann war der Coeinjährige des Herrn Krazer. Bei dieser Gelegenheit kam Kratzer einmal in die Wohnung des alten Scheuermann und sah dort zu seinem großen Erstaunen zwei riesige Bilder der beiden Kaiser Wilhelm I. und Friedrich III. in Freimaurertracht. Der alte Scheuermann muß also derselben Loge wie die beiden Kaiser angehört haben, sonst wäre es nicht möglich gewesen, daß er die beiden Bilder der beiden Kaiser in Freimaurertracht hätte haben können. Präsident Scheuermann ist also ein «Lufton», d. h. Sohn eines Freimaurers, der in eine Loge leichter und schneller aufgenommen wird als Kaiser und Könige und Fürsten und andere hochgestellte Persönlichkeiten.

Als Kratzer und Scheuermann in Straßburg einjährig dienten, herrschte eine scharfe Trennung zwischen denen, die als gesellschafts-

---

1 Karl Graf von Wedel, seit 1914 Fürst, 1842–1919, preußischer General und Staatsmann.

fähig, und denen, die nicht als vollwertig angesehen wurden. Zur 2. Kategorie gehörten sämtliche Juden, sämtliche Elsässer mit geringen Ausnahmen und als Sonderexemplar Scheuermann, weil keiner ihn leiden konnte. Zur größten Überraschung aller Einjährigen wurde Scheuermann Offizier im Regiment, dem Feldartillerieregiment Nr. 51. Es wurde s. Zt. allgemein behauptet, daß das Regiment ihn habe schlucken müssen, weil der Stadthalter dahintersteckte. Scheuermann wurde trotzdem von allen Kameraden geschnitten. Es gab im ganzen Regiment nicht einen einzigen Offizier, der ihm irgendwie nahegestanden hätte.

Da Scheuermann kurz vor Kriegsausbruch seine Übung gemacht hatte, marschierte er mit dem aktiven Regiment ins Feld. Kommandeur des Regiments war General Flechtner. Dieser lebt noch heute in Schweidnitz in Schlesien. Regimentsadjutant war Major Essig, der später bei General Maercker eine Rolle spielte. Eines Tages wurde Scheuermann plötzlich bei der Bagage angetroffen. Es stellte sich dann heraus, daß der Oberst ihn zur Bagage geschickt hatte, weil er in der Feuerbatterie nicht zu gebrauchen war. Das war natürlich für einen preußischen Offizier eine Diffamierung und Blamage ohnegleichen. Bei der Bagage ereignete sich folgendes:

Eines Tages wurde geschossen. Da warf sich Scheuermann auf den Boden und rief: «Ich bin verwundet!», obwohl das gar nicht der Fall war. Der Wachtmeister Wurm, der jetzt als Reichsbankkassierer in München lebt, mußte ihn ermahnen, sich etwas männlicher und tapferer zu benehmen. Wurm wird diese Episode jederzeit bestätigen. Herr Kratzer kam kürzlich mit ihm ins Gespräch, wobei die Rede auch darauf kam, daß Scheuermann jetzt Präsident der Reichsfilmkammer sei. Da war Wurm ganz erstaunt und entrüstet, daß ein feiger Mensch wie Scheuermann in einem heroischen Staate wie dem nationalsozialistischen einen solchen Posten bekleidet. Er bestätigte bei dieser Gelegenheit Herrn Kratzer auch, daß der Oberst ihn damals wegen Versagens an der Front zur Bagage geschickt hatte.

All diese Vorgänge sind protokollarisch festgelegt und der Filmkammer bekannt. Scheuermann hat das aber im Untersuchungsausschuß als eine böswillige Verleumdung hingestellt. Hinzugefügt sei noch, daß Scheuermann eines Tages aus dem Gesichtskreis des Regiments verschwand. Die beim aktiven Regiment in der Feuerlinie gebliebenen Offiziere lasen dann eines Tages, daß er Intendanturrat in Warschau geworden sei und das E.K. I. verliehen bekommen habe, was bei ihnen nicht geringe Verwunderung auslöste. Irgendwelche Beziehungen zu dem Regiment haben von da an nicht mehr bestanden (auch nach dem Kriege nicht).

Vor etwa $^1/_2$ Jahre kam Herr Kratzer mit einigen Parteiführern in München zusammen. Als die Rede auf Scheuermann kam und Herr Kratzer das bereits überreichte Bild zeigte, das Scheuermann als Einjährigen zeigt, sagte der mit anwesende Rechtsanwalt Gutmann: «Es ist doch eine bekannte Geschichte, die auch s. Zt. in Straßburg als Gerücht kursierte, daß hinter Scheuermann dunkles Blut steckt und zwar irgendwie aus einer Verbindung Hohenlohes mit einer Jüdin oder dergleichen.» Gutmann kennt die Verhältnisse deshalb besonders genau, weil er Anwalt in Straßburg war und in der sogenannten Gesellschaft gut eingeführt war. Es wurde in der Gesellschaft davon gesprochen, daß Scheuermann jüdisches Blut in den Adern hatte.

Genau so orientiert über Scheuermann wie Gutmann ist wohl der Bankdirektor Glauer in Mailand bei der Banca Commerciale. Dieser müßte über die jüdische Abstammung Scheuermanns genau Bescheid wissen, da er mit Scheuermann ins Gymnasium gegangen ist.

Der Vater Scheuermanns war bei allen Beamten unbeliebt, weil er vom einfachen Tambour ziemlich rasch in die Höhe kam, während die andern Beamten die lange Beamtenlaufbahn Schritt für Schritt innerhalb der vorgeschriebenen Zeit durchschreiten mußten. Krazer ist der Meinung, daß sicherlich noch einige Kollegen des Vaters von Scheuermann da sind, die die Verhältnisse genau kennen. Die Akten über ihn und diese Kollegen müssen sich in Spandau bei den nach dort verbrachten Akten der Reichsstatthalterschaft befinden.

Heil Hitler!
Dr. Kurt Plischke

# Dr. Fritz Scheuermann
## über Rechtsanwalt Deutschmann

|  |  |
|---|---|
|  | Dr. Scheuermann, Rechtsanwalt und Notar |
| An den | Berlin W 35, Bendlerstr. 33 A |
| Herrn Reichskulturwalter | B 2 Lützow 99 76  den 9. 3. 36 |
| Hinkel | *Sprechstunde:* Nachm. außer Mittwoch |
| *Berlin* | und Sonnabend |

Sehr geehrter Parteigenosse Hinkel!

Pg Hamel teilt mir mit, daß Sie über Pg RA. Deutschmann orientiert werden möchten. Mir fiel in dem Termin vor dem Ehrengericht der Berliner Anwaltkammer am 14. 3. 1935 eine außerordentliche Voreingenommenheit in Form und Inhalt der mir gegenüber gemachten Äußerungen von RA. Deutschmann gegen mich auf, die sich praktisch zu Gunsten des wegen Beleidigung von mir angeklagten Nichtariers RA. Dr. de Castro auswirkten. Es befremdete mich später umsomehr, daß Pg Deutschmann als Richter erster Instanz es für richtig hielt, – ohne ersichtlichen Beweggrund – eine Urkunde zu dem in der 2. Instanz schwebenden Ehrengerichtsverfahrens gegen de Castro einzureichen, die nur den Zweck haben konnte, mich zu belasten, also den Nichtarier de Castro zu entlasten. Das Interesse von Pg Deutschmann an dem Urteil 2. Instanz über de Castro ging so weit, daß er bei der Verkündung des Urteils während der üblichen anwaltlichen Hauptsprechstundenzeit im Zuhörerraum sich aufhielt.

Da RA. Deutschmann mir besonders vorwurfsvoll Verstöße gegen das nationalsozialistische Parteiprogramm vorhielt, die jetzt durch das Parteigericht geklärt sind, und anscheinend auch sonst solche Vorwürfe über mich verbreitet hat, halte ich es für richtig, umgekehrt – mit allem Vorbehalt für die Richtigkeit meiner Mitteilung – darauf hinzuweisen, daß ich positiv folgendes von verschiedenen Stellen gehört habe: Rechtsanwalt Deutschmann sei etwa 1932 Parteigenosse geworden; jedenfalls sei er längere Zeit, nachdem er Parteigenosse war, mit dem Justizrat Ehrlich, einem äußerlich und dem Namen nach durchaus nicht getarnten Juden in Zusammenarbeit, und zwar nicht etwa nur in einer einfachen Bürogemeinschaft, gewesen, sondern dergestalt, daß Rechtsanwalt Deutschmann fast alle Termine vor Gericht gegen ein übliches Entgelt für den Juden Ehrlich wahrgenommen habe.

Es ist mir auch glaubwürdig erzählt worden, daß RA. Deutschmann noch bis Anfang 1933, also lange Zeit, nachdem RA. Deutschmann schon Parteigenosse gewesen sein soll, fast seine sämtlichen Sachen am Kammergericht einem jungen, rein jüdischen Kollegen am Kammergericht übertragen habe.

Heil Hitler!<br>Scheuermann

## In Bischofsburg

Im Zusammenhang mit dem hier folgenden Hilferuf der Ilse Laurenz schrieb Herbert Molenaar an den Gauleiter Koch, Brief im Besitz des Herausgebers, wie folgt:

Pg. Gauleiter Koch,
Königsberg i. Pr. Gauleitung der NSDAP

Wir bitten, den Kinobesitzer Pg Laurenz (Mitgliedsnummer: 342 758) aus Bischofsburg/Ostpr. in einer persönlichen Angelegenheit empfangen und anhören zu wollen. Unserer Ansicht nach hat Pg Laurenz berechtigte Klagen über das Verhalten des Kreisleiters Meyer, Bürgermeister von Bischofsburg, vorzubringen. Eine Bescheinigung, die jener Pg von Kreisleiter Meyer erbat, um mit der Gauleitung in Königsberg zu verhandeln, hat Kreisleiter Meyer nach Aussagen der Schwester des Pg Laurenz, die in geschäftlichen Angelegenheiten in Berlin weilend, bei uns Rat gesucht hatte, abgeschlagen. Eine Beschwerde, die Pg. Laurenz bereits im Frühjahr 1934 auf dem Dienstwege an den Kreis eingereicht hatte, soll ebenfalls bis zum heutigen Tage unbeantwortet geblieben sein.

H. Molenaar

Sehr geehrter Pg Gerlach!

Im Nachgang zu meinem Schreiben vom 17.11.34 übersende ich Ihnen eine Zeitungsannonce der Bahnhofslichtspiele Huber, Wartenburg. Während mein Bruder bereits 14 Tage vorher bei der hiesigen Polizeibehörde den Bescheid erhielt, daß am Bußtag nur eigens hierfür zugelassene Filme vorgeführt werden dürfen, hat der Wanderkinobesitzer Huber-Wartenburg hier am Bußtag den Film «Die Finanzen des Großherzogs» (ein sehr humorvoller Film) mit Genehmigung des Herrn Bürgermeisters Meyer vorgeführt. Dieser Film steht nicht auf der Liste der nach dem Mitteilungsblatt des Reichsverbandes (Folge 32) vom 27.10.34 (Filme für Karfreitag, Bußtag, Heldengedenktag usw. Für die Beurteilung, welche Filme hierfür zugelassen sind, gelten a) das Reichsgesetz für die Feiertage vom 27.2.34, b) die Verordnung zur Durchführung des Feiertagsgesetzes) zugelassenen Filme. Trotzdem wir die Behörde bereits am 20.11.34 darauf aufmerksam gemacht haben, daß dieser Film für Bußtag nicht zugelassen sei, wurde von dieser Seite nichts unternommen. Stadtobersekretär Kielskowski erklärte uns, daß er den Kinobesitzer Huber sowie den Bürgermeister davon unterrichtet hatte, daß dieser Film nicht für Bußtage zugelassen sei. Trotzdem hat der Bürgermeister Meyer dem Huber diese Genehmigung zur Vorführung am Bußtag erteilt. Wie so etwas möglich ist, ist mir unerklärlich. Mein Bruder hat für diesen Tag extra den teuren Film «Der Tunnel» bestellt.

Sie sehen daraus, sehr geehrter Pg Gerlach, wie die Dinge hier stehen. Das nennt man nun Gerechtigkeit. Ein Mensch, der sich um keinerlei Gesetze und Bestimmungen der Regierung kümmert, wird noch vom Leiter der Ortspolizeibehörde unterstützt. Der Reichsfilmkammer haben wir hierüber berichtet und ausdrücklich verlangt, daß dem Kinobesitzer Huber aus Wartenburg die weitere Bespielung des Ortes Bischofsburg auf Grund seiner Unzuverlässigkeit sofort entzogen wird. Huber ist bereits einmal bestraft worden, weil er Jugendlichen Filme vorführte, die nicht hierfür zugelassen waren.

Ich bitte Sie daher nochmals, bitte helfen Sie uns, indem Sie auch dieserhalb auf die Reichsfilmkammer einwirken. Ich möchte noch bemerken, daß der Bürgermeister Meyer und der Polizeihauptwachtmeister Keller auch an der Vorführung des Huber am Bußtag teilgenommen haben, und daß auch heute noch Jugendliche zu jedem Film trotz Jugendverbot bei Huber eingeladen werden.

Entschuldigen Sie bitte, sehr geehrter Pg Gerlach, daß ich Sie mit all diesen Sorgen auch noch belaste. Dies ist mir wirklich nicht leicht gefallen, zumal Sie mir schon so viel geholfen haben.

Mit bestem Dank für Ihre werte Mühe

Heil Hitler
Ilse Laurenz

# Der Mord an Herbert Selpin

*Der Reichsfilmintendant teilt mit*, in: *Film-Kurier* vom 7. 8. 1942.

Herbert Selpin war der Regisseur vieler Filme, die auch noch in der NS-Zeit gedreht wurden, wie *Geheimakte WB 1, Carl Peters, Trenck, der Pandur* u. a. m. Er wurde das Opfer seines Mitarbeiters, des Drehbuchautors Walter Zerlett-Olfenius; *Berlin am Mittag* berichtete am 9. 4. 1947 – *Der Mord an Herbert Selpin* – u. a., daß Selpin noch 1942 von der Tobis-Filmgesellschaft die Regie im Großfilm *Titanic* übertragen wurde. Da die Außenaufnahmen in Gotenhafen gedreht werden sollten, schickte Selpin im Mai Zerlett mit dem Aufnahmestab und der Komparserie dorthin voraus, um die Vorbereitungen zu treffen. Als Selpin einige Wochen später eintraf, war von Zerlett jedoch nichts veranlaßt worden. Er hatte einfach versagt. Selpin machte ihm bei einem Abendessen im Kurhaus Zoppot Vorwürfe und schrie Zerlett schließlich an. Dieser aber wies immer wieder darauf hin, daß Schiffsoffiziere zugegen waren, weshalb Selpin sich mäßigen sollte. Selpin brachte das noch mehr in Wut, und er brüllte: «Ach, du, mit deinen Sch . . . soldaten, du Sch . . . leutnant überhaupt mit deiner Sch . . . wehrmacht.» Daraufhin stand Zerlett auf, verließ den Raum und kündigte am nächsten Morgen, weil er es nicht mit seiner Ehre vereinbaren könne, neben einem Manne zu arbeiten, der so über das deutsche Wehrmacht urteile. Dies schrieb er auch an die Tobis in Berlin. Daraufhin ließ ihn sein Duzfreund SS-Obergruppenführer Hinkel zu sich rufen, damit Zerlett berichtete, was sich zugetragen hatte. Am nächsten Tage gab Zerlett dem Reichssicherheitshauptamt die ganze Geschichte zu Protokoll.

Selpin konnte seine Außenaufnahmen noch beenden, aber nach seiner Rückkehr nach Berlin wurde er zu Hinkel bestellt, der versuchte, den Streit beizulegen. Die Gestapo hatte die Sache für harmlos erklärt, Selpin sei kein Staatsfeind. Er könne verwarnt werden und mit einer Geldspende für das WHW büßen.

Selpin war bei Hinkel auch dazu bereit, aber nicht so Zerlett. Trotzdem schien alles im Sande zu verlaufen, bis Selpin eines Tages zu Goebbels bestellt wurde, um sich vor einem Ehrengericht zu verantworten. Selpin bestätigte seine Äußerungen in Zoppot, war jedoch nicht bereit, sie zurückzunehmen. Goebbels erklärte darauf, ihm auch nicht mehr helfen zu können und ließ ihn in seinem Vorzimmer verhaften. So geschehen am 30. Juli 1942; in der Nacht zum 1. August wurde Herbert Selpin von einem Gestapo-Kommando in seiner Zelle erwürgt. Am Morgen fand man ihn an einem Hosenträger erhängt, aber die Würgemale am Hals waren nicht zu übersehen. – Das Reichspropagandaamt wies in den *Kulturpolitischen Informationen* mehrfach, im Besitz des Instituts für Zeitungswissenschaft, München, am 31. 7., 3. 8. und 8. 8. 1942 darauf hin, daß von jeder Erwähnung des Regisseurs Herbert Selpin ab sofort abzusehen oder die in der Filmpresse veröffentlichte Notiz über den Tod des Regisseurs Herbert Selpin nicht zu übernehmen sei.

Nach dem Kriege wurde Walter Zerlett-Olfenius zu fünf Jahren Arbeitslager und zu fünfzig Prozent Vermögenseinzug verurteilt, siehe: *Telegraf*, Berlin, vom 22. 5. 1947.

Der Filmregisseur Herbert Selpin hat sich durch niederträchtige Verleumdungen und Beleidigungen deutscher Frontsoldaten und Frontoffiziere schwerstens gegen die Kriegsmoral vergangen. Er wurde deshalb in Haft genommen, um dem Gericht überstellt zu werden.

Die Verfehlungen Selpins waren umso verächtlicher, als er weder am Weltkrieg noch an diesem Krieg teilgenommen hat, im Gegenteil zur Durchführung von wichtigen Aufgaben im deutschen Film u. k. gestellt war.

Selpin hat in der gerichtlichen Untersuchungshaft in der Nacht zum 1. August seinem Leben durch Erhängen ein Ende gemacht.

## Die Festung

Curt Belling: *Filmstellenleiter – politische Soldaten Adolf Hitlers* in: *Beiblatt zum Filmkurier* vom 19. 4. 1939.

Curt Belling war Reichshauptstellenleiter der NSDAP, Reichspropagandaleitung – Amtsleitung Film. – Im Besitz des Herausgebers befindet sich eine von Georg Stark im Mai 1931 abgezeichnete Denkschrift von siebzehn Maschinenschriftseiten, «herausgegeben von der Reichsfilmstelle der Nationalsozialistischen Deutschen Arbeiterpartei»; die Einteilung ist folgende: I. Der Film als Machtfaktor, II. Entwicklung der NS-Filmpropaganda, III. Aufgaben der Reichsfilmstelle der NSDAP (A. Äußere Filmprapaganda 1) Direkte Beeinflussung der Filmproduktion, 2) Indirekte Beeinflussung der Filmproduktion – a) Verbandszellen, b) Betriebszellen, c) Besucher-Organisation, d) Staatliche Filmprüfstellen – B. Innere Filmpropaganda 1) Produktion – a) Filme der Reichsfilmstelle, b) Von Parteigliederungen hergestellte Filme, c) Getarnte Filme – 2) Verleih – a) Organisation, b) Arbeitsprogramm, c) Einnahmen), IV. Die finanzielle Basis der NS-Filmpropaganda. Auf Seite 4 der Denkschrift steht u. a.: «Es gibt keine Institution, in welcher sich das destruktive Element – der Jude – derart austobt, wie bei der Filmindustrie.» – Auf Seite 9 der Denkschrift erfährt man, die Firma Ostermayr & Co., München, habe der NSDAP die Gründung einer GmbH vorgeschlagen. Dort heißt es: «Gerade eine politische Partei muß aufs peinlichste vermeiden, private Gläubiger zu haben.» – Auf Seite 12 steht dann der Satz: «Die Herstellung getarnter NS-Filme ist ein sehr beachtenswerter Faktor in der Propaganda und darf nicht aus den Augen gelassen werden.»

Die politischen Soldaten Adolf Hitlers bezogen nach dem Siege in der ersten Schlacht nicht nur die freigewordenen Stellungen des Gegners, um von hier aus die restlose Eroberung der Herzen aller deutschen Menschen fortzusetzen, sondern sie bauten mitten im Volk jene Bastionen des Vertrauens, der sozialen und kulturellen Betreuung und des wirtschaftlichen Neuaufstiegs, die heute, wenig mehr als sechs Jahre später, aus dem öffentlichen Leben einer wiedererstarkten Nation nicht mehr hinwegzudenken sind. Und wie der Führer die Verkörperung Deutschlands ist, so ist das politische Führerkorps der nationalsozialistischen Bewegung der Vollstrecker des Volkswillens geworden.

Eine dieser Festungen der kulturellen Betreuung des Volkes ist die Filmorganisation der NSDAP mit ihren Zehntausenden von politischen

Soldaten und den Helfern in allen Gauen, Kreisen und Ortsgruppen, welche allesamt aus Idealismus, aus Liebe zum Volk und aus Freude an der Sache ihre Freiheit opfern, um ihre Aufgaben auf propagandistischem und kulturellem Gebiet im Dienste des Volksganzen zu erfüllen.

## Dienst am Volk

Hugo Fischer: *Der Film als Propagandawaffe der Partei* in: *Jahrbuch der Reichsfilmkammer*, Berlin 1939, S. 69.

Die Arbeit der Filmstellen der NSDAP ist Dienst am Volk und auch Dienst an der Gesamtheit Film. Immer wieder wurde in offiziellen Reden und Schriften zum Ausdruck gebracht, daß die Filmfreudigkeit der Volksgenossen gesteigert werden müsse und daß immer neue Besuchermassen dem Film zuzuführen seien. Diese laufende Gewinnung neuer Volkskreise für den Film soll über kurz oder lang dazu führen, daß unsere Filmerzeugnisse in immer stärkerem Maße sich im Reich selbst amortisieren, was nach der Heimkehr Österreichs und des Sudetenlandes in das Reich wiederum wesentlich erleichtert scheint. Weiter aber, und das ist ein wichtiger Teil der Aufgaben der Filmpropagandisten der Partei, muß erreicht werden, die einer großen Anzahl von Filmen innewohnende staatspolitische Tendenz auch wirklich in alle Kreise des Volkes zu tragen. Diese letzte Forderung, staatspolitisch wertvolle und bedeutsame Filme stärker als jemals zuvor möglichst allen Volksgenossen zugänglich zu machen, betrifft über die wirtschaftliche und kulturpolitische Zweckmäßigkeit hinaus, vor allem die partei- und staatspolitische Zielsetzung.

## Ein Beitrag zur Geschichte

Hans Traub: *Ein Beitrag zur Geschichte des deutschen Filmschaffens*, Berlin 1943, S. 96, gekürzt.
Dr. phil Hans Traub, * 1901, Zeitungswissenschaftler an der Universität Greifswald/Pommern.

Die NSDAP hatte sehr früh dem Film eine lebhafte Anteilnahme zugewandt. Seine bewegte, die Sinne erregende Ausdruckskraft, seine Jugendlichkeit und Unverbrauchtheit, seine Möglichkeiten schneller und an Eindrucksfähigkeit gleichbleibender Verbreitung kamen ihrem revolutionären Bestreben, welches das deutsche Volk erfassen sollte, wie kaum ein anderer Zweig unseres Kulturschaffens entgegen. Das Zentralparteiorgan, der «Völkische Beobachter», setzt sich deshalb bald mit den Zuständen der Filmwirtschaft auseinander und übt eine scharfe Kritik an den einzelnen Filmen, wenn seinen Schriftleitern nicht einfach die ihnen zustehenden Freikarten für den Besuch der Filmtheater vorenthalten wurden, wie es während der Kampfzeit der Partei des öfteren der Fall war. Man begnügte sich aber damit nicht. Schon 1931 zieht die Partei eine eigene Filmorganisation auf. Nach verschiedenen Wandlungen findet sie als Hauptabteilung Film der Reichspropagandaleitung der NSDAP mit ihrer Arbeit über Landes- (Kreis-), Gau- und Ortsfilmstellen Eingang in die kleinsten Dörfer und Flecken Deutschlands und wird in der Auslandsorganisation der Partei tätig.

## Im Geiste des Nationalsozialismus

*Erlaß des Führers und Reichskanzlers über die Errichtung der Deutschen Film-*
*Akademie vom 18. 3. 1938, in: Reichsgesetzblatt 1938, Bd. 1, S. 305.*

### § 1

Zur Sicherung der Fortentwicklung des Filmwesens, insbesondere der
Filmkunst im Geiste des Nationalsozialismus, wird die «Deutsche Film-
Akademie mit dem Arbeitsinstitut für Kulturfilmschaffen» als Anstalt
des Reichs errichtet.

### § 2

Die Deutsche Film-Akademie untersteht der Aufsicht des Reichsministers für Volksaufklärung und Propaganda.

### § 3

An der Spitze der Deutschen Film-Akademie steht ein Präsident. Dieser wird von mir auf Vorschlag des Reichsministers für Volksaufklärung und Propaganda ernannt.

### § 4

Der Reichsminister für Volksaufklärung und Propaganda gibt der Deutschen Film-Akademie eine Satzung.

## Die Deutsche Filmakademie eröffnet

*Bericht in: Westdeutscher Beobachter am 2. 11. 1938, gekürzt; siehe auch:*
*Grundsteinlegung der Filmakademie, in: Frankfurter Zeitung vom 5. 3. 1938. –*
*Kurator dieser Akademie wurde Dr. h. c. Max Winkler; näheres über ihn in:*
*Presse und Funk im Dritten Reich (Ullstein Buch 33028).*

**Dr. Ro. Berlin, 2. November.** Die Deutsche Filmakademie in Babelsberg, das einzige Institut dieser Art in der Welt, hat zum 1. November ihre Pforten geöffnet und beginnt mit etwa 50 Studierenden ihre
Arbeit.

Man hat die Frage aufgeworfen, ob für die Ausbildung des Filmkünstlers die Einrichtung einer Akademie notwendig und nützlich sei. Auf diese Frage ist der Präsident der Deutschen Filmakademie, Müller-Scheld [1], bei einer Pressebesprechung vor der Eröffnung besonders eingegangen. Der Präsident betonte mit Nachdruck, daß an dieser Akademie sich kein akademisches Wesen im Sinne der reinen Theorie und Reflexion ausbreiten werde.

Der Lehrplan der Akademie ist nach allgemeinen Fächern wie Filmkunde, Literatur, Musik, Baukunde, Sport, Filmwirtschaft und nach speziellen Fächern, wie Aufnahmetechnik, Sprechkunst, Schminktechnik, Bildschnitt und dergl. eingeteilt. Man hat sich jedoch bisher noch nicht auf eine entscheidende Abgrenzung der einzelnen Fächer festgelegt, wenn auch die Grundeinteilung in die filmkünstlerische Fakultät (Leiter Staatsschauspieler Wolfgang Liebeneiner), in die filmtechnische Fakultät (Leiter Ingenieur Rudolf Thun [2]) und in die filmwirtschaftliche Fakultät (Leiter Dr. Günther Schwarz [3]) feststeht.

## Weltanschauung

Kapitel aus: *Deutsche Filmakademie mit dem Arbeitsinstitut für Kulturfilmschaffen*, Babelsberg o. J., S. 19–20, gekürzt.

Lehrbeauftragte:
1. Schneider, Hannes – Reichshauptstellenleiter – Berlin-Lankwitz, Meyer-Waldeck-Str. 1 (verantwortlich für die Gestaltung des Lehrplanes).
2. Rudolph, Erich – Reichshauptstellenleiter – Berlin-Lankwitz, Meyer-Waldeck-Str. 1
3. Schinke, Gerhard, Dr. – Mitarbeiter im Hauptamt für Beamte –, Berlin-Steglitz, Albrechtstr. 27

Lehrplan:
*I. Semester:*
Grundzüge der nationalsozialistischen Weltanschauung.
Das Ringen des nordischen Menschen um sein Weltbild.
Der Rassengedanke des Nationalsozialismus.
    (Rassen und Völker; Der Mensch und die Umwelt; Die Gesetze der Vererbung; Die Ewigkeit des Erbgutes).
Der Weg des nordischen Menschen in der Geschichte.

1 Wilhelm Müller-Scheld, * 1895; ab 1931 in der SA; ab 1933 Gaupropagandaleiter und Leiter der Landesstelle Hessen-Nassau im Reichsministerium für Volksaufklärung und Propaganda; ausführlicher siehe Hermann Wanderscheck: *Deutsche Dramatik der Gegenwart*, Berlin 1938, S. 316.
2 Ingenieur Rudolf Thun, * 1892.
3 Dr. Günther Schwarz, * 1902.

Unser germanisches Erbe.
(Artbild und Weltanschauung der Germanen in ihrer Bedeutung für unsere Zeit).
Die Spätantike als Ausgangspunkt artfremden Geistes.
(Weltanschauung, Reich und Kirche der spätrömischen Zeit).
Der Einbruch des römischen Universalismus in den germanischen Lebensraum.
Könige und Priester im Kampf um die Weltherrschaft.
(Heinrich I., Otto I., Heinrich IV. und Gregor VII., Friedrich I. und Alexander III., Friedrich II. und Innozenz III.)
Der Kampf der germanischen Kraft im späten Mittelalter.
(Die Ostsiedlung; die Hanse und die Ritterorden; Reformation und Gegenreformation).
Das preußische Vorbild und die Entstehung des Bismarck-Reiches.
Die Kräfte des Verfalls im 19. Jahrhundert.
(Liberalismus, Kapitalismus, Marxismus, Konfessionalismus).
Der Schatten Judas über der Welt.
(Wesen und Wirken des Weltjudentums).
Der Kampf der Nationalsozialistischen Bewegung um die Macht.
Der Aufbau des nationalsozialistischen Reiches.
Die Notwendigkeit einer nationalsozialistischen Bevölkerungspolitik.
Die Rassengesetzgebung des nationalsozialistischen Staates.
Der Aufstieg Deutschlands zur Weltmacht.

# Filmkritik

## Es bahnt sich an

*Filmkritik von gestern und heute* in der Beilage der *Schlesischen Volkszeitung* vom 17. 9. 1933, gekürzt; siehe auch Felix Henseleit: *Zweierlei Kritik* in: *Reichsfilmblatt* vom 22. 7. 1933; *Zwischen Kritiker und Künstler*, in: *Filmatelier* vom 31. 12. 1935; *Wenn ein Film nun ganz mißfällt*, in: *Zeitungsverlag* vom 3. 12. 1938; die beiden Dissertationen von Jürgen Rhädes: *Von der NS-Kunstbetrachtung zur Filmkritik der Gegenwart*, München 1955; und Joachim Kliesch: *Die Film- und Kunstkritik im NS-Staat*, Berlin 1957.

Wie steht es nun heute? Die neue Regierung ist großzügig auch in der Behandlung der Filmfragen. Man läßt so manche Herren, die längst ihren Abschub verdienten, vorläufig am Werk, wenn man ihnen auch jetzt, wo die Filmprüfstellen mit deutschbültigen Männern besetzt sind, scharf auf die Finger sehen wird. Die Vermutung, die Regierung werde zwangsweise Tendenzfilme der deutschen Filmwirtschaft auferlegen, ist Unsinn. Wie verlautet, dürften im Jahre nur zwei vaterländische Filme mit Billigung höchster Regierungsstellen zu erwarten sein. Eine kameradschaftliche Zusammenarbeit zwischen allen Filmschaffenden, auch Kinobesitzern und der Kritik, bahnt sich an.

## «Paragraph 13»

Aufsatz von Wolfgang Ertel-Breithaupt in: *Berliner Tageblatt* vom 8. 10. 1933; § 13 des Schriftleitergesetzes – ausführlich darüber in: *Presse und Funk im Dritten Reich* (Ullstein Buch 33028) – lautet: «Schriftleiter haben die Aufgabe, die Gegenstände, die sie behandeln, wahrhaft darzustellen und nach ihrem besten Wissen zu beurteilen.» Siehe von demselben Autor auch: *Grundsätzliches zur Filmkritik*, ebd. am 23. 4. 1933.

Als ich im Jahre 1929 die erste nationale Filmzeitschrift «Filmkünstler und Filmkunst» herausgab, habe ich schon damals diesen Maßstab, der heute vom Pressegesetz zugrunde gelegt wird, angewandt, da ich mir bewußt war, daß nur aus einer wirklichen deutschen weltanschaulichen Einstellung heraus eine neue Schöpfung filmkünstlerischen Schaffens zu erreichen ist. Daß ich damals von den in der Filmbranche vorherrschenden Elementen bis auf Letzte befehdet wurde, verstand sich am

Rande. Dank war nicht zu ernten, aber ein aufrechter Kämpfer kämpft aus Überzeugung für eine Sache und fragt nicht nach dem Lohn. Grundlegende schöpferische Umwälzungen müssen zeitlich mit anderen Maßstäben gemessen werden und der kulturell Weitsehende muß horizontal die Dinge betrachten, um wiederum für sein Gewissen den richtigen Maßstab zu finden.

## Bitter ernst

Ehrhard Evers: *Film und Filmkritik* in: *Deutsche Presse* vom 14. 4. 1944, gekürzt.

Ehrhard Evers, * 1901, Schriftsteller; Feuilleton-Schriftleiter der *Saale-Zeitung* Mitteldeutschlands; in der *Deutschen Presse* siehe auch folgende Aufsätze: Ernst Jerosch: *Der Film und seine Kritiker* am 12. 5. 1934; Max Baumann: *Sinn und Aufgabe der Filmkritik* am 9. 6. 1934; Franz Lehnhof: *Seltsame Formen der geistigen Auseinandersetzung* am 21. 7. 1934; Gerhard Schulte: *Filmkritik und Standesehre* am 23. 2. 1935.

Wir Zeitungsleute wissen, daß das Reichspropagandaministerium den Film bitter ernst nimmt. Aber was tun wir, um es in seinem Bestreben zu unterstützen? Hat sich im Jahre 1933 und im eben begonnenen neuen Jahre das Gesicht der deutschen Filmkritik auch nur um einen wesentlichen Zug verändert? Auch der Filmkritiker hat von weltanschaulichen Gesichtspunkten an den Film heranzugehen, ganz gleich, ob es ein Unterhaltungs-, ein Spielfilm oder ein Reportagefilm, Wochenschau, ein Gesellschafts-, Ensemble- oder Starfilm, Bildungs- oder Tendenzfilm ist.

## In Deutschland

### Englische Ateliers gibt es heute nicht mehr

Dr. Joseph Goebbels in seiner Rede auf der Kriegstagung der Reichsfilmkammer am 15. 2. 1941 in Berlin-Charlottenburg, Bismarckstr. 110; ein Protokoll der Rede befindet sich im Besitz des Herausgebers; sie umfaßt achtunddreißig Maschinenschriftseiten; hier ein Auszug der S. 13–14; siehe auch die Goebbels-Rede: *1941 über eine Milliarde Filmbesucher* in: *Neuköllner Tageblatt* vom 1. 3. 1942, sowie die Rede von Leopold Gutterer: *Die Aufstiegskurve des deutschen Films* in: *Film-Kurier* vom 8. 8. 1942.

In dem Augenblick aber, in dem der Krieg Front und Heimat erfaßt und Mann und Frau und Kind mitten in das kriegerische Geschehen mit hineinbezogen werden – in dem Augenblick haben die alten Grundsätze keine Geltung mehr, in dem Augenblick handelt es sich nicht nur darum, die Gewehre blank und sauber zu halten, sondern eben darum, sie ebenso blank und sauber zu halten und sich für kommende Entscheidungen vorzubereiten, mit anderen Worten: ich habe mich damals energisch dagegen verwahrt, etwa das deutsche Kulturleben zum Erliegen zu bringen, das, was England vom Jahre 1939 an getan hat; englische Ateliers gibt es heute nicht mehr. Demgegenüber habe ich den Standpunkt vertreten, daß gerade der Krieg nun die Beweisprobe für den Film darstellen müßte (lebhafter Beifall!) und es auch gar keinen Gegenbeweis darstelle, wenn man mir entgegenhielte, daß die vorhandenen Filme der Mentalität des Volkes im Kriege nicht mehr entsprächen. Ich habe daraus nicht die Folgerung gezogen, keine Filme, sondern andere Filme zu drehen (lebhafter Beifall!).

### Preisliche Maßnahmen

*Anordnung über Maßnahmen auf dem Gebiet des Filmtheaterwesens*, in: *Film-Kurier* vom 14. 4. 1944.

Der Reichskommissar für die Preisbildung hat durch Erlaß vom 4. 4. 1944 – RfPr. VIII-322-426/44 – folgendes bestimmt:

An den Herrn Präsidenten der Reichsfilmkammer
Berlin W 15, Meinekestr. 21
*Betrifft:* Durchführung der Verordnung über preisliche Maßnahmen
auf dem Gebiete der Filmwirtschaft vom 8. 11. 1943.
Ich ermächtige Sie auf Grund des § 3 Abs. 1 meiner Verordnung über
preisliche Maßnahmen auf dem Gebiete der Filmwirtschaft vom 8. November (RGBl. I S. 654) den deutschen Filmtheaterbesitzern verbleibende Unterschiedsbeträge einzuziehen und Ihrerseits die Allgemeine
Filmtreuhand GmbH, Berlin W 15, Meinekestr. 21, mit der Einziehung
und Verwaltung dieser Beträge zu beauftragen.

Aus den eingehenden Unterschiedsbeträgen ist ein Fonds zu bilden,
aus dem nach Beendigung des Krieges Beihilfen zur Wiederinstandsetzung und Neuerrichtung von Filmtheatern, insbesondere in den neu
zum Reich gekommenen Gebieten, gezahlt werden sollen. Weitere Bestimmungen behalte ich mir vor.

Ich ermächtige Sie ferner, die nach § 3, Abs. 1, Satz 2 der Verordnung
vom 8. 11. 1943 erforderlichen Entscheidungen nach Maßgabe der Gutachten eines Sachverständigen-Ausschusses zu treffen, der aus Vertretern meiner Behörde, der Reichsfilmkammer und des Reichsfachausschusses der Fachgruppe Filmtheater zusammensetzt. Die Entscheidungen über die gemäß § 3, Abs. 2 der Verordnung zugelassenen Härte- und Ausnahme-Anträge werde ich, wie vereinbart, selbst treffen.

Im Auftrag: gez: Wohlhaupt
Beglaubigt: gez. Unterschrift
Kanzleiangestellte

## Um den Film «Opfergang»

*Opfergang*, ein Farbfilm, Ehe- und Liebesgeschichte; Produktion: Ufa; Drehbuchautoren: Veit Harlan und Alfred Braun nach der gleichnamigen Novelle von R. G. Binding; Regie: Veit Harlan; Darsteller: Carl Raddatz, Kristina Söderbaum, Irene von Meyendorff, Franz Schafheitlin, Ernst Stahl-Nachbaur, Otto Treßler, Annemarie Steinsieck, Edgar Pauly, Charlotte Schultz und Ludwig Schmitz.

Dem
Herrn Reichsminister.

Hinkel (Film)
Sachbearbeiter: Konzelmann
Berlin, den 2. August 1944

Aufgrund der Vorlage vom 10. Juli 1944 genehmigte der Herr Reichsminister[1], daß Kristina Söderbaum[2] Ende August nach Schweden reist,
um an den Premieren des Films «Opfergang» in Malmö, Göteborg und
Stockholm teilzunehmen. Die Wahrnehmung der Aufführungstermine

1 Dr. Goebbels.
2 Kristina Söderbaum, * 1918, Schauspielerin und Frau Veit Harlans.

macht einen fast 3-wöchigen Aufenthalt der Kristina Söderbaum in Schweden notwendig. Sie hat gebeten, in Anbetracht ihrer verhältnismäßig langen Abwesenheit ihr annähernd fünfjähriges Kind mitnehmen zu dürfen.

Ist der Herr Reichsminister damit einverstanden, daß Kristina Söderbaum auf der Reise nach Schweden von ihrem Kind begleitet wird?

Unterschrift

## Die Antwort

Herrn                          Ministeramt – RR Dr. Heinrichsdorff/Schr.
Ministerialdirektor Hinkel     Berlin, den 5. 8. 1944

Betrifft: Reise Kristina Söderbaums nach Schweden.
Der Herr Minister hat Kenntnis genommen und ist mit der Reise der Frau Söderbaum nach Schweden einverstanden, nicht aber mit der Mitnahme des Kindes. Frau Söderbaum ist bei der Entscheidung auf die Verkehrslage und den totalen Krieg hinzuweisen.

Heil Hitler!

*Anlage*                        Dr. Heinrichsdorff

## Mit Humor

Der Brief ist an Dr. Goebbels gerichtet.

Dem                           Leiter Film/Reichsfilmintendant
Herrn Reichsminister          Berlin, den 24. August 1944

Betr.: Schaffung von Freilicht-Filmtheatern.
Nach der Zerstörung zahlreicher Filmtheater durch Feindeinwirkung tauchte der Plan auf, Freilicht-Filmtheater zu schaffen, in denen während der Sommer-Monate die filmische Betreuung der Bevölkerung durchgeführt werden kann.

Das Reichspropagandaamt Hannover hat diese Anregung vor einigen Monaten aufgenommen und jetzt unter meinem Nachfolger, Oberbannführer Redeker, das erste Freilicht-Filmtheater des Reiches in Betrieb genommen. Technische Schwierigkeiten waren zu überwinden, da mit Rücksicht auf die Helligkeit des Bildes ein mit Zeltplan verdunkelter Raum geschaffen und der helle Boden mit Kohlengruß abgedunkelt werden mußte. Das Hannoversche Freilicht-Filmtheater umfaßt 550 Sitzplätze und ist, wie die anliegende Aufnahme beweist, ständig wie ein normales Filmtheater besucht. Bei Regen wird die Vorstellung abgebrochen, was von den Besuchern aber immer mit viel Humor in Kauf genommen wird. Das Rauchverbot der übrigen Filmtheater findet hier keine Anwendung, so daß ein weiterer Anreiz zum Besuch gerade des Freilicht-Filmtheaters gegeben ist.

Die Anregung, diese Freilicht-Filmtheater auch in den anderen Städten des Reiches zu schaffen, wird von uns an alle anderen Reichspropagandaämter gegeben, obwohl die Jahreszeit zur Einrichtung dieser Theater bereits zu weit fortgeschritten ist.

Heil Hitler!
Hinkel

## Sparmethoden bei der Filmproduktion

Als Aufsatz in: *Deutscher Wochendienst* vom 22. 9. 1944, «Nicht zur Veröffentlichung – Streng vertraulich!», Auszüge.

Mit 40 Prozent weniger Arbeitskräften, weniger Baumaterial und entsprechend weniger Zeit hat die größte deutsche Filmgesellschaft, die Ufa, in diesem Jahr zwei Filme mehr herzustellen als im vergangenen.

Außer dem Baumaterial, also Holz, Leinwand, Mörtel, Gips, Farbe und Nägel usw., erstreckt sich die Sparmaßnahme in der Filmproduktion auch auf den Rohfilm. Rohfilme kann man dadurch sparen, daß man die Regisseure anhält, die einzelnen Filmszenen möglichst selten zu drehen.

Weiterhin geht man in immer stärkeren Maßen dazu über, Archivaufnahmen, also Filmstreifen, die früher einmal zu anderen Zwecken gedreht wurden und jetzt thematisch in einen neuen Film passen, stärker einzusetzen. Die sparende Wirkung dieser Maßnahme liegt auf der Hand.

## Ein Brief aus Worms

Der hier gekürzte Brief ist an den aus Worms stammenden Hans Hinkel gerichtet.

Lichtspielhaus Worms – H. Müller
Worms a. Rh. den 26. November 1944
Kämmererstr. 47, Fernruf: 43 17

Lieber Hans!

Heute endlich komme ich dazu, Dir für Deinen lieben Brief vom 21. September zu danken. Wenn nicht besondere Umstände vorlägen, würde ich es vielleicht noch einmal verschieben.

Am Dienstag, dem 21. November in den Abendstunden, hatten wir hier einen Angriff auf Worms. 4–5 Luftminen, ca. 100 bis 150 Sprengbomben und sehr viele Brandbomben und Kanister. Eine der Luftminen fiel schwer im Liebfrauenstift und zwar in den Wingert, und hat die ganzen Häuschen dort schwer beschädigt. Auch Dein Haus ist durch den Luftdruck sehr stark mitgenommen. Ich war gestern auf der Baupolizei, und hat man mir dort erklärt, daß das Haus als Totalschaden anzusehen sei und abgerissen werden müsse. Wie nun die Sache weitergeht, kann ich Dir noch nicht sagen. Wie ist es eigentlich? Du hast doch sicher keine Zeit zum Kommen. Was soll ich nun tun? Kann man Dich anrufen, oder rufst Du mich an? Du kommst doch besser durch. Sicher brauche ich doch, wenn Du nicht kommst, eine Vollmacht. Oder soll ich veranlassen, daß Dir von hier aus alles schriftlich zugeht?

Wie ich erfahren konnte, muß nun ein Antrag auf Zahlung der Miete von Seiten des Staates gestellt werden. Nach Beendigung des Krieges wird dann entschieden, was die Stadt oder der Staat mit dem Gelände vorhat, ob man wieder bauen kann oder ob man entschädigt wird. Da die ganzen Häuser dort beschädigt sind, wäre es vielleicht möglich, daß dort wieder kleine Häuschen erstellt werden. Es ist ja ein netter Platz noch hintendran, so daß man vielleicht mit einem Zuschuß ein rentableres Häuschen erstellen könnte. Vielleicht kannst Du mit Reinhold Walsch mal sprechen, was ich machen soll, wenn Du nicht kommen kannst.

In der Judengasse ist nichts passiert außer ein paar Scheiben. Wir hatten diesmal unberufen wieder Glück außer ein paar Scheiben. Neulich hatten wir mehr Pech. Da ging ohne Alarm eine Bombe in die Ecke (früher Knopf). Da waren bei uns am ganzen Haus nur noch zwei Fenster ganz. Da hatten wir aber auch Glück, denn neben uns die Häuser sind alle weit mehr beschädigt und sind zum Teil bis heute noch nicht wieder bewohnbar.

Mein Vater hatte wieder weit mehr Pech, alles wieder kaputt, was von vorher gerade wieder gemacht war. Es kommt halt da durch die Nähe der Bahn, da zielen sie ja immer drauf.

Seit gestern ist es ganz toll hier. Gestern hat es 15-mal angeblasen, teils Lw, teils Alarm, und seit heute Nacht 0,15 Uhr hat es, gar noch nicht so lange, zum 14-mal geblasen, und wir haben erst 19 Uhr. Beinahe können wir es ohne diese Musik gar nicht mehr aushalten. Es fehlt etwas. Heute, Sonntag, mußten wir eine Vorstellung zweimal unterbrechen – jedes Mal 600 Menschen raus und wieder rein. Ich brauch Dir ja nichts zu erzählen! Es hat noch nicht richtig abgeblasen, da stehen sie schon wieder vor der Türe.

Was hältst Du vom Westen? Oft sind die Leute ganz mies. Ich hab' so viel Hoffnung, wir halten hier aus, wenn es mit den Fliegern noch so hart kommt, nur nicht den Feinden in die Hände fallen! Ich glaube, Franz würde staunen, daß ich so zuversichtlich bin. Er hat doch früher immer mit mir geschimpft, wenn ich mal ein bißchen trübe gesehen habe. Mittlerweile gab es schon wieder zweimal ölw. Bald Rekord.

Im Geschäft geht es hier recht ordentlich, wenn auch tageweise die Alarme manchen abschrecken. Sie kommen doch immer wieder. In Neunkirchen ist es sehr viel schlechter. Die sind ja auch der Front viel näher und haben noch mehr Alarme.

Ein paar Zahlen von Worms bei 608 Sitzplätzen:

*Oktober:*

| | | |
|---|---|---|
| «Ein glücklicher Mensch» | bei 7 Spieltagen | 6761 Besucher |
| «Das Schwarze Schaf» | bei 7 Spieltagen | 5919 Besucher |
| «Feuerzangenbowle» | bei 9 Spieltagen | 8888 Besucher |
| «Die beiden Schwestern» | bei 9 Spieltagen | 8538 Besucher |

*November:*

| | | |
|---|---|---|
| «Junger Adler» | bei 8 Spieltagen | 9386 Besucher |
| «Bismarck» (Wiederholung) | bei 3 Spieltagen | 2573 Besucher |
| «Das unheimliche Haus» | bei 5 Spieltagen | 4767 Besucher |

Meist Jugendliche mit Wehrmacht

Mit den jugendfreien Filmen, ab 6 Jahren zugelassen, haben wir eben immer Pech, da uns die Erwachsenen wegbleiben. Die Jugend ist sehr unruhig, und haben wir oft Beschwerden. Junge Adler und Bismarck, von Filmen, die in der letzten Zeit gelaufen sind, waren viel zu schade, um sie vor den 6 bis 10jährigen zu zeigen. Die Kinder sind immer unruhig, und in den besten Dialogen laufen – weil sie nicht folgen können – die meisten auf den Lokus oder fangen Privatgespräche an. Ich hatte dies auch vor einiger Zeit in einer HJ-Veranstaltung festgestellt, daß für den Film «Heimkehr» die 6- bis 10-jährigen besser zu Hause geblieben wären. Sie hatten einfach keine Ruhe. Könnte man für diese doch oft so wunderbaren Filme die Zulassung ab 8 bis 10 Jahren machen? Es ist oft schade, wenn man im Saal ist, wieviel einem vom Film abgeht, weil nicht alles folgen kann. Seit ein paar Tagen ist mein Theater hier der Klasse 1 zugeteilt worden. Die Schauburg mußte mir einige Prädikatfilme abgeben und ich dafür andere an die Schauburg.

Wie ist das eigentlich mit der Errichtung von Filmtheatern von Gemeinden? Kann da die Stadt Worms, wenn sie Lust hat, ein Theater errichten, trotzdem ich für ein neues vorgemerkt bin? Es wäre sehr nett, wenn Du mir mal Aufschluß darüber geben würdest. Ich komme eben kaum mit jemand vom Film zusammen, erstens weil fast alles aus Frankfurt weg ist und dann, weil ich ja auch nicht wegfahre, denn ich möchte doch immer in der Nähe meiner Kinder sein.

Heil Hitler!
Deine Hanna

# Anhang: Presseanweisungen des Reichspropagandaamtes

Sämtliche hier aufgeführten Dokumente stammen aus dem Institut für Zeitungswissenschaft in München und dem Institut für Publizistik in Berlin.

Für die kritische Würdigung des am kommenden Freitag in Hamburg und Berlin zur Uraufführung gelangenden «Michelangelo»-Films wird folgende Sprachregelung gegeben: Wenn dieser Film, der als ein interessanter Versuch zu betrachten ist, auch keine filmische Spitzenleistung darstellt, so kann die fotografische Leistung des reichsdeutschen Kameramannes Kurt Oertel lobend erwähnt werden, der sich um die Gestaltung eines ernsten, abendfüllenden Kulturfilms bemühte. Im übrigen steht es der Kunstbetrachtung frei, die in Erscheinung tretenden Mängel hervorzuheben. Der Film hat das Prädikat «volksbildend» erhalten.

(20. 3. 1940)

Weder die Tages- noch die Fachpresse soll die Frage der Gagen im Film anschneiden. Die Schriftleitungen werden gebeten, sich des Films «Leinen aus Irland» überall, wo er noch oder wieder angesetzt werden sollte, wärmstens anzunehmen. (5. 8. 1940)

Jede Veröffentlichung in Wort und Bild über den Film «Kinder, wie die Zeit vergeht» ist ab sofort nicht mehr gestattet. (30. 8. 1940)

In der letzten Zeit mehren sich die Fälle, in denen in der Presse amerikanische Filme zum Gegenstand von Diskussionen gemacht werden. Alle Debatten über amerikanische Filme sind ab sofort abzustoppen. Das deutsche Publikum interessiert nur der deutsche Film. Es wird in diesem Zusammenhang erneut darauf hingewiesen, daß Berichte über das tschechische Filmwesen unerwünscht sind. (24. 6. 1941)

Bei Berichten über Märchenfilme, in denen Schauspieler mitwirken, ist in jedem Fall Zurückhaltung zu üben. Puppenfilme und insbesondere Zeichentrickfilme können positiver gewürdigt werden. (15. 7. 1941)

Über die Planung eines Peter Parler-Films ist bis zur ausdrücklichen Freigabe nichts zu bringen.

Der Film «Rund um die Freiheitsstatue» ist da, wo dies noch nicht geschehen ist, in Eigenarbeiten zu besprechen und auszuwerten.

Der Ufa-Film «Sensationsprozeß Casilla», der als Reprise demnächst eingesetzt wird, ist auch bei seinem Wiedererscheinen entsprechend zu würdigen.

Es wird gebeten, über den Professor Dr. Eugen Steina-Wien keinerlei Veröffentlichungen mehr zu bringen, da er jüdischer Abstammung ist. (17. 2. 1942)

Die Presse wird gebeten, von der Ausbürgerung der Filmschauspielerin Lilian Harvey keine Notiz zu nehmen. (9. 10. 1942)

Der künstlerisch und volkserzieherisch hervorragende Film «Der große König» verdient besondere Beachtung der Blätter. In den Besprechungen sind jedoch alle Vergleiche Friedrichs des Großen mit dem Führer unter allen Umständen zu vermeiden, ebenso alle Analogien mit der heutigen Zeit, insbesondere die pessimistische Note, die zu Beginn des Films vielfach die Texte beherrscht und die keinesfalls mit der Haltung des deutschen Volkes im jetzigen Kriege zu identifizieren ist. (7. 3. 1943)

### Im Osten

Auf Grund des Erlasses des Führers und Reichskanzlers über Gliederung und Verwaltung der Ostgebiete vom 8. Oktober 1939, *Reichsgesetzblatt* 1939, Bd. 1, S. 2042, wurden am 29. 12. 1939 u. a. die Gesetze der Reichskulturkammer und damit auch der Reichsfilmkammer als auf die besetzten Gebiete ebenfalls anwendbar erklärt. Laut § 8 trat die Verordnung am 1. 1. 1940 in Kraft; sie war im Namen des Propagandaministeriums von Dr. jur. Wilhelm Stuckart unterzeichnet; siehe auch: *Verordnung über die Einführung der Reichskulturkammergesetzgebung in den eingegliederten Ostgebieten*, in: *Film-Kurier* vom 9. 1. 1940.

## Die Filmwirtschaft im Generalgouvernement

Als Nachricht in: *Film-Kurier* vom 13. 2. 1941.

Auch im Gebiete des Generalgouvernements ist der politischen, kulturellen und wirtschaftlichen Bedeutung des Films schnell Rechnung getragen worden. Bald nach der Besetzung rollten die ersten Tonfilmwagen über die polnischen Landstraßen, wurden in den betriebsfähigen Filmtheatern den deutschen Soldaten die ersten Spielfilme und Wochenschauen gezeigt. Nach einigen Monaten, in denen sich die Vorführungen nach den lokalen Gegebenheiten richteten, wurde der planmäßige Aufbau eines Filmtheaterwesens im Generalgouvernement in Angriff genommen. Am 18. März 1940 wurde ein Treuhänder für sämtliche Lichtspieltheaterbetriebe im Generalgouvernement eingesetzt und dieser Treuhänder mit der Leitung der Betriebsstelle für dieses Theater betraut. Er bewirtschaftet zentral von Krakau aus die bis heute eröffneten 107 Filmtheater. Die Spielpläne werden in Krakau festgelegt, der Kopienversand erfolgt von Krakau, zum Teil von Warschau aus.

# Wir wollen dem Osten helfen

Dr. Oskar Kalbus' Artikel in: *Film-Kurier* vom 20. 3. 1941.
  Dr. phil. Oskar Kalbus, Filmschriftsteller und Filmverleiher.

So sind wir Filmleute uns sehr wohl unserer künftigen Pflichten in der Ostarbeit bewußt. Wir wissen auch, mit welchem Interesse die Gauleitungen die Erfüllung dieser Pflichten verfolgen. Eines aber darf ich versichern: Trotz Krieg wird überall geschafft. Herz und Hirn der Filmdichter suchen ständig neue Stoffe. In allen Filmateliers wird von früh bis spät gearbeitet. Auch auf dem Gebiet des Kinogewerbes sind neue Aufgaben gestellt. Die Ufa hält große Geldmittel bereit, um nach den Weisungen der sie betreuenden Reichsstellen in den eingegliederten Ostgebieten überall dort Kinoneubauten zu errichten, wo besondere Kulturarbeit zu leisten ist. Mit einem Wort: Wir wollen helfen! Der gute Wille der Filmkunst und der Filmwirtschaft ist dem Osten sicher. Und ich meine: Wo ein Wille ist, ist auch ein Weg! Das ist unser Versprechen, mit dem wir von den Ostdeutschen Kulturtagen tief beeindruckt und auch schweren Herzens Abschied nehmen.

## Uniform und Rang

Herrn                           Zentralfilmgesellschaft Ost mbH.
Staatssekretär Gutterer         Die Geschäftsleitung
*Berlin W 8*                    Berlin W 62, den 20. März 1942
Wilhelmplatz 8                  Budapesterstr. 23 – Ka.

*Betrifft:* Uniformenfrage

Sehr geehrter Herr Staatssekretär,
nachdem Sie seinerzeit die Freundlichkeit gehabt haben, einem aus der Tatsache folgendem Wunsche der Mitarbeiter der Zentralfilmgesellschaft Ost nach einer Uniform grundsätzlich Verständnis entgegenzubringen, da ein Auftreten im Osten, insbesondere in der Ukraine, wo beispielsweise auf Zivilpersonen nach Eintritt der Dunkelheit geschossen wird, ohne eine entsprechende Uniform unmöglich ist und wir daher in der Erledigung unserer ohnedies nicht ganz einfachen Arbeit sehr gehemmt werden, habe ich mit dem Referenten Ihres Ministeriums (Abteilung Rundfunk, Herrn Bock) Verbindung aufgenommen. Dieser ist Obersturmführer der NSKK.

Nun ist mir von allen unseren Männern, nicht nur von solchen, die in der Ukraine, sondern auch von denen, die in den vor allen ehemals sowjetrussischen Gebieten des Ostlandes zu tun haben, versichert worden, daß, wie es nun einmal ist, ein verhältnismäßig niedriger Rang keinen Sinn habe. Und es ist ja auch so, daß beispielsweise der Geschäftsführer der Ukraine-Film oder der Ostland-Film die Verhandlungen eigentlich nur mit dem in Frage kommenden Reichskommissar oder seinem ersten Stellvertreter, dem Stadtkommandanten, zu führen hat. Dasselbe gilt natürlich auch für mich persönlich, wenn ich zum Besuch in die Ostgebiete fahren muß.

Ich bin mir absolut der Schwierigkeiten bewußt, die sich schon der bloßen grundsätzlichen Prüfung der Frage entgegenstellen, ob und in welcher Weise man einen verhältnismäßig hohen Rang einer Gliederung der Partei erlangen könnte, wobei für mich persönlich das NSKK in den Vordergrund rückt, weil ich diesem seit langem angehöre. Aber sie taucht auf Grund der tatsächlichen Verhältnisse folgerichtigerweise immer wieder auf.

Ich wäre Ihnen, sehr geehrter Herr Staatssekretär, sehr zu Dank verbunden, wenn Sie mir die grundsätzliche Frage beantworten könnten, ob insoweit Möglichkeiten bestehen, die über die bisher erkannten Aussichten, in denen vom Truppführer oder Sturmführer gesprochen wird, hinausgehen, denn sowohl der Geschäftsführer der Ukraine-Film als auch der Geschäftsführer der Ostland-Film versicherten mir, daß ein solcher Rang für die beabsichtigten Zwecke nicht zu dem Ziele führen würde, eine leichtere Plattform und geeignetere Verhandlungsbasis zu schaffen.

Ich zeichne mit
                                    Heil Hitler!
                                    als Ihr sehr ergebener
                                    Unterschrift

## Im Ghetto Warschau

Aus dem Buch von Joseph Wulf: *Vom Leben, Kampf und Tod im Ghetto Warschau*, Bonn 1958, S. 37 f. – Um das Ausland über den wahren Charakter der Konzentrationslager zu täuschen, begann das Reichssicherheitshauptamt im Sommer 1944 mit den Arbeiten zu einem Film über das Lager Theresienstadt. Er sollte den Titel tragen «Der Führer schenkt den Juden eine Stadt». Ausführlicher über dieses Projekt siehe H. G. Adler: *Die verheimlichte Wahrheit*, Theresienstädter Dokumente, Tübingen 1958, S. 324 f.

### 7. Mai 1942
Jetzt drehen sie einen Film im Ghetto. Zwei Tage nahmen sie das jüdische Gefängnis und die Gemeindeverwaltung auf. In der Smoczastraße trieb man eine Menge Juden zusammen und befahl dann dem jüdischen Ordnungsdienst, sie wieder auseinanderzutreiben. Ein anderes Mal drehte man eine gestellte Szene. Als ein Mann vom Ordnungsdienst die Hand hebt, um einen Juden zu schlagen, eilt ein Deutscher herbei, um den Hingefallenen vor den Hieben zu schützen und es nicht zuzulassen.

Immer noch wird im Ghetto gefilmt. Jede Szene ist gestellt. Gestern befahl man einem Kind, auf die andere Seite der Ghettomauer (Ecke Leszno- und Zelaznastraße) hinüberzulaufen, um dort Kartoffeln zu kaufen. Dann drehte man, wie ein polnischer Polizist das Kind erwischt und die Hand gerade zum Schlag hebt. Im gleichen Augenblick kommt ein Deutscher herbeigerannt und hält die erhobene Hand des Polen fest. Man schlägt doch kein Kind!

Mitte Juni 1942

Zur gleichen Zeit ereigneten sich seltsame Geschehnisse im Ghetto. Deutsche Filmoperateure erschienen und filmten die Auslagen der Lebensmittelgeschäfte. Vorher aber hatte man die betreffenden Besitzer gezwungen, die Schaufenster tunlichst mit seltenen und äußerst teueren Lebensmitteln vollzustopfen.

Dann machte man sich daran, gutmöblierte Wohnungen aufzunehmen. Hauptsächlich suchte man sich dazu die Chlodnastraße aus, wo die Mitglieder des «Judenrates» wohnen und überhaupt gutsituierte Leute. Nur solche Wohnungen mit der besten Einrichtung, in denen es wenigstens eine schöne und vor allem gut gekleidete Frau gab, wurden gewählt. Alles wickelte sich ohne besondere Härten ab. Ich entsinne mich, daß eine der zum Mitspielen bestimmten Personen sich weigerte, die Rolle zu spielen. Daraufhin ersetzte man sie durch eine andere ein wenig entgegenkommendere Dame.

Und dennoch wurden selbst bei diesem Filmfeldzug ein paar barbarische ebenfalls gestellte Szenen gedreht. Einige Männer von orthodox jüdischem Aussehen wurden beispielsweise gewaltsam mit mehreren jungen Frauen in eine rituelle Badeanstalt (Mikwa) gesperrt. Man zwang dann alle, sich völlig nackt auszuziehen, damit es im Film so aussähe, als badeten sie dort gemeinsam.

Und noch eine Episode aus diesem Film-Epos: Die Deutschen trugen dem Besitzer des Restaurants Schulz (an der Ecke Karmelicka- und Nowolipkistraße) auf, alle Tische mit Eßbarem und Getränken zu decken. Dann brachten sie einen Haufen Juden in das Lokal, den sie zuvor wahllos in den Straßen aufgegriffen hatten. Die Leute mußten an den Tischen Platz nehmen und essen. Der Festschmaus wurde gefilmt. Dem Gastwirt wurde befohlen, die Rechnung beim «Judenrat» einzureichen.

## In Litzmannstadt

*Casino-Filmtheater Litzmannstadt wiedereröffnet*, in: *Film-Kurier* vom 11. 8. 1942; siehe auch: *Erfolgreicher April in Litzmannstadt*, ebd. am 11. 5. 1942.

Litzmannstadt, 9. August. Die Wiedereröffnung des einer gründlichen Renovierung unterzogenen Ufa-Filmtheaters Casino fand dieser Tage statt und gestaltete sich durch die Teilnahme der Vertreter von Partei, Staat und Wehrmacht zu einem Ereignis für Litzmannstadt, das durch die Anwesenheit von Berliner Vertretern der neugegründeten Deutschen Filmtheater-Gesellschaft noch besonders unterstrichen wurde.

Nach dem «Grave» und «Allegro» aus der G-Moll-Suite von Johann Sebastian Bach-Reger, sprach der Leiter der Zweigstelle des Reichspropagandaamtes, SS-Obersturmbannführer Gissibl, über die Bedeutung der Wiedereröffnung eines solchen Film-Erstaufführungstheaters, das für das deutsche Publikum als Kulturstätte von größter Wichtigkeit ist. Er gab der Genugtuung darüber Ausdruck, daß es gelungen sei, trotz der kriegsbedingten Schwierigkeiten die Umgestaltung des Theaters vorzunehmen, das durch den Einbau modernster Geräte zu einer technisch vorbildlichen Filmvorführungsstätte geworden sei. Er stellte die Aufgaben der neugegründeten Deutschen Filmtheater-Gesellschaft heraus, deren Aufgabe es sei, nach dem Kriege vor allem auch den deutschen Osten mit neuen, vorbildlichen Filmtheatern zu versorgen.

Nach der ausgezeichneten Wiedergabe der «Weihe des Hauses» von Beethoven durch das Städtische Sinfonieorchester gelangte die Deutsche Wochenschau und der Ufa-Film «Die große Liebe» zur Vorführung.

## «Die goldene Stadt» in Belgrad

*Die goldene Stadt*, ein Farbfilm; Produktion: Ufa; Drehbuchautoren: Alfred Braun und Veit Harlan nach Richard Billingers Bühnenstück *Der Gigant;* Regie: Veit Harlan; Darsteller: Kristina Söderbaum, Rudolf Prack, Paul Klinger, Kurt Meisel, Eugen Klöpfer, Liselotte Schreiner, Annie Rosar, Inge Drexel, Dagny Servaes, Hans Hermann Schaufuß, Ernst Legal, Frida Richard, Walter Lieck, Valy Arnheim, Josef Dahmen, Ernst Rotmund, Konrad Cappi, Else Ehser, Hugo Flink, Robert Forsch, Karl Harbacher, Emmerich Hanus, Maria Hofen, Josef Holzer, William Huch, Jaromir Krejci, Maria Loja, Josef Reithofer, Max Rosenhauer, Franz Schöber, Hans Sternberg, Rudolf Vones; bei der Biennale 1942 erhielt der Film den Preis des Präsidenten der Internationalen Filmkammer sowie den Volpi-Pokal. – Siehe auch Dr. Grete Rottmann: *Deutscher Farbfilm im Südosten* in: *Donauzeitung* vom 30. 10. 1942.

| | |
|---|---|
| An den Reichsführer-SS | |
| und Chef der Deutschen Polizei | Der Höhere |
| im Reichsministerium des Innern | SS- und Polizeiführer Serbien |
| – Persönlicher Stab – | Tgb. Nr.        /42 geh. |
| *Berlin SW 11*, Prinz Albrecht Str. 8 | Belgrad, den 11. November 1942 |

*Betr.:* Uraufführung des Films «Die goldene Stadt».

Am 28. 10. 1942 wurde in Belgrad in Anwesenheit des Kommandierenden Generals und Befehlshabers in Serbien, der Spitzen der deutschen Behörden und der serbischen Regierungsmitglieder ein Ufa-Kinotheater eröffnet und gelangte der Farbfilm «Die goldene Stadt» zur Uraufführung. Der Inhalt des Films ist kurz zusammengefaßt folgender:

Ein deutscher Bauer hatte sich mit einer Tschechin aus Prag verehelicht, doch verlief die Ehe im Hang zur «goldenen Stadt» so unglücklich, daß die Frau ins Moor ging. Der Ehe war eine Tochter entsprossen, die der Bauer seinem tüchtigen Vorknecht verlobte. Die Tochter lernte aber einen Ingenieur aus Prag kennen, der zur Vermessung des Moors sich im Dorf befindet und begibt sich in Abwesenheit ihres Vaters heimlich nach Prag. Dort gerät sie in die Hände der tschechischen Verwandtschaft ihrer Mutter, wird von ihrem Vetter, einem verkommenen Tschechenlümmel in der Absicht, das Landgut in seinen Besitz zu bekommen, mißbraucht und wird, als sie der Vater enterbt, von diesem sitzen gelassen. Das Mädchen endet gleich der Mutter im Moor, der Vater heiratet seine tschechische Wirtschafterin und übergibt dann den Hof seinem Vorknecht, der nach Entsumpfung des Moors den Bauernhof in neuer Blüte fortführt.

Sollte damit gezeigt werden, daß die Verehelichung eines Bauern mit einem Stadtmädchen ihm und dem Hof kein Glück bringt, so wäre die Sache in Ordnung. Da aber der Film in betont tschechischer Mundart vorgeführt wird, so begibt er sich damit auf das rassenpolitische Gebiet. Diesbezüglich wird er im Reich eine volle erzieherische Wirkung haben. Ich erachte es aber als vollständig abwegig, den Film in einem Slavenland, und noch dazu unter großer Aufmachung, zur Vorführung zu bringen. Wird doch damit kundgetan, wie deutsches Bauernblut durch tschechischen Einfluß zugrunde geht und wie es einem tschechischen Lümmel gelingt, ein durch das Vaterblut immerhin deutsches Bauernmädchen zu vernichten. Der Film zeigt direkt den Slaven, wie man es machen muß und wie leicht trotz der Rassenpropaganda der Einbruch in eine deutsche Bauernfamilie gelingt. Daran ändert auch nichts der Schluß, daß die tschechische Wirtschafterin des Bauern nicht voll zum Zuge kommt und der Bauernhof, auf den Großknecht übergehend, letzten Endes doch in deutschen Händen bleibt.

Daß der Film zufällig am Gründungstag der tschechischen Republik zur Uraufführung kam, welcher Tag in Belgrad seinerzeit aus Sympathie festlich begangen wurde, will ich dem Zufall zuschreiben.

Ich bitte den Film mit Rücksicht auf das Vorerwähnte einer Beurteilung zu unterziehen.

Unterschrift
SS-Gruppenführer und
Generalleutnant der Polizei

# Politische «Satyre»

Leiter Ost
2281/376–12. 8.
Berlin, den 10. Dezember 1943
Aufzeichnung

Herrn
*Leiter F*

*Betrifft:* «Sergeant Butylkin».

Als neues Propagandamittel gegen die Sowjets soll die politische Satyre eingesetzt werden. Die verschiedenen Bluff-Parolen des Bolschewismus, wie z. B. Religionsfreiheit, Vaterländischer Krieg, Rußische Armee statt Rote Armee, Abschaffung der Kommissare und Einführung der alten Offiziersuniformen und Rangstufen, Abschaffung der Komintern, die enge Freundschaft mit England und Amerika, sollen in satyrischer Form widerlegt werden.

Es wurde vorgeschlagen, eine Standardfigur in der Person des «Sergeant Butylkin» zu schaffen, die sich in der Ostpresse, im Rundfunk und in erster Linie in kurzen Propagandafilmen an die Russen, Ukrainer und Weißruthenen wendet. Ein geeigneter Darsteller für diese Figur ist in der Person des russischen Schauspielers Pawloff gefunden.

Ich schlage vor, lt. beiliegenden Drehbüchern zwei derartige Filme in russischer Sprache herzustellen. Ich schlage weiter vor, daß monatlich ein solcher Kurzfilm herauskommt. Themen für diese Filme sind genügend vorhanden. Die Kurzfilme, welche je nach dem Thema als 1–2-Akter gedacht sind, werden durchschnittlich RM 30 000,– kosten. Ich bitte die Genehmigung des Herrn Staatssekretärs zur Herstellung dieser Filme herbeizuführen und bitte gleichzeitig um Bewilligung der Herstellungskosten für die nächsten zwei Filme in Höhe von je RM 30 000,– Dieser Betrag ist in den Haushaltsmitteln der Abt. Ost enthalten.

Heil Hitler!
Dr. Taubert

## Im Ostministerium

Dieser Brief des Propagandaministeriums ist an das Ministerium für die besetzten Ostgebiete, dessen Chef Rosenberg, gerichtet.

*handschriftlich:* Gutterer

Leiter Ost
Ost 2281/1877–2,1
Berlin, den 28. Januar 1944

Herrn
*Staatssekretär*

*Betr.:* Produktion der Ostfilme.

Sie ließen mir durch Dr. Prause mitteilen, daß ich in Zukunft die Ostfilme nicht durch die Zentralfilmgesellschaft Ost herstellen lassen soll, sondern durch die Sonderproduktion Fischer.

Ich habe dazu folgendes zu bemerken: Mir selbst ist diese Neuregelung außerordentlich angenehm. Ich fürchte aber, daß sie uns erneute Schwierigkeiten mit Rosenberg bereiten wird.

Grund: Auf Grund der Führerentscheidung ist der Film im Ostraum allein Angelegenheit unseres Hauses. Dementsprechend hat der Herr Minister auch angeordnet, daß sämtliche Anteile der Gesellschaft von Winkler im Namen *unseres* Hauses verwaltet werden. Streng genommen müßte eigentlich auch Zimmermann[1] seinen Direktorposten niederlegen. Wir haben aber darauf bisher nicht bestanden, weil sowohl Rosenberg wie Zimmermann dies außerordentlich übel genommen hätten und wir keine Schärfen in das gegenseitige Verhältnis bringen wollten, bis wir nicht alles bekommen haben, was wir haben wollen, also insbesondere die von uns erstrebte Regelung auf den Arbeitsgebieten Presse und Kulturpolitik.

Wenn jetzt der ZFO die Filmproduktion weggenommen und einer Stelle übertragen sind, die einzig und allein unserm Hause gehört, so verliert damit Rosenberg bzw. Zimmermann den unmittelbaren Einfluß auf die Ostfilmproduktion, den sie bisher hatten. Merkwürdigerweise legen nun beide auf dieses Sachgebiet einen ganz besonderen Wert. Zimmermann teilte mir vor einigen Tagen, als er wohl gerüchteweise von der bevorstehenden Regelung hörte, mit, daß Rosenberg sich unter keinen Umständen damit einverstanden erklären werde.

Ich befürchte dementsprechend, daß die neue Regelung für Rosenberg einmal wieder den casus belli bedeuten würde.

Dementsprechend schlage ich vor: Wir führen diese Entscheidung des Herrn Ministers erst durch, wenn die übrigen schwebenden Fragen mit dem Ostministerium geregelt sind.

Sind Sie damit einverstanden?

Heil Hitler!
Dr. Taubert

[1] Job Zimmermann, SS-Brigadeführer und Leiter der Presseabteilung im Ostministerium.

## 1942: In Gegenwart des Ehepaars Goebbels

Maraun, 18. 8. 1942

*Aktenvermerk*

*Betrifft:* Weisung des Herrn Minister zum Nachwuchsbericht vom 10. 8. 1942.

Die Vorführung der vorgelegten Prüf- und Probeaufnahmen fand in Schwanenwerder in Gegenwart von Frau Dr. Goebbels, den Herren von Reichmeister, Dr. Rollenbleg, Frowein, Hamel, Schwägermann und Maraun statt. Der Minister hat entschieden wie folgt:

1.) Ingrid Lutz hat ein hübsches gewinnendes Gesicht, jedoch eine zu dicke Figur. Sie bekommt einen Ausbildungsvertrag. Es muß ihr jedoch gesagt werden, daß sie abzunehmen hat und daß sie nur bei Gewinnung einer schlankeren Figur auf Erfolg rechnen kann. Nach einem halben Jahr muß durch eine neue Probeaufnahme festgestellt werden, ob sie schlanker geworden ist und ob der Vertrag weitergeführt werden kann.

2.) Günther Goercke-Pflüger sieht hervorragend aus, ausgesprochener Typus des jungen deutschen Mannes von heute. Für Ausbildungsvertrag genehmigt. U.K.-Stellung oder Arbeitsurlaub für Ausbildungszwecke kann nicht beantragt werden. (Prinzipielle Entscheidung).

3.) Hans Reiser: Frisch, offen, gescheit, temperamentvoll. Gefiel besonders in der Szene aus «Venus vor Gericht». Für Ausbildungsvertrag genehmigt. U.K.-Stellung oder Arbeitsurlaub für Ausbildungszwecke kann nicht beantragt werden.

4.) Dr. Hans Fetscherin wurde abgelehnt, nicht nur weil er Schweizer ist, sondern auch weil seine Stimme «tackert». (Mehrmalige Bemerkung: «Die Stimme ist nicht gut»).

5.) Robert Tessen fand als jugendlicher Komiker großen Anklang. Er gefiel besonders in der Szene mit Harry Liedtke, bei der der Herr Minister herzhaft lachte. Robert Tessen ist für die Rolle des Michael in «Sophienlund» genehmigt. Über seine Aufnahme in die Liste II v soll entschieden werden, wenn er diese Rolle gespielt hat.

6.) Conchita Montenegro machte hervorragenden Eindruck und wurde als «große Klasse» und «internationales Format» bezeichnet. Die Heranziehung von Frau Montenegro für den deutschen Film wurde begrüßt. Der Minister gab Weisung, daß er am nächsten Abend von Herrn Schreiber angesprochen wird.

Nach der Vorführung fand ich Gelegenheit, den Minister um Genehmigung folgender beiden Besetzungen mit Nachwuchsdarstellerinnen zu bitten:

1.) Kristina Sorbon für die Rolle einer Musikstudentin in «Sophienlund».

2.) Ruth Buchardt für eine große Szene mit Hans Söhnker in «Axel vor der Himmelstür».

Der Minister stimmte in beiden Fällen zu.

Maraun, 19. VIII.

# 1943: Fünfundzwanzigjähriges Jubiläum der Ufa

*Im alten Geist zu neuen Zielen*, in: *Der Film* vom 6. 3. 1943, gekürzt.

Hier einige biographische Angaben über verschiedene im Artikel genannte Personen: Leopold Gutterer, Gaupropagandaleiter von Hannover, dann Referent für Kundgebungen und Staatsfeiertage im Reichsministerium für Volksaufklärung und Propaganda; 1935 Sachbearbeiter für die Landespropaganda im gleichen Ministerium; später Staatssekretär und Vorsitzender des Aufsichtsrates der Ufa-Film-GmbH. – Dr. Fritz Hippler war ursprünglich Leiter des Nationalsozialistischen Deutschen Studenten-Bundes (NSDStB), Kreis 10 (Brandenburg); er gehörte zu den Organisatoren der «Verbrennung undeutschen Schrifttums», ausführlicher siehe: *Literatur und Dichtung im Dritten Reich* (rororo Nr. 809/810/811), S. 49[1]; später wurde er Reichsfilmintendant, Ministerialdirigent und Leiter der Abteilung Film im Propagandaministerium; den Leiter der Film-Abteilung seines Ministeriums wechselte Goebbels übrigens sehr oft; zuerst war es Dr. Ernst Seeger; ab 1937 Wolfgang Fischer; ab Januar 1938 Ernst Leichtenstern; 1939 Dr. Fritz Hippler; ab Juni 1943 Dr. Peter Gast; ab März 1944 Kurt Parbel; ab Juli 1944 Hans Hinkel. Hippler drehte 1940 den antisemitischen Film *Der ewige Jude;* ausführlicher darüber s. S. 456 f. – Dr. Ludwig Klitzsch, *1881, Generaldirektor der Ufa und Verlagsbuchhändler. – Erich Ludendorff, 1868–1937, im Ersten Weltkrieg Generalquartiermeister in der Obersten Heeresleitung unter Hindenburg, 1923 am Hitler-Putsch in München beteiligt, 1925 Auseinandersetzung mit Hitler, 1926 gründete Ludendorff mit seiner Frau Mathilde den *Kampfbund gegen überstaatliche Mächte,* der gegen Christentum, Judentum und Freimaurer kämpfte, sowie die *Deutsch-Germanische Religionsgemeinschaft.* – Dr.-Ing. Emil Georg von Stauss, *1877, Direktor der Deutschen Bank und Preußischer Staatsrat. – Siehe hier auch Robert Volz: *Deutscher Film zwischen den Kriegen – Ein großer Plan nach 25 Jahren erfüllt* in: *Völkischer Beobachter* vom 4. 3. 1943.

Berlin. – In einem feierlichen Betriebsappell, den die Ufa aus Anlaß ihres 25-jährigen Bestehens im Ufa-Palast am Zoo und in den Parallelversammlungen in anderen großen Ufa-Theatern abhielt, machte Reichsminister Dr. Goebbels Ausführungen über den deutschen Film als geistige

Macht und über seine Organisation. Neben der Ufa-Gefolgschaft und zahlreichen Filmschaffenden waren Reichsminister Funk, Reichsorganisationsleiter Dr. Ley, Staatssekretär Gutterer, Geheimrat Dr. Hugenberg, Bürgermeister Dr. h. c. Max Winkler und Reichsfilmintendant Dr. Fritz Hippler zu der Feier erschienen.

Nach der vom Ufa-Orchester gespielten dritten Leonoren-Ouvertüre von Beethoven und einer Ehrung der Gefallenen sprach zunächst Generaldirektor Ludwig Klitzsch über die Geschichte der Ufa. Er führte u. a. aus: «Als der nationalsozialistische Staat im vorigen Jahr den deutschen Film unter eine zentrale Leitung stellte, gab er diesem Führungsorgan den Namen «Ufa». Diese Ehrung ist uns eine tiefe Genugtuung. Die Ufa ist eine Gründung des Weltkrieges. Sie wurde von dem Generalquartiermeister Ludendorff im Auftrag der Obersten Heeresleitung ins Leben gerufen. Höchst schmerzliche Erfahrungen über die Feindpropaganda durch Lichtbild und Film hatten hingenommen werden müssen, bis man sich zu solcher Tat entschloß. Diesem unwürdigen Zustand bereitete Ludendorff ein Ende mit der Forderung, die wirtschaftlichen, künstlerischen und technischen Betriebe des Filmschaffens zu einem einflußreichen Unternehmen unter staatlicher Führung zusammenzufassen. Die Aufgabe wurde dem damaligen Direktor der Deutschen Bank, Emil Georg von Stauss, anvertraut. Am 18. Dezember 1917 war sie gelöst. Die Universum Film Aktiengesellschaft war gegründet worden. Ende Februar 1918 wurde sie ins Handelsregister eingetragen. Die folgenden Jahre stehen unter dem Zeichen politischer und wirtschaftlicher Haltlosigkeit. Sie tragen das Gesicht des Versailler Vertrages. Während der Inflation schutzlos jüdischen und wirtschaftlich verantwortungslosen Kräften preisgegeben. Der Staat zog im Jahre 1921 unter dem Einfluß linksstehender Kreise seine Beteiligung zurück.

Da erfüllt sich 1933 jene fruchtbringende Ehe zwischen Zeit und Film. Das Ringen des Nationalsozialismus um die Seele des deutschen Volkes ergriff diese unverbrauchte, so wirkungsvolle Waffe. Reichsminister Dr. Goebbels wurde Schirmherr des deutschen Films. Er lehrte uns, den Film in einem neuen Sinne zu führen. Die niemals für möglich gehaltene Zunahme des Filmtheaterbesuchs, die im letzten Jahr bereits eine Milliarde überschritten hat, ist nur ein äusseres Zeichen für die heutige innere Verbundenheit von Film und Volk. Als Deutschland 1939 abermals zu einem Weltkrieg gezwungen wird, da zeigt sich uns ein völlig anderes Bild als 1914. In allwöchentlich 32 Sprachen und über 30 Kopien werden die Berichte unserer in vorderster Linie heldenhaft mitkämpfenden PK.-Männer zu einem packenden Tonfilmwerk gestaltet. Über 50 Millionen Menschen im In- und Ausland sehen jede Woche ein mitreissendes Bild von dem Schicksalskampf des deutschen Volkes.

Inmitten dieses erhöhten Einsatzes aller Kräfte geht die Filmkunst einer neuen Epoche ihrer Geschichte entgegen. Es ist ein überzeugendes

Zeichen der ungebrochenen Unternehmungslust des deutschen Filmschaffens, daß während dieser Zeit nach zehnjährigen Laboratoriumsversuchen der Ufa und Agfa der deutsche Farbenfilm nach dem Agfacolor-System entstehen konnte.»

## 1944: Das Publikum sucht Entspannung

Dem
Herrn Reichsminister

*Hinkel (Film)*
Bearbeiter: ORR Dr. Bacmeister
Berlin, den 11. Juli 1944

*Betr.*: Italienischen Spielfilm «Napoleon auf St. Helena» (Sant'Elena piccola isola)

Das Gremium, bestehend aus den Parteigenossen Dietrich, Dr. Prause und Dr. Bacmeister besichtigte in Originalfassung den italienischen Spielfilm «Napoleon auf St. Helena». Der Film, der im Verleih der Difu erscheinen soll, behandelt die letzten Monate Napoleons auf St. Helena und endet mit dem Tode des gestürzten Kaisers. Der Film weist zwar schauspielerisch einige gute Leistungen auf, bietet aber in der Handlung wenig Spannungsmomente und erschöpft sich im wesentlichen in Dialogen zwischen dem englischen Gouverneur und Napoleon. Der Film wirkt trotz einer gewissen anti-englischen Tendenz mit seinen endlosen Dialogen ausgesprochen langweilig; die breit ausgemalte Sterbeszene ist zwar menschlich nicht ohne Eindruckskraft, wirkt aber letzten Endes niederdrückend. Nach übereinstimmender Ansicht der Mitglieder des Gremiums ist der Film zum mindesten im gegenwärtigen Zeitpunkt nicht geeignet, dem deutschen Publikum vorgeführt zu werden, das jetzt in den Filmtheatern Entspannung und innere Erhebung sucht. Ich schlage daher vor, den Film nicht zur Synchronisation freizugeben.

Ist der Herr Reichsminister mit der Ablehnung des italienischen Spielfilms «Napoleon auf St. Helena» einverstanden?

Heil Hitler!
Dr. Bacmeister

## 1945: Götterdämmerung

Gruppenführer
Hinkel

Berlin, den 9. Januar 1945
Dr. MG/Pe.

Ich bitte, in einer der nächsten Filmnachrichten folgendes bekanntgeben zu lassen:

1. Es mehren sich in letzter Zeit Fälle, in denen Filmschauspieler oder -schauspielerinnen die Übernahme von Rollen ablehnen mit der Begründung, daß sie krank seien. Es wird darauf hingewiesen, daß auf Grund der ausgesprochenen Dienstverpflichtung die Schauspieler zur

Übernahme aller ihnen angetragenen filmischen Aufgaben verpflichtet sind und daß Krankheitsfälle nur in dringenden Fällen und auf Grund amtsärztlicher Untersuchung entschuldigt werden können. Die Schauspieler müssen damit rechnen, daß bei Fällen langandauernder Krankheit eine Streichung von der Filmliste vorgenommen wird oder von den Monatsbezügen Abstriche vorgenommen werden, falls ausreichende Ablehnungsgründe nicht vorliegen.

2. Es sind Fälle vorgekommen, in denen Filmschaffende abgelehnt haben, in auswärtigen Filmateliers zu arbeiten, weil sie keine Bettkarte erhalten haben. Es muß unter den heutigen Umständen von jedem Volksgenossen verlangt werden, daß er Reisen antritt, auch wenn Bettkarten nicht zur Verfügung stehen. Sollte festgestellt werden, daß Filmschaffende hiervon ihre Zusage oder ihre Abreise abhängig machen, werde ich veranlassen, daß in schärfster Weise gegen ein solches Verhalten vorgegangen wird und daß die betreffenden Filmschaffenden hieraus die notwendigen Konsequenzen zu erwarten haben.

Dr. Müller-Goerne [1]

---

[1] Rechtsanwalt Dr. Walter Müller-Goerne, * 1909, Abteilungsleiter in der Reichsfilmkammer.

Kapitel II

# ARTEIGENER FILM

Abgesehen von den hier zitierten Artikeln und Dokumenten – genau wie in Teil I über das Theater handelt es sich nur um Kurzfassungen und Auszüge – vorab noch einige bibliographische Hinweise zum Thema: Friedrich Hussong: *Vom deutschen Film* in: *Berliner Lokal-Anzeiger* vom 30. 3. 1933, Morgenausgabe; *Des Führers Wille*, in: *Film-Kurier* vom 20. 4. 1933; Werner Seide: *Der Film der Zukunft* in: *Berliner Börsenzeitung* vom 27. 5. 1934; Dr. Walter Günther: *Der Film als politisches Führungsmittel*, Leipzig 1934; *An der Schwelle*, in: *Deutsche Filmzeitung*, München, 23. 12. 1934; Dr. Fritz Scheuermann: *Der deutsche Film vor neuem Anfang* in: *Deutsche Kultur im neuen Reich*, Herausgeber Ernst Adolf Dreyer, Berlin 1934, S. 113; *Film als Kulturträger*, in: *Germania* vom 27. 10. 1935; Curt Belling: *Kunst und Film* in: *Bausteine zum deutschen Nationaltheater*, Juni 1935, S. 209 f; *Filmkunst wagt Schritte ins Neuland*, in: *Magdeburger Tageszeitung* vom 15. 12. 1935; *Drei Jahre nationalsozialistische Filmführung*, in: *Deutsche Filmzeitung* vom 22. 3. 1936; *Kultur und Politik*, in: *Deutsche Filmzeitung* vom 29. 3. 1936; *Mehr Humor*, in: *Die Bühne*, 1936, S. 96; *Vier Jahre nationalsozialistischer Filmführung*, in: *Presse-Dienst der Reichsfilmkammer* vom 27. 1. 1937; *Film als Kunst*, in: *Rhein-Ruhr-Zeitung* vom 9. 3. 1937; *Appell an die Autoren*, in: *Der Autor* vom 1. 1. 1941; *Der Film ruft den Dichter – Dr. Hans Knudsen äußert sich*, in: *Der Film* vom 14. 6. 1941.

Einleitend noch folgende Aussprüche als Motto zum Thema: «Es gibt keine Kunst ohne Tendenz und die Tendenziöseste ist die, deren Schöpfer behaupten, sie habe keine» – Aus: *Goebbels weist dem Film den Weg*, in: *Film-Kurier* vom 29. 3. 1933; «Das erste Gebot des Films ist also: keine Psychologie zu treiben, sondern durch Bilder zu erzählen. Erst wenn man sich entschieden auf diese zweidimensionale Tätigkeit eingestellt hat, kann man hoffen, als Eindruck zum Schluß beim Beschauer an Tiefen zu rühren» – Alfred Rosenberg in: *Blut und Ehre – Ein Kampf für deutsche Wiedergeburt*, München 1940, S. 214; «Im Vergleich zu den anderen Künsten ist der Film durch seine Eigenschaft, primär auf das Poetische und Gefühlsmäßige, also Nichtintellektuelle einzuwirken, massenpsychologisch und propagandistisch von besonders eindringlicher und nachhaltiger Wirkung» – *Dr. Fritz Hippler über Fragen der Filmgestaltung*, in: *Film-Kurier* vom 5. 5. 1941.

## Der 21. März

Aufsatz in: *Licht-Bild-Bühne* vom 21. 3. 1933; der Tag, an dem der erste Reichstag des Zweiten Reiches 1871 zusammengetreten war, wurde von Hitler bei Eröffnung des neuen Reichstags in der Potsdamer Garnisonkirche zur großangelegten Schau in Anwesenheit des Reichspräsidenten von Hindenburg. In der NS-Presse hieß es: «Der Handschlag, der hier zwischen dem greisen Feldmarschall-Reichspräsidenten und dem Schöpfer der nationalsozialistischen Bewegung getauscht wurde, wurde zum symbolischen Bündnis zwischen der ruhmreichen Vergangenheit des alten Reiches und der revolutionären Zukunft deutscher Erneuerung.» Zwei Tage später, am 23. 3. 1933, nahm der neue Reichstag mit 491 gegen 94 sozialdemokratische Stimmen das Ermächtigungsgesetz an, womit die Diktatur Hitlers gesichert war.

Wenn die neue Führung des Staates heute im deutschen Filmwesen ein Instrument und einen Faktor von Volks- und Weltgeltung vorfindet, so dürfen die deutsche Filmindustrie und ihre Mitarbeiter das stolze Bewußtsein der von ihnen vollbrachten Leistung haben. Diese Leistung zu verkleinern, zu bagatellisieren, die ihr anhaftenden Mängel aufzuweisen, ist leichter, als es war, sie zu vollbringen. Die Erfinder und Techniker, die Produktionskräfte und Kaufleute, die Regisseure und Künstler haben tatsächlich den deutschen Film geistig und wirtschaftlich zu einer Geltung zu bringen gewußt, die ihm eine führende Stellung auf dem Weltmarkt, in den Lichtspielhäusern des zivilisierten Erdkreises geschaffen hat. Mit berechtigtem Stolz darf der deutsche Film heute am Nationalfeiertag auf diese seine unbestreitbaren Erfolge verweisen, die in unverkennbarem Gegensatz zu den Einbußen an Geltung auf vielen anderen Gebieten unserer nationalen Belange stehen. Und er darf daran die Hoffnung knüpfen, daß für ihn eine Zeit anbricht, in der eine starke und einsichtsvolle Staatsführung alle Bedingungen schafft, auf daß er sich zu weit größerer, vom Geiste sittlicher und künstlerischer Ziele erfüllter, von allen Schlacken befreiter Blüte entwickle.

## Ein Lied geht durch Deutschland

Wilhelm Bucher in: *Deutsche Kultur-Wacht* vom 1. 7. 1933, Heft 13, S. 11. Siehe auch Wolfgang Ertel-Breithaupt: *Aufbau des deutschen Films* in: *Berliner Tageblatt* vom 9. 4. 1933.

Keine andere Kunstgattung wurde so Allgemeingut des deutschen Volkes wie der Film. Unsere Aufgabe im neuen Deutschland ist, dafür zu sorgen, daß ein neuer vom deutschen Geist getragener Film entsteht. Wenn seit einigen Monaten beim deutschen Kinobesucher nicht das sonst übliche Interesse für den Film besteht, so liegt das daran, daß das politische Leben eine größere innere Bereicherung bietet, als der Besuch eines Lichtspieltheaters, das im wesentlichen auf Filme angewiesen ist, die dem erwachenden Volke zu wenig zu sagen haben. Solange es noch möglich ist, daß der jüdische Rundfunktenor Jos. Schmidt[1] Träger der

1 Josef Schmidt, 1912–42; über seinen internationalen Erfolg und sein tragisches Ende während des Krieges siehe Shlomo Bickel: *Rumänien*, jiddisch,

Hauptrolle in dem Film «Ein Lied geht um die Welt» ist, merkt man von dem neuen Geist im Film noch wenig. Ein Lied geht durch Deutschland, das Lied Horst Wessels. Sein Geist muß auch in den deutschen Film eindringen und, von ihm getragen, durch die Welt gehen.

## Viele Kinder

Dr. Werner-Herbert Rascher: *Bevölkerungspolitische Zielsetzung im Film* in: *Neues Volk*, Heft 11, November 1938, S. 14–15.

Unser Volk braucht für alle Zukunft Kinder, viele Kinder! Der Anstieg der Geburten seit 1933, der das Verdienst der nationalsozialistischen Staatsführung ist und damit die Richtigkeit ihrer Bevölkerungspolitik beweist, genügt aber immer noch nicht, um Deutschland vor dem drohenden biologischen Volkstod zu bewahren.

Daß Filme hergestellt werden, deren Thema sich ausschließlich dem Schicksal der kinderreichen Familie widmet, ist unerläßliche Forderung. Die Photographie des Lebens, die der Film darstellt und seinem Wesen nach darstellen soll, muß den bevölkerungspolitischen Zielen des Dritten Reiches in der Auswahl der Themen und in der Ausführung der Einzelheiten möglichst nahekommen. Dann ist er lebenswirklich; denn lebenswirklich ist nur, was von uns als lebenserhaltend, lebenfördernd und lebensfreudig anerkannt werden kann.

Nicht Kritiklust gab die Anregung zu diesen Zeilen; der Wunsch nach einem zukunftsstarken deutschen Volke war es. Unser Volk braucht für alle Zukunft Kinder, viele Kinder!

## Der neue Kriminalfilm

*Der Kriminalfilm auf neuen Wegen,* in: *Film-Kurier* vom 29. 9. 1933.

Die «Größe» liegt nicht in einer mit Metropolisphantastik hochgezüchteten Zerstörungsgigantik zersetzenden, zerstörenden Verbrechertums, sondern in dem grandiosen Dienst am Volk, der heute in aufreibender Arbeit, schnell, zupackend, scharfsinnig und gerecht durchgeführt wird. Der Scheinwerfer des Kriminalfilms darf heute nicht mehr auf die gewiegten, behaglich mit ihren Schandtaten beschäftigten Ganoven gerichtet sein (wie wir es bis in die letzte Zeit erlebten), sondern auf die Helden in Uniform und Zivil, denen dieser Kampf Pflicht und Berufsehre

Buenos Aires 1961, S. 140–146; es ist ein Kuriosum, daß Goebbels noch im Mai 1933 zur Premiere des Films *Ein Lied geht um die Welt* erschien, obwohl der Hauptdarsteller Josef Schmidt und der Regisseur der im Dritten Reich verfemte Richard Oswald waren.

ist. Es wird genug der Spannung, des Helldunkels, des Abenteuerlichen übrig bleiben, wenn der deutsche Kriminalfilm seine Razzia gegen die Feinde von Volk, Staat und Gesellschaft der Wirklichkeit annähert, wie wir sie heute erleben. Der Kampf der gerechten Sache ist dabei ausschlaggebend, nicht die Gloriole für den Verbrecher.

## Ohne Zweifel

Hans Traub: *Der Film als politisches Machtmittel*, München 1933, S. 29.
   Siehe auch Walter Reimann: *Dem deutschen Film gewidmet* in: *Deutsche Kultur-Wacht*, 1933, Heft 33, S. 11.

Ohne Zweifel ist der Film als Sprache ein vortreffliches Mittel der Propaganda. Die Beeinflussung fordert von jeher solche Spracharten, die in der einfachen Erzählung einprägsame und bewegte Handlung gestalten. Weithin steht das Laufbild an zweitwirksamster Stelle unter den Propagandamitteln überhaupt. An erster das lebendige Wort: Der Führer in der Ansprache. Aus dem weiten Gebiet der Sprache aber, die unmittelbar durch technische und wirtschaftliche Vorgänge an den Empfänger herangetragen wird, ist die wirksamste Art das Laufbild. Es verlangt eine ständige Aufmerksamkeit; es ist voller Überraschungen im Wechsel von Handlung, Zeit und Raum; es ist unausdenkbar reich im Rhythmus der Gefühlssteigerung und der Gefühlsverdrängung. Wissen wir nun außerdem, daß das Laufbild wöchentlich einmal, meistens zweimal und mehrmals in rund 5000 Kinotheatern des deutschen Volkes als Programm von 1 bis 4 Filmen täglich gezeigt wird, dann glauben wir hier die Haupteigenschaften einer vorbildlichen Propaganda gleichsam an einem Musterbeispiel vorführen zu können: 1. Der mögliche subjektive Appell an die «Welt der Gefühle», 2. die Beschränkung im Inhalt, 3. die Kampfansage von Beginn an, 4. die Wiederholung in «dauernder und gleichmäßiger Einheitlichkeit» (Adolf Hitler).

## Für Kriegsfilme mit pazifistischer Tendenz nicht zugänglich

Alois Funk: *Film und Jugend*, München 1934, S. 97.

Aus den bisherigen Erörterungen darf geschlossen werden, daß ein gesundes, auf seine Wehrhaftigkeit und die Verteidigung seiner Grenzen bedachtes Volk und eine in diesem Geiste erzogene Jugend den Einwirkungen von Kriegsfilmen mit pazifistischer Tendenz nicht zugänglich ist. Zudem ist die ganze Fragestellung für uns Deutsche nur noch von historischer Bedeutung, da die nationalen Filme des neuen Deutschland die Klarheit ihres Bekenntnisses und die Eindeutigkeit der Darstellung die Frage der psychischen Wirkung erheblich einfacher gestalten, zumal sie auf eine einheitlichere Willensrichtung der deutschen Jugend stoßen als die früheren Filme.

Die Antworten auf unsere Rundfrage gingen von März 1933 bis Januar 1934. Es war von besonderem Interesse, zu beobachten, wie das von Monat zu Monat fortschreitende nationale Bewußtsein in den Antworten seinen Niederschlag fand. Die Bevorzugung der nationalen Stoffe im Film trat immer deutlicher zutage.

## Zweckbedingt

Emil Jannings: *Die größte Aufgabe* in: *Wunderwelt Film*, Herausgeber Heinz W. Siska, Leipzig o. J., S. 58–59.

Emil Jannings, 1886–1950, einer der hervorragendsten Schauspieler des deutschen Films, wurde im Ersten Weltkrieg von Max Reinhardt ans Theater nach Berlin geholt; in Henry Picker: *Hitlers Tischgespräche 1941/42*, Bonn 1951, S. 301, Protokoll der Gespräche am 26. 4. 1942 mittags, Reichskanzlei Berlin, steht folgendes: «Bei dem kurzen Mittagessen vor der Abfahrt zur Reichstagssitzung erzählt Goebbels Hitler von seinen Erfahrungen mit der politischen Haltung der Künstler. Selbst ein Mann wie der Staatsschauspieler Jannings habe von ihm erst kürzlich wieder darauf hingewiesen werden müssen, daß er sich staatsfeindlicher Äußerungen zu enthalten habe. Er habe darauf gemeint, daß man sich doch schließlich wohl noch unterhalten könne. Erst nach längerem Hin und Her habe er eingesehen, wie leicht seine Äußerung Anlaß zu staatsfeindlichen Gerüchten oder sonstigen staatsfeindlichem Gerede geben könnte. Hitler bestätigte daraufhin, daß auch er immer wieder die Feststellung habe machen müssen, daß Schauspieler und Künstler so sehr Phantasten seien, daß man sie von Zeit zu Zeit immer wieder einmal mit erhobenem Zeigefinger auf den Boden der Wirklichkeit zurückholen müsse.»

In unseren eigenen erlebnisreichen Tagen, in denen die Welt eine neue Ordnung bekommt, steht auch der Schauspieler nicht beiseite, denn in solchen Zeiten gibt es keine Kunst im luftleeren Raum. Zudem ist jede echte, auf seelische Erhöhung gerichtete Kunst seit jeher zweckbedingt gewesen. Gerade der Film als letzte und stärkste Ausdrucksform dramatischer Gestaltung hat die Aufgabe, eine nationale Gemeinsamkeit durch seine Stoffwahl zu fördern.

## Die Ausführungen Arnold Raethers

*Kundgebung des deutschen Filmschaffens in Dresden*, in: *Deutsche Filmzeitung* vom 17. 2. 1935.

Dann ergriff der Vizepräsident der Reichsfilmkammer, Oberregierungsrat Arnold Raether, das Wort zu außerordentlich bemerkenswerten Ausführungen über das Thema: «Der Film im nationalsozialistischen

Staate». Immer wieder müsse man den Film von früher und den damals für die Filmgestaltung Verantwortlichen einen scharfen Vorwurf machen. Der Film der Vergangenheit habe erheblich dazu beigetragen, das Volk zu zerrütten. Einer der wichtigsten Punkte des nationalsozialistischen Programms sei daher immer die Säuberung des Filmes, die Auslese der Filmschaffenden und Filmwirtschaftler und eine durchgreifende Reform des ganzen Filmsystems gewesen. Denn der Film spiegele das Gesicht der Nation wider. Das Gesicht gerade des neuen deutschen Films sei deshalb besonders wichtig, weil er ja nicht nur in seinem Ursprungsland Deutschland wirke, sondern in aller Welt Künder deutscher Kultur sei.

## Die Liebe des Führers

Dr. Oskar Kalbus: *Vom Werden deutscher Filmkunst*, 2. Teil, Altona-Bahrenfeld 1935, S. 101.

Wir stehen seit dem 30. Januar 1933 nicht nur inmitten einer politischen Umwälzung, sondern erleben auch einen geistigen und wirtschaftlichen Umbruch. Das ist für die meisten Filmindustriellen und Filmschaffenden etwas ganz Neues gewesen. Keine Industrie steht seit dem 30. Januar 1933 so stark und so fortwährend in dem Scheinwerferlicht der Regierung und der Partei wie die Filmindustrie. Wir dürfen im Grunde stolz darauf sein. Der Führer selbst hat wiederholt in Gesprächen mit Filmschaffenden seine tiefe Vertrautheit mit der Materie Film wie seine für künstlerische Dinge so hellsichtige, intuitive Natur bekundet. Bei dieser Liebe des Führers und seines Propagandaministers zum Film kann es nicht erstaunlich sein, daß der Film von Staat und Partei zum Volks- und Kulturgut erklärt wurde.

## Die geistige Haltung

Dr. Georg C. Klarer: *Der deutsche Film und der Autor*, Berlin 1937, S. 21–22.

Im Gegensatz zu der liberalistischen Freiheit, sich gegebenenfalls auch in fruchtlos ästhetisierenden l'art-pour-l'artismen oder pathologischen Monstrositäten zu verzetteln, legt der nationalsozialistische Staat dem Künstler die Verpflichtung auf, sich angesichts jeder, auch der verlokkendsten, originellsten Idee die Gewissensfrage vorzulegen, ob diese Idee auch wirklich dem Volksganzen dient, von ihm und nicht etwa nur von einer kleinen Gruppe verstanden wird, mit einem Wort, im höchsten Sinne populär ist.

Eine noch so gute Inszenierung, ein noch so schöner Bau, ein noch so überzeugendes Spiel mag dem Filmganzen dienen. Eines können sie alle nicht geben, was dem Volksganzen dient: Die geistige Haltung des Films.

## Den Zweck erfüllen

Gerd Eckert: *Filmtendenz und Tendenzfilm* in: *Wille und Macht*, 1938, Heft 4, S. 23.

Dem Kinobesucher ein Erlebnis zu schaffen – das muß überhaupt der Sinn des Tendenzfilms sein. Denn er stellt sich die Aufgabe, Menschen zu überzeugen, für Anschauungen zu gewinnen, die er vorträgt. Es ist die entscheidende Wirkung des Films, daß er in allem die Gefühlswelt seines Publikums anspricht. Der Film neigt, wie keine andere Kunst von vornherein zur Tendenz, d. h. zum Ausdruck einer Gesinnung, weil er mit dem am leichtesten verständlichen, einleuchtendsten Mittel des Bildes arbeitet. Gerade deshalb darf er nicht nur immer wieder als reines Unterhaltungsmittel eingesetzt werden, ja die Gesinnungslosigkeit einer Welt vertreten, mit der wir in der nationalsozialistischen Wirklichkeit nicht das geringste zu tun haben.

## Die vollbrachte Leistung

Dr. Otto Kriegk: *Der deutsche Film im Spiegel der Ufa*, Berlin 1943, S. 187–188.

Die Leistung ist erst dann vollbracht, wenn der einzelne oder eine Gemeinschaft einen Teil der Sorgen und Lasten der Gesamtheit mit getragen und bewältigt haben. Das gilt für jede Funktion des allgemeinen Daseins. Erst recht aber gilt dieses Gesetz für alle Funktionen im öffentlichen Leben. Auch der deutsche Film mußte kämpfen, nicht nur für sich, sondern für alle, indem auch ihm ein Teil der Lasten auferlegt werden mußte, die jeder und alle in einer Zeit des Umbruchs zu tragen haben. Er trat mit dem Einsatz der nationalsozialistischen, teils vom Staat, teils von der Partei ausgehenden Fürsorge völlig aus seiner Anonymität heraus. Ein neuer nationalsozialistischer, von den höchsten Idealen der deutschen Gemeinschaft getragener, aber alle ernsten und fröhlichen Regungen ansprechender Film kann ohne jedes wahrhaft «demokratische» und volksverbundene Vertrauen nicht bestehen, das zwischen Führung und Volk sich entwickelt. Träger dieses Vertrauens, also auch alle Filmschaffenden, haben in erster Linie zu dienen.

# Autoritäre Führung

Hans Steinbach: *Zehn Jahre nationalsozialistisches Filmschaffen* in: *Bremer Zeitung* vom 18. 7. 1943.
Hans Steinbach, Herausgeber des Pressedienstes der Reichsfilmkammer.

Wenn man heute rückblickend sich der ersten Zeit nach der Machtübernahme durch die nationalsozialistische Partei erinnert und sich noch einmal vergegenwärtigt, welche gewaltigen Probleme und Schwierigkeiten sich nicht nur auf allen kulturellen, wirtschaftlichen und sonstigen Gebieten der Staatsführung gegenüberstellten, sondern auch welche Zustände innerhalb des Films zu überwinden waren, so muß man immer wieder staunen, mit welcher ungeheuren, sich immer wieder verjüngenden Kraft, die nationalsozialistische Revolution alles, was sich ihr entgegenstellte, überrannte und damit den Auftakt für den kulturellen und wirtschaftlichen Wiederaufbau gab.

Unter der autoritären Führung des nationalsozialistischen Staates blieben die Grundlinien des deutschen Filmschaffens in stetiger und steigender Entwicklung. Starke und rationelle Maßnahmen bewirkten, daß die Produktion von Jahr zu Jahr größere Mittel investierte.

Der deutsche Film hat im nationalsozialistischen Reich besondere Aufgaben und Ziele erhalten, die er unter dem sicheren Schutz der deutschen Wehrmacht erfüllt.

## Weltanschauliches

## Das anständige deutsche Publikum

*Reichsminister Dr. Goebbels über die filmische Ausprägung der deutschen Geisteswende, in: Berliner Lokal-Anzeiger vom 10. 2. 1934, Abendausgabe.*

Die Reichsfachschaft Film hatte gestern alle Schaffenden des deutschen Films zu einer Kundgebung in der Krolloper aufgerufen, um die große programmatische Rede des Reichsministers Dr. Goebbels zu hören, in der er unter anderem sagte: «In einer mutigen Zeit war die Kunst ohne Mut. In einer heroischen Zeit war die Kunst ohne Heroismus. Von dieser Art Kunst hatte sich das anständige deutsche Publikum längst zurückgezogen. Es flüchtete in die Versammlungen, wo man seine Not verstand. Dort gab es Erfüllung seiner Sehnsucht. Dort hatte es Ziele, Ideale.

Als wir die Macht übernahmen, sassen die Regisseure in den leeren Filmateliers. Sie hatten kein Geld, kein Publikum und keinen Stoff mehr. Diese Erbschaft übernahmen wir.»

## Das BDM-Mädchen und ein Korsett

Mathias Wieman: *Der Mensch im Film* in: *Wunderwelt Film*, Herausgeber Heinz W. Siska, Leipzig o. J., S. 73.
Mathias Wieman, * 1902, Schauspieler.

Ich gestehe es offen: wir Leute der Zwischengeneration machen uns wenig aus diesen rückwärts in «die gute alte Zeit» projizierten Wunschbildern. Ich kann mir noch weniger vorstellen, daß die Jugend, welche nach uns kommt, mit diesen Geschichten mehr anfangen kann, als ein BDM-Mädchen ein Korsett mit Fischbeinstangen zu würdigen weiß, das unsere Mütter noch für unerläßlich und erstrebenswert hielten. Wir wissen auch die in diesen Filmen oft angewandte hohe Kunst wenig zu würdigen, solange die wesentliche Aufgabe, das Bild des neuen Menschen zu zeigen, ungelöst bleibt.

Ich glaube das kommt daher: In den Jahren als wir heranwuchsen, haben sich Eindrücke und Vorbilder in unser Herz gesenkt – nicht von der Kunst her –, es war nicht der große Kean[1], wahnsinnig geworden vor Genie, sondern vom Kriege her. Es waren Namen wie Boelcke[2], Richthofen[3] und Hauptmann Berthold und die namenlosen Regimenter von Langemarck[4]. Die Haltung dieser toten Soldaten begleitet uns als Vorbild von Jugend an immer noch, immer noch, auch durch das Tagewerk unserer unheldischen Arbeit.

## Filme

### «Der Rebell»

*Trenkers Besuch beim Führer*, in: *Film-Kurier* vom 23. 8. 1933.
Luis Trenker, * 1892, Filmschauspieler, Filmregisseur und Schriftsteller.
*Der Rebell*, historisches Drama aus der Zeit der Tiroler Freiheitskämpfe; Produktion: Deutsche Universal-Film AG; Drehbuchautoren: Robert A. Stemmle, Walter Schmidtkunz nach einem Manuskript von Luis Trenker; Regie: Luis Trenker und Kurt Bernhardt; Darsteller: Luis Trenker, Luise Ullrich, Victor Varconi, Fritz Kampers, Olga Engl, Erika Dannhoff, Ludwig Stoessel, Reinhold Bernt, Albert Schultes, Arthur Grosse, Amanda Lindner, Otto Kronburger, Emmerich Albert, Hans Jamnig, Luis Gerold, Hugo Lehner, Inge Konradi, Panzl; Musik: Giuseppe Becce; Prädikat: «Künstlerisch».

Trenkers Lieblingsthema «Leuchtendes Land», einen Film, um den er schon seit Jahren kämpft, wollte er nun endlich drehen, vielleicht im Rahmen der Universal, aber er hat es trotz aller Mühe nicht durchsetzen können. Auch Dr. Goebbels kennt bereits Stücke aus diesem Lieblingsmanuskript Trenkers. Dr. Goebbels haben die Teile sehr gefallen, und Trenker bedauert es aufrichtig, daß er mit unserem Kunst-Minister nicht in des Führers Landhaus zusammengetroffen sei. Zwischen Wiesen und Wäldern ließe es sich doch ganz anders sprechen, als in der Eile des Berliner Betriebes.

Und nun zum Besuch beim Führer. «Hitlers Landhaus Wachenfeld

1 Charles Kean, 1811–68, englischer Schauspieler, berühmt durch seine Shakespeare-Inszenierungen im Londoner Prince's Theatre.
2 Hauptmann Oswald Boelcke, 1891–1916, deutscher Kampfflieger und Begründer der Jagdfliegerei, vierzig Luftsiege, Pour le mérite.
3 Manfred Freiherr von Richthofen, 1892–1918, der *Rote Kampfflieger* des Ersten Weltkriegs und Führer des Kampfgeschwaders seines Namens, das später Hermann Göring übernahm.
4 Langemarck, Gemeinde in Westflandern, Belgien; im Ersten Weltkrieg von den deutschen Truppen im November 1914 erstürmt; am 31. 7. 1917 von den Engländern zurückerobert; Werner Beumelburg schrieb über die Schlacht *Ypern 1914*, erschienen 1924.

am Salzberg in Berchtesgaden ist ein ‹schiener› Platz», sagt Trenker lächelnd. Des Führers Geschmack, sein Verständnis für die Landschaft, sein Drang nach Weite und großer Linie dokumentieren diesen Besitz, der in einer klassisch schönen Gegend liegt.

Viermal habe Hitler den Film «Der Rebell» gesehen und jedesmal neue Freude an dem Filmwerk gehabt. «Übrigens», bemerkte der Führer, «er läuft ja zur Zeit in den Luitpold-Lichtspielen in München.» Trenker ist im höchsten Grade erstaunt über des Führers Orientiertheit. Trenker selbst hat das nicht gewußt.

## «Stoßtrupp 1917»

*Unsterbliches Soldatentum*, in: *Völkischer Beobachter* vom 22. 2. 1934.

*Stoßtrupp 1917*, Kriegsfilm; Produktion: Arya-Film; Drehbuchautoren: Franz Adam, Marian Kolb, Hans Zöberlein nach dem Buch *Der Glaube an Deutschland* von Hans Zöberlein; Regie: Hans Zöberlein und Ludwig Schmid-Wildy; Darsteller: Ludwig Schmid-Wildy, Albert Penzkofer, Beppo Brem, Karl Hanft, Max Zankl, Hans Pössenbacher, Heinz Evelt, Ludwig ten Kloot, Hans Schaudinn, Hanns Erich Pfleger, Georg Emmerling, Toni Eggert, Hermann Schlott, Franz Schröder, Karl Müller, Emil Matousek, Hans Franz Pokorny, Harry Hertzsch, Matthias Olschinsky, Eberhard Kreysern, Leopold Kerscher, Nestor Lampert, Georg Heinrich Lange, Josef Heilmeier, Franz Wagner, ferner Teile der deutschen Wehrmacht; Prädikat: «Staatspolitisch besonders wertvoll».

quen. Berlin, 21. Februar.
Die nationalsozialistische Kriegsopferversorgung lud zur Uraufführung des deutschen Frontfilms «Stoßtrupp 1917» ein. Eine große Festgemeinschaft fand sich im Berliner Ufa-Palast am Zoo, in einer Feierstunde das Erleben des großen Krieges, das Erleben des Frontkameradentums, das erste Kapitel zur Geschichte des nationalsozialistischen Staates vor sich in schlichter Wahrheit und ernster Größe aufgeschlagen zu sehen.

Lange Reihen SA-Absperrmauern, schwarze SS-Kolonnen, säumten die Straßen, in denen sich dichte Massen drängten, den Führer zu sehen, den unbekannten Soldaten des großen Krieges, den Führer des neuen Staates, der hier erwartet wird. Über das bunte Bild der leuchtenden Fahnen, über die Massen blickt ernst und weisend wie ein Symbol von hoher Wand ein ernster Kopf unter grauem Stahlhelm, das harte Gesicht der Front. Und alle, die hineinströmen in das große Haus, sie vergaßen Spiel und Gegenwart, sie schauen in jedem Abschnitt immer wieder dieses Bild, dieses Angesicht, und sie dürfen ihm in die Augen schauen, ruhig und tief, denn die Gegenwart ließ dieses Opfer, diese Treue und diese Größe nicht umsonst sein.

# «Die Reiter von Deutsch-Ostafrika»

*Film und nationale Stoffe*, in: *Deutsches Volkstum*, 1934, S. 1008.
*Die Reiter von Deutsch-Ostafrika*, historischer Kriegsfilm; Produktion: Terra-Film AG.; Drehbuchautor: Marie-Luise Droop; Regie: Herbert Selpin; Darsteller: Ilse Stobrawa, Sepp Rist, Peter Voß, Ludwig Gerner, G. H. Schnell, Rudolf Klicks, Arthur Reinhardt, Louis Brody, Ernst Rückert, Erwin Fichtner, Adolf Fischer, Herbert Ebel, Willi König, Gregor Kotto, Mohamed Husen.

Der Film «Reiter in Deutsch-Ostafrika», der unter dem Protektorat des Reichskolonialbundes gezeigt wird, ist rein technisch meisterhaft. Die afrikanische Landschaft, der Kleinkrieg im Busch und manche andere Dinge sind sehr lebendig dargestellt und vermögen jugendliches Abenteurer- und Kriegerherz zu packen.

Um so ärgerlicher ist es, daß eine solche Darstellung harter, bitterer und ehrenvoller Taten mit sentimentalem Schmalz, falscher Erotik und sonstigen Unangemessenheiten durchsetzt ist. Daß ein deutsches Mädchen auf einer Safari (Karawanenreise) zu ihrem Verlobten den Angriffen eines halbasiatischen Wüstlings ausgesetzt sein soll, ist gänzlich unafrikanisch – was soll die Szene in einem afrikanischen Film? Wenn deutsche Krieger in bestimmten Kriegssituationen vor seelischen Qualen und vor Durst fast vergehen, so mag man das andeuten. Aber derartiges durch grimassierende Schauspieler – Großaufnahmen – möglichst realistisch zur Darstellung bringen zu lassen, ist eine Entwürdigung.

# «Verräter»

Von Demandowsky: *Der deutsche Film hat sich zum nationalen Kunstwerk erhoben* in: *Völkischer Beobachter* vom 17. 9. 1936.
*Verräter*, Spionagefilm; Produktion: Ufa; Drehbuchautor: Leonhard Fürst nach einer Idee von Walter Herzlieb und Hans Wagner; Regie: Karl Ritter; Darsteller: Lida Baarova, Willy Birgel, Irene von Meyendorff, Theodor Loos, Rudolf Fernau, Herbert A. E. Böhme, Heinz Welzel, Paul Dahlke, Josef Dahmen, Hans Zesch-Ballot, Sepp Rist, Volker von Collande, Ernst Karchow, Siegfried Schürenberg, Otto Graf, Heinrich Schroth, Karl Junge-Swinburne, Hans Henninger, Carl Auen, Ewald Wenck, Willi Rose, Gisela von Collande, Ernst Behmer, Max Hochstetter, Hans Meyer-Hanno, Hans Reinhold Hauer, Hellmuth Passarge.

Der Film zeigt, wie es jedem von uns gehen kann, der in verantwortungsvoller oder wichtiger Stellung sitzt, wie er durch Leichtsinn und Unbedacht zum Verräter werden kann; er zeigt aber auch, wie ein Soldat seinen Schwur dem Vaterland gegenüber und um seiner Ehre willen hält, den Verdacht des Verrats auf sich nimmt und so zum Aufklären des wahren Sachverhalts beiträgt.

# «Der Herrscher»

Manfred Jasser: *Film und Schrifttum* in: *Die Neue Literatur*, Mai 1938, S. 231–232.

*Der Herrscher*, Industrie- und Familienroman; Produktion: Tobis-Magna-Filmproduktion GmbH.; Drehbuchautoren: Thea von Harbou und Curt J. Braun, frei bearbeitet nach Gerhart Hauptmanns *Vor Sonnenuntergang*; Regie: Veit Harlan; Darsteller: Emil Jannings, Marianne Hoppe, Harald Paulsen, Hilde Körber, Paul Wagner, Maria Koppenhöfer, Hannes Stelzer, Käthe Haack, Herbert Hübner, Helene Fehdmer, Max Gülstorff, Theodor Loos, Paul Bildt, Walter Werner, Heinrich Schroth, Rudolf Klein-Rogge, Hans Stiebner, Peter Elsholtz, Ursula Kurtz, Heinz Wemper; Prädikat: «Staatspolitisch und künstlerisch besonders wertvoll», Nationaler Filmpreis 1937.

Nun kommt das Merkwürdige: Die Erfüllung des unpolitischen Dramas mit echtem politischen Gehalt ist gelungen. Der «Herrscher» ist ein politischer Film, mehr noch, er ist ein politisches Kunstwerk. Der Film macht aus dem bürgerlichen Verleger einen nationalsozialistischen Wirtschaftsführer. Aus einem Mann, dem nur sein privater Genuß und sein Wohlleben wichtig ist, wird ein sozialistisch denkender, für die Gemeinschaft handelnder Mensch. Der Verleger geht an der Welt von gestern zugrunde, der «Herrscher» besiegt sie – und sich. In tausend Einzelheiten aber folgt der Film dem Drama, auf weite Strecken wortwörtlich. Das ist ja gerade das Erstaunliche. Vor dem «Herrscher» hätte man Ähnliches nicht für möglich gehalten.

## Weltanschauliches

## Im Gegenteil

Heinz Grothe: *Volkstümlicher Film* in: *Berliner Börsenzeitung* vom 16. 2. 1934.
  Heinz Grothe, * 1912, Schriftsteller (Theater, Erzählung, Kunstkritik).

Wir wollen uns klar sein, daß ein Film erzieherische Aufgaben zu erfüllen hat. Was wissen denn die Großstädte schon von den Dingen, die sich
auf einem kleinen Dorf oder Bauernhof irgendwo im Norden Deutschlands abspielen, wenn sie nicht gerade zufällig dorther stammen oder
verwandtschaftliche Bande sie mit dem bäuerlichen Erleben verknüpfen?
Sie haben eine «Vorstellung». Und die ist recht oft dringend zu verbes-
sern. Man sage nicht, daß der Großstädter solcher «Kulturfilme» müde
sei. Im Gegenteil, richtig menschlich und künstlerisch angepackt, fesseln
sie ihn ebenso wie ein guter Spielfilm. Peinlich wird immer nur dann ein
Film, gleichgültig welcher Sorte, wenn die Absicht deutlich wird.

## Filme

## «Blut und Boden»

*Blut und Boden – Der Film des Stabsamtes des Reichsbauernführers*, in: *Ber-*
*liner Illustrirte* vom 24. 11. 1933, Nachtausgabe.
  Die Ideen zu dem Film stammten von Karl Motz; Regie: Rolf v. Sonjewski-
Jamrowski; Musik: Willy Geisler.
  Reichsbauernführer Richard Walter Darré gab zu dem Film u. a. folgende
Erklärung: «Die vergangene, bauernzerstörerische Zeit habe keinen Schauspieler hochzüchten können, der aus innerer Selbstverständlichkeit heraus den deutschen Landmann mit allen Ecken und Kanten, mit seiner Herbheit, seinem
Stolz, seiner schöpferischen Zähigkeit und nicht zuletzt mit seiner tiefen Freude
an dem heiligen Amt, das er betreue, ohne schulende Einfühlung wahrhaft und
wesentlich zu gestalten vermöge. Er glaube aber, daß man diese Klippe um-
schiffen würde.» – *Reichsminister Darré zum deutschen Bauernfilm*, in: *Film-
Kurier* vom 6. 11. 1933.

Unter dem Titel «Blut und Boden» brachte das Stabsamt des Reichsbauernführers einen Film heraus, dessen Kern eine kompakte Spielhandlung von Bauernnot und Bauernsegen ist, der aber, im ganzen gesehen, Werbung bedeutet und Mahnung: «Hat der Bauer Geld, hat's die
ganze Welt! Hat der Bauer Not, hat's ganze Volk kein Brot!» Mit Trick-
filmen, statistisch-plastischen Zeichnungen und einem Rückblick in die
vergangene Elendszeit deutschen Bauerntums hat man diesem hochbe-
deutsamen Film die Grundlage gegeben, auf der sich, erschütternd und
erhebend, die Spielhandlung aufbaut. Wir erleben das Reifen des Korns,
die Mahd unter dem sommerlichen deutschen Himmel unserer Heimat,
sehen Mühlen mahlen, Brot bräunt in der Glut der Öfen, liegt auf dem
Tisch der Armen, wird ehrfurchtsvoll und nach alter Sitte mit Kreuz-
schlag angeschnitten.

## «Friesennot»

*Friesennot – Ein Film vom deutschen Schicksal*, in: *Westdeutscher Beobachter*
vom 22. 11. 1935.
　*Friesennot*, ein Bauerndrama; Produktion: Delta-Film GmbH. Hermann
Schmidt; Drehbuchautor: Werner Kortwich; Regie: Peter Hagen; Darsteller:
Friedrich Kayßler, Helene Fehdmer, Inkijinoff, Jessie Vihrog, Hermann Schom-
berg, Ilse Fürstenberg, Kai Möller, Fritz Hoopts, Martha Ziegler, Gertrud Boll,
Maria Koppenhöfer, Marianne Simson, Franz Stein, Aribert Grimmer; Musik:
Walter Gronostay; Prädikat: «Staatspolitisch und künstlerisch besonders wertvoll». «Der Pressereferent der Osnabrücker Hitlerjugend, Hans Jürgen Mathaei,
forderte dazu auf, auch den Kameraden und Kameradinnen das Erlebnis des
Films zu verschaffen, die die Sondervorführung wegen der Überfüllung nicht
besuchen können. Mathaei sprach dann weiter: ‹Wir, nationalsozialistische Jugend, wollen in unseren Jugendfilmstunden besonders hervorragende künstlerische Gestaltungen erleben. Kein Filmwerk ist so berufen, unsere dieswinter-
lichen Filmstunden zu eröffnen, wie der Film *Friesennot*. Ich bin der festen
Überzeugung, daß das große Geschehen dieses Films jedem Hitlerjungen und
jedem BDM-Mädel etwas zu sagen hat.›» – *Erste Jugendfilmstunde der Osnabrücker HJ*, in: *Osnabrücker Zeitung* vom 16. 12. 1935; eine Analyse des Films
*Friesennot* befindet sich in der Dissertation von Karl August Götz: *Der Film
als journalistisches Phänomen*, Heidelberg 1937, Referenten: Prof. Dr. H. H.
Adler und Prof. Dr. W. Hellpach.

Berlin, 22. November. – Am Vorabend des Bußtages brachte der Ufa-
Palast am Zoo den Delta-Film «Friesennot», der den Untertitel «Ein
deutsches Schicksal auf russischer Erde» führt, heraus. Vorauf ging ihm
nach ernstfeierlichem Orgelspiel über das Lied vom guten Kameraden
ein Bildstreifen, der an die Grabmäler des Unbekannten Soldaten im
Weltkriege bei Freund und Feind führte, ein Film, der durch die würdige Gestaltung und seine vorzügliche musikalische Untermalung zu ernsten Gedanken zwang.

Der Inhalt des Filmes ist folgender: In einer deutschen Siedlung an der Wolga haben sich deutsche Menschen, glaubensstarke, schwerblütige Friesen, eine neue Heimat geschaffen. Liegt sie auch viele hundert Kilometer von der alten Heimat auf fremder Erde, so ist sie doch eine deutsche Heimat geworden, sind ihre Menschen selbst in Wesen und Lebensart gute Deutsche geblieben, treu ihrem Glauben, ihrer Sitte und ihrem Blute. Der Obrigkeit, dem Zaren und auch den neuen Machthabern gegenüber erfüllen sie willig ihre Pflicht bis zum äußersten, ja, sie dulden Not und Entbehrung im Übermaß, teilen das harte Schicksal des Volkes, das sie einmal aufgenommen hat, erleiden märtyrerhaft selbst bitteres Unrecht, das ihnen die rohen, zügellosen und glaubensfeindlichen Schergen der roten Machthaber mit abscheulicher Bosheit zufügen. Sie ballen die Fäuste in den Taschen, sehen zähneknirschend, wie ihnen das letzte Korn aus der Scheune, das letzte Vieh aus dem Stall geholt, ihr Herrgottshaus geschändet und ihr uraltes Friesentum verspottet wird. Nur über ein Gesetz wachen sie unerbittlich: das Gesetz ihres Blutes und ihrer Ehre.

## «Ewiger Wald»

*Ewiger Wald – Ewiges Volk*, in: *Völkischer Beobachter* vom 18. 6. 1936.
*Ewiger Wald*; Produktion: Lex-Film Albert Graf von Pestalozza im Auftrag der NS-Kulturgemeinde; Drehbuchautoren: Albert Graf von Pestalozza und Carl Maria Holzapfel; Regie: Hans Springer und Rolf v. Sonjewski-Jamrowski; Darsteller: Aribert Mog sowie Männer und Frauen aus den verschiedenen Teilen Deutschlands; Musik: Wolfgang Zeller; Sprecher: Günther Hadank, Heinz Herkommer, Paul Klinger, Lothar Körner, Kurt Wieschala; Prädikat: «Volksbildend».

Was seit Ewigkeiten im Walde lebendig wirkte, das mochten die Völker, auf- und niedertauchend im Wellenspiel der Zeiten, einmal mehr, einmal weniger gewußt haben, unverrückbar trugen den Besitz dieses Wissens durch die Jahrtausende die Dichter, die im Dämmerdunkel des Hains den Sinn des Lebensbaumes, des Waldes, zu ergründen trachteten.

Zum ersten Male deutete hier der Film diesen ewigen Sinn des Waldes. Ein Dichter, ein Musiker und ihre Freunde hatten sich der Amtsleitung der NS-Kulturgemeinde mit der Herstellerfirma zu einer Arbeitsgemeinschaft verbunden.

Einige eindrucksvolle Großaufnahmen bäuerlicher Gesichter bleiben unvergeßlich. Man hat sie stets an bedeutsamen Punkten des Films gezeigt, und tiefere Wirkungen durch die Ruhe des Anschauens erzielt, nur in wenigen Worten des Films wird der Ring des Bildeschicksals durch zu deutliche Analogien durchbrochen.

# «Die Tochter des Samurai»

Wilhelm Kinkelin: *Zu dem Film «Die Tochter des Samurai»* in: *Odal — Monatsschrift für Blut und Boden*, Mai 1937, S. 889–890.

Dr. Wilhelm Kinkelin, \* 1896; SS-Brigadeführer seit Juli 1943; Ministerialdirigent und Leiter der Abteilung I 3, Ukraine, sowie I 7, Volkstum- und Siedlungspolitik im Ostministerium; er nahm an der Sitzung vom 7. 2. 1942 teil, auf der der sogenannte *Generalplan Ost* gegen die Ostvölker besprochen wurde, siehe Dokument NO – 2585.

Der Film *Die Tochter des Samurai* war eine deutsch-japanische Gemeinschaftsproduktion; Regie: Dr. Arnold Fanck; Prädikat: «Staatspolitisch und künstlerisch wertvoll».

Nachdem das Abkommen zwischen Deutschland und Japan mehr und mehr in der Presse in Erscheinung tritt, hat die Zusammenarbeit der beiden großen befreundeten Völker auch im Film Gestalt gewonnen. Man muß sagen, daß damit ein sehr erfolgreicher Weg beschritten worden ist, denn das Bild, insbesondere der Film, sprechen beredter und deutlicher, als das geschriebene Wort. In ihm erleben wir unmittelbar Japan. Kaum einer hatte wohl, als er die Uraufführung des Films «Die Tochter des Samurai» in Berlin miterlebte noch das Empfinden, er wäre in Deutschland; vielmehr fühlte man sich völlig in eine andere Welt, auch räumlich, versetzt: mitten hinein ins Land Japan und ins japanische Volk. Und diesem unmittelbaren Selbsterleben ist die Wirkung zuzuschreiben, die darin besteht, daß auf einmal sozusagen der Schleier fällt, der uns das wahre Gesicht Japans bisher verhüllte.

Indem wir das feststellen, begreifen wir auch, daß das alte Deutschland dieses Japan eben so sicher ablehnte, als nunmehr das neue Deutschland dieses selbe Japan versteht. Auch wir sehen in der Blutspflege und in der Bodenverbundenheit die Grundlage unserer völkischen Zukunft.

## Sauber und lebenswahr

Karlernst Knatz: *Deutscher Film* in: *Deutsche Kultur-Wacht*, 1933, Heft 10, S. 12.
  Karlernst Knatz (Pseudonym Werle), * 1882, Schriftsteller (Reportage, Satire, Lyrik).

Der deutsche Film muß endlich sauber und lebenswahr werden. Die heitere Entspannung, der Feierabendgenuß, die Loslösung von des Tages Last und Qual, die die Kinobesucher mit Recht vom Spielfilm verlangen, dürfen nicht mehr ausschließlich durch das Opium schwelgerischer Üppigkeit auf der Leinwand und der Fata Morgana lukullischer Genüsse bestritten werden. Auch der Spielfilm soll uns, so weit er nicht Phantastik gestaltet, Leben von unserem Leben zeigen, Schicksale, Zustände, Umwelten, die nicht verlogen und unwirklich sind, sondern uns aus dem Inneren heraus heiter oder ernst fesseln.

## In der Lüneburger Heide

Hansgeorg Maier: *Die volkstümliche Aufgabe des Films* in: *Berliner Tageblatt* vom 29. 7. 1934.
  Hansgeorg Maier (Pseudonym Franz Hallmann), * 1908, Schriftsteller (Essay, Kritik, Hörspiel).

Das deutsche Leben, das wir im Film endlich dargestellt und entdeckt sehen wollen, ist das unserer Mitmenschen im deutschen Lebensraum. Das Volkstümliche in seiner ganzen Eigenart, wie es sich in den stillen Dörfern des Frankenwaldes, im Erdölgebiet der Lüneburger Heide, in Ostpreußen abspielt, wie es sich in den Fabriken und Werken, in den Siedlungen und Mietstrassen täglich und stündlich begibt. Nicht von der Hand und dem Zeigestab des Wissenschaftlers begleitete, sondern als künstlerische Gestaltung. Und die weite Gemeinschaft unserer ausgesprochenen Heimatschriftsteller hat hier eine Aufgabe vor sich, zu der es sich zu bekennen gilt. Unmöglich können die Filmleute alles allein schaffen. Sie müssen den Geistigen, den Schöpferischen und den Wissenden, den Zugang öffnen.

# Glasklar

*Gespräch mit Staatskommissar Hinkel*, in: *Westfälischer Kurier* vom 2. 9. 1935.

«Eine Frage, Herr Staatskommissar! Was halten Sie von den in der letzten Zeit bekannt gewordenen Produktionsplänen der deutschen Filmindustrie, und wie stehen Sie selbst zur Auswahl der verschieden gelagerten Stoffe?»

«Es liegt natürlich auf der Hand, daß man zu den Produktionsplänen der deutschen Filmwirtschaft als Geschäftsführer der Reichskulturkammer besondere Wünsche hat, und daß man vor allen Dingen sehen möchte, daß die Stoffe viel mehr aus allen Gebieten des täglichen Lebens geschöpft werden. Vor allem muß ein Filmstoff, um dies einmal ganz allgemein zu formulieren, sauber und gesund und glasklar in seiner Tendenz sein. Wenn eine Produktion einen solchen Stoff, der gesund in seiner Grundtendenz ist, der Verfilmung entgegenführt, so muß in erster Linie gefordert werden, daß die Kritik nicht um der Kritik willen den Film wie unter einem Seziermesser behandelt und ihn bis in seine tiefsten Winkel kritisch-sondierend zerlegt, sondern daß die Kritik gerade die saubere und ehrliche Grundhaltung des Stoffes anerkennt und allein um des Stoffes willen, um des Ringens und Bemühens, um die Herausschälung des Stoffes willen, den Film anerkennt.

# Der Führer hat immer recht

So lautet der erste Satz im *Organisationsbuch der NSDAP*, 1943, 7. Auflage,
Seite 7.

## Vor dem 12. November 1933

*An alle deutschen Filmtheater*, in: *Licht-Bild-Bühne* vom 31. 10. 1933.

Am 12. 11. 1933 fanden die ersten Reichstagswahlen im Ein-Parteien-Staat
statt; Ergebnis: Zweiundneunzig Prozent für die NSDAP; am 13. 11. 1933
stand in der *Licht-Bild-Bühne* unter der Überschrift: *Die Schlacht ist gewonnen*
u. a. folgendes: «Die Schlacht ist geschlagen, der Sieg errungen. Während noch
am gestrigen Sonntag die Flaggen und Fahnen von Häusern und Türmen jeden
Deutschen aufforderten, seiner Pflicht zu genügen, wehen sie heute als Fanale
des Jubels und des Sieges in deutschen Landen. Das deutsche Volk hat am
12. November seine Pflicht getan, hat bewiesen, daß es in Wahrheit ein einig
Volk von Brüdern ist. Die wenigen Außenseiter, die es noch gibt, werden in
Kürze selbst die Torheit ihrer Gesinnung einsehen oder sie sind unverbesser-
liche Volksverräter, die sich bald von selbst ausmerzen.»

Das deutsche Filmtheater steht mitten im Volk. Diese Verwurzelung legt
ihm und seinen verantwortlichen Inhabern und Leitern die ganz besondere Verpflichtung auf, mit allen zur Verfügung stehenden Kräften daran mitzuwirken, daß am 12. November jeder deutsche Volksgenosse zur
Abstimmungs- und Wahlurne geholt wird, auf daß er sich entscheidet
für die Zukunft seines Volkes und damit seiner selbst und seiner Kinder. Die bevorstehende Volksabstimmung und die Reichstagswahl haben einen tiefen, jeden einzelnen verpflichtenden Zweck, nämlich die gi-
gantische eindeutige Volksentscheidung für unser neues Deutschland.

Die Reichsverbandsführung richtet daher an alle deutschen Filmtheater die Aufforderung, die Propaganda für die Volksentscheidung nach-
drücklichst zu unterstützen und in jeder Beziehung zu fördern, sowie zu
ihrem Teil beizutragen, daß kein deutscher Volksgenosse der Abstim-
mungs- und Wahlurne fernbleibt. Es bedarf keiner besonderen Betonung, daß selbstverständlich das deutsche Lichtspielgewerbe einmütig
und geschlossen hinter dem Führer und seiner Regierung steht und am
12. November dies durch ein freudiges «Ja» zum Ausdruck bringen
wird.

Die Reichspropagandaleitung, Hauptabteilung Film, der NSDAP hat zwei Wahlpropagandafilme hergestellt.

Heil Hitler!
gez. Johnsen, Abels
Reichsverbandsführung

# Vor dem 19. August 1934

*Ein Film vom Führer*, in: *Film-Kurier* vom 14. 8. 1934.

Am 19. 8. 1934 fand die «Volksabstimmung» über Hitlers Betrauung als Staatsoberhaupt statt. – In der *Deutschen Filmzeitung* vom 1. 3. 1936 schreibt Carl Neumann unter der Überschrift: *Der Parteifilm einst und jetzt* u. a.: «Nachdem bereits im Jahre 1934 in über 110 000 Filmvorführungen und Schulfilmveranstaltungen über 20 Millionen deutsche Volksgenossen, Erwachsene und Kinder, durch die Arbeit der Parteifilmstelle erfaßt werden konnten, lassen auch die Zahlen des letzten Jahres erkennen, welche Bedeutung die Parteifilmarbeit im Dienste von Propaganda und Aufklärung besitzt. So wurden 1935 121 345 Filmveranstaltungen, davon 48 615 als Schulfilmveranstaltungen, durchgeführt, die von 21 767 784 Volksgenossen, darunter 10 Millionen Kinder, besucht wurden. Ende 1935 standen 360 transportable Filmapparaturen und 253 Transportgeräte für die Durchführung unserer Aufgaben zur Verfügung.»

Im *Film-Kurier* vom 31. 12. 1936 berichtet wiederum Curt Belling, Reichshauptstellenleiter der NSDAP, im Aufsatz *Film und Partei* folgendes: «Über 300 Tonfilmwagen, ausgerüstet mit modernsten Filmapparaturen, durchlaufen täglich das Reich, und wo immer sie erscheinen, versammeln sich hunderte deutscher Menschen zum Gemeinschaftserlebnis und nehmen durch den Film am großen politischen Geschehen unserer Tage teil. So war es möglich, auch an jene 25 Millionen Menschen, die abseits der großen Siedlungen und Verkehrswege leben, die Probleme unserer Zeit in lebendiger Form heranzubringen.»

Über den direkten Einfluß des Films auf die ideologische NSDAP-Propaganda siehe Curt Belling: *Der Film im Dienst der Partei*, Berlin 1937; Dissertation von Kurt Wolf: *Entwicklung und Neugestaltung der deutschen Filmwirtschaft seit 1933*, Heidelberg 1938, Referenten: Prof. Dr. Walter Waffenschmidt und Prof. Dr. Carl Brinkmann.

Wenige Tage trennen uns noch von dem 19. August 1934, an dem das deutsche Volk wie schon einst das Bekenntnis zu seinem Führer und Reichskanzler Adolf Hitler ablegen und sich in Einmütigkeit hinter den Lenker des Staates und Volkes stellen soll. Ausschnitte aus seinem Leben und seinem großen Rettungswerk an Deutschland zeigt ein Film, den die Gaufilmstellen Berlin und Kurmark ab heute in allen Lichtspieltheatern vorführen werden und der jedem Zuschauer noch einmal die Etappen des Wiederaufbaues in den letzten anderthalb Jahren ins Gedächtnis zurückrufen soll. Im Rahmen des öffentlichen Kinoprogramms gezeigt, läßt der Film noch einmal jene Feierstunden des deutschen Volkes lebendig werden, die Ausgangspunkt waren neuer, wegweisender Arbeitsabschnitte im Leben deutscher Menschen. Der Tag von Potsdam, der erste Mai als Feiertag der nationalen Arbeit, die Ansprache des Führers an seine deutsche Jugend auf dem Reichsparteitag in Nürnberg, sein Appell an die Turnerschaft in Stuttgart, der erste Spatenstich zum Bau der Autobahnen, die Eröffnung der Arbeitsschlacht 1934 mit dem historisch gewordenen Ausspruch «Fanget an!» und endlich die erhebende Trauerfeier des deutschen Volkes im Mahnmal von Tannenberg – sie sind Etappen der Geschichte des neuen Deutschlands.

In einprägsamer Weise kann der Film Erinnerungen wachrufen an große Tage und Begebenheiten, kann er dem Volk vor Augen führen, wie stark und menschlich groß die Person des Führers ist. In Tausenden von Vorführungen in der Reichshauptstadt und in 66 Städten der Kurmark wird nunmehr der Film «Unser Führer» die Werke des Führers und Reichskanzlers Adolf Hitler zeigen und deutsche Volksgenossen erinnern an den Dank, den sie dem Führer schulden. Sechs Tonkofferapparaturen werden hinausgehen mit diesem Film, um in öffentlichen Versammlungen die Mahnung zum Bekenntnis wirksam zu unterstreichen. Der deutsche Film, dem im neuen Staat wieder Form und Inhalt gegeben wurde, stellt sich in die Front der Trommler, um mitzuhelfen, das Volk zur Wahlurne zu rufen.

## Hitlers fünfzigster Geburtstag

Georg Santé: *Parade als Paradestück* in: *25 Jahre Wochenschau der Ufa*, Berlin 1939, S. 42–45.
Siehe hierzu auch Fritz Terveen: *Das Filmdokument der Nazis und sein Wahrheitsgehalt* in: *Das Parlament* vom 25. 5. 1955, und: *Die Entwicklung der Wochenschau in Deutschland – Ufa-Tonwoche Nr. 451/1939 – Hitlers 50. Geburtstag*, Göttingen 1960.

Fünfzigster Geburtstag des Führers. Berlin schmückte sich, traf letzte Vorbereitungen zu diesem 20. April 1939, der zu einem einzigartigen Dankesfest werden sollte.

Der Filmwochenschau fielen hier ganz besondere Aufgaben zu. Über die Gegenwart hinaus hatte sie ein historisches Dokument zu schaffen, um die Größe dieses Tages für alle Zukunft im Bilde festzuhalten. Diese Parade mußte ein Paradestück der Filmreportage werden. Es ging dabei nicht allein um die äußere Form; auch der Geist dieser Stunde war zu erfassen, die ganze Atmosphäre von Disziplin und geballter Kraft. Und sekundengenau, wie es sich vollzog, mußte es auch eingefangen werden. Wurde etwas versäumt, war es nicht mehr einzuholen und für die spätere Gestaltung unwiederbringlich verloren. Zwölf Kameramänner standen für diesen Großeinsatz zur Verfügung; ihre Standplätze waren, von einem abgesehen, während der Parade kaum zu verändern. Die markantesten Punkte auf der Strecke konnten nur sein: Lustgarten, Brandenburger Tor, Siegessäule und der Paradeplatz. Hier, an der Technischen Hochschule, mußte sich das Krescendo der Bewegungen erfüllen, mußte sich alles vollenden in den schnurgerade ausgerichteten Fronten der Infanterie und Artillerie, der Panzer, Reiter und Krads beim Vorbeimarsch an dem Führer. Die zwölf Augenpaare der zwölf Kameramänner hatten da mehr zu sehen, als die der Hunderttausende von Zuschauern. Und sie sahen auch mehr, wie es der Erfolg gerade dieser Wochenschau klar bewies.

Alle diese Kameramänner drehten insgesamt rund 9000 Meter Film, und sie ließen dabei nichts aus, was zur Erhöhung der Wirkung beitragen konnte. Das Ereignis barg in sich schon hinreichend Steigerungen. Dennoch versuchte man, diese durch verschiedene Brennweiten noch zu verstärken. Von der Totale kamen die Objekte zu Einzeleinstellungen. Von normaler Entfernung, wie sie der Natur entspricht, sprang man dicht an die Formationen heran und manchmal fast buchstäblich in diese hinein.

Die Technik der modernen Filmphotographie konnte sich hier in jeder Weise austoben. So hatten die Schnittmeister anderntags eine Fülle von Material vorliegen, das ihnen alle Möglichkeiten eröffnete, um ihre Kunst einzusetzen.

Und diese Aufgabe war eben mehr als eine Wochenschau üblichen Stils. Das Prädikat «künstlerisch wertvoll» neben «staatspolitisch wertvoll» und «volksbildend» besagt schon, wie man sie bewertete. Nach allen öffentlichen Kritiken war diese Woche von der Parade wirklich zu einem «Paradestück» geworden.

## Weltanschauliches

## Rhythmik der Seele

Reinhold Conrad Muschler: *Nationalsozialistischer Film?* in: *Deutsche Kultur-Wacht*, 1933, Heft 21, S. 7.

Dr. phil. R. C. Muschler, *1882, Schriftsteller (Roman, Novelle, Essay); er schrieb Biographien Hitlers und Görings; ausführlicher über ihn siehe: *Literatur und Dichtung im Dritten Reich* (Ullstein Buch 33029), S. 114 f.

Bemerkenswerterweise zeigte Hitler sich hinsichtlich des Films nach der Machtergreifung zunächst neutral. So wurde laut *Pester Lloyd* vom 9. 2. 1933 der Film *Morgenrot*, ein Seekriegsdrama im U-Boot-Milieu, von Hitler verboten, weil er «chauvinistisch» war und «Engländer und Franzosen in ein ungünstiges Licht stelle».

Der geistige und gefühlsstarke Umschwung der Zeit erfordert von allen Zweigen der Kunst ein Umstellen ihres Ausdruckswillens und ihrer Form als Gesetz des Inhalts. Dieses Verlangen ist kein «von oben» diktiertes, sondern stammt aus dem Wesen der aufstürmenden nationalsozialistischen Bewegung als einer Weltanschauung, die in erster Linie das rein Menschliche befreit. Der Nationalsozialismus hat ein Ende gemacht mit der Lüge zivilisatorischer Überwucherungen des verdrängten Menschentums und die Seele des Menschen wieder freigelegt. Bildung ist nicht mehr Wissensanhäufung im lexikographischen Sinn, sondern das begeisterte Einreihen des zu Wissenden mit dem Herzen. Man lernt nur für sich, um sehen, hören und schauen zu können; man füllt nicht mehr Gedächtniskram ins Hirn, um mit solchen Geheimnissen glänzen zu können vor anderen. Dieses neue Erkennen des Wesentlichen erfordert auch von der Kunst andere Wege, als die bisher gegangenen Umwege um die Seele. Der Verstand als solcher ist seiner kalten Macht entkleidet und zu dem geworden, was er sein soll: Technik des Denkens mit dem Herz. Wir verlangen von der Kunst, daß sie uns packt und nicht mit Sensationen verblüfft; wir fordern von der Kunst, daß sie uns die Gründe des Menschlichen bis in die letzten Tiefen auftut; sie muß den Atem der Seele wiedergeben und nicht, wie lange Jahre hindurch, nur das Hämmern des Hirns. Wir wollen die Rhythmik der Seele vernehmen und nicht mehr den Takt des Gleichschrittes internationaler Intellektualisten.

## Es lebe der deutsche Film im Dritten Reich!

Arnold Raether: *Film unterm Hakenkreuz* in: *Film-Kurier* vom 29. 4. 1933.

Hitlerfahnen wehen über Deutschland am 1. Mai 1933! Der Weltfeiertag der Internationale von einst ist mitten im gewaltigen Aufbruch der deutschen Nation zum deutschen Nationalfeiertag geworden, zum höchsten Feiertag, den das deutsche schaffende Volk sein eigen nennt: zum Feiertag der nationalen Arbeit!

Es wird in Zukunft keine Film-«Branche» mehr geben in Deutschland, in der man ein Kulturgut meterweise wie billigen Stoff verramscht. Wer das nicht erkennen will, der soll sich nach einer anderen Erwerbsmöglichkeit umsehen, für den ist im neuen Film-Deutschland kein Platz.

## Filmdienst

*Deutscher Kampffilm*, in: *Deutsche Kultur-Wacht*, 1933, Heft 18, S. 15.

Die Reichsleitung des Kampfbundes [1] hat den vor kurzem gegründeten «Deutschen Kampffilm» als Filmdienst anerkannt. Der Deutsche Kampffilm wird seine künftigen Arbeiten in enger Verbindung mit dem Reichspropagandaministerium und dem Kampfbund für deutsche Kultur durchführen.

## Geist und Könner

Curt Belling: *Film und Nationalsozialismus* in: *Der Autor*, Juli 1937, S. 10.

Ein Punkt des in der Kampfzeit von der Partei aufgestellten Filmprogramms forderte die Schaffung eines neuen Filmstils, also die Durchdringung der Filmproduktion mit nationalsozialistischen Ideen. Der Geist unserer Weltanschauung wird und muß einmal über jeden kommen, der im oder am deutschen Film entscheidend mitarbeitet. Wir verlangen den nationalsozialistischen Geist auch im Filmschaffen. Das heißt nicht, daß nun die Industrie nur noch parteipolitische Propagandafilme machen soll. Die Partei hat Geist und Könner genug, diese Filme selbst zu schaffen; damit hat sie die Garantie, daß dieselben auch echt sind in Inhalt, Struktur und Wirkung.

1 Kampfbund für Deutsche Kultur.

# Psychologie und Kausalität

Wilhelm Müller-Scheld in: *KddK – Blätter der Kameradschaft für deutsche Kultur*, Sonderheft zum 20. 4. 1939.

Was ist nun ein nationalsozialistischer Film? Mancher glaubt, dann dem nationalsozialistisch bestimmten Film am nächsten zu sein, wenn er den Stoff in den nationalsozialistischen Rundfunk, in den Schaffensbezirk der Reichsautobahn, in die neu erstandene Wehrmacht oder in die Organisation der Bewegung selbst verlegt; aber weder Arbeiter an den großen Unternehmungen des Dritten Reichs, noch uniformierte Parteiangehörige, noch Soldaten, weder Aufmärsche, wehende Hakenkreuzfahnen oder der Heil-Gruß bedingen bei einem Film die Note «nationalsozialistisch». Jeder x-beliebige Stoff, gleich ob er in der Vergangenheit oder in der Gegenwart, ob er im Ausland oder im Inland spielt, ist dann nationalsozialistisch, wenn er geschaut und geordnet wurde von einer nationalsozialistischen Persönlichkeit, der die Gesetze und Ziele der Bewegung bereits zur zweiten Natur geworden sind. Also nicht die äussere Erscheinung an sich ist für den Begriff «nationalsozialistisch» entscheidend, sondern die Psychologie [1] und die Kausalität.

## Ihr Gebiet ist die Straße

Dr. Joseph Goebbels in: *Vom Werden deutscher Filmkunst*, 2. Teil, Altona-Bahrenfeld 1935, S. 119, gekürzt.

Wir Nationalsozialisten legen an sich keinen gesteigerten Wert darauf, daß unsere SA über die Bühne oder über die Leinwand marschiert. Ihr Gebiet ist die Straße. Wenn aber jemand an die Lösung nationalsozialistischer Probleme auf künstlerischem Gebiet herangeht, dann muß er sich darüber klar sein, daß auch in diesem Falle Kunst nicht von Wollen, sondern von Können herkommt. Auch eine ostentativ zur Schau getragene nationalsozialistische Gesinnung ersetzt noch lange nicht den Mangel an wahrer Kunst. Wenn eine Firma an die Darstellung der Erlebniswerte unserer SA oder der nationalsozialistischen Idee herangeht, dann muß dieser Film auch von allererster künstlerischer Qualität sein. Es ist deshalb nicht bequem, sondern im Gegenteil außerordentlich schwer, weil vor der ganzen Nation verpflichtend, einen SA-Film zu drehen. Die Aufgabe, die man sich dabei stellt, erfordert Einsatz aller besten Kräfte, und nur wirklich große Künstler können sie bewältigen. Der National-

---

1 Wenn ausgerechnet ein bei den Filmkritikern des Dritten Reiches so verfemtes Wort wie Psychologie vom Leiter der Filmakademie im Sonderheft zu Hitlers Geburtstag benutzt wurde, so kann es sich nur um einen Lapsus handeln.

sozialismus bedeutet unter gar keinen Umständen einen Freibrief für künstlerisches Versagen. Im Gegenteil: Je größer die Idee ist, die zur Gestaltung kommt, desto höhere künstlerische Ansprüche müssen daran gestellt werden.

## Filme

### «Der Sieg des Glaubens»

Als Bericht in: *Berliner Lokal-Anzeiger* vom 1. 11. 1933.

Schon am 25. 8. 1933 hieß es in: *Licht-Bild-Bühne* unter der Überschrift *Leni Riefenstahl übernimmt künstlerische Leitung des Reichsparteitag-Films*: «Die Reichspropagandaleitung der NSDAP, Hauptabteilung IV (Film), gibt bekannt:

‹Vom Reichsparteitag der NSDAP in Nürnberg wird auf Weisung der Reichsleitung von der Reichspropagandaleitung, Hauptabteilung IV (Film), ein Film hergestellt, dessen künstlerische Leitung auf besonderen Wunsch des Führers Fräulein Leni Riefenstahl übernimmt, und dessen Oberaufsicht in Händen des Leiters der Hauptabteilung IV (Film), Pg Arnold Raether, liegt. Die technische Organisationsleitung hat Pg Eberhard Fangauf. Fräulein Leni Riefenstahl begibt sich nach eingehender Besprechung mit Pg Raether Anfang kommender Woche nach Nürnberg, um dort die Vorbereitungen zu diesem Film zu treffen. Der Film wird durch die Reichspropagandaleitung, Hauptabteilung IV (Film) bzw. die Landesfilmstellen der NSDAP verliehen.›»

Als dieser Film dann anlief, erließ Dr. Goebbels folgende Anordnung, s. *Film-Kurier* vom 2. 12. 1933:

An alle Ortsgruppen der NSDAP! Das gewaltige Filmwerk «Der Sieg des Glaubens» tritt in diesen Tagen seinen Zug durch Deutschland an. Nur einigen hunderttausend Parteigenossen, SA- und SS-Kameraden war es vergönnt, die Tage des Reichsparteitages in Nürnberg mitzuerleben. Jetzt vermittelt der Film den vielen Millionen deutscher Volksgenossen Ton und Bild dieses großen Ereignisses. Die Ortsgruppen der NSDAP werden daher angewiesen, am jeweiligen Tage der Aufführung dieses gewaltigen Filmwerkes innerhalb ihres Ortsgruppenbereiches keine anderen dienstlichen Veranstaltungen durchzuführen, um der Parteigenossenschaft und der Bevölkerung Gelegenheit zu geben, durch ihren Besuch die Aufführung des Reichsparteitagfilms zu einer machtvollen Kundgebung zu gestalten.

Dr. Goebbels
Reichspropagandaleiter der NSDAP

Daraufhin drehte Leni Riefenstahl «von Jahr zu Jahr» – *Deutsche Filmzeitung*, 1935, Heft 14, S. 3 – die Reichsparteitagfilme. Für einen von ihnen, *Der Triumph des Willens*, bekam sie auch den Nationalen Filmpreis 1934/35 – *Landespost*, Hildesheim, vom 2. 5. 1935. In seiner Rede aus diesem Anlaß sagte Dr. Goebbels – *Die Verkündung der Buch-Filmpreise 1934/35* in: *Der Neue Weg* vom 15. 5. 1935, S. 255 –: «Der Nationale Filmpreis 1934/35 wurde Leni Riefenstahl für den Film vom Reichsparteitag in Nürnberg ‹Triumph des Willens› zuerkannt. Dieser Film stellt eine ganz große Leistung im gesamtfilmischen Schaffen des Jahres dar. Er ist zeitnahe, weil er die Zeit darstellt; er bringt in monumentalen, niegesehenen Bildern das hinreißende Geschehen unseres politischen Lebens. Er ist die große filmische Vision des Führers, der hier zum ersten Male bildlich in niegesehener Eindringlichkeit in die Erscheinung tritt.» – Siehe hierzu auch: *Leni Riefenstahl erzählt*, in: *Licht-Bild-Bühne* vom 6. 9. 1933, und Leni Riefenstahl: *Hinter den Kulissen des Reichsparteitagfilms – Der Film «Triumph des Willens» wurde im Auftrag des Führers geschaffen*, München 1935.

Die Festaufführung des Reichsparteitag-Films «Der Sieg des Glaubens» im Ufa-Palast am Zoo, der der Führer Adolf Hitler seine persönliche Gegenwart schenkte, war eine Wiederholung des gewaltigen Erlebnisses des Nürnberger Parteitages. Jede Szene des Films, in der Hitler spricht, wurde von den Zuschauern mit grossem Beifall begrüßt. Zu der Uraufführung waren Vizekanzler v. Papen, Reichsaußenminister Freiherr v. Neurath, Reichsinnenminister Dr. Frick, Reichswehrminister Generaloberst v. Blomberg erschienen, weiter der Führer der Deutschen Arbeitsfront, Dr. Ley, Stadtrat Schwarz von der Reichsparteileitung der NSDAP, der Nürnberger Gauleiter Streicher, die Gruppenführer Prinz August Wilhelm und Ernst, Staatssekretär Dr. Meißner, Reichsbankpräsident Dr. Schacht und Oberbürgermeister Dr. Sahm. Leni Riefenstahl saß in der ersten Reihe der großen Ehrenloge in der Nähe des Führers.

Der Einladung der Reichsleitung der NSDAP hatten die Chefs oder die Vertreter fast der sämtlichen beglaubigten fremden Missionen Folge geleistet.

Der Führer erschien kurz nach 9 Uhr in Begleitung des Stabschefs der SA, Röhm, des Stellvertreters des Führers, Heß, und des Reichspropagandaministers Dr. Goebbels. Er wurde beim Eintritt in die Loge von den Anwesenden mit dem deutschen Gruß geehrt. Nach dem Vorspiel ehrte der Musikzug der Leibstandarte Adolf Hitler den Führer durch den Badenweiler Marsch, der mit dem Trommler- und Pfeiferkorps auf der Bühne des Ufa-Palastes im Zoo gespielt wurde. Nach der Vorführung sangen die Tausende mit dem Führer das Horst-Wessel-Lied. Da sich viele Tausende, die kaum von der Polizei und von der als Wache aufgestellten Leibstandarte Adolf Hitler zurückgehalten werden konnten, in den Straßen vor dem Ufa-Palast am Zoo angesammelt hatten, verließ der Führer, vom größten Teil des Publikums fast unbemerkt, den Ufa-Palast an einer anderen Stelle.

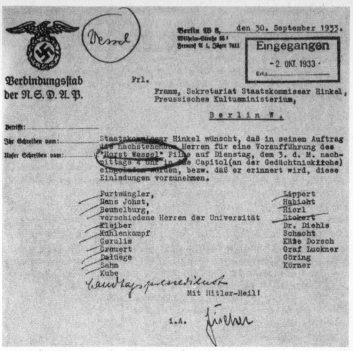

**Verbindungsstab
der N.S.D.A.P.**

Berlin W 8,  den 30. September 1933.
Wilhelm-Straße 35¹
Fernruf A 1, Jäger 7611

Eingegangen
- 2. OKT. 1933 ·
Erl.:

Frl.

Fromm, Sekretariat Staatskommissar Hinkel,
Preussisches Kultusministerium,

B e r l i n  W.

Betrifft:

Jhr Schreiben vom:

Unser Schreiben vom:

Staatskommissar Hinkel wünscht, daß in seinem Auftrag
die nachstehenden Herren für eine Voraufführung des
"Horst Wessel" Films auf Dienstag, dem 3. d. M. nachmittags 4 Uhr in das Capitol(an der Gedächtniskirche)
eingeladen werden, bezw. daß er erinnert wird, diese
Einladungen vorzunehmen.

Furtwängler,          Lippert
Hans Johst,          Habicht
Beumelburg,          Hierl
verschiedene Herren der Universität   Stökert
Kleiber              Dr. Diehls
Kühlenkampf          Schacht
Gerulis              Käte Dorsch
Greuert              Graf Luckner
Daluege              Göring
Sahm                 Körner
Kube

Mit Hitler-Heil!

i.A.  Fischer

Hinkels «Ehrengäste» der «Horst Wessel»-Premiere

## «Hans Westmar, einer von vielen»

Artikel von H. E. Fischer in: *Berliner Lokal-Anzeiger* vom 14. 12. 1933.

Bei diesem Film um Horst Wessel kam es zu einer grotesken Situation.
Zuerst war nämlich ein «heroischer» Horst-Wessel-Film geplant, s. *Licht-Bild-
Bühne* vom 13. 7. 1933; als er fertiggestellt war, lud Goebbels seine SA-Freun-
de ein, damit sie ihn sich ansehen konnten. «Der Film, der mit Ausnahme der
Schlußszene gezeigt wurde, löste bei allen Anwesenden uneingeschränkten Beifall aus – *Horst-Wessel-Film vor den SA-Führern*, in: *Licht-Bild-Bühne* vom
12. 9. 1933. Der Film ist trotzdem am 9. 10. 1933 verboten worden, s. ebd. am
9. 10. 1933, und Goebbels gab folgende Erklärung – *Horst-Wessel-Film wird
umgearbeitet*, in: *Hannoversche Volkszeitung* vom 2. 11. 1933: «Reichsminister Dr. Goebbels hat das Verbot des Horst-Wessel-Films unter folgender
Begründung aufgehoben: Das Verbot des Horst-Wessel-Films ist deswegen ergangen, weil es sich bei Horst Wessel um den bekanntesten und verehrtesten
Märtyrer der nationalsozialistischen Bewegung handelt. Es besteht kein Anlaß, dieses Verbot weiter aufrechtzuerhalten, wenn dieser Film unter einem
neuen Titel läuft und direkte Anspielungen auf Horst Wessel und sein Leben

und Sterben vermieden werden. Wir erfahren weiter, daß der beanstandet gewesene Bildstreifen nunmehr unter dem Titel erscheinen wird: ‹Hans Westmar, Einer von vielen› – ein deutsches Schicksal aus dem Jahre 1929.»

*Hans Westmar;* Produktion: Volksdeutsche Film GmbH.; Drehbuchautor: Hanns Heinz Ewers nach seinem Buch *Horst Wessel* – darüber ausführlich in: *Literatur und Dichtung im Dritten Reich (Ullstein Buch 33029), S. 161 f; Regie: Franz Wenzler;* Darsteller: *Emil Lohkamp, Carla Bartheel, Grete Reinwald, Arthur Schröder, Paul Wegener, Carl Auen, Heinrich Heilinger, Otti Dietze, Gertrud de Lalsky, Irmgard Willers, Wilhelm Diegelmann, Richard Fiedler, Heinz Salfner, Robert Thiem, Hugo Gau-Hamm, ferner die SA Berlin-Brandenburg; Musik: Giuseppe Becce und Ernst Hanfstaengl.*

Die Voraussetzungen für diesen Film vom Kampf um das einstmals rote Berlin: In einer Zeit, da die Hetze vaterlandsloser Gesellen im Ausland das neue Deutschland verleumdet, wurde es notwendig, im tönenden Film einmal jene Zeit auferstehen zu lassen, da sie dasselbe in Deutschland selbst taten. In einer Zeit, da ein gewisses Ausland nicht sehen will, was unter den Braunhemden steckt, nämlich das Herz des politischen Kämpfers, der Pulsschlag des Gläubigen, die heilige Flamme der Zuversicht, heute, da man in Amerika bereits den ersten Hetzfilm gegen das neue Deutschland dreht – heute soll ein deutscher Film demonstrieren, was es hieß, Deutschland zu erobern, was es hieß, ein «Nazi» zu sein, und was es hieß, gepeinigt, verfolgt, zusammengeschlagen zu werden und – doch zu glauben, doch zu kämpfen, doch zu siegen.

## «SA-Mann Brand»

Bericht über den Film gleichen Titels in: *Völkischer Beobachter* vom 16. 6. 1933.

*SA-Mann Brand;* Produktion: Bavaria-Film AG.; Drehbuchautoren: Joseph Dalman und Joe Stöckel; Regie: Franz Seitz; Darsteller: Heinz Klingenberg, Otto Wernicke, Elise Aulinger, Rolf Wenkhaus, Joe Stöckel, Max Weydner, Manfred Pilot, Wastl Witt, Hedda Lembach, Helma Rückert, Fritz Greiner, Magda Lena, Vera Liessem, Adolf Lallinger, Otthein Haas, Theo Kaspar, Philipp Weichand, Rudolf Frank, Rudolf Kunig; Musik: Toni Thoms; Prädikat: «Künstlerisch besonders wertvoll, volksbildend».

«Freitag abend kam es anläßlich der Erstaufführung des Films ‹SA-Mann Brand› zu Beginn der Vorstellung zu einem Zwischenfall. SA-Gruppenführer Beckerle teilte dem Publikum mit, daß die Reklameplakate von einem polnischen Maler angefertigt seien. In Anbetracht der Tatsache, daß der Besitzer des Kinos (Gloria-Palast) seinem Wunsche, die Plakate zu entfernen, nicht nachgekommen sei, forderte er die erschienenen SA- und SS-Mitglieder auf, den Raum zu verlassen. Die Anwesenden kamen diesem Verlangen sofort nach. Daraufhin wurde die Vorstellung abgebrochen.» *Frankfurter Zeitung* vom 18. 6. 1933; über die antijüdische Betätigung desselben Adolf Beckerle während des Krieges, als er Gesandter in Bulgarien war, siehe Léon Poliakov – Joseph Wulf: *Das Dritte Reich und seine Diener,* Berlin 1956, S. 11, 48–49, 53 und 56–58.

Wir erleben den SA-Mann Brand in seiner Familie. Der Vater ist Sozial-demokrat, aber die Mutter ist heimlich auf des Sohnes Seite. Ihnen ge-genüber wohnt eine Witwe, die sich kümmerlich mit ihrem Jungen durchs Leben schlägt. Hitlerjunge ist er, eine Uniform will er haben, und so näht seine Mutter nachts, um das Geld für ein Braunhemd aufzutrei-ben. Brand ist gut Freund mit ihm und nimmt ihn unter seinen Schutz, der in diesem Kommunistenviertel sehr nötig ist. Wir sehen das licht-scheue Gesindel, das mit allen Mitteln, mit List und Waffen versucht, die Reihen der SA zu sprengen. Aber immer werden sie rechtzeitig von einer Kommunistin gewarnt, die ihr Herz an den SA-Mann Brand ver-loren hat. Wir erleben die Überfälle der Kommune, sahen die Gegen-wehr der SA und fühlen noch einmal diese ganze Zeit der Hetze, der Unsicherheit und des Verrates nach. Da wird nach Aufhebung des Uni-formverbotes ein Propagandaumzug gemacht. Hitlerjunge Erich mar-schiert zum ersten Male in Uniform, da trifft ihn eine tückische Kugel. Behutsam bringt ihn Brand der gefaßten Mutter. Jede Hilfe kommt zu spät. Mit den Worten: «Ich geh jetzt zum Führer», haucht er sein junges Leben aus. – Und draußen dröhnt die Marschmusik der SA. Überra-schend ist der Tag der nationalen Erhebung da. Deutschland ist frei.

## «Flüchtlinge»

*Flüchtlinge – Der Staatspreisfilm 1933/34, in: Vom Werden deutscher Filmkunst* von Dr. Oskar Kalbus, 2. Teil, Altona-Bahrenfeld 1935, S. 104.

*Flüchtlinge,* fernöstlicher Kriegsfilm über die Flucht von Wolga-Deutschen; Produktion: Ufa; Drehbuchautor: Gerhard Menzel nach seinem gleichnamigen Roman; Regie: Gustav Ucicky; Darsteller: Hans Albers, Käthe von Nagy, Eu-gen Klöpfer, Ida Wüst, Franziska Kinz, Veit Harlan, Hans Adalbert Schlettow, Andrews Engelman, Maria Koppenhöfer, Carsta Löck, Friedrich Gnaß, Karl Meixner, Fritz Genschow, Hans Hermann Schaufuß, Josef Dahmen, Walter Herrmann, Karl Rainer, Rudolf Biebrach; Musik: Herbert Windt und Ernst Erich Buder; Prädikat: «Künstlerisch besonders wertvoll», Staatspreis am 1. 5. 1934.

Mit «Flüchtlinge» ist plötzlich der «neue Film» da, der seit der national-sozialistischen Revolution gefordert und erstrebt wird. Dieses Filmwerk ist vom «neuen Geist» getragen, denn es verkörpert die hohen sittli-chen Ideen des Selbsthilfe- und des Führerprinzips. Einmal heißt es in dem Film: «für etwas sterben – den Tod wünsch ich mir». Das Wort wird nicht einfach dahergeredet, als irgendeine Stelle in einem Dreh-buch-Dialog, es wächst aus dem Geschehen heraus. Es faßt den Inhalt der Handlung des Films in seinem letzten, tiefsten Schluß zusammen – denn hier ist endlich einmal ein Inhalt.

# «Togger»

Wilhelm Ackermann: *Der Zeitungsfilm Togger* in: *Hannoverscher Anzeiger* vom 13. 2. 1937.

*Togger*; Produktion: *Minerva-Tonfilm GmbH.*; Drehbuchautoren: Walter Forster und Heinz Bierkowski; Regie: Jürgen von Alten; Darsteller: Renate Müller, Paul Hartmann, Mathias Wieman, Heinz Salfner, Hilde Seipp, Paul Otto, Fritz Odemar, Walter Franck, Karl Hellmer, Ernst Waldow, Franz W. Schröder-Schrom, Fritz Rasp, Volker von Collande, Ursula Herking, Paul Westermeier, Walter Werner, Maria Krahn, Just Scheu, Alfred Kiwitt, Oskar Hökker, Ernst Dernburg, Carl Auen, Hans Meyer-Hanno; Musik: Harold M. Kirchstein; Prädikat: «Staatspolitisch wertvoll».

Berlin, 12. Febr. (Eig. Drahtb.) Einem berufsständischen Preisausschreiben für einen wirklichen Zeitungsfilm verdankt «Togger» seine Entstehung. Er lief am Freitag in Berlin an, und wir hatten Gelegenheit, ihn vorher in einer Sondervorführung kennenzulernen. Togger ist der Hauptschriftleiter einer großen Zeitung und wagt es, als erster und vorerst einziger den Kampf gegen einen großen internationalen Industriekonzern aufzunehmen, der das deutsche Wirtschaftsleben zu überfremden und ausländischer Profitwut dienstbar zu machen droht. Er unterliegt zunächst in diesem Kampf, weil seinen Gegnern, den Finanzgewaltigen vom Reuler-Konzern, alle, auch kriminelle Mittel, recht sind und weil sein eigener Verleger, in dem guten Willen, ihn in seinem Idealismus zu unterstützen, den geriebenen Jobbern auf dem Umwege über eine schöne Frau selbst ins Garn geht. Das ist in der letzten Phase des Deutschland vor der Machtergreifung, und es fehlt in der Handlung nicht an finsteren Erinnerungen an Straßendemonstrationen, Parlamentsklüngeleien und hochkapitalistischen Kulissenschiebereien. Der Umschwung kommt von der politischen Seite durch die Machtübernahme des Nationalsozialismus und in der konkreten Handlung durch den gleichzeitigen Erfolg der Aufklärungsarbeit eines prachtvoll findigen und unbekümmert idealistischen Reporters. Der Reuler-Konzern wird entlarvt und kommt auf die Anklagebank, und Togger sieht sich seinem Lebenswerk, der Zeitung, wiedergegeben.

# «Ich klage an»

Georg Herzberg in: *Film-Kurier* vom 30. 8. 1941.

*Ich klage an*, ein Drama um den Gnadentod, der bei der NS-Prominenz herumspukte; der Film sollte Propaganda für das Euthanasie-Programm des Dritten Reiches machen. Der Inhalt des Films ist ganz kurz: Eine unheilbar kranke Frau steht zwischen zwei Männern, dem Mann und dem Freund; beide sind Ärzte. Von beiden erbittet die Frau den Tod; der eigene Mann gibt ihr schließlich das Gift, aber er wird unter Mordanklage gestellt. Seine Kollegen ebnen ihm den Weg zur Rettung: Er soll einfach aussagen, seine Frau habe von einem bestimmten Medikament eine zu starke Dosis genommen. Der Angeklagte lehnt den Ausweg jedoch ab und steht zu seiner «humanen» Tat.

Das *Rassenpolitische Amt* der NSDAP hatte schon vorher – 1935/36 – drei Filme gedreht, die das Euthanasie-Programm in NS-Kreisen propagieren sollten: *Sünden der Väter, Abseits vom Wege* und *Erbkrank*, siehe: *Neues Volk*, 1936, Heft 2, S. 15. Die Öffentlichkeit nahm jedoch von diesen Filmen wenig Notiz, denn sie waren ja mehr für die interne «weltanschauliche» NS-Erziehung gedacht. *Ich klage an* ist jedoch als Film groß aufgezogen worden, und die Behörden des Dritten Reichs mußten sich mit Protesten – besonders der Kirche – befassen; aus diesem Grunde gab das Reichspropagandaamt am 2. 9. 1941 die nachstehende geheime Presseanweisung heraus: «Die Besprechung des Films ‹Ich klage an› wird nunmehr freigegeben. Dabei wird auf die im Zeitschriftendienst vom 29. ds. Mts. Nr. 5200 gegebene Sprachregelung hingewiesen. Das in dem Film angeschnittene Problem darf weder positiv noch negativ behandelt werden, sondern der Film soll nur rein sachlich besprochen werden. Der Film behandelt das Problem der ‹Euthanasie›. Dieser Ausdruck ist keineswegs zu gebrauchen. Dagegen kann erwähnt werden, daß in dem Film das Problem angeschnitten wird, ob einem Arzt das Recht zugestanden werden kann, auf Wunsch unheilbar Kranker deren Qualen zu verkürzen. Bei Behandlung dieses Films ist natürlich größter Takt am Platze. – Im Auftrag: Denecke, Pressereferent.» Im Archiv des Instituts für Zeitungswissenschaft in München.

*Ich klage an;* Produktion: Tobis; Drehbuchautoren: Eberhard Frowein und Harald Bratt nach Motiven des Romans *Sendung und Gewissen* von Hellmuth Unger und einer Idee von Harald Bratt; Regie: Wolfgang Liebeneiner; Darsteller: Heidemarie Hatheyer, Paul Hartmann, Mathias Wieman, Christian Kayßler, Harald Paulsen, Albert Florath, Margarete Haagen, Charlotte Thiele, Hans Nielsen, Werner Pledath, Otto Graf, Franz Schafheitlin, Franz Weber, Bernhard Goetzke, Karin Evans, Erich Ponto, Just Scheu, W. P. Krüger, Ernst Sattler, Hellmut Bergmann, Karl Haubenreißer, Curt Lucas, Hansi Arnstaedt, Leopold von Ledebur, Walter Janssen, Karl Dannemann, Ilse Fürstenberg, Wolfgang Osterholz, Harry Hardt, Hintz Fabricius, Willi Rose, Helmut Kollek, Werner Siegert, Hans Ulrich Bach, Ernst Legal, Gertrud Roloff, Eva Blut, Carla Werner, Barbara Clemen, Roswitha Koennecke, Paul Rehkopf, Karl Mikulski; Musik: Norbert Schultze; Prädikat: «Künstlerisch besonders wertvoll, volksbildend».

Bemerkenswert ist der Aufsatz der Breslauer Ärzteschaft in: *Film-Kurier* vom 22. 9. 1941, in dem es heißt: «Wie sehr der Film in den Bereich ernster Betrachtung und Diskussion gerückt ist, konnte sich nicht deutlicher zeigen, als bei der Sondervorstellung des großen Tobis-Werkes ‹Ich klage an›, die von der Breslauer Pressestelle der Tobis im Capitol veranstaltet wurde. Ein umfassender Kreis von Sachverständigen war geladen und erschienen. Die Gauleitung und das Oberpräsidium waren ebenso hervorragend vertreten wie das Oberlandesgericht, die Staatsanwaltschaft und das Erbgesundheitsgericht. Vor allem aber waren die Mediziner der Einladung gefolgt. Man sah die Chefs wohl aller Universitätskliniken, der Breslauer Krankenhäuser und Lazarette neben den bekanntesten Spezialärzten. Dies bedeutet eine Anerkennung der filmischen Leistung, wie sie von Fachkreisen aus vor einigen Jahren noch nicht möglich gewesen wäre. Anschauungen, die sich durch solche Filme bei den maßgebenden Stellen bilden, bleiben nicht auf den einzelnen Fall begrenzt. Sie wirken sich

weiter aus in einer erhöhten Aufmerksamkeit für den Film als eines sich un-
ablässig weiter entwickelnden Zeugnisses unserer Zeit.»

Am 21. 10. 1941 notierte Lisa de Boor: *Tagebücher aus den Jahren 1938–
1945*, München 1963, S. 88: «Wir sahen den von der Reichskulturkammer besonders angepriesenen Film ‹Ich klage an›, einen Propagandafilm für die Euthanasie, geschickt gemacht, so daß der Normalbürger kaum die Absicht merkt.
Im Grunde ist aber darin übelster Materialismus mit süßlicher Sentimentalität
vermischt.» Für den interessierten Leser ist der Bericht des Sicherheitsdienstes
vom 15. 1. 1942 über den Film *Ich klage an* sehr aufschlußreich. Er ist abgedruckt in: *Meldungen aus dem Reich*, Herausgeber Heinz Boberach, Neuwied/
Berlin 1965, S. 207–211.

Menschen leiden zu sehen und nicht helfen zu können, das ist die här-
teste Pflicht, die den Ärzten in ihrem Beruf auferlegt wird. Aus dem
Aufbegehren gegen diese Machtlosigkeit entstanden die größten Leistungen der medizinischen Wissenschaft.

Wir erleben diesmal keinen Triumph des Arztes. Wir werden ergrif-
fene Zeugen eines Kampfes, den der Mensch gegen höhere Gewalten
führt. Aber aus diesem Unterliegen wächst neue Stärke, ergeben sich
neue Forderungen und Erkenntnisse. Es hat wohl bisher nur wenige
Filme gegeben, die wir so aufgerüttelt verließen und die den einzelnen
Zuschauer mit solcher Gewalt zwangen, sich innerlich mit einem Problem von großer Tragweite zu befassen. Unser Filmschaffen kann stolz
auf dieses Werk sein. Es beweist abermals, in welchem Maße der Film
fähig sein kann, sich mit Fragen zu beschäftigen, die das Leben der Gemeinschaft berühren. Das Beglückende an diesem Film ist, daß er zu seiner zwingenden Wirkung mit dem Einsatz künstlerischer Mittel gelangt. Er ist fürwahr künstlerisch besonders wertvoll.

## «Heimkehr»

Wilhelm Utermann: *Das Filmwerk «Heimkehr» vor Soldaten und Rüstungs-
arbeitern* in: *Völkischer Beobachter* vom 24. 10. 1941.

*Heimkehr*, ein Film über das Schicksal und die Rückkehr der Wolhynien-
Deutschen auf Grund des «Freundschaftspaktes» des Dritten Reiches mit der Sowjetunion; Produktion: Wien-Film GmbH.; Drehbuchautor: Gerhard Menzel;
Regie: Gustav Ucicky; Darsteller: Paula Wessely, Peter Petersen, Attila Hörbiger, Ruth Hellberg, Carl Raddatz, Otto Wernicke, Elsa Wagner, Eduard Köck,
Gerhild Weber, Werner Fuetterer, Franz Pfaudler, Berta Drews, Hermann Erhardt; Musik: Willy Schmidt-Gentner; Prädikat: «Film der Nation – staatspolitisch und künstlerisch besonders wertvoll, jugendwert»; auf der Biennale 1941
in Venedig erhielt der Film den Pokal des italienischen Ministeriums für Volkskultur. Siehe auch die Besprechung des Films *Das war Polen* in: *Völkischer
Beobachter* vom 2. 9. 1941 im Bericht über die Biennale in Venedig.

Vor dem Hintergrund der historischen Weltentscheidung führen die in
diesem großen und ergreifenden Filmwerk gezeigten Schicksale volks-

deutscher Männer und Frauen aus dem Spätsommer des Jahres 1939 zu
dem Grund des uns aufgezwungenen Schicksalkampfes. Deutschland
ging es nicht um imperialistische Eroberungen; die Anerkennung des
Lebensrechtes deutscher Menschen in der Welt stand am Beginn, die
Sicherung ihres Daseins an Leib und Seele. Was in diesen Tagen und
Wochen in den Stimmen der Regierenden über den Kanal und den At-
lantik zu uns tönt, das nahm in den Dezennien vor dem 1. September
1939 in der Not der Volksdeutschen seinen Anfang: der brutale Wille
der plutokratischen Demokratien, Deutschland und die Deutschen zu
vernichten, zu ermorden, auszurotten. Die Schicksale des Filmwerkes
«Heimkehr» stehen für hunderttausende andere.

## «Kolberg»

*Über die Aktualität des historischen Films – Wolfgang Liebeneiner und Veit
Harlan sprachen zu dem neuen Ufa-Farbfilm «Kolberg», in: Film-Kurier vom
21. 12. 1943.*

Am 1. 6. 1943 schrieb Goebbels an Veit Harlan u. a.: «Hiermit beauftrage
ich Sie, einen Großfilm ‹Kolberg› herzustellen. Aufgabe dieses Films soll es
sein, am Beispiel der Stadt, die dem Film den Namen gibt, zu zeigen, daß eine
in Heimat und Front gemeinsame Politik jeden Gegner überwindet» – nach:
Curt Riess: *Das gab's nur einmal*, Hamburg 1956, S. 726. Das war also schon
nach der Konferenz von Casablanca vom 14. bis 25. 1. 1943, wo die «bedingungslose Kapitulation» beschlossen wurde, und nach der deutschen Kapitulation in Stalingrad am 2. 2. 1943. Goebbels wünschte daher einen sogenannten
«Durchhaltefilm»; Kolberg ist im Siebenjährigen Krieg dreimal von den Russen
belagert worden und fiel 1761; 1807 hingegen verteidigte Kolberg sich unter
Gneisenau gegen die Franzosen bis zum Friedensschluß von Tilsit. Dieses
«Durchhalten» sollte der Film behandeln. Kolbergs Bürger unter Joachim Nettelbeck waren bis auf wenige Ausnahmen fest entschlossen, die Stadt nicht in
die Hände des Feindes fallen zu lassen, auch wenn sie alle dabei zugrunde gehen sollten; nachdem der Kommandant der Festung Kolberg in seinem Entschluß schwankend wurde, übernahm Oberst Gneisenau das Kommando, der
genau wie Nettelbeck dachte und die Festung um jeden Preis halten wollte.
Nettelbecks Worte: «Unsere Häuser können verbrennen, aber unsere Erde bleibt»,
werden natürlich auch im Film gesprochen.

*Kolberg;* Produktion: Ufa; Drehbuchautoren: Veit Harlan und Alfred Braun;
Regie: Veit Harlan; Darsteller: Heinrich George, Kristina Söderbaum, Paul We-
gener, Horst Caspar, Gustav Dießl, Otto Wernicke, Irene von Meyendorff, Kurt
Meisel, Claus Clausen, Jaspar von Oertzen, Jakob Tiedtke, Paul Bildt, Franz Schaf-
heitlin, Hans Hermann Schaufuß, Paul Henckels, Charles Schauten, Heinz Lausch,
Josef Dahmen, Franz Herterich, Fritz Hoopts, Otz Tollen, Werner Scharf, Theo
Shall, Herbert A. E. Böhme, Herbert Klatt; Musik: Norbert Schultze; Prädikat:
«Film der Nation – staatspolitisch und künstlerisch besonders wertvoll, kulturell wertvoll, volkstümlich wertvoll, anerkennenswert, volksbildend, jugend-
wert».

Berlin, den 23. Dezember – Vor einigen Wochen haben die Dreharbeiten zu dem neuen großen Farbfilm der Ufa «Kolberg» begonnen, den Veit Harlan inszeniert und in dem das Heldentum der Bürger einer bombardierten Stadt als großes und verpflichtendes Thema der Handlung zugrunde gelegt wurde. Um Zweck und Ziel dieser Filmarbeit zu umreißen, sprachen der Produktionschef der Ufa, Professor Wolfgang Liebeneiner, und der Spielleiter, Professor Veit Harlan, vor der Berliner Presse über die aktuelle Bedeutung, die einem solchen historischen Film gerade in unserer Zeit zukommt.

Professor Liebeneiner warf zu Beginn die Frage auf, ob Filme im historischen Kostüm überhaupt gerechtfertigt seien, Filme also, die in einer Zeit spielen, da es noch gar keinen Film gab. Erst eine spätere Zeit wird es einmal so recht begreifen, daß es eine der Hauptaufgaben des Films ist, der Nachwelt ein getreues Abbild der Vergangenheit vermitteln zu können, und so gesehen, werden alle Filme, die wir heute drehen, einmal wahrhaft «historisch» sein. Soll sich ein historischer Film nun bemühen, in allen Teilen der uns überlieferten Geschichte treu zu bleiben? – Im gewissen Sinne ja, denn der Film darf die Geschichte nicht verfälschen. Aber Kunst, und die Filmkunst im besonderen, besteht zum großen Teil aus Weglassen. Und so wird ein historischer Film immer nur einen Teil, ein kleines Kapitel der Historie zeigen können, das uns allerdings die großen Zusammenhänge erahnen lassen soll. Professor Liebeneiner wies auf seine beiden Bismarck-Filme hin, die in ihrer Anlage grundverschieden von einander waren. Hatte er sich im ersten Film bemüht, nur Szenen zu zeigen, die auch in der Wirklichkeit tatsächlich geschehen sind[1], so dominierte im zweiten Bismarck-Film das Symbolische[2]. Immer aber war es ihm darum zu tun, die Wirkung menschlicher Charaktere auf ihre Umwelt zu zeigen.

Es war die Aufgabe des Filmmannes, zu zeigen, daß nicht die «Verhältnisse» oder irgendwelche von aussen kommende Mächte ausschlaggebend waren, sondern daß Menschen und Charaktere die Geschichte machen. Auch die großen, führenden Charaktere aber werden letzten Endes von jedem einzeln von uns getragen, und so kann niemand seinen Teil an der Geschichte von sich abwälzen. Jeder ist in gewisser Beziehung für das Geschehen seiner Zeit mitverantwortlich und hat seinen Teil daran zu tragen.

Professor Veit Harlan, der ebenso wie Professor Liebeneiner frei sprach, schilderte zunächst die Situation, in der sich die Festung Kolberg im Jahre 1807 befand, als sie von den Franzosen sechs Monate lang belagert und bombardiert wurde. Unter der Führung Gneisenaus und Net-

---

1 Der erste Bismarck-Film Liebeneiners wurde 1940 uraufgeführt.
2 Liebeneiners zweiter Bismarck-Film, *Die Entlassung*, ist 1942 uraufgeführt worden.

telbecks hielt sich die Festung gegen eine vielfache Übermacht. Die Häuser der Bürger wurden zerstört, aber die Stadt wurde gehalten, und die Bürger wurden nach dem Frieden von Tilsit für ihre tapfere Haltung belohnt, da ihnen ihr Anteil an der Kriegskontribution erlassen wurde. Zwar bedeutete der Friede von Tilsit noch nicht die Rettung. Diese geschah erst sechs Jahre später nach dem Sieg über Napoleon in der Völkerschlacht bei Leipzig. Aber Kolberg, das mit seiner Bürgergarde gegen den übermächtigen Feind standhielt, bleibt ein Symbol für das Heldentum des deutschen Menschen.

Auch wir leben heute in einer Zeit, in der es für jeden von uns auf Tod und Leben geht.

Am Schluß seiner kurzen Ansprache sagte Professor Harlan folgendes:

Ich weiß, es werden sehr viele Skeptiker da sein und alle möglichen Argumente gegen einen solchen Film vorbringen. Dennoch will ich meine Ehre dareinsetzen, mit diesem Film das zu sagen, was heute wohl jeder Bürger in einer ähnlichen Situation ausspricht. Ich will dem Publikum von heute das Heldentum seiner Vorfahren vor Augen führen, will ihm sagen: Aus diesem Kern seid Ihr geboren, und mit dieser Kraft, die Ihr von Euren Ahnen ererbt habt, werdet Ihr auch heute den Sieg erringen. Das Volk soll die Kraft bekommen, es seinen Vätern gleich zu tun. Und so wird denn dieser Film zwar auch ein Denkmal für Gneisenau und Nettelbeck sein und ein Denkmal für die Bürger von Kolberg, doch vor allem soll er ein Denkmal dafür werden, wie die Deutschen heute sind.

## «Verräter vor dem Volksgericht»

Der Öffentlichkeit ist dieser Film vom Prozeß gegen die Teilnehmer an der Widerstandsaktion des 20. Juli 1944 niemals gezeigt worden, aber es gibt Berichte von Kameraleuten, die dazu befohlen wurden und über das Zustandekommen des Films aussagen können. Siehe dazu: *Das Schauspiel des Entsetzlichen*, in: *20. Juli 1944*, neubearbeitet und ergänzt von Emil Zimmermann und Hans-Adolf Jacobsen, Bonn 1960, S. 109–211. Hans Hinkel gab Auftrag, diesen Film zu drehen, wie der Kameramann Erich Stoll aussagte; die Widerständler sind an Schlachterhaken aufgehängt worden; dem Scharfrichter hatte Hitler erklärt: «Ich will, daß sie erhängt werden, aufgehängt wie Schlachtvieh», ebd. S. 211.

Herrn                 Leiter Film – Reichsfilmintendant
*Staatssekretär*         Berlin, den 31. August 1944

*Betrifft:* Dokumentar-Film «Verräter vor dem Volksgericht».
Ich habe dem Herrn Staatssekretär vorgetragen, daß Reichsleiter Bor-

mann[1] offiziell Bedenken dagegen geäußert hat, daß wir den Dokumentar-Film «Verräter vor dem Volksgericht» an die Gauleiter auslei-
hen. Reichsleiter Bormann ist davon überzeugt, daß die Gauleiter jeweils einen größeren Personenkreis an der Vorführung beteiligen, aus
dem heraus sehr leicht eine unerfreuliche Diskussion über diese Prozeß-
führung erfolgen kann.

Da der Herr Minister[2] in seinem Rundruf sämtlichen Gauleitern diesen Film einschließlich der Exekutionsszene zusagte, hat der Herr Staatssekretär entschieden, daß den Gauleitern dieser Film bei der nächsten
Tagung gemeinsam vorgeführt wird. Den Entwurf eines Fernschreibens
als Benachrichtigung an die Gauleiter darf ich in der Anlage beifügen.

Heil Hitler!
Hinkel

---

1 Martin Bormann war Hitlers Sekretär; ausführlicher über ihn s. Joseph
Wulf: *Martin Bormann – Hitlers Schatten*, Gütersloh 1962.

2 Dr. Goebbels.

## Organisatorisches

## Hitlerjungen lernen filmen

Christel Reinhardt: *Der Jugendfunk*, Würzburg 1938, S. 30.

Welcher Art sind die Beziehungen zwischen der Jugend und dem publizistischen Mittel Film? – Der Film gehört zu den publizistischen Mitteln, die sich der Stadtjugend geradezu aufdrängen, da er als Erzeugnis einer Industrie auf die Reklame angewiesen ist. Die Filmzensur sorgt dafür, daß diese Gebundenheit an eine Industrie und ihre geschäftlichen Grundsätze sich auf die Jugend nicht nachteilig auswirken. Sie trifft die Entscheidung, ob Jugendliche Zutritt zu einem Film haben sollen, oder nicht (die Altersgrenze ist auf 18 Jahre festgesetzt). Auch der Film ist als publizistisches Mittel durch seine Bildwirkung von einer großen Eindrucksfähigkeit für die Jugend. Von besonderem weltanschaulichem Einfluß sind neben den großen Spielfilmen mit der Kennzeichnung «Staatspolitisch wertvoll» vor allem die Wochenschauen und Kulturfilme. Auch das publizistische Mittel Film wird von der Jugend erobert: so führte der Deutschlandsender vom 24. März 35 ab eine Bastelreihe durch «Hitlerjungen lernen filmen». Im Dezember 1935 wurde ein Film aus dem Erleben der Hitler-Jugend fertiggestellt, «Die Stadt der weißen Zelte». Dieser Film gab einen Einblick in das Südwestdeutschlandlager der HJ in Offenburg in Baden. Auch der erste Fernsehfilm, der auf der Rundfunkausstellung 1935 gezeigt wurde, war ein Film aus dem Leben der HJ.

## Statistik

Konradjoachim Schaub: *Jugend und Film* in: *Filmwoche*, 1940, Heft 7, S. 149.

Mit der Machtübernahme wurde auch hier ein grundlegender Wandel geschaffen. Die Einheit von Staat und Partei und die Beauftragung der Hitlerjugend mit der Führung der gesamten deutschen Jugend ermöglichte es, organisch die langersehnte Jugendfilmstunde zu schaffen. Welche mühselige Arbeit selbst die Hitlerjugend noch leisten mußte, um bis zu dem heutigen Stand der Jugendfilmarbeit zu gelangen, beweisen am besten ein paar Besucherzahlen. In der Spielzeit 1933/34 wurden zur Jugendfilmstunde erst einige zehntausend Jugendliche erfaßt. 1934/35 waren es schon 30 000. 1935/36 waren es bereits 1 Million und 1936/37 näherte man sich der Dreimillionengrenze, die man jetzt schon überschritten hat.

## Schlagartig

*50 000 in Jugendfilmstunden*, in: *Der Film* vom 31. 10. 1936.

Am letzten Sonntag im Oktober werden schlagartig im ganzen Gebiet Mittelelbe die Jugendfilmstunden der Hitler-Jugend begonnen. In Zusammenarbeit mit der Gaufilmstelle der NSDAP Magdeburg-Anhalt sind eine Anzahl der größten und schönsten Lichtspieltheater des Gaues gemietet worden, um in ihnen die Meisterwerke deutscher Regisseure und Schauspieler den Jungen und Mädeln des Gebietes und Obergaues Mittelelbe zu zeigen.

## Filmschau

*Filmschau der Hitler-Jugend: Junges Europa*, in: *Zeitschriften-Hinweise der Reichspressestelle der NSDAP* vom 21. 8. 1942.

Die Reichsjugendführung hat eine Filmschau «Junges Europa» geschaffen, die einen Einblick in die Arbeit der Hitler-Jugend während des Krieges ermöglicht und die zusammen mit der Wochenschau in rund 2000 Filmtheatern des Reiches vom Ende dieser Woche ab gezeigt wird. Diese Filmschau wurde auf dem europäischen Jugendfilm-Wettbewerb in Florenz 1942 in der Sparte «Dokumentarfilm» mit dem ersten Preis und dem Ehrenpreis des Faschistischen Parteisekretärs ausgezeichnet. 5–6 Folgen dieser Filmschau sollen im Ablauf eines Jahres, gekoppelt mit der deutschen Wochenschau, in den deutschen Filmtheatern eingesetzt werden.

Da der Filmstreifen «Junges Europa» in eindrucksvoller Form den in seiner Vielfalt noch nicht allgemein bekannten Kriegseinsatz der deutschen Jugend zeigt und eine angehängte kurze Spielszene eine erzieherische Wirkung ausüben wird, werden die Schriftleitungen gebeten, auf diese Filmschau bei evtl. Besprechungen besonders aufmerksam zu machen und ihren politisch-pädagogischen Wert herauszuarbeiten.

# Filme

## «Hitlerjunge Quex»

*Die Welturaufführung in München – Die festliche Aufführung des Ufa-Films
in Anwesenheit des Führers*, in: *Reichsfilmblatt* vom 16. 9. 1933.

*Hitlerjunge Quex*; Produktion: Ufa; Drehbuchautoren: K. A. Schenzinger und
B. E. Lüthge nach dem gleichnamigen Roman von K. A. Schenzinger – über
Karl Aloys Schenzinger und seinen Helden Herbert Norkus siehe ausführlich
in: *Literatur und Dichtung im Dritten Reich* (Ullstein Buch 33029), S. 243[2];
Regie: Hans Steinhoff; Darsteller: Heinrich George, Berta Drews, Claus Clau-
sen, Hermann Speelmans, Rotraut Richter, Karl Meixner, Hans Richter, Rudolf
Platte, Karl Hannemann, Ernst Behmer, Hans Joachim Büttner, Franziska Kinz,
Ernst Rotmund, Reinhold Bernt, Hans Deppe, Anna Müller-Lincke, O. E. Stern
und Teile der Berliner Hitler-Jugend; Musik: Hans-Otto Borgmann; Prädikat:
«Künstlerisch besonders wertvoll».

Als bei der Uraufführung des Films das letzte Bild versunken war,
standen auf der großen Bühne der Hitler-Junge und das Hitler-Mäd-
chen wie zwei kleine Wanderer in einer großen Welt und grüßten mit
erhobenem Arm hinauf zum Führer. Er aber trat vor und dankte ihnen
ebenso und blickte mit einem gütigen Lächeln auf die beiden unbekannten Spieler und Sprecher der großen deutschen Hitler-Jugend hinab, die
das Walten des Zufalls dazu ausersehen hatte, für Hunderttausende
Zeugnis abzulegen von einer Gesinnung, die würdig neben den großen
Tagen der Bahnbrecher der Bewegung stehen kann.

Der Gruß des Führers galt der Unverbrüchlichkeit eines Geistes, der
auf Gedeih und Verderb zum Vaterlande steht und der immer wieder
unaufdringlich aus den Tiefen des Films emporsteigt.

Am Anfang und am Ende des Films steht das Lied der Hitler-Jugend,
das Baldur von Schirach gedichtet hat: «Unsere Fahne flattert uns voran / in die Zukunft zieh'n wir Mann für Mann. / Wir marschieren für
Hitler durch Nacht und durch Not, / mit der Fahne der Jugend für Freiheit und Brot. / Unsere Fahne flattert uns voran. / Unsere Fahne ist die
neue Zeit, / und die Fahne führt uns in die Ewigkeit. / Ja, die Fahne ist
mehr als der Tod!»

Es war ein Festprogramm, umrahmt von Bruckners F-Dur-Sympho-
nie, von einer hinreißend schönen Ansprache des Reichsjugendführers,
der an das Vorbild des Films, den in Berlin ermordeten Herbert Norkus
erinnerte.

## «Traumulus»

Kurt Fervers: *Vom Traumulus zum neuen Jugendfilm* in: *Pressedienst der
Reichsfilmkammer*, Anfang März 1936.

Kurt Fervers war Bannführer in der Reichsjugendführung.

*Traumulus,* psychologisches Sitten- und Schülerdrama; Produktion: Carl Froelich Tonfilm-Produktion GmbH.; Drehbuchautoren: R. A. Stemmle und Erich Ebermayer nach dem gleichnamigen Bühnenwerk von Arno Holz und Oskar Jerschke; Regie: Carl Froelich; Darsteller: Emil Jannings, Harald Paulsen, Hilde Weißner, Hildegard Barko, Paul W. Krüger, Hannes Stelzer, Hans Joachim Schaufuß, Hans Richter, Hilde von Stolz, Herbert Hübner, Ernst Waldow, Otto Stoeckel, Bruno Fritz, Hugo Froelich, Gaston Briese, Max Rosen, Walter Steinbeck, Hans Brausewetter, Karl Etlinger, Walter Werner, Harry Frank, Ernst Legal, Else Ehser, Rolf Moebius, Hermann Braun, Rolf Müller, Achim Schmidt, Rudolf Klicks; Musik: Hansom Milde-Meißner; Prädikat: «Staatspolitisch und künstlerisch besonders wertvoll».

Emil Jannings bekam für seine Rolle in diesem Film den Nationalpreis 1936, siehe: *Verleihung der Kulturpreise durch Dr. Goebbels in der Festsitzung der Reichskulturkammer,* in: *Berliner Lokal-Anzeiger* vom 2. 5. 1936, Morgenausgabe.

Die ausgesprochen jugendliches Leben darstellenden Abschnitte des Films zeigen in allen Einzelheiten eine Jugend der Vergangenheit, die mit der heutigen Jugend nur noch die Zahl der Jahre gemeinsam hat. Trotzdem, vielleicht auch gerade deshalb, wirkt auf die Zuschauer die Darstellung dieses jungen Lebens. Jedenfalls weckt schon – auch ganz aus der Handlung herausgelöst – das Leben in dem Internat und das zwar nicht schöne, aber doch den geschichtlichen Tatsachen entsprechende Leben in der Schülerverbindung (solche Schülerverbindungen gab es auch noch, wenn auch freilich immer seltener werdend, in der Nachkriegszeit) als Reportage ein eigenes Interesse. Man kann aus all diesen Tatsachen ermessen, welche Beachtung ein Film fände, der einen Ausschnitt aus dem Leben der Jugend der Gegenwart bringt.

## «Kopf hoch, Johannes»

Heinrich Miltner in: *Film-Kurier* vom 20. 7. 1940.

*Kopf hoch, Johannes;* Produktion: Majestic-Film; Drehbuchautoren: Toni Huppertz, Wilhelm Krug und Felix von Eckardt nach einer Idee von Toni Huppertz; Regie: Victor de Kowa; Darsteller: Albrecht Schoenhals, Dorothea Wieck, Klaus Detlef Sierck, Leo Peukert, Volker von Collande, Karl Dannemann, Renée Stobrawa, Hans Zesch-Ballot, Rudolf Vones, Karl Fochler, Otto Gebühr, Eduard von Winterstein, Gunnar Möller, Wilfried Behrens, Karl Heidmann, Franz Weber, Jürgen Jacob, Hans Joachim Zell, Günther Leckebusch, Harald Föhr-Waldeck, Gabriele Hoffmann; Musik: Harald Böhmelt.

Der Film packt ein heutiges Thema an. Er schildert, wie ein deutscher Junge (Claus Detlef Sierck), der in Argentinien unter der verzärtelnden Obhut seiner Mutter aufgewachsen und wegen Ehezwistigkeiten dem Vater (Albrecht Schoenhals) entfremdet worden ist, nach Deutschland zurückkommt und in einer Nationalpolitischen Erziehungsanstalt erzogen wird. Das geht nicht ohne Zwischenfälle und seelische Krisen ab. Aber der Geist der Jungmannen, die unsere Nationalpolitischen Erziehungsanstalten besuchen, und die kameradschaftliche Fürsorge der Erzieher in diesen Anstalten «krempeln» den Jungen von Grund auf um.

## «Jakko»

*Jakko – ein Film unserer Jugend,* in: *Völkischer Beobachter* vom 13. 10. 1941.

*Jakko,* Roman von Alfred Weidenmann im Milieu der Marine-HJ; Produktion: Tobis-Film; Drehbuchautor: Fritz Peter Buch; Regie: Fritz Peter Buch; Darsteller: Norbert Rohringer, Eugen Klöpfer, Aribert Wäscher, Carsta Löck, Hilde Körber, Albert Florath, Ali Ghito, Armin Schweizer, Hans Meyer-Hanno, Paul Verhoeven, Walter Werner, Bettina Hambach, Trude Hesterberg, Ernst Legal, Paul Westermeier, Ewald Wenck, Gerhard Hüfner, Heddo Schulenburg, Lutz Götz, Rüdiger Trantow, Inge Cupei, Gerhard Geisler, Manfred Leber, Rolf Storch, Erich Dunskus, Eduard Wenck, Paul Rehkopf, Harry Hardt, Hans Mierendorff, Eva Maria Meier, Ilse Scheffels, Inge Schlenker, Ursula Zell, Wilhelm Grosse, Hans-Heinz Wunderlich, Käthe Jöken-König, Franz Berghaus, Günther Clemm, Horst Rittberger, Martin Affelt; außerdem wirkten Berliner Volksschüler und Marine-HJ aus Danzig mit; Prädikat: «Staatspolitsch wertvoll, jugendwert».

An die Rede [1] schloß sich die Uraufführung des Filmes «Jakko», der keinen würdigeren Rahmen, aber auch keine aufgeschlossenere Zuschauerschaft finden konnte, als diese Pimpfe, Hitlerjungen und -mädel, die soeben die Eröffnung der Filmfeierstunde miterlebt hatten. Denn es handelt sich bei «Jakko» um ein jugendeigenes Thema, nämlich um die Frage, ob und wie ein an sich wertvoller Außenseiter in die Gemeinschaft der Staatsjugend eingefügt werden kann. Zu der thematischen Seite tritt die künstlerische. Eine solche Fragestellung kann künstlerisch und gedanklich niemals von jugendfremden Kräften auch nur annähernd befriedigend gelöst werden, die im besten Falle eine l'art-pour l'art-Lösung finden würden. «Jakko» aber entstand auf Grund des Romans von Alfred Weidenmann, dessen Schaffen und Leben mit der Hitlerjugend engstens verbunden ist. Und wer den Spielleiter Fritz Peter Buch an der Arbeit beobachtet hat, weiß, daß er Herz und Einfühlungsvermögen für die Jugend in ungewöhnlichem Maße besitzt.

---

[1] Es sprach der Bevollmächtigte des Reichsjugendführers, Stabsführer Marka Möckel, der Autor von: *Hitlermädel kämpfen um Berlin,* Stuttgart 1935.

# Wochenschau

Es handelt sich hier nur um die Wochenschau ab Kriegsbeginn; die propagandistische NS-Filmarbeit einschließlich der Wochenschau wird unter «Filmorganisation der NSDAP», S. 331 f, behandelt. – Laut *Film-Kurier* vom 18. 9. 1936 zeigte die Ufa-Wochenschau vom 1. 6. 1935 bis 31. 5. 1936:

|  | in m je Aufnahme Durchschnittliche Länge | Anzahl der Aufnahmen |
|---|---|---|
| a) Aufmärsche | 40 | 50–60 m |
| b) Redner | 35 | 60 (30–120) m |
| c) Sonstiges politisches Leben | 55 | 28–30 m |
| d) Wehrmacht | 21 | 35 m |
| e) Kämpfe in Abessinien | 51 | 30 m |

## Heißes Mitgefühl

*Wochenschaubericht aus den Flüchtlingslagern*, in: *Film-Kurier* vom 25. 8. 1939.

Selten hat ein dokumentarischer Film einen so starken Eindruck auf die Zuschauer gemacht wie die neue Folge der Wochenschau mit ihrem Bericht von der Not der aus Polen geflüchteten Deutschen. Nach einer filmischen Darstellung der Situation in Danzig führt uns die Tonkamera in die Flüchtlingslager längs der polnischen Grenze. Der erste Teil der Aufnahmen ist stumm, aber schon ein Blick auf die Menschen zeigt, wie furchtbar ihre Erlebnisse gewesen sind und was sie haben aushalten müssen, ehe sie als letzten Ausweg die Aufgabe ihres Eigentums und die Flucht über die Grenze wählten. Da stehen Männer, die ein Leben voller Entbehrungen gezeichnet hat, neben verhärmten Frauen und unterernährten Kindern. Schon diese stumme Anklage ist erschütternd. Dann aber beginnen diese Menschen zu sprechen.

Viele Frauen können nicht sprechen, sie schluchzen nur vor sich hin. Andere erzählen von der Schwere ihres Kampfes um ihr Volkstum. Immer wieder geht es um die Sprache, um die Schulen für die Kinder.

Heißes Mitgefühl strömt den deutschen Brüdern und Schwestern entgegen. Fast alle Frauen haben zu ihren Taschentüchern gegriffen, niemand schämt sich der Tränen. Die Männer sitzen da, ihre Gesichter sind hart und entschlossen geworden.

Zehn Minuten Wochenschau – ein Erlebnis, das nie verlöschen wird.

# Der Höhepunkt

Felix Henseleit: *Die neue Wochenschau* in: *Film-Kurier* vom 11. 7. 1940.
Felix Henseleit, * 1903, Filmkritiker; die hier besprochene Wochenschau hatte fast tausend Meter; Prädikat: «Staatspolitisch wertvoll, künstlerisch wertvoll, volksbildend».

Ein Kampf ohne Beispiel endete mit einem Siege, wie ihn in diesem Ausmaße die Geschichte nicht kennt. Die Ereignisse im Westen, die das deutsche Schwert herbeiführte, sind in so schneller Folge eingetreten, daß wir, die wir diese Ereignisse sich vollziehen sahen, noch heute nach Worten und Begriffen für die Größe des Geschehens suchen müssen.

Die neue Wochenschau krönt die Reihe der Dokumentarfilme, die PK-Kameramänner und Wochenschaugestalter in den Wochen seit Beginn der großen Offensive schufen, mit einem Bericht, der die volle Größe des Geschehens nochmals zum Bewußtsein bringt.

Generalfeldmarschall Hermann Görings kurzem Besuch in der französischen Hauptstadt ist ein interessanter Bericht gewidmet.

Die Höhepunkte der Wochenschau sind die Berichtsabschnitte, die die Heimkehr, den Triumphzug des Führers nach Berlin schildern. Wir sehen den Führer bei der Fahrt durch die Vogesen, wir sehen ihn inmitten seiner Soldaten, deren Jubeln ihn umbrandet, wir sehen ihn in Straßburg, der alten deutschen Stadt, und wir sehen ihn auf den Schlachtfeldern der Maginotlinie. Die vernichtende Wirkung der deutschen Waffen diesen mit vollendeter Technik ausgestatteten Festungswerken gegenüber (wir sehen auch französische Propaganda-Aufnahmen aus der Zeit vorher) wird gezeigt. Der Zug des Führers fährt durch das jubelnde Land. Überall werden ihm Zeichen der Liebe, der Treue, der Dankbarkeit entgegengebracht. Berlins Einzugsstraßen sind in einen Blumenteppich verwandelt worden. Der siegreiche Feldherr wird von seinem Volke unter dem festlichen Geläut der Glocken empfangen.

# Ganz bewußt

Hans Joachim Giese: *Die Film-Wochenschau im Dienste der Politik* in: *Leipziger Beiträge zur Erforschung der Publizistik*, Herausgeber Prof. Dr. Hans A. Münster, Bd. 5, Dresden 1940, S. 54–55.

Hatte sich die NSDAP während der Kampfzeit nur in geringem Umfang des Films bedienen können, so ging sie nach der Machtergreifung ganz bewußt dazu über, ihn in den Dienst einer einzigen großen Idee, der Idee des Volksstaates, zu stellen und ihm die Wesenszüge ihrer Weltanschauung aufzuprägen. Vor allem war es die Wochenschau, die vom nationalsozialistischen Staat, in klarer Erkenntnis ihrer hervorragenden Eignung als politisches Führungsmittel, zuerst ihrer eigentlichen publizistischen Aufgaben zugeführt wurde. Die unverbindliche Bildnachricht vergangener Jahre wurde durch eine in erster Linie von staatspolitischen, kulturpolitischen und volksbildenden Gesichtspunkten geleiteten Filmberichterstattung abgelöst, die, ohne daß es dem einzelnen Betrachter zum Bewußtsein kommt, wertvolle Erziehungs- und Aufbauarbeit leistet.

Die deutsche Wochenschau hat es nach der geistigen Erneuerung des Films z. T. schon in vorbildlicher Weise erreicht, in allen Schichten und Kreisen der Bevölkerung innerhalb und außerhalb der Reichsgrenzen die Erkenntnis zu vermitteln und zu vertiefen, wie lebensnotwendig und staatserhaltend die Maßnahmen der Führung sind, und welche Früchte sie in der Gegenwart und für die Zukunft tragen können.

## Zensurpflichtig

Aus dem Archiv des Instituts für Zeitungswissenschaft in München.

Presse-Rundschreiben Nr. II/117/41       Reichspropagandaamt Berlin
Rundspruch Nr. 301                29. September 1941

Die Wochenschauen können in Zukunft wieder in der Presse besprochen werden, doch ist der Text der Besprechung zensurpflichtig.

## Darüber hinaus

*In der neuen Wochenschau spiegelt sich harte Entschlossenheit bis zum Endsieg, in: Film-Kurier vom 6. 5. 1942.*

Das Treffen des Führers mit dem Duce steht an der Spitze der neuen Deutschen Wochenschau.

Darüber hinaus spricht die Entschlossenheit aus vielen anderen Aufnahmen dieser neuen Deutschen Wochenschau. Durch den Sumpf und Morast der sowjetischen Straßen geht es vorwärts. Die Räder der Lastkraftwagen mahlen sich im dicken, zähen Schlamm fest. Oft erscheint es hoffnungslos, die schweren Fahrzeuge wieder flott zu machen. Aber es wird geschafft. Unsere Landser packen mit harten Fäusten zu; starkmotorige Raupenschlepper ziehen im langsamen zähen Zug die Laster und Personenwagen immer wieder heraus. Es muß geschafft werden, und es wird geschafft.

# Demokratische Schwätzereien

Dr. Joseph Goebbels: *Das eherne Herz*, München 1943, S. 43.

Beispielgebend und im höchsten Grade fördernd hat die Arbeit der
Deutschen Wochenschau gewirkt. Sie ist in einem Umfange von uns,
vor allem durch die heroische Einsatzbereitschaft unserer Propaganda-
kompanien, gefördert worden, daß man, ohne in nationale Prahlerei zu
verfallen, heute ruhig behaupten darf, daß wir auf diesem Gebiet der
Weltproduktion gegenüber einen kilometerweiten Vorsprung halten,
der gar nicht mehr eingeholt werden kann. Wir haben das in der Hauptsache unseren PK-Männern zu danken, die ja zum größten Teil aus den
Reihen unserer Filmkameraleute hervorgegangen sind oder doch von
ihnen erzogen wurden. Viele von ihnen haben im Dienste der deutschen
Nation ihr Leben gelassen. Hier offenbart sich eine im höchsten Grade
moderne Art der Kriegführung, an die die dilettantische Propaganda
der Feindmächte überhaupt nicht heranreicht. Was bedeuten demgegenüber noch demokratische Schwätzereien, die sich durch ihre Erfolglosig-
keit selbst widerlegen?

## Die Invasion

Helmut Hagenried: *Dokument vom Kampf gegen die Invasion* in: *Film-Kurier*
vom 20. 7. 1944; diese Wochenschau ist 467 Meter lang; Prädikat: «Staatspolitisch wertvoll, künstlerisch wertvoll, volksbildend».

In der ersten Stunde des 6. Juni, wenige Minuten nach Mitternacht, beginnt jene Phase der weltgeschichtlichen militärischen Auseinandersetzung, in der nach den Ankündigungen unserer Feinde ein entscheidender Teil der Festung Europa angegriffen und in kürzester Frist aufgerollt werden sollte, um so den anglo-amerikanischen Invasionstruppen
den Weg nach Deutschland zu öffnen. Den Beginn dieses Ringens, das
seitdem die Welt in Atem hält, hat die Wochenschau in einer knappen,
erregenden Folge dokumentarischer Bilder festgehalten.

Wie ein Ruck geht es durch die deutsche Front: Schnelle Einheiten der
Kriegsmarine setzen zu nächtlichen Gegenstößen an, den Breitseiten bri-
tischer Kriegsschiffe antworten die Küstenbatterien, Stoßtrupps der Infanterie vernichten aus der Luft gelandete Gegner, aus allen Rohren
flammen die Mündungsfeuer der schweren Geschütze; in die Hölle der
deutschen Abwehr, in eine Symphonie von Blut und Schmutz laufen,
wie britische Zeitungen schreiben, die Invasoren hinein!

Überall zeichnen sich die Spuren der Vernichtung, der ungeheuren
Material- und Menschenverluste ab, die der Feind in dieser Hölle erlitt.
Deutsche Eingreifverbände werden zu einem großangelegten Gegen-

stoß an den Feind herangeführt. An einem Teilabschnitt der Front erleben wir ein Gefecht der SS-Division «Hitler-Jugend». Aus Feldern und Wiesen werden immer wieder Gruppen feindlicher Landungsgruppen herausgeholt. An brennenden amerikanischen Panzern vorbei geht es weiter. Deutsche Panzer rollen nach vorn, gefolgt von den Grenadieren.

# Varia

## Dr. Joseph Goebbels

Es gibt verschiedene Goebbels-Biographien, in denen dieser Film-Manager des Dritten Reichs klar skizziert wird, vor allem Curt Riess: *Joseph Goebbels*, Baden-Baden 1950; Heinrich Fraenkel – Roger Manvell: *Joseph Goebbels*, Köln 1960; und Helmut Heiber: *Joseph Goebbels*, Berlin 1962; nun darf man allerdings nicht glauben, Goebbels habe tatsächlich eine eigene Meinung und Vorstellung vom Film gehabt; so erzählt Hermann Rauschning in: *Gespräche mit Hitler*, Zürich 1940, S. 48, u. a., Hitler und Goebbels hätten sich im Privatkino der Reichskanzlei zusammen einen Film über Friedrich den Großen angesehen und Letzerer habe gemeint: «Ein fabelhafter Film! Ein großer Film! Das ist es, was wir brauchen!» Kurz darauf erklärte jedoch Hitler: «Ein Greuel! Ein Schmarren! Das muß polizeilich verboten werden. Es ist genug mit diesem patriotischen Kitsch!» Goebbels paßte sich sofort seinem «Führer» an und versicherte nun ebenfalls: «Jawohl, mein Führer, es war ein schwaches Stück!» So also sah es mit der künstlerischen Überzeugung von Goebbels aus.

Über und von Goebbels siehe auch: *Reichspropagandaminister über deutsche Filmaufgaben*, in: *Film-Kurier* vom 16. 3. 1933; *Goebbels über Filmfragen*, in: *Deutsches Volksblatt*, Stuttgart, vom 30. 3. 1933; *Der Weg zum nationalen Film*, in: *Fränkischer Kurier* vom 30. 3. 1933; Felix Henseleit: *Neubau* in: *Reichsfilmblatt* vom 20. 5. 1933; *Dr. Goebbels rechnet ab*, in: *Film-Journal* vom 21. 5. 1933; *Dr. Goebbels vor den Filmschaffenden*, in: *Licht-Bild-Bühne* vom 10. 2. 1934; *Goebbels über neue Filmkunst*, in: *Westfälischer Kurier* vom 22. 6. 1934; *Dr. Goebbels spricht über den Film*, in: *Deutsche La Plata-Zeitung*, Argentinien, vom 10. 11. 1935; *Der Film wahr und lebensfreudig*, in: *Berliner Lokal-Anzeiger* vom 15. 12. 1935, Sonntagsausgabe; *Dr. Goebbels vor den Kunstschaffenden Wiens*, in: *Der Film* vom 2. 4. 1938.

Hier nun ein Film-Porträt von Goebbels aus: *Licht-Bild-Bühne – Illustrierte Tageszeitung des Films*, vom 28. 10. 1933 unter der Überschrift: *Dr. Goebbels.*

Am morgigen Sonntag könnte Berlin eine Feier begehen, die weit über den Rahmen des Alltäglichen hinausgehen würde, wenn der Jubilar nicht allzusehr gegen derartige Veranstaltungen eingenommen wäre. «Unser Doktor», wie ihn der Berliner schon ganz volkstümlich nennt, wird 36 Jahre alt. Von Geburt Rheinländer, ist er in den Jahren des Berliner Kampfes so sehr und so innig mit der Reichshauptstadt verwachsen, daß er von all denen, die ihn näher kennen, als echter Berliner behandelt wird. Dr. Joseph Goebbels wurde auf Befehl des Führers

Gauleiter von Berlin in einer Zeit, in der man hier an Nationalsozialismus kaum dachte, als der Gedanke einer Vernichtung des Marxismus für Berlin in scheinbar unabsehbare Ferne gerückt war.

Als Adolf Hitler am 30. Januar dieses Jahres die Macht im Staate übernahm, da glaubte und wußte jeder, daß Dr. Goebbels, der in der Reihe der Kämpfer um das Ziel immer eine besondere Stellung einnahm, der als Reichspropagandaleiter der NSDAP an verantwortungsvollstem Posten stand, auch in der neuen Regierung eine besondere Aufgabe erhalten würde. Adolf Hitler hat wie immer auch hier den richtigen Weg gefunden: einer seiner Mitkämpfer, dessen größter Wert und größter Erfolg in dem Erfassen der deutschen Seele lag, der mit dem inbrünstigen Glauben an Deutschland die Fähigkeiten des Trommlers für einen neuen Geist verband, wurde zum verantwortlichen Leiter eines Ministeriums ernannt, das diese Dinge in ihrer Vollendung und Verkündung im neuen deutschen Reich zur Aufgabe hat.

Das deutsche Filmwesen stand in einer Niederung, die die gleiche war in allem geistigen Leben und Erleben. Dr. Goebbels hat sich für den deutschen Film schon einmal und in der Form gar nicht zu verkennenden Weise eingesetzt, als die Machthaber der Vergangenheit Erich Maria Remarques «Im Westen nichts Neues»[1] in Mißverstehen des deutschen Wesens zur Veröffentlichung brachten. Damals, als Dr. Goebbels auf dem Wittenbergplatz vor einer begeisterten Menge sprach, als um ihn herum die Gummiknüppel eines vergangenen Systems ihr Wort sprachen, hat er in stärkster Form ein Bekenntnis zum deutschen Film abgelegt, wie er es in seiner jetzigen Tätigkeit als Reichspropagandaminister fordert und durchführt. Er ist somit der Führer des deutschen Filmschaffens und der deutschen Filmschaffenden geworden. Unter dieser seiner Führung und mit seiner Verantwortlichkeit, für die er immer beredten Ausdruck fand in seinen großen, Richtung und Ziel gebenden Ansprachen vor den deutschen Filmschaffenden im Kaiserhof und in den Wilmersdorfer Tennishallen, in immer neuen Kundgebungen und Erlassen, erstand der neue deutsche Film, gegen alle Widerstandsversuche und gegen alle die alten, so liebgewordenen und doch so schlechten Gewohnheiten. Es hieße Eulen nach Athen tragen, wenn man im einzelnen über die Arbeit des Ministers für und um das deutsche Filmwesen sprechen wollte. Wir bleiben bei seiner alten Parole: die Tat ist alles. Daß er auch dem deutschen Film in dieser Hinsicht den Weg ge-

[1] Erich Maria Remarque, * 1898; sein Kriegsroman *Im Westen nichts Neues*, 1929, wurde ein Welterfolg und bald nach seinem Erscheinen zum roten Tuch für die Nationalsozialisten und andere «völkische» Gruppen; als der gleichnamige Film im Dezember 1930 im Berliner Mozart-Saal anlief, organisierte die NSDAP Krawalle, die Vorführung mußte abgebrochen werden; am 11. 12. 1930 verbot die Filmprüfstelle den Film für ganz Deutschland; siehe Helmut Heiber: *Joseph Goebbels*, Berlin 1962, S. 95 f.

wiesen hat, danken wir ihm von Herzen. Für sein neues Lebensjahr und für alle Zukunft bleibt Berlin, bleibt Deutschland, bleibt Film-Deutschland ihm dankbare Grüße schuldig, die einem Führer, einem Menschen, einem Nationalsozialisten gelten. Dr. Goebbels Sieg Heil!

## Die NSDAP teilt mit

Als Artikel in: *Der Film* vom 18. 3. 1933.

Der Film *Blutendes Deutschland*, um den es hier geht, kam 1933 heraus. Er war ein Dokumentar-Querschnittfilm, ein «Bericht über die geschichtlichen Ereignisse von der Gründung des Deutschen Reiches in Versailles bis zum Herrschaftsantritt Hitlers»; Produktion: Erich Wallis, Deutscher Film-Vertrieb (Defi), Berlin; Verleih: Terra-Film-Verleih GmbH.; Autoren: Erich Wallis und Johannes Häußler; Regie: Johannes Häußler; Sprecher: Philipp Manning. – Siehe auch: *Blutendes Deutschland, begeistert aufgenommen*, in: *Film-Kurier* vom 31. 3. 1933; der Film ist damals wegen seiner «aktuellen Bedeutung» im allgemeinen Programm der Filmtheater vorgeführt worden.

Die Hauptabteilung IV (Film) der NSDAP teilt mit, daß der von der «Defi» nicht im Auftrage der Partei hergestellte Film «Blutendes Deutschland» in seiner ursprünglichen Fassung für Parteiveranstaltungen vermietet wurde. Laut Vertrag mit der Hauptabteilung der NSDAP können politische Parteistellen diesen Film ohne Rücksicht auf jedwedes Vorspielrecht jederzeit und in jedem Ort zur Aufführung bringen. Nach Freigabe des Films für öffentliche Vorführungen hat, wie bereits im «Film» berichtet wurde, die Herstellungsfirma der Terra den Film in Verleih gegeben. Die Partei selbst hat mit der Vermietung des erweiterten Films nichts zu tun.

## «Wenn wir alle Engel wären»

*Deutschland kann lachen – weil es lachen kann*, in: *Licht-Bild-Bühne* vom 19. 10. 1936.

*Wenn wir alle Engel wären*, ein rheinisches Volksstück: Produktion: Carl Froelich Tonfilm-Produktion GmbH.; Drehbuchautor: Heinrich Spoerl nach seinem gleichnamigen Roman; Regie: Carl Froelich; Darsteller: Heinz Rühmann, Leni Marenbach, Harald Paulsen, Lotte Rausch, Will Dohm, Hans Herten, Ernst Waldow, Paul Mederow, Hugo Froelich, Carl de Vogt, Else Dalands, Charlotte Krause-Walter; Musik: Hansom Milde-Meißner; Prädikat: «Staatspolitisch und künstlerisch besonders wertvoll».

Uns beschäftigt nur einzig und allein die Tatsache, daß der Froelich-Film «Wenn wir alle Engel wären» das Prädikat «Staatspolitisch und künstlerisch besonders wertvoll» erhalten hat.

Wo gibt es in der ganzen Welt noch eine Regierung, die den belohnt, der das Lachen lehrt und das Schmunzeln schenkt? Wo gibt es noch

Verwaltungen, Behörden, Staatsmänner und Parteimänner, die sich nicht scheuen, dies öffentlich zu bekunden?

Damals, vor drei Jahren, dachten viele in Deutschland, «daß es nun mit dem Lachen vorbei sei». Ja, mit diesem Lachen war es auch vorbei! Mit dem schmierigen und widerlichen Gegrinse, das aus Nacktrevuen geiferte, das aus den Zoten sprang, die man in Buntbühnen hören konnte. Der Witz jener Tage war verkrampft, der Humor war glitschig, die lustige Laune war Zweideutigkeit. Im neuen Deutschland kann man wieder lachen!

## «Ohm Krüger» und die Greuel englischer Konzentrationslager

Theodor Hüpgens: *Film der Nation* in: *Die Literatur*, 1940/41, S. 411.

Paul Krüger, genannt *Ohm Krüger* oder *Ohm Paul*, 1825–1904, südafrikanischer Staatsmann; er setzte der englischen Politik in Südafrika Widerstand entgegen. Der Film *Ohm Krüger* wurde 1941 – als Europa bereits vom Dritten Reich unterjocht war – als historisches Drama «um das Leben des burischen Freiheitskämpfers» und selbstverständlich als anti-englischer Film gedreht.

*Ohm Krüger*; Produktion: Tobis; Drehbuchautoren: Harald Bratt und Kurt Heuser unter freier Benutzung von Motiven aus dem Roman *Mann ohne Volk* von Arnold Krieger; Regie: Hans Steinhoff, Herbert Maisch und Karl Anton; Darsteller: Emil Jannings, Lucie Höflich, Werner Hinz, Ernst Schröder, Gisela Uhlen, Elisabeth Flickenschildt, Hedwig Wangel, Ferdinand Marian, Gustaf Gründgens, Friedrich Ulmer, Hans Adalbert Schlettow, Eduard von Winterstein, Fritz Hoopts, Max Gülstorff, Walter Werner, Alfred Bernau, Flockina von Platen, Karl Haubenreißer, Franz Schafheitlin, Otto Wernicke, Hans Hermann Schaufuß, Karl Martell, Hilde Körber, Walther Süssenguth, Hans Stiebner, Harald Paulsen, Paul Bildt, Otto Graf, Armin Schweizer, Rudolf Blümner, Louis Brody, Werner Pledath, Ernst Dernburg, Wolfgang Lukschy, G. H. Schnell, Jack Trevor, Werner Stock, Heinrich Schroth, Louis Ralph, Gertrud Wolle, Josef Dahmen, Friedel Heizmann, Gerhard Bienert, Aribert Grimmer, Theodor Thony, Erich Hecking, Paul Rehkopf, Viktor Gehring, Käthe Jöken-König, Arthur Reinhardt, Charlotte Vetrone, Willi Grunwald, Astrid Seiderer, Ingeborg Johannsen, Joe Münch-Harris, Ferdinand Terpe, Wolf Trutz, Walter Schramm-Duncker, Josef Reithofer. Dieser Film wurde zum *Film der Nation* erklärt; Prädikat: «Staatspolitisch und künstlerisch besonders wertvoll».

Der eine Betrachter wird mehr den ungeheuren Aufwand an darstellerischen und bühnenbildnerischen Mitteln hervorheben wollen, der in der Tat nur mit dem Beiwort gewaltig angedeutet werden kann. Ganze Heere in einer heute nicht mehr üblichen Uniformierung antreten zu lassen, die südafrikanische Landschaft aufzunehmen, das Gelände zu finden, Gefechte und Schlachten durchzuführen, die vor einem halben Jahrhundert stattgefunden haben, den englischen Königshof nachzuzeichnen und dabei die geschichtlichen Figuren und Charaktere zu verblüffender Ähnlichkeit zu erwecken, die Greuel der englischen Konzentrationslager zu wiederholen und sich bei all dem nicht etwa mit kleinen, bewegten Ausschnitten zu begnügen, sondern immer ins Volle zu greifen – das sind in der Tat Leistungen, die auch das im Film verwöhnte Auge bannen.

## Das Ziel ist klar

Rolf Flügel: *Biennale 1941* in: *Das XX. Jahrhundert*, Herausgeber Giselher Wirsing und Wilhelm Eschmann, Oktober 1941, S. 349.

Venedig hat einen anderen Rhythmus. – 19 europäische Nationen sind in der Internationalen Filmkammer zusammengeschlossen; ihre Fahnen reihen sich in einem stolzen farbigen Band über der Bühne des Cinema San Marco. Nicht alle sind schon mit eigenen Werken vertreten. Es überwiegen neben Deutschland und Italien die Filme der nordischen Staaten, Norwegen, Schweden, Finnland. Das Protektorat kommt dazu, die Schweiz, Ungarn, Spanien und schließlich aus Übersee Argentinien. Vom Organisatorischen her scheint der Neuaufbau des europäischen Films geglückt, die künstlerische Plattform festzulegen, in ihren Umrissen zu bestimmen, wird die Aufgabe der nächsten Jahre sein. Das Ziel ist klar: Der nationale Film!

## «Geheimnis Tibet»

Lothar Papke: *Wikinger der Wissenschaft* in: *Völkischer Beobachter* vom 20. 2. 1943.
*Geheimnis Tibet* ist eigentlich den wissenschaftlichen Abenteuern von Heinrich Himmlers Forschungsteam der Organisation *Ahnenerbe* zuzuschreiben. Himmler hielt sich selbst für die Reinkarnation von Heinrich I. und gedachte nach dem siegreichen Zweiten Weltkrieg Reichsverweser des SS-Staates Burgund zu werden. Bei seinen «wissenschaftlichen» Experimenten innerhalb und außerhalb der Konzentrationslager beschäftigte er unzählige Wissenschaftler. Der Mitautor und Mitregisseur des Films *Geheimnis Tibet*, Dr. Ernst Schäfer, sein Kollege hieß Hans A. Lettow, war wirklich ein Tibet-Forscher und sollte im Auftrage Himmlers das sogenannte «winterharte Steppenpferd» züchten, das zugleich Reit- und Zuchttier zu sein hatte, sich aber auch melken ließ, um von ihm Butter und Käse zu gewinnen, und dessen Fleisch gegessen werden sollte. Über diese Einzelheiten siehe Joseph Wulf: *Heinrich Himmler*, Berlin 1960, S. 19–26. Produktion des Films: Ufa; Musik: Alois Melichar; Sprecher: Horst Preußker; Prädikat: «Staatspolitisch und künstlerisch wertvoll, volksbildend, jugendwert, Lehrfilm».

Von dem kühnen und glückhaften Unternehmen der SS-Tibet-Expedition, die noch kurz vor Ausbruch des Krieges beendet werden konnte, einem rechten Wikingerzug deutscher Wissenschaft, gibt jetzt der Großkulturfilm der Ufa «Geheimnis Tibet» auch in Berlin eindrucksvolle und erregende Kunde. Was noch keinem Forscher bislang geglückt war, gelang dem jungen Dr. Ernst Schäfer mit seinen vier Kameraden: ganz Tibet zu durchstreifen und sogar eine Einladung in seine Hauptstadt zu erwirken, nach Lhasa, in die sagenhafte und geheimnisumwitterte Hochburg des lamaistischen Buddhismus.

Der Film läßt naturgemäß die wissenschaftliche Ausbeute dieser Expedition nur ahnen. Auch die Geschichte ihres Zustandekommens – durch den Reichsführer-SS ermöglicht – steht anderen Veröffentlichungen anheim. Wenn aber SS-Sturmbannführer Dr. Schäfer bei einer Pressevorführung kürzlich behauptete, der Film vom «Geheimnis Tibet» sei nur ein Beiwerk dieser dritten Fahrt nach Zentralasien, so unterschätzte er wohl die Bedeutung dieses Bildstreifens. Er ist ein nationales Dokument kühner Wissenschaft geworden, ein Zeugnis ihrer kraftvollen Pionierhaltung, im künstlerischen Sinne jedoch die Ballade eines rätselvollen Reiches, des letzten, das auf dieser Erde entschleiert werden konnte.


## Friedrich Bethges späte Pläne

Bezeichnenderweise kam Bethge mit seinem Filmplan, der nie realisiert werden sollte, ausgerechnet neun Tage nach dem Attentat auf Hitler; bei dem im Brief erwähnten Meissner handelt es sich um den Generalintendanten und Spielleiter Hans Meissner, * 1896.

Herrn Reichsfilmintendant
Vizepräsident Ministerialdirektor      Reichskultursenator Friedrich Bethge
Hans Hinkel, M.d. R.                   Städtische Bühnen
*Berlin W 15*, Schlüterstr. 45         Frankfurt a/M., den 29. Juli 1944
Reichskulturkammer                     –g/Fr.

Sehr verehrter Herr Reichsfilmintendant, mein lieber, altverehrter Hans H.!
Meissner kam gestern aus Berlin zurück ganz erfüllt von seinen Gesprächen mit Dir und viel neuen Plänen auch filmischer Natur. Am 1. September ist er übrigens 25 Jahre lang deutscher Bühnenangehöriger und darf wohl die entsprechende Ehrung bzw. Beglückwünschung erwarten, woran ich mir jetzt schon zu erinnern erlaube. – Sonst aber geht mein heutiger Brief tatsächlich an den Reichsfilmintendanten, den ich in dieser Angelegenheit, wenn Du nicht diesen hohen Posten gerade in letzter Zeit erhalten hättest, schon immer an den Minister selbst schreiben wollte.

Der Reichsfilmdramaturg und andere höhere Filmstellen sind im Laufe der letzten Jahre des öfteren an mich herangetreten wegen Filmplänen für Janningsfilme usw. Ich halte jetzt aber die Zeit für die gekommene, den «Marsch der Veteranen» als Großfilm herauszubringen, aber nicht wie in meinem Drama aus damals künstlerisch zwingenden Gründen ins napoleonische Rußland zurückverlegt, auch nicht ins Nachkriegsdeutschland von 1919/20 etwa, sondern vielmehr in das Land und in die Zeit, von dem die Idee zu diesem Drama stammt, nämlich: nach Washington 1932. Ich kann mir wenige Filmstoffe nur denken, die schlagender die Verlogenheit des zivilisatorischen Amerika dartun und zugleich aller Welt vor Augen führen, wie damals die Behandlung der amerikanischen Kriegsteilnehmer durch ihr eigenes Vaterland war und wie sie voraussichtlich auch am Ende dieses Krieges nicht sehr viel anders sein dürfte, und in England wohl auch nicht.

Um Dir in Kürze den Stoff in seiner unglaublichen Aktualität noch einmal in Erinnerung zu bringen, darf ich einen Abschnitt aus dem Vorwort des «Veteranenmarsches» zitieren, der Dich überzeugen dürfte:

«Im April 1932 melden die Zeitungen den aufsehenerregenden Hungermarsch ehemaliger amerikanischer Kriegsteilnehmer. Die Veteranen schlagen vor dem Weißen Haus in Washington ihr Lager auf und legen symbolische, mit Blumen und sinnigen Inschriften geschmückte ‹Gräber› der Regierungsmitglieder an. Nach einer ergebnislosen Aussprache des Veteranenführers mit dem Generalstabschef der Regierungstruppen, Mac Arthur, (dem im 2. Weltkrieg geflüchteten ‹Verteidiger der Philippinen›) wegen freiwilligen Abzuges werden die Enttäuschten schließlich durch Tanks und Tränengas vertrieben. Eine wohlhabende Gönnerin stellt den Vertriebenen großzügig ihr Gut in Maryland zur Verfügung, oder vielmehr ‹verkauft› es ihnen, um dem Gesetz zu genügen, für einen Dollar.

Hat symbolisch gesehen der Zug von Frontsoldaten an sich schon etwas höchst Erregendes, so steigert sich die Erregung durch die Art, in der die Weltpresse den Veteranenmarsch aufnimmt. Da schreibt derselbe mit vollem Namen zeichnende Berichterstatter einer großen Zeitung von den ‹Patriotenhorden›, die Amerika brandschatzen, um *nach* Vertreibung der ‹Horden› festzustellen, daß sich die Veteranen fern allem politischen Radikalismus gehalten hätten, und daß sie schließlich doch, was man nicht vergessen solle, ‹des Vaterlandes beste Söhne› gewesen seien!!»

Ich glaube mein lieber Hans H., daß nicht nur Du, sondern auch der Minister von dem Thema in dieser Gestalt und in diesem Zeitpunkte zu überzeugen sein wird. Es wäre natürlich sehr schön, wenn Hans Meissner dann gegebenenfalls mit daran zu beschäftigen wäre, sonst käme wohl nur noch Prof. Ritter als Spielleiter in Frage. Überlegen müßte man natürlich aber auch, welcher prominente Filmautor mit der genügenden filmischen Sachkenntnis in eventueller Zusammenarbeit mit mir bzw. mit Meissner und mir mit der Aufgabe zu betrauen wäre.

Mit herzlichen Grüßen an Dich, Deine Männer und Frauen, in alter Treue

Heil Hitler!
Dein Friedrich B.

## «Die Schenke zur ewigen Liebe»

Das Schreiben ist an Goebbels gerichtet und gekürzt.

*Die Schenke zur ewigen Liebe,* unvollendeter Film nach einem Bergmannsroman; Produktion: Ufa, Drehbuchautoren: Alfred Weidenmann und Heinz Kückelhaus nach dem gleichnamigen Roman von Walter Vollmer und einem Filmentwurf von Eberhard Frowein, * 1891, Schriftsteller (Roman, Film); Regie: Alfred Weidenmann; Darsteller: Monika Burg, Carl Raddatz, Maria Koppenhöfer, Berta Drews, Josef Sieber, Albert Florath, Günther Lüders, Robert Taube, John Pauls-Harding, Karl Dannemann, Edelgard Petri, Franz Nicklisch, Paul Bildt, Hans Zesch-Ballot, Walter Werner, Alfred Schieske, Hans Stiebner, Herbert Gernot, Gustav Püttjer, Hellmuth Passarge, Alfred Maack, Karl Hellmer, Karl Hannemann, Ewald Wenck, Gerhard Bienert, Lotte Rausch, Ernst Rotmund, Knut Hartwig, H. Goebel, Erwin Loraino, Kurt Mikulski, Paul Rehkopf, Karl Napp, Frank Püttjer; Musik: Hans-Otto Borgmann.

*Dem Herrn Minister*        Eberhard Frowein
*über den Herrn Reichsfilmintendanten*        Berlin, den 16. August 1944

Betrifft: Filmvorhaben der Ufa «Die Schenke zur ewigen Liebe»

Der Herr Minister wünscht nähere Angaben über die Besetzung des Ufa-Films «Die Schenke zur ewigen Liebe». Ich berichte darüber wie folgt:

Was die Bedenken des Herrn Ministers hinsichtlich der Tatsache, daß der Film teilweise im Katastrophenmilieu spiele, angeht, so möchte ich darauf hinweisen, daß eine eigentliche Bergwerkskatastrophe in diesem Stoff sorgfältig vermieden worden ist. Es handelt sich am Schluß vielmehr um einen Berufsunfall, wie er in jedem Milieu vorkommen kann. Was ihm gezeigt wird, ist in erster Linie seine tatkräftige Behebung durch den Helden, der auf diese Weise in sein eigentliches Arbeitsmilieu zurückfindet.

Ich empfehle nochmals Genehmigung des Stoffes mit Drehbuchvorlage.

Frowein

Kapitel III

# ARTFREMDER FILM

# Grundsätzliches

## Zunächst einmal

Günther Schwark: *Der Umbruch* in: *Wunderwelt Film*, Herausgeber Heinz W. Siska, Leipzig o. J., S. 117, Auszug.

Mit der Übernahme der Regierung durch den Nationalsozialismus im Jahre 1933 wurde der deutsche Film auf völlig neue Grundlagen gestellt, die seine erfolgreiche Aufwärtsentwicklung bedingten und bereits zahlreiche stolze Früchte reifen ließen. Zunächst einmal wurden die Juden, die bis dahin stark im deutschen Filmwesen vertreten waren, radikal ausgemerzt. Der neue Staat erkannte die Bedeutung des Films als volkspolitisches Führungsmittel, die einmal in seiner zwingenden Anschaulichkeit und Überzeugungskraft, zum andern in seinen mit keinem anderen Kunstmittel vergleichbaren ungeheuren Verbreitungsmöglichkeiten begründet liegt. Dies verpflichtete ihn dazu, verantwortungsbewußt darüber zu wachen, daß der Film, ob es sich um ernste oder heitere Stoffe handelt, ein des deutschen Volkes würdiges künstlerisches Gesicht erhält, daß aber außerdem auch seine innere Haltung dem gesunden Denken und Fühlen der auf allen Lebensgebieten vom Geist des Nationalsozialismus durchdrungenen Gegenwart entspricht.

## Der verdorbene Magen

Adolf Engl: *Der deutsche Film im neuen Reich* in: *Berliner Tageblatt* vom 9. 4. 1933, Auszug; unter dem Artikel steht: «Adolf Engl, Führer der deutschen Lichtspieltheater.»

Die deutschen Filmtheater sehen im deutschen Film in erster Linie ein Kulturgut des Volkes und ein Propagandamittel im In- und Ausland von allerhöchster Bedeutung. Sie sind der Überzeugung, daß ein in diesem Sinne und auf Grund dieser Überzeugung hergestellter Film in Deutschland auch dem deutschen Publikum das bringen wird, wonach es seit Jahren im Filmtheater hungert: das gute, gesunde Brot, nachdem es Jahr um Jahr an Delikatessen, die meist nicht mehr frisch, in der Mehrzahl sogar faul waren, ihm aber dennoch vorgesetzt wurden, den Magen gründlich verdorben hat.

# Der Film «Taifun» verletzt das Rasse-Empfinden

Als Artikel in: *Film-Kurier* vom 9. 5. 1933.
*Taifun,* ein Kriminal- und Abenteuerfilm um ein Serum zur Bekämpfung der Pest in Asien; Autor: Robert Wiene nach dem Bühnenstück von Melchior Lengyel; Regie: Robert Wiene.

Berlin, 9. Mai. – Die Film-Oberprüfstelle gibt die Verbotsgründe des Films «Taifun» bekannt, der von der Camera-Produktions-Gesellschaft hergestellt worden ist. Die Verhandlung stand unter Leitung von Ministerialrat Dr. Seeger [1]. Es waren als Sachverständiger des Auswärtigen Amtes Legationssekretär v. Kotze [2], als Sachverständiger des Reichsjustizministeriums Ministerialrat Lehmann anwesend. Auch von Seiten des Reichsministeriums für Volksaufklärung und Propaganda war ein Sachverständiger erschienen: Karl Motz. Namentlich dieses Gutachten ist interessant, weil sich in ihm deutlich die positive Auffassung in der Rassenfrage äußert. Wir geben darum dieses Gutachten im Wortlaut wieder:

Seiner Tendenz nach kennzeichne sich der Bildstreifen als eine Auseinandersetzung zwischen Deutschen und Asiaten. Das Rassenproblem sei ein Kernproblem der Gegenwart. Zu ihm nehme der Bildstreifen durchaus negativ Stellung, indem er völlig darauf verzichte, auf den Rasseninstinkt des deutschen Volkes Rücksicht zu nehmen und dem deutschen Volk das Empfinden eigener Minderwertigkeit zu ersparen. Der Bildstreifen entziehe sich in jeder Weise der gegebenen Verpflichtung, das Volk systematisch zum Empfinden für Rassenhygiene zu erziehen.

Das deutsche Volk würde es deshalb nicht verstehen, wenn ein Bildstreifen, der in dieser Weise deutsche Menschen den Asiaten gegenüber zurücksetze, zur öffentlichen Vorführung zugelassen würde. In der heutigen Zeit besonders sei das Erscheinen eines dem Willen der nationalen Regierung derart zuwiderlaufenden Bildstreifens unerträglich.

## Richard Oswalds Filmperiode

*Das Fundament des neuen Films – Gedanken zu des Führers Nürnberger Kultur-Rede,* in: *Film-Kurier* vom 7. 9. 1933, gekürzt; es handelt sich um die Hitler-Rede auf der Kulturtagung des NSDAP-Reichsparteitages in Nürnberg; die Rede selbst siehe: *Die bildenden Künste im Dritten Reich* (Ullstein Buch 33030), S. 64 f; Richard Oswald, 1880–1963, internationaler Filmproduzent und Regisseur; er stellte in den zwanziger Jahren sogenannte «Aufklärungsfilme» her und emigrierte 1938 in die USA; in Europa produzierte und inszenierte er über hundertfünfzig Filme.

1 Dr. Ernst Seeger.
2 Legationsrat Hans Ulrich von Kotze gehörte zum Ministerbüro des damaligen Reichsaußenministers Konstantin Freiherr von Neurath.

Berlin, 6. September. – Kaum hat die Weltgeschichte einen Staatsmann gesehen, dem es gelungen ist, die Totalität der Daseinserscheinungen zu umfassen und für sich zu verwerten, aus den ungeheuren kulturellen Problemen das Tiefste aufzugreifen und zum Lebenszentrum seiner Gedankenwelt zu machen. Immer haben die Männer der Macht die Frage der Kultur und Kunst als außerhalb ihres Gebietes liegend betrachtet. Ja, diese Sphären nur geduldet – uns kommt es nun wie ein Wunder vor, daß ein Adolf Hitler uns ersteht, ein ganz neuer Typus des totalen Staatsmannes, der alle diese Dinge als wesentliche Substanzen, als tragende Bauteile in das überragende Gebäude seines grandiosen Weltbildes einbaute. Staatsmann und Künstler in einer Person.

Hier kann man ganz große Parallelen zum Film ziehen, der ja an seinem eigenen Leibe die ganzen Perioden der «revolutionären deutschen Kunst» erleben mußte. Den Niggerstil der Primitiven, die destruktive Formentendenz des Expressionismus und der blutleere Konstruktivismus des Bauhausstiles.

Die ganze Filmperiode, die seinerzeit von Richard Oswald eingeleitet wurde, und die geradezu nach einer Zensur schrie, die sogar von diesen pflaumenweichen, politischen Machern bewilligt wurde, sind schlagende Filmbeweise der Hitlerschen These.

## Nicht verwunderlich

Martin Otto Johannes in: *Volk und Presse*, 1934, S. 155, Auszug.
   Martin Otto Johannes, Pseudonym für M. O. Johannes Redlein, * 1887, Schriftsteller (Roman, Novelle, Kulturpolitik, Biologie, Heimatkunde).

Der Film, anfangs eine ausschließlich an das Auge gerichtete Kunstdarbietung, hätte schon längst im Sinne der Aufklärung über Rasse, Rassenunterschiede, Rassenschande usw. wirken sollen. Daß er es seit 1918 nicht tat, ist nicht verwunderlich. Aber auch von den Vertretern der Rassenlehre schien seine Aufgabe und Bedeutung bisher nicht recht erfaßt worden zu sein.

Ein wenig hat der Film stets, unbewußt, auch wenn er Kitsch war, in rassischem Sinne gewirkt. Wie im Courths-Mahler-Roman [1] waren die Lieblingshelden des Volkes meist nordisch angehaucht, wenn's auch bloß Wasserstoff-Superoxyd-Blond war, und die Bösewichter waren schwarz und häßlich wie Franz Moor. Aber ebenso stark hat der Film zur Irreführung und Verblödung der Geister beigetragen, wenn er «rassisch» oder «rassig» im landläufigen Sinne nur als geschlechtlich betont verstanden wissen wollte, wenn er süßliche westische oder Mischtypen anpries oder Juden wie Chaplin [2] und Buster Keaton [3] in den Vordergrund schob.

1 Hedwig Courths-Mahler, 1867–1950, Romanschriftstellerin.
2 Charles Spencer Chaplin, * 1889.
3 Buster Keaton, 1896–1966, berühmter Komiker des Stummfilms.

# Generalreinigung

Arnold Raether: *Nationalsozialismus und Film* in: *Dortmunder Zeitung* vom 25. 8. 1935, gekürzt.

Eine kurz veröffentlichte Statistik wirft ein bezeichnendes Licht auf die Rasse der «geistigen» Träger des Filmschaffens im Zweiten Reich. Demnach waren an 50 % der Autoren, an 80 % der Drehbuchschreiblinge und an 40 % der Regisseure Nichtarier, die die Mentalität des deutschen Volkes gar nicht kennen konnten und sich auch gar nicht bemühten, dem Willen des Volkes Rechnung zu tragen. Noch krasser zeigt die Zusammensetzung der Leitung jener Produktions- und Verleihfirmen die Mißwirtschaft. 70 % der Produktionsfirmen standen unter rassisch fremder Leitung, gegen 85 % aller Filme wurden von nichtdeutschen Firmen hergestellt, 80 % der Verleihfirmen waren in nichtarischem Besitz, an 90 % aller Spielfilme wurden von diesen artfremden Firmen auf den Markt gebracht. Gibt es eine deutlichere Sprache als diese Statistik für den Beweis, daß eine deutsche Filmindustrie so gut wie gar nicht mehr bestand?

Das Jahr 1933 brachte die Generalreinigung der deutschen Filmwirtschaft.

## Die letzten Reste der Phantasie

Eberhard Wolfgang Möller: *Die Wiedereinsetzung der Kunst* in: *Die Bühne*, 1935, S. 109–110, gekürzt.

Man wird sich erinnern, daß die Künstler des letzten Jahrzehnts schließlich so weit gekommen waren, alles das zu vergessen, ja zu verachten, was Gestaltung war. Es gab einen Augenblick, wo die Maler sich nicht einmal mehr die Mühe machten, einen Gegenstand zu malen, sondern ihn leibhaftig an die Leinwand hefteten. Es gab Musiker, bei denen nicht einmal mehr ein wirkliches Geräusch durch Instrumente nachgemacht wurde, sondern der Ton einer Sirene tatsächlich durch diese Sirene, und der Ton der Ketten tatsächlich durch diese Ketten. Es gab Schauspiele, in denen die Figur eines Negers nicht mehr von einem Schauspieler gespielt, sondern wirklich durch einen Neger verkörpert wurde, und hier drängt sich leicht der Vergleich mit den großen Schaustellungen der spätrömischen Zeit auf, zu denen man wahrhaftige Mörder holte und sie die Rolle des Herkules zu erlernen zwang, um sie endlich lebendig auf dem Scheiterhaufen verbrennen zu können. Es ist einzusehen, daß auf diesem Scheiterhaufen zugleich auch die letzten Reste der Phantasie, der geistigen Anschauung und der Gläubigkeit einer untergangsreifen Epoche mitverbrannt wurden. Und ein furchtbareres Bild für das, was man Barbarei nennen muß, läßt sich schwer finden.

Als endlich sich eine neue Weltanschauung aufrichtete, über Nacht Männer zu handeln begannen, und das feurige Gesicht einer neuen Zeit durch die brodelnden Nebel brach, da sah man im Licht das Chaos und erkannte die allgemeine Zersetzung. Unter dem Wort einer neuen Gestaltung der Weltgeschichte schied sich die Erde vom Wasser wie unter dem Wort Gottes. Binden fielen von den Augen, und die gleitenden Massen liefen zu den neuen Sammelbecken ab. Niemand war in diesem Augenblick berufener, die neuen Gestalten im Bilde festzuhalten als der Film.

## «Fährmann Maria»
## genügt den rassehygienischen Forderungen nicht

Dr. Lemme in: *Volk und Rasse*, 1936, S. 223, gekürzt.

*Fährmann Maria*; Produktion: Pallas-Film GmbH.; Drehbuchautoren: Hans Jürgen Nierentz und Frank Wysbar; Regie: Frank Wysbar; Darsteller: Sybille Schmitz, Aribert Mog, Peter Voß, Carl de Vogt, Karl Platen, Eduard Wenck, Gerhart Bienert; Prädikat: «Künstlerisch wertvoll, volksbildend».

Der Film «Fährmann Maria», der in seiner Gestaltung ganz neue Wege geht und zweifellos ein Vorstoß in filmkünstlerisches Neuland darstellt, ist zu begrüßen. Es ist deshalb aber um so bedauerlicher, daß der Film rassehygienischen Forderungen keinesfalls standhalten kann.

Fährmann Maria ist ein Mädchen, das zerrissen und zerlumpt in ein Dorf der Lüneburger Heide kommt. Das Mädchen, dargestellt von Sybille Schmitz, ist dunkelhaarig und von fremdartiger Schönheit (eben Sybille Schmitz). Sie wirkt im Rahmen der Heidebevölkerung durchaus als Fremde. Ihr Gegenspieler ist ein Marschbauer, der rassisch ausgezeichnet aussieht. Im Fährhaus kommt es zu einem Gespräch zwischen beiden, in dem der Mann in das Mädchen dringt und sie fragt, wer sie sei, woher sie komme, sie sei so fremd. Er werde sie gewiß nicht wiederfinden, wenn er zurückkomme, denn sie sei heimatlos, und heimatlose Mädchen könnten keine Treue halten. Er aber habe eine Heimat oben im Norden, weite Felder usw. Das Mädchen antwortet darauf: «Ich habe jetzt auch eine Heimat, denn ich liebe dich!» Der Mann stürzt ihr zu Füßen, küßt ihr die Hand und bittet sie um Verzeihung. Zum Schluß des Spielgeschehens haben sich beide natürlich gefunden und ziehen in die Heimat des Mannes.

# Analyse und Synthese

*Hans Severus Ziegler auf einer Kulturkundgebung der NSDAP in Danzig*, in: *Der Danziger Vorposten* vom 1. 3. 1937, gekürzt.

Der jüdische und der deutsche Mensch stehen sich in ihrem Wesen so gegensätzlich gegenüber, daß zwischen ihnen nie eine geistige Gemeinschaft bestehen kann. Der Jude ist Mensch der Analyse, der Deutsche Mensch der Synthese, im jüdischen Menschen ist die innere Zerrissenheit beherrschend, im deutschen die Harmonie. Immer ist der musische Mensch der größere, selbst von zwei Staatsmännern oder Feldherren ist der der größere, der die größere Phantasie besitzt. Wir brauchen Künstler von Charakter und künstlerische Charaktere, wir brauchen den deutschen Vollmenschen. Es ist unnötig, immer wieder den Ruf nach dem Genie auszustoßen. Ein Genie wird einem Volke immer nur einmal in einer Epoche geschenkt, Deutschland besitzt in Adolf Hitler das alles überragende Genie seiner Gegenwart.

# In sämtlichen deutschen Filmtheatern

*Pressedienst der Reichsfilmkammer* vom 7. 4. 1937; das Original befindet sich im Film-Institut Wiesbaden.

In sämtlichen 5300 deutschen Filmtheatern wird in Kürze der Film «Opfer der Vergangenheit» vorgeführt werden. Der Film behandelt das Problem der Erbkrankheiten und des erbkranken Nachwuchses. Er zeigt in ernster und eindringlicher Weise die verheerende Wirkung der Erbkrankheiten für den Einzelnen und für das Volksganze. Insbesondere weist er auf die geistige, sittliche und sonstige Vormachtstellung einer erbgesunden Rasse hin.

Der Film, der unter der Leitung des Regisseurs Gernot Bock-Stieber gedreht wurde, wird am Mittwoch, dem 14. April, in einer Morgenveranstaltung im Ufa-Pavillon am Nollendorfplatz in Berlin uraufgeführt werden. Gelegentlich dieser Veranstaltung wird der Reichsführer Dr. Wagner[1] über das wichtige Thema, das der Film behandelt, sprechen. Der Film hat die Prädikate «Staatspolitisch wertvoll», «volksbildend» erhalten und wurde für Jugendliche über 14 Jahre zugelassen.

---

[1] Dr. med. Gerhard Wagner, *1888, Mitbegründer des NS-Ärzte-Bundes; seit 1932 dessen Führer; Leiter des Sachverständigenbeirates für Volksgesundheit bei der Reichsleitung NSDAP; übrigens ließ Dr. Wagner diese Filme herstellen, siehe darüber ausführlich A. Mitscherlich – F. Mielke: *Medizin ohne Menschlichkeit*, Frankfurt a. M. 1960, S. 183.

# «Oder sonstwie krank»

Ewald Sattig: *Die deutsche Filmpresse.* – Inaugural-Dissertation, genehmigt von der philologisch-historischen Abteilung der philosophischen Fakultät der Universität Leipzig, 1937, S. 41, gekürzt; Gutachter: Prof. Dr. Gerhard Menz und Prof. Dr. Hans A. Münster. Siehe auch die Dissertation von Kurt Wortig: *Der Film in der deutschen Tageszeitung,* Berlin 1940; Berichterstatter: Prof. Dr. Emil Dovifat und Prof. Dr. Adolf Spamer; eine Gesamtaufstellung der Dissertationen über den Film der Jahre 1934–41 befindet sich in: *Film-Kurier* vom 16. 6. 1941; siehe darüber auch: *Film und Presse,* in: *Handbuch der Zeitungswissenschaft,* hg. von Walther Heide und bearbeitet von Ernst Herbert Lehmann, Bd. 1, Leipzig 1940, S. 1012–1037.

In dem Maße wie die deutsche Filmpresse verjudet oder sonstwie krank und nicht mehr lebensfähig war, mußte eine grundlegende und umfassende Säuberung und Neubildung eintreten. Dieser Prozeß aber war hier deshalb besonders schwierig, weil dieser bisher herrschende jüdische Einfluß für eine Fachpresse außergewöhnlichen Umfang angenommen hatte. Weiter ist zu bedenken, daß die vorläufige Filmkammer bereits einige Wochen vor Verkündung des Kulturkammergesetzes gebildet wurde, und somit die Filmpresse eher als andere Fachpressen den Charakter einer berufsständigen Fachpresse annahm und damit der kommenden Entwicklung vorauseilte. Wenn auch die daraus entstehenden Schwierigkeiten für die Filmpresse sehr groß waren und nicht alle in dieser Zeit überwunden wurden, so hatte diese Ausnahmestellung für sie doch den Vorteil, daß sie eher, wenn auch eiliger, die Wandlung durchmachte, die auch bei der übrigen Presse zu beobachten ist. Deshalb war diese Zeit wichtig und notwendig, da während der Monate von Januar bis etwa August 1933 die Filmpresse sich grundlegend umänderte, geistig wie strukturell, durch alle ihre Sparten hindurch.

## Spekulationsmittel

*Der Film ist Kulturgut,* in: *Westdeutscher Beobachter* vom 16. 12. 1938.

Der Film ist im nationalsozialistischen Staat ein nach dessen Weltanschauung ausgerichtetes Kulturgut und nicht mehr ein Spekulationsmittel, mit dem sich jüdische Geschäftemacher auf Kosten der Kulturgüter des deutschen Volkes bereichern. Diesen Gedanken stellte der Präsident der Reichsfilmkammer, Staatsminister a. D. Prof. Oswald Lehnich, an die Spitze seiner Ausführungen vor den Vertretern der Wiener Presse, die er zum Auftakt der ersten Tagung des Berufsstandes Film in der Ostmark zu einem Presseempfang geladen hatte. Abschließend kündigte Prof. Dr. Lehnich noch an, daß die Reichsfilmkammer am 11. Februar 1939 in den Sälen der Hofburg einen Filmball veranstalten wird.

# Ein Werk

Curt Belling: *Wie es früher im deutschen Film aussah* in: *Filmwelt* vom 23. 12. 1938, Auszug; siehe auch das Kapitel: «Juden im deutschen Film» in: *Der Film in Staat und Partei* vom gleichen Autor, Berlin 1936, S. 11 f.

In einer Zeit, in der sich draußen das «Weltgewissen» mächtig aufregt über das, was den «armen Juden» in Deutschland widerfahre, ist es wohl richtig, das Interesse der breiten Öffentlichkeit auf ein Buch zu lenken, das unter dem Titel «Film-Kunst-Film-Kohn-Film-Korruption» (Ein Streifzug durch vier Filmjahrzehnte) die Entwicklung des deutschen Films seit der Erfindung 1896 vom kulturpolitischen Standpunkt beleuchtet und die Einflußnahme des Judentums auf den Film aufzeigt, den man in den Jahren vor der Machtübernahme als «deutschen» Film zu bezeichnen wagte. Das Werk ist im Verlag Hermann Scherping, Berlin SW 68, erschienen. Nachstehend äußert sich einer der Autoren, Curt Belling, über das Buch. –

In dem Werk wird Abrechnung gehalten mit den zersetzenden Kräften der damaligen undeutschen Filmepoche. «Film-Kunst-Film-Kohn-Film-Korruption» ist ein Streifzug durch die Filmgeschichte, der unter Berücksichtigung aller entscheidenden Einflüsse, also im Zusammenhang mit den jeweiligen politischen, kulturellen, zivilisatorischen, sozialen und wirtschaftlichen Verhältnissen, ein Bild der wirklichen Entwicklung des Films in Deutschland geben sollte.

## Dekadenz

*Die Juden in Deutschland*, hg. vom Institut zum Studium der Judenfrage, München 1939, S. 371–372, gekürzt.

Schon in der Vorkriegszeit war im deutschen Theater und Kunstleben eine gewisse Dekadenz eingerissen, vorwiegend unter jüdischem Einfluß. Aber immer wurde der jüdische Libertinismus noch in gewissen Grenzen gehalten durch die öffentliche Ordnung und die Aufsicht der Polizei.

Die Hauptdomäne dieser Geschäftemacher war der Film. Auf diesem Gebiet hat jüdische geschäftliche Spekulation mit der Ware der Unsittlichkeit geradezu Orgien gefeiert.

Damals, im Frühjahr 1919, haben vor allem zwei Filme unter der Masse sonstigen Unrats besonderes Aufsehen erregt. Man nannte diese Filme ebenso verschämt wie gerissen «Aufklärungsfilme». Das waren die beiden Aufklärungsfilme «Prostitution» und «Anders als die andern». Beide haben wohl den Vogel in diesem edlen Wettbewerb anrüchiger Geschäftemacher abgeschossen. Sie stammten beide aus der gemeinsamen Fabrik des jüdischen Filmproduzenten Richard Oswald und des Sanitätsrats Dr. Magnus Hirschfeld [1]. Mit Hirschfeld tritt hier auch zum erstenmal der Mann auf, der eine unselige Rolle auf dem Gebiete der sogenannten sexuellen Aufklärung gespielt und ein gut Teil der Empörung auf dem Gewissen hat, die sich immer mehr im deutschen Volk gegen jüdische Frivolität aufspeicherte und schließlich im Jahre 1933 zur Entladung kam.

## Kultur-Amerikanismus

Aufsatz von Gustav Faber in: *Das Reich* vom 28. 3. 1943, Auszug.

Längst schon hatte der USA-Film, hauptsächlich vertreten durch die jüdischen Trusts «Metro-Goldwyn-Mayer» und «Paramount», in Mittel- und Südamerika Fuß gefaßt. Aus Europa importierte Regie befähigte Hollywood in den letzten Jahren zu gewissen Filmleistungen, deren Stoff sich freilich vorwiegend im Milieu der leichten Gesellschaftsburleske ohne Rückgrat, der primitiven Wildwesthandlung und seit einigen Jahren des politischen Hetzfilms bewegte. «Arise my Love», ein Filmstreifen, der auf europäischen Kriegsschauplätzen spielte, schildert den Krieg als Abenteuer, um dem amerikanischen Volk die bevorstehende Teilnahme am Weltkonflikt schmackhaft zu machen. Für die Hetzfilme «Geständnisse eines Nazispions», «Der Diktator», «Stimme aus dem Dunkeln» und «Drei Matrosen in der Traufe» mußten außer den aus Europa zugereisten Filmjuden Alexander Korda [2] und Ernst Lubitsch [3] sämtliche jüdischen Emigranten aus der Theaterwelt New York vereint werden, um angeblich deutsches Leben auf der Leinwand darzustellen.

## Wir wissen heute

Dr. Otto Kriegk: *Der deutsche Film im Spiegel der Ufa – 25 Jahre Kampf und Vollendung*, Berlin 1943, S. 166, Auszug.

Das wichtigste Problem organisatorischer Arbeit war die Befreiung des deutschen Films von jedem jüdischen Einfluß. Auch hier konnte die Ufa

1 Prof. Dr. Magnus Hirschfeld, 1868–1935, berühmt durch sein vierbändiges Werk *Sexualpathologie*, 1916–20, und seine fünfbändige *Geschlechtskunde*; 1918 gründete Hirschfeld das *Institut für Sexualwissenschaft* in Berlin, das die Preußische Regierung 1919 als *Dr. Magnus Hirschfeld-Stiftung* übernahm; 1921 leitete Hirschfeld in Berlin den ersten Kongreß für Sexualreform.
2 Sir Alexander Korda, 1893–1956, war zusammen mit J. A. Rank der eigentliche Begründer der neuen englischen Filmindustrie.
3 Ernst Lubitsch, 1892–1947 (in Hollywood), berühmter Regisseur und Produzent des deutschen und amerikanischen Films.

allein nicht durchgreifen. Wir wissen heute, daß der Kampf gegen die Juden den Einsatz der gesamten staatlichen Macht verlangt. Die Ufa war in diesen Jahren keineswegs allein Herr der deutschen Filmproduktion. Neben ihr stand die Tobis, standen einige andere große, aber auch zahllose kleine Firmen, deren Filme für den Verleih mittlerer Firmen in zahllose deutsche Filmtheater kamen, auch wenn es sich um eine rein jüdische Produktion handelte.

## Ahnenforschung

Dr. Heinrich Brandt: *Die Anfänge des Films in Deutschland* in: *Deutsche Dramaturgie*, Juli/August 1944, S. 75–77, Auszüge; für diese Ahnenforschung übernimmt der Herausgeber keine Verantwortung.

Und wann kam der deutsche wirkliche Tonfilm heraus? Mitte Januar 1929.

Und dann ging es am laufenden Band. Es begann mit dem von E. A. Dupont (Jude) inszenierten und in den Hauptrollen mit Fritz Kortner (Jude), Georg John, Franz Lederer (Jude), Lucie Mannheim (Jüdin), Julia Serda besetzten «Atlantic». Aber aufgenommen (wenn auch in zwei Sprachen) mit einer Western-Electric-Apparatur in England bei der Radio-Corporation. Dann aber lief – bahnbrechend und allen zweifelnden Widerstand niederschlagend – mit Hans Albers, Julius Falkenstein (Jude), Charlotte Ander, Ida Wüst, Lucie Englisch in den Hauptrollen unter der Spielleitung Carl Froelichs «Die Nacht gehört uns» an.

Der erste, der das Problem des Sänger-Films in eindeutigen Worten darlegte, war Jan Kiepura (Pole): «Im Tonfilm muß der Sänger vergessen, daß er Sänger ist.» Mit ihm entstanden «Die singende Stadt» mit Brigitte Helm, «Lied einer Nacht», «Mein Herz ruft nach Dir!», und die, nach welcher das Herz rief, war Marta Eggerth (Jüdin) und wurde Frau Kiepura.[1]

1 Hier war der Verfasser des Artikels wohl nicht richtig informiert, denn das deutsche Generalkonsulat in Kattowitz benachrichtigte eine deutsche Behörde bereits am 12. 5. 1933 davon, daß Jan Kiepura der «Sohn eines jüdischen Bäckermeisters in Sosnowice» sei; siehe auch dazu: *Musik im Dritten Reich* (Ullstein Buch 33032).

## «Entjudung»

Diese Dokumentation ist nicht thematisch geordnet, sondern in chronologischer Folge.

## Einladung

Titel im *Reichsfilmblatt* von 2. 9. 1933.

*Ausschneiden!*
An alle arischen Lichtspieltheaterbesitzer!
Sämtliche arischen Lichtspieltheaterbesitzer von Groß-Berlin werden hiermit zu einer dringenden Besprechung im Verkehrslokal Berlin, Friedrichstraße 218, eingeladen.

Am Montag, den 4. September 1933, vormittags 11 Uhr: Kreis 1, Spandau-Charlottenburg, Pg Alfons Slapka, Zellenwart.

Am Montag, den 4. September 1933, nachmittags 1 Uhr: Kreis 2, Wilmersdorf-Zehlendorf, Pg Friedrich Schmitz, Zellenwart.

Am Dienstag, den 5. September 1933, vormittags 11 Uhr: Kreis 8, Weißensee, Pankow, Pg Hugo Zweig, Zellenwart, Pg Ludwig Aßmann, stellvertretender Zellenwart.

Am Dienstag, den 5. September 1933, nachmittags 1 Uhr: Kreis 9, Lichtenberg-Köpenick, Pg Erich Busch, Zellenwart.

Am Mittwoch, den 6. September 1933, vormittags 11 Uhr: Kreis 5, Berlin-Mitte-Kreuzberg, Pg Willi Warnke, Zellenwart, Pg Walter Zeysig, stellvertretender Zellenwart.

Am Mittwoch, den 6. September 1933, nachmittags 1 Uhr: Kreis 7, Prenzlauer Berg-Friedrichshain, Pg Otto Mackenroth, Zellenwart.

Am Freitag, den 8. September 1933, vormittags 11 Uhr: Kreis 3, Steglitz-Tempelhof-Mariendorf-Südende, Pg Wilhelm Böhm, Zellenwart.

Am Freitag, den 8. September 1933, nachmittags 1 Uhr: Kreis 6, Schöneberg-Tiergarten, Pg Fritz Mischke, Zellenwart.

Am Sonnabend, den 9. September 1933, vormittags 11 Uhr: Kreis 10, Neukölln-Johannisthal, Pg Walter Schoknecht, Zellenwart.

Erscheinen ist Pflicht!

Der Zellenobmann: Pg Friedrich Simon, Zellenobmann-Stellvertreter: Pg Hans Baumgarten.

## «Das häßliche Mädchen»

*Wir wollen deutsche Künstler*, in: *Film-Kurier* vom 9. 9. 1933; der Film *Das häßliche Mädchen* war eine Liebeskomödie.

In der gestrigen Uraufführung des Films «Das häßliche Mädchen» ereigneten sich nach der Vorführung des Films folgende Vorfälle: Der Film hatte nach Beendigung Applaus. Dolly Haas wurde begeistert begrüßt. Als sie Max Hansen bei ihrem Wiedererscheinen mit auf die Bühne brachte, ertönten von mehreren Seiten Pfiffe. Das Publikum beendete sofort die Beifallskundgebungen. Die Pfiffe dauerten an, der Vorhang blieb geschlossen, weil auf die Bühne mit faulen Eiern geworfen worden war. Dann hörte man vom Rang Rufe: «Wir wollen deutsche Filme! Wir wollen deutsche Schauspieler! Wir brauchen keine jüdischen Schauspieler, wir haben genug deutsche! Schämt ihr euch nicht, deutsche Frauen, jüdischen Schauspielern zu applaudieren? Fort mit dem Juden Max Hansen, der noch vor einem halben Jahr im Kabarett ein Couplet von Hitler und dem kleinen Cohn gesungen hat.»

Es handelt sich hier um einen Film, der im Februar bis April dieses Jahres hergestellt worden ist und auch im April durch die Zensur gegangen ist. Die Besetzung ist also vor dem Inkrafttreten des Arierparagraphen (am 1. Juli) erfolgt.

Dem Publikum sind diese Tatsachen unbekannt, es nimmt infolgedessen in seinem deutsch fühlenden Besucherkontingent gegen die Besetzung von Filmen mit nichtarischen Darstellern Stellung.

## Widerlich und undeutsch

*Fort mit den Judenfilmen*, in: *Fränkische Tageszeitung* vom 18. 12. 1934.

In einem größeren Münchner Lichtspieltheater entstand am vergangenen Samstag während der Abendvorstellung ein Tumult, da das Publikum den vorgeführten Film «Ein Mädel aus Wien» energisch ablehnte. Ein Augenzeuge berichtet uns folgendes:

«Der verlockende Titel ‹Ein Mädel aus Wien› hatte dafür gesorgt, daß das Theater fast bis auf den letzten Platz gefüllt war. Was in dem Film gezeigt wurde, hat sehr wenig mit unserer Auffassung vom ‹deutschen Wien› zu tun, sondern es wurde in kitschiger und schmieriger Weise gezeigt, wie ein Jude mit der Macht seines Geldbeutels ein armes deutsches Mädchen zu gewinnen sucht und sich als seinen Mäzen aufspielt. Einzelne Stellen des Films waren so widerlich und undeutsch, daß das Publikum seiner Entrüstung offen Ausdruck gab; eine Anzahl von Theaterbesuchern verließ die Vorstellung bereits vorzeitig. Das übrige Publikum konnte schließlich nicht mehr an sich halten und erhob sich ostentativ unter lauter Zurufen. Aus der Menge hörte man rufen: «Deutsche, raus aus dem Judenfilm!» – «Zeigt deutsche Filme!» – «München ist Kunststadt und will keinen Kitsch sehen!» usw. Die Vorführung mußte abgebrochen werden und von der Leitung des Theaters wurde bekanntgegeben, daß die Eintrittskarten für die Vorführung eines besseren Filmes Gültigkeit behalten.»

Erfreulicherweise ist der Film von der Leitung des Theaters endgültig abgesetzt worden.

## «Noch eine Filmjüdin, die verschwinden muß»

Untertitel einer Nachricht in: *Fränkische Tageszeitung* vom 12. 3. 1934.
Richard Eichberg schrieb das Drehbuch zu dem Film *Früchtchen* nach dem Bühnenstück *Le Fruit vert* von Regis Gignoux und Jacques Théry.

Berlin. – Zu unserer Meldung in der Samstag-Ausgabe «Skandal um die Jüdin Bergner» erfahren wir noch, daß z. Zt. noch in einem Kurfürstendamm-Theater der Ufa der jüdische Film «Früchtchen» gespielt wird, in welchem die Hauptrolle von der ungarischen Jüdin Franziska Silberstein, genannt Gáal, dargestellt wird. Es dürfte sich die Ufa-Gesellschaft durch die Hergabe ihres Kinos für diesen Film keine zusätzlichen Sympathien erwerben.

## An das Preußische Justizministerium

An das Preußische Justizministerium
*Berlin*                                                      20. April 1933

*Betr.:* Zulassung der jüdischen Rechtsanwälte.

Sehr geehrter Herr Justizminister!
Wir entnahmen aus der Tagespresse, daß von den jüdischen Rechtsanwälten in Frankfurt a. M. nur eine bestimmte beschränkte Anzahl weiter die gerichtliche Tätigkeit ausüben kann. Zu unserem Bedauern finden wir auf der Liste nicht den Namen unseres Rechtsberaters, des Herrn Dr. Neander Fromm. Dieser bearbeitet seit mehreren Jahren ausschließlich die Rechtsfragen unseres Verbandes und führt die Prozesse unserer Mitglieder, soweit es sich um filmfachliche Fragen handelt, sodaß eine Reihe unserer Mitglieder sich bereits bestürzt wegen der Weiterführung der schwebenden Prozesse an uns gewendet hat.

Unser Verband ist im deutschen Lichtspielgewerbe als Vorkämpfer der heute siegreichen politischen Richtung seit langem bekannt und nicht zuletzt der Tätigkeit unserer Verbandsführung ist es zu verdanken, daß heute das ganze deutsche Lichtspielgewerbe unter Führung von Pg Adolf

Engl, München, einhellig auf nationalsozialistischem Boden steht. Nichtsdestoweniger liegt uns daran, daß unser Rechtsberater in seiner Prozeßtätigkeit wenigstens für eine gewisse Zeitspanne noch unbehindert ist, damit die schwebenden Sachen von ihm abgewickelt werden können, worunter eine Reihe prinzipieller Prozesse für das ganze Filmgewerbe in ihrem Ausgang von erheblicher Bedeutung ist. Die Einarbeitung eines neuen Anwaltes in die fachlich und rechtlich sehr eigenartige Materie des Filmgewerbes ist so rasch nicht möglich, daß eine sofortige Ersetzung unseres bisherigen fachkundigen Rechtsberaters möglich wäre.

Wir bitten daher, den Interessen unserer Mitglieder und unseres Verbandes dadurch Rechnung zu tragen, daß die gerichtliche Tätigkeit des Rechtsanwaltes Dr. Neander Fromm wenigstens noch etwa $3/4-1$ Jahr ermöglicht wird.

Für die Bewilligung dieser Bitte sagen wir Ihnen, sehr verehrter Herr Justizminister, im Voraus unseren verbindlichen Dank und zeichnen mit
treudeutschem Gruß ergebenst
Landesverband der Lichtspieltheaterbesitzer
von Hessen und Hessen-Nassau
Unterschrift

## Rat und Hilfe

Herrn Staatskommissar Hans Hinkel   Alfred Halm
Ministerium für Propaganda   Berlin W 57, den 19. Juni 1935
und Volksaufklärung   Bülowstr. 11
*Berlin W*, Voßstr.   B 7 Pallas 0228

Sehr geehrter Herr Staatskommissar!
Auf Veranlassung des Herrn Bernhard Hermann suche ich bei Ihnen Rat und Hilfe.

Ich war lange Direktor deutscher Bühnen, habe deutsche Kunst und deutsche Schauspieler gefördert. Meine ehrliche künstlerische Gesinnung ist mir fast von allen Seiten bezeugt worden. Ich habe dabei mein Vermögen verloren und bezahle noch heute an den Schulden, in die mich die Führung des Theaters am Nollendorfplatz (1906–1912) gestürzt hat. Ich haftete für alles mit meiner Person. Die Mittel zur Rückzahlung dieser Schulden erwarb ich durch Tätigkeit als Regisseur und Autor beim Film.

So wurde ich 1933 nach sorgfältiger Prüfung (der Personalakt liegt bei R. D. S., Kopie kann eingesandt werden) in den Reichsverband aufgenommen. Dies ermöglichte meine weitere Tätigkeit als Autor beim Film. Ich muß für meine Frau und mein 14jähriges Kind das Leben verdienen, da mir nach den großen Zahlungen aus den Theaterschulden nichts übrig geblieben ist.

Gestern wurde ich wider Erwarten wegen meiner Nichtarierschaft aus der Reichskulturkammer ausgeschlossen, und damit ist mir die letzte Möglichkeit genommen, für die Meinen zu sorgen. Ich bin erwerbslos. Ich kann mir nicht denken, daß man einen Mann, der sein Leben, seine Arbeit und sein Geld restlos aus idealen Gründen der deutschen Kunst und dem deutschen Künstler gewidmet hat, im Alter (73 Jahre) der bittersten Not preisgibt.

Meine Bitte an Sie ergeht dahin, mir, wenn es Ihnen möglich ist, zur Aufhebung des Ausschlusses zu verhelfen.       Mit deutschem Gruß!

Alfred Halm

## Zweifellos

Als Nachricht in: *12 Uhr Zeitung* vom 26. 7. 1935.

Die Beauftragung des Parteigenossen Hinkel mit der Überwachung aller nichtarischen Künstler ist notwendig geworden, weil in letzter Zeit Dinge geschahen, die mit den nationalsozialistischen Grundsätzen nicht vereinbart werden können. Unter anderem wird sich Parteigenosse Hinkel schon in nächster Zeit mit der Filmindustrie beschäftigen müssen, weil gerade auf diesem Gebiet leider hier und dort noch immer Zustände herrschen, die nicht geduldet werden können. Es ist festgestellt worden, daß sich nichtarische Staatsangehörige auf verschiedene Art und Weise künstlerisch und geistig betätigten. Wir glauben, daß der Begriff «Betätigung», von dem die DNB-Meldung spricht, auch die anonyme Einflußnahme miteinschließt. Die Person des Parteigenossen Hinkel bietet zweifellos die Gewähr dafür, daß der Auftrag, den ihm Dr. Goebbels erteilt hat, mit absoluter Gründlichkeit durchgeführt wird und daß auch die «Veilchen» gepflückt werden, die noch immer im Verborgenen blühen.

## Die Tobis bringt deutsche Musik

Als Nachricht in: *Der Angriff* vom 13. 8. 1935.

Vor einer Woche veröffentlichten wir die Tatsache, daß der Jude Szücs als Herr über die Tonfilmmusik anzusehen ist. Soeben erfahren wir von dem Sonderbeauftragten des Reichsminister Dr. Goebbels, Pg Hans Hinkel, daß die Tobis-Tonbild-Syndikat-Aktiengesellschaft bereits am 2. August die drei ihr angegliederten Verleihgesellschaften angewiesen hat, nur noch mit kulturpolitisch zuverlässigen Musikverlagen Vereinbarungen über Musikrechte zu treffen. Wir stellen mit Befriedigung fest, daß die jüdische Monopolstellung in der Tonfilmmusik gebrochen ist.

## Falsche Kommentare

Erklärung in: *Film-Journal* vom 7. 9. 1935.

Die Erklärungen, die der reichsdeutsche Staatskommissar Hinkel bei der Übernahme des Sonderauftrages zur Überwachung und Beaufsichtigung der Betätigung aller im deutschen Reichsgebiet lebenden nichtarischen Staatsangehörigen auf künstlerischem und geistigem Gebiet abgegeben hat, und zwar über ausländische Filme, sind in mehreren ausländischen Filmfachzeitungen falsch kommentiert worden. Das gut unterrichtete Berliner «Filmjournal» stellt dazu fest: Man hat den unseres Erachtens völlig abwegigen Versuch gemacht, eine Konstruktion zu bilden, nach der die im Ausland gedrehten Filme auch mit nichtarischen Darstellern nun ohne weiteres nach Deutschland herein könnten. Das ist für jeden, der die deutschen Vorschriften kennt (und der außerdem die in Frage stehenden Artikel einigermaßen aufmerksam durchgelesen hat) vollkommen falsch. Es muß unterschieden werden zwischen den deutschsprachigen und den fremdsprachigen im Ausland gedrehten Filmen. Für die deutschsprachigen gelten die bisherigen Bestimmungen derart, daß ihre Zulassung in der vorgeschriebenen Form erwirkt werden muß und daß hierbei die Besetzung gleichfalls den vorhandenen Richtlinien zu entsprechen hat. Diese deutschsprachigen Filme gelten ja beim Publikum meist als «deutsche» Filme; schon daraus ergibt sich die Behandlung, die ungefähr die gleiche ist, als wenn die Filme in Deutschland gedreht würden. Etwas anderes ist es bei den fremdsprachigen Auslandsfilmen. Sie kommen zu uns als Sendboten der ausländischen Filmkunst und der ausländischen Mentalität. Bei ihnen wird vorwiegend die Prüfung der dramaturgischen Tendenz notwendig sein; die Personen der Mitwirkenden, die eine fremde Sprache sprechen, oder bei denen ausdrücklich angegeben wird, daß sie deutsch nachsynchronisiert worden sind, haben bei weitem nicht die Bedeutung wie in den von vornherein deutschsprachig gedrehten Filmen.

## Eine Angehörige der Reichsfachschaft Film

Mitteilung in der *Frankfurter Zeitung* vom 16. 10. 1935.
   Die sogenannten *Nürnberger Gesetze,* Gesetz zum Schutz des deutschen Blutes und der deutschen Ehre, wurden einen Monat vorher, am 15. 9. 1935, verkündet.

Wie der «Filmkurier» mitteilt, wurde eine weibliche Angehörige der Reichsfachschaft Film wegen rassenschänderischer Beziehungen aus der Fachschaft ausgeschlossen.

## Das Deutsche Nachrichtenbüro teilt mit

*Juden dürfen keine Künstlernamen führen,* in: *Berliner Lokal-Anzeiger* vom 25. 11. 1935.

In Vereinbarung mit dem Geheimen Staatspolizeiamt hat die zuständige Stelle im Reichsministerium für Volksaufklärung und Propaganda allen jüdischen Künstlern das Führen von sogenannten Künstlernamen (Pseudonymen) untersagt. Dieses Verbot gilt auch für die im Rahmen des Reichsverbandes der jüdischen Kulturbünde tätigen nichtarischen Personen.

## Paula Wessely begrüßt Alfred Polgar

In: *Frankfurter Zeitung* vom 29. 11. 1935.
Paula Wessely, * 1908, Schauspielerin; Alfred Polgar, 1875–1955, Schriftsteller (Erzählung, Theaterkritik).

Das «Schwarze Korps», die Zeitung der SS, wendet sich in einer Glosse gegen die Filmschauspielerin Paula Wessely, weil sie Alfred Polgar zu dessen 60. Geburtstag Worte des Lobes gewidmet hat.

## Ein Prozeß um Charell

Als Nachricht in: *Berliner Tageblatt* vom 26. 7. 1936.
Eric Charell, Regisseur von Theaterrevuen; 1931 Regisseur des Ufa-Films *Der Kongreß tanzt;* für juristische Sachkenner sei im Zusammenhang mit der folgenden Nachricht empfohlen, die *Leipziger Juristische Wochenschrift* vom 5. 9. 1936, S. 317 f, zu lesen.

Eine deutsche Filmgesellschaft hatte Ende Februar 1933 mit einem ausländischen Theaterverlag einen Manuskriptvertrag geschlossen [1], der ein Werk des jüdischen Regisseurs Erich Löwenberg, genannt Eric Charell, betraf; mit ihm kam gleichzeitig ein Regievertrag zustande. Nach der Zahlung der ersten Rate der Pauschalvergütung trat die Filmgesellschaft von beiden Verträgen zurück und klagte auf Rückerstattung der Teilzahlung. Sie wies darauf hin, daß infolge des völligen Umschwungs in Denkart und Geschmack des deutschen Volkes ein Film, an dem ein Nichtarier mitwirke, innerhalb Deutschlands nicht mehr vorgeführt werden könne. Es sei ausdrücklich vereinbart worden, daß dann, wenn Charell durch Krankheit, Tod oder ähnlichen Grund zur Durchführung seiner Regietätigkeit nicht imstande sein sollte, die Filmgesellschaft zum Rücktritt berechtigt und der Verlag zur Rückzahlung bereits empfangener Beträge verpflichtet sei. Die Rassezugehörigkeit Charells bilde einen in seiner Person liegenden Rücktrittsgrund im Sinne der erwähnten Ver-

1 Bei der anonymen deutschen Filmgesellschaft handelt es sich um die Ufa, die diesen Vertrag am 24. 2. 1933 mit der Züricher Theater- und Verlags AG (Thevag) abgeschlossen hatte, siehe: *Neue Zürcher Zeitung* vom 2. 10. 1937.

einbarung. Übereinstimmend mit dem Kammergericht hat das Reichsgericht den Standpunkt der Filmgesellschaft gebilligt.

Das Kammergericht weist einleitend darauf hin, daß zu dem Hauptpunkte des Parteiprogramms auf kulturpolitischem Gebiet von Anfang an die Unterdrückung aller schädigenden Einflüsse in Schrifttum und Presse, Bühne, Kunst und Lichtspiel gehöre. Die Durchführung dieser Programmpunkte im Film wurde bald begonnen. Ein Film, bei dem ein Jude als Regisseur oder Produktionsleiter mitgewirkt hat, wird nicht als deutscher Bildstreifen anerkannt. Er unterliegt, selbst wenn er im Deutschen Reich gedreht worden ist, als ausländischer Film vielmehr der Zuteilung nach dem Film-Kontingentierungsgesetz. Diese Ausführungen des Kammergerichts wurden vom Reichsgericht ebenso zutreffend anerkannt wie die Auffassung, daß unter der politischen Entwicklung seit dem Abschluß des Vertrages Charells jüdische Abstammung zu einem Vertragshinderungsgrund geworden ist, der sich unmittelbar aus seiner Person ergeben habe und ihn in seiner Eigenschaft als Nichtarier betreffe. Der Vertragswortlaut «nicht imstande» bedeutet keine Einschränkung auf geistiges oder körperliches Unvermögen, sondern umfaßt alle Möglichkeiten verschuldeter oder unverschuldeter Behinderung. Daß die Klägerin beim Vertragsabschluß die Nichtariereigenschaft Charells gekannt habe, sei nicht entscheidend, denn damals waren die politischen Dinge für den Außenstehenden noch im Flusse.

### Anhang: Der Freitod Gottschalks

Die nachstehend wiedergegebene zweizeilige *Kulturpolitische Information Nr. 17* stammt aus dem Archiv des Instituts für Zeitungswissenschaft in München. Sie verlangt eine Vorbemerkung. Der Schauspieler Joachim Gottschalk, * 1904, war mit einer Jüdin, Meta, * 1902, verheiratet und hatte mit ihr einen 1933 geborenen Sohn Michael. Von Kriegsausbruch an wurde Joachim Gottschalk immer weniger beschäftigt, und schließlich befahl Hans Hinkel ihn zu sich, um ihm mitzuteilen, er müsse sich von seiner jüdischen Frau scheiden lassen. Gottschalk wollte daraufhin wissen, was mit seiner Frau geschehe, wenn er sich nun nicht scheiden lasse. Hinkel antwortete darauf einfach: «Wen interessiert es schon, was aus einer Jüdin wird!» Siehe Curt Riess: *Das gab's nur einmal*, Hamburg 1956, S. 664. Deshalb beging Joachim Gottschalk am 6. 11. 1941 mit Frau und Kind Selbstmord. Es darf jedoch nicht unerwähnt bleiben, daß trotz eines Verbotes des Propagandaministeriums folgende Schauspieler bei der Bestattung erschienen: Brigitte Horney, René Deltgen, Gustav Knuth, Wolfgang Liebeneiner und Ruth Hellberg; siehe auch Heinrich Fraenkel: *Unsterblicher Film*, Bd. 2, München 1957, S. 132.

Über den Schauspieler Joachim Gottschalk soll in Wort und Bild nichts mehr gebracht werden.

Im Auftrag:
Unterschrift

# Großraumordnung

Das Wort Großraumordnung war ein typisch nationalsozialistischer Terminus technicus für die Hegemoniebestrebungen des Dritten Reichs. Siehe hierzu Lothar Gruchmann: *Nationalsozialistische Großraumordnung*, Stuttgart 1962.

## Prinzipielles

*Selbstschutz des deutschen Films*, in: *Film-Kurier* vom 31. 8. 1933, gekürzt.
Siehe auch: *Wer boykottiert den deutschen Film?*, in: *Deutsche Filmzeitung* vom 10. 2. 1935; *Herr Zeyn bleibt Herr Zeyn*, in: *Der Angriff* vom 30. 7. 1935; *Episode mit jüdischer Vorgeschichte*, in: *Der Angriff* vom 24. 8. 1935; *Hinter den Kulissen*, in: *Deutsche Filmzeitung* vom 25. 8. 1935; Max Ingolf: *Rassenschande im deutschen Film* in: *Thüringische Staatszeitung*, Weimar, vom 13. 9. 1935; *Filmjuden in England*, in: *Film-Kurier* vom 22. 7. 1940.

Berlin, den 31. August. – Die im Film-Kurier vor kurzem ausgesprochene Warnung an deutsche arische Filmschaffende, die in letzter Zeit im Auslande (Wien, Prag, Paris, Budapest) Filmverträge abgeschlossen haben, hat dazu geführt, daß sich auch die Reichsfachschaft Film wie überhaupt die deutsche Filmproduktion mit der Angelegenheit lebhaft beschäftigt.

Wie vorauszusehen war – und wir haben deshalb die betreffenden Filmkünstler rechtzeitig darauf hingewiesen – zielt diese Bewegung darauf ab, allen solchen arischen Filmschaffenden, die jetzt über ihre früheren Bindungen hinaus im Ausland bleiben oder gar erst ins Ausland gehen und sich dadurch an der großen Kulturaufbauarbeit in Deutschland uninteressiert zeigen oder sie sabotieren, die weitere Arbeit in Deutschland selbst für die Zukunft unmöglich zu machen.

Es wird als unpatriotisch, ja sogar als Landesverrat angesehen, wenn jetzt inmitten der großen Aufbauarbeit am deutschen Film deutsche Künstler sich mit Filmgesellschaften und Filmschaffenden im Auslande verbinden, die entweder als Nichtarier aus Deutschland auswanderten oder gegen das neue Deutschland feindselig eingestellt sind und sich an der Hetze gegen Deutschland beteiligen.

Solche arischen, deutschen, im Ausland gegen die deutschen Interessen arbeitenden Filmschaffenden laufen also Gefahr, mit den nichtarischen in Zukunft gleichgestellt zu werden.

# In Österreich

*Vertraulich!*
An den Herrn Staatskommissar,
Pg. Hans Hinkel
Reichspropaganda-Ministerium
*Berlin W*, Wilhelmplatz 8

Leo Klauser
ehemaliger Leiter der
Landesfilmstelle Österreich
der NSDAP
Berlin, den 8. November 1935

Sehr geehrter Herr Staatskommissar!
Mit beiliegenden Wiener Presse-Notizen gebe ich bekannt, daß unsere Arbeit in Wien schon einige Aufregungen verursacht hat.

Wie Sie aber ersehen können, müssen die Wiener Juden bezw. Judenzeitungen unsere Kontrolle einfach hinnehmen und können dagegen gar nichts machen.

Zum Verständnis der Notizen muß ich bemerken, daß Pg Zoidl wegen der Fülle der nachzuprüfenden Statisten sich direkt mit dem Geschäftsführer der Filmgewerkschaft, Pg Hanusch, in Verbindung gesetzt hat, um die Kontrolle der arischen Abstammung direkt bei der Filmgewerkschaft durchführen zu können. Leider hat die Regierung dies der Gewerkschaft verboten. Wir haben dadurch eine etwas langwierigere und schwierigere Arbeit; dennoch wird aber alles zur Zufriedenheit erledigt werden.

Gleichzeitig gestatte ich mir, Ihnen die Personalverhältnisse bei der Tobis-Sascha in Wien anliegend bekanntzugeben. Ich habe schon seinerzeit, d. h. vor Auflösung der Landesleitung Österreich der NSDAP, bei Dr. Henkel der Tobis in Berlin immer wieder versucht durchzusetzen, daß in die gänzlich verjudete Tobis-Sascha, Wien, allmählich Arier und Nationalsozialisten eingestellt werden. Wie Sie aus der Beilage ersehen können, haben meine Vorstellungen nicht allzuviel genützt. Lediglich Dr. Schindelka der Landesfilmstelle Österreich wurde auf meine Anregungen hin eingestellt. Die anderen Nationalsozialisten befinden sich alle in untergeordneten Stellungen und haben selbstverständlich nichts in der Tobis-Sascha mitzureden.

Heil Hitler!
Klauser

# In Ungarn

Ein Abschrift dieses Briefes schickte der Geschäftsführer der Reichsfilmkammer, Karl Melzer, an Hans Hinkel.

Herrn                    Bavaria Film Aktiengesellschaft
Franz Belitz          München, Sonnenstraße 15
*München*              den 5. Dezember 1936
Ottostr. 6            2/0

Sehr geehrter Herr Belitz!
Wir bestätigen den Empfang Ihres Schreibens vom 1. 12. 36, das Sie an uns in der Angelegenheit Drehbuch «Weiße Schwester» gerichtet haben. Unser Herr Rechtsanwalt Kilchert hat bei seiner Anwesenheit in Budapest sich nach dieser Richtung hin genau erkundigt und folgendes festgestellt:
Herr Lasar hat einen Roman «Schwester Maria» verfaßt und die Verfilmungsrechte an diesem Roman an die Pallas-Filmgesellschaft übertragen. Herr Lasar hat auch das Drehbuch für den Film «Weiße Schwester», der nach dem Roman «Schwester Maria» gedreht wird, verfertigt. Herr Lasar ist arisch und hat nach Angabe der über die Angelegenheit genau Bescheid wissenden Herren von der Hunnia das Drehbuch allein geschrieben. Nachdem Herr Lasar vor etwa 2¹/₂ Monaten verstorben ist, sollte das Drehbuch nunmehr unseren Wünschen entsprechend geändert werden. Die Änderung des Drehbuchs in der deutschen Fassung hat unser Dramaturg, Herr Geiss, im Einvernehmen mit dem Regisseur der deutschen Fassung, Herrn van der Noss, vorgenommen. Diese beiden Herren sind ebenfalls rein arisch. Die durch die Umänderung unseres Drehbuches notwendig gewordene Änderung des Drehbuches der ungarischen Fassung ist dann teilweise von Herrn Szatmari mitbearbeitet worden. Herr Szatmari hat also an dem Drehbuch der deutschen Fassung nicht mitgewirkt, sondern lediglich einige Änderungen des Drehbuches der ungarischen Fassung bearbeitet.
Herr Dr. Büngerth, der maßgebende Mann bei der Staatlichen Hunnia-Filmfabrik, der auch in der ungarischen ministeriellen Kommission sitzt und als Deutschenfreund bekannt ist, hat Herrn Kilchert persönlich erklärt, daß er selbstverständlich ein wachsames Auge darauf hält, daß keinerlei Konfliktmöglichkeiten entstehen und daß insbesondere keine nichtarischen Mitwirkenden in irgendeiner Weise zur Herstellung des Films herangezogen werden.
Was nun die Frage bei der Pallas-Filmgesellschaft selbst anlangt, so ist Herrn Kilchert ausdrücklich erklärt worden, daß die Pallas-Film ebenfalls ein arisches Unternehmen ist, deren Inhaber ebenso wie die eingetragenen Direktoren Arier sind. Herr Hegedüs ist zwar nichtarischer

Christ, hat aber nur gewisse kaufmännische Funktionen in der Gesellschaft. Herr Dr. Büngerth hat Herrn Kilchert erklärt, daß es schwer war am Anfang, geeignete rein arische Kräfte mit der entsprechenden Erfahrung für diesen Posten zu finden, da ja die ungarische Filmindustrie über nicht viel arische Kräfte verfügt. Er wird aber darauf bestehen, daß Herr Hegedüs in keiner Weise auf das kulturelle Schaffen des Films Einfluß nimmt. Nach Ansicht des Herrn Dr. Büngerth ist es auch momentan in Ungarn noch schwer, sich vollkommen frei von Nichtariern zu halten, weil hierfür gesetzliche Möglichkeiten nicht gegeben sind und gerade der Hunnia als staatlichem Unternehmen sofort von der jüdischen Presse und von den jüdischen Parlamentsmitgliedern der Vorwurf gemacht werden würde, die Hunnia betreibe Rassenpolitik. Mit Rücksicht darauf beabsichtige die Hunnia nicht, sämtliche Nichtarier aus ihren Betrieben zu entfernen, sondern in verschiedenen ungefährlichen Stellungen auch einige sogenannte «Renommierjuden» zu behalten, um einen etwa erhobenen Vorwurf der Rassenpolitik sofort zu entkräften.

In dem deutsch-ungarischen Kontingentabkommen ist festgelegt, daß die Frage der Kontingentreinheit der ungarischen Mitwirkenden nicht von der deutschen Kontingentstelle, sondern von einer neugebildeten interministeriellen Kommission aus den ungarischen Ministerien überprüft wird. Diese interministerielle Kommission hat bereits eine Bestätigung erteilt, daß die hauptsächlich in Frage kommenden, in der deutschen Fassung mitwirkenden Ungarn den deutschen Grundsätzen entsprechen. Diese Erklärung wurde unserem Herrn Kilchert zur Weiterleitung an die Reichsfilmkammer ausgehändigt. Herr Kilchert hat auch sofort noch in Gegenwart von Herrn Dr. Büngerth Herrn Dr. Schwarz von der Reichsfilmkammer angerufen und sich bestätigen lassen, daß diese interministerielle Erklärung hinsichtlich der Kontingentreinheit genügt. Herr Dr. Schwarz hat es übernommen, auch die Kontigentstelle ensprechend aufzuklären.

Wir glauben, daß durch diese Feststellungen die von Ihnen erhobenen Bedenken zerstreut werden können, danken Ihnen aber auf jeden Fall für Ihren freundlichen Hinweis, der uns Gelegenheit gegeben hat, die entsprechenden Fragen in aller Ausführlichkeit in Budapest aufzurollen und zu behandeln. Wir glauben, daß auch seitens der ungarischen Stellen peinlichst darauf geachtet wird, daß – schon in deren eigenstem Interesse – keinerlei Schwierigkeiten den Neuaufbau der deutsch-ungarischen Beziehungen erschweren oder zerstören.

Mit deutschem Gruß
Bavaria-Film-Aktiengesellschaft
Stahnke                    Kilchert

# Antijüdische Filme

## «Die Rothschilds»

Hans Erasmus Fischer: *Die Rothschilds – Im Ufa-Palast am Zoo* in: *Berliner Lokal-Anzeiger* vom 18. 7. 1940, gekürzt.
Der Film wurde am 17. 7. 1940 uraufgeführt; Produktion: Ufa; Drehbuchautoren: C. M. Köhn und Gerhard T. Buchholz nach einer Idee von Mirko Jelusich; Regie: Erich Waschneck; Darsteller: Carl Kuhlmann, Hilde Weißner, Gisela Uhlen, Ursula Deinert, Michael Bohnen, Erich Ponto, Herbert Hübner, Albert Florath, Hans Stiebner, Walter Franck, Waldemar Leitgeb, Hans Leibelt, Bernhard Minetti, Albert Lippert, Herbert Wilk, Walter Linkmann, Bruno Hübner, Rudolf Carl, Herbert Gernot, Theo Shall, Hubert von Meyerinck, Roma Bahn, Egon Brosig, Rudolf Essek, Kunibert Gensichen, Fred Goebel, Karl Hannemann, Hansgeorg Laubenthal, Walter Lieck, Hadrian Maria Netto, Werner Pledath, Klaus Pohl, Eugen Rex, Ernst Rotmund, Hans Hermann Schaufuß, Hans Adalbert Schlettow, Georg H. Schnell, Ernst Stimmel, Otz Tollen, Herbert Weißbach, Eduard Wenck, Ewald Wenck; Musik: Johannes Müller.
Siehe auch Jürgen Petersen: *Die Rothschilds* in: *Das Reich* vom 12. 7. 1940: «Es wird ausgezeichnet gespielt. Die Avantgarde der deutschen Charakterspieler scheinen in einer gemeinsamen Arbeit vereint»; S-K: *Die Rothschilds* in: *Film-Kurier* vom 15. 7. 1940: «Am raffiniertesten und skrupellosesten operiert Nathan in London. Carl Kuhlmann spielt ihn, rundlich, ölig, brutal, eine dämonische Studie»; Dr. Richard Biedrzynski: *Israels Waterloo* in: *Völkischer Beobachter* vom 17. 7. 1940: «Die Tragweite dieses Films reicht weiter und entrollt zugleich das Thema der Entscheidung»; Günther Schwark: *Die Rothschilds* in: *Film-Kurier* vom 18. 7. 1940: «Das Premieren-Publikum ging hörbar mit, reagierte auf jede satirische Pointe und spendete am Schluß starken Beifall»; *Juden über England*, in: *Deutsche Allgemeine Zeitung* vom 18. 7. 1940: «Von dem Hexenkessel der jüdischen Jagd nach dem Golde wird der Deckel aufgehoben»; Hans-Walter Betz: *Die Rothschilds* in der ersten Beilage zu: *Der Film* vom 20. 7. 1940: «Waschnecks Nathan Rothschild trägt die Züge Ahasvers: so war der Jude, so hat er durch die Jahrhunderte sein Gesicht getragen, ohne sonderliche Abweichungen zwischen dem Gauner der östlichen Ghettos, dem eingewanderten Betrüger von Riesenformat und dem internationalen Finanzschieber»; *Der Film auf neuen Wegen*, in: *Badener Tageblatt* vom 21. 7. 1940: «Jedermann, der sich mit dem Thema und dem Gehalt dieses Werkes auseinandersetzt, wird zu der Feststellung kommen, daß hier der Versuch unternommen wurde, durch die filmische Spiegelung historischen Geschehens nicht allein die Geschichte in unnachahmlicher Weise zu würdigen, sondern vor allem eine

Parallele zu den geschichtlichen Auseinandersetzungen der Gegenwart zu entwickeln.»

Dieser Film bedeutet einen Meilenstein in der Entwicklung, Umformung und Neugestaltung des deutschen Filmschaffens. Wie Dr. Hippler, der Leiter der Abteilung Film im Reichsministerium für Volksaufklärung und Propaganda vor kurzem feststellte, ist der Krieg die umfassendste und intensivste Lebensäußerung der Nation. Diese Lebensäußerung, getragen vom ehernen Willen zum Siege, fand ihren Niederschlag vom Tage des Kriegsbeginnes an im Rundfunk, in der Presse und der Berichterstattung der Kriegswochenschauen. Der Spielfilm, der in Planung, Vorbereitung und Ausführung längere Zeit brauchte, wird nun in naher Zukunft in einer Reihe von Filmwerken ebenfalls zu einer Waffe von außerordentlicher Schärfe werden. Seine Themen werden nicht nur national gebunden sein; also nicht nur das Leben, Kämpfen und Schaffen großer deutscher Männer, deren Werk uns ewiges Beispiel ist, zeigen, sondern auch die unheilvolle Wirkung jener Kräfte aufdecken, die nicht seit heute, sondern seit Jahrhunderten die wahren Kriegsverbrecher sind.

Die Ufa hat diesen Film hergestellt, den C. M. Köhn und Gerhard T. Buchholz nach einer Idee von Mirko Jelusich schrieben. Nicht allein der dramaturgische Bau dieses Drehbuches erscheint so bemerkenswert, bezwingend in seiner unbarmherzigen Logik, vielseitig in seiner sprachlichen Gestaltung, großartig in der Erkenntnis der Auswertung der optischen Möglichkeiten, sondern es muß vor allem auf die absolute historische Treue hingewiesen werden, die fern von billiger Tendenzwirkung die grauenvolle Epidemie zeichnet, die «Rothschild» hieß und ganz Europa gleich einem Ausschlag überzog.

Erich Waschneck hat den Film inszeniert. Wie Köhn und Buchholz, hielt auch er sich streng an die Geschichte. Aber er gab deswegen keinen historischen Bilderbogen, sondern ein in seiner Dynamik mitreißendes, aufwühlendes Schauspiel. Wie fein ist hier alles abgetönt, wie farbig sind die Kontraste, wie konsequent wird alles ausgedeutet! Welch eine stickige, unsaubere Luft weht hier durch Amschels Büro, wie unheimlich geradezu ist hier jüdisches Gebaren festgehalten. Wie wirksam im Gegensatz dazu die gesättigte und engstirnige Vornehmheit der City-Bankiers, die an ihrem Hochmut und ihrer Kurzsichtigkeit zwar nicht ersticken, aber bankrott werden. Sehr zart, wie ein Pastell, steht am Rande einer Liebesgeschichte. Lebensecht ist auch die Figur der irischen Bankiersfrau, die immer eine Fremde in der englischen Welt bleibt. Es ist eine bedeutsame und geschlossene Leistung: großzügig und doch subtil.

Die beherrschende Figur ist Nathan Rothschild, der von Carl Kuhlmann gespielt wird, mit Dämonie und letzter Selbstverleugnung übrigens. So mag er ausgesehen haben: fett, teuflisch-listig, ein Parasit, aus der Gosse des Ghettos emporgestiegen zum Finanzgewaltigen Englands.

### «Jud Süß»

Am 4. 11. 1934 erschien in der *Deutschen Filmzeitung* der Aufsatz: *Eine unerhörte jüdische Frechheit;* es handelte sich dabei um den 1933 von der Gaumont gedrehten Film *Jud Süß,* dem der Roman Lion Feuchtwangers zugrunde lag und dessen Hauptdarsteller Conrad Veidt, Benita Hume, Joan Maude, Frank Vosper waren; Regie führte Lothar Mendes. Um diese Rolle spielen zu können, verließ Conrad Veidt Deutschland – siehe Heinrich Fraenkel: *Unsterblicher Film,* Bd. 2, München 1957, S. 390–391.

Der nationalsozialistische Film *Jud Süß* wurde 1940 gedreht; Produktion: Terra-Film; Drehbuchautoren: Ludwig Metzger, Eberhard Wolfgang Möller und Veit Harlan; Regie: Veit Harlan; Darsteller: Ferdinand Marian, Werner Krauß, Heinrich George, Kristina Söderbaum, Eugen Klöpfer, Hilde von Stolz, Malte Jäger, Albert Florath, Theodor Loos, Walter Werner, Charlotte Schultz, Anny Seitz, Erna Morena, Jakob Tiedtke, Else Elster, Emil Heß, Ursula Deinert, Erich Dunskus, Heinrich Schroth, Bernhard Goetzke, Horst Lommer, Wolfgang Staudte, Eduard Wenck, Ilse Buhl, Käthe Jöken-König, Otto Henning, Hannelore Benzinger, Ingeborg Albert, Annette Bach, Irmgard Völker, Valy Arnheim, Franz Arzdorf, Walter Bechmann, Fred Becker, Reinhold Bernt, Louis Brody, Wilhelm Egger-Sell, Franz Eschle, Hans Eysenhardt, Georg Gürtler, Oskar Höcker, Karl Iban, Willi Kaiser-Heyl, Franz Klebusch, Otto Klopsch, Erich Lange, Richard Ludwig, Paul Mederow, Hans Meyer-Hanno, Arnim Münch, Edgar Nollet, Hellmuth Passarge, Josef Peterhans, Friedrich Petermann, Edmund Pouch, Arthur Reinhardt, Ernst Stimmel, Walter Tarrach, Otz Tollen, Max Vierlinger, Hans Waschatko, Otto Wollmann; Musik: Wolfgang Zeller – siehe dessen Interview darüber in: *Musik im Dritten Reich* (Ullstein Buch 33032); Prädikat: «Staatspolitisch besonders wertvoll, jugendwert». Dieser Film sollte anläßlich des *Internationalen antijüdischen Kongresses* in Krakau am 17. 7. 1944 aufgeführt werden. Da die Invasion jedoch begonnen hatte, wurde der ganze Kongreß abgeblasen; siehe Joseph Wulf: *Martin Bormann – Hitlers Schatten,* Gütersloh 1962, S. 92 f. Nach diesem Film gab J. R. George 1941 sein Buch *Jud Süß* mit 16 Abbildungen heraus.

### «Harlan ist soeben von einer Reise durch Polen zurückgekehrt»

*Der «Film» sprach mit Veit Harlan über Jud Süß und sein Schicksal im Film, in: Der Film vom 20. 1. 1940, Auszug.*

Es ist natürlich, daß ein solcher Film in Deutschland einige Besetzungsschwierigkeiten haben muß. So schweben über die Besetzung des Jud Süß Oppenheimer selbst zur Zeit noch Verhandlungen. Sämtliche anderen Judenrollen aber, die in dem Film vorkommen, werden von einem einzigen deutschen Charakterdarsteller gespielt, von einem Künstler, der sein unerhörtes Charakterisierungsvermögen in unzähligen Fällen schon bewiesen hat: von Werner Krauss. – Krauss wird den Wunderrabbi Loew darstellen, er wird den betrügerischen kleinen Sekretär Lewi geben, ja, er wird noch in anderer Gestalt kurz erscheinen. Es ist aber keineswegs meine Absicht, hier nun eine Bravourleistung eines großen Schauspielers aufzuzeigen; vielmehr hat die Besetzung, die übrigens von Krauss selbst vorgeschlagen wurde, einen tieferen Sinn. Es soll gezeigt werden, wie alle diese verschiedenartigen Temperamente und Charaktere, der gläubige Patriarch, der gerissene Betrüger, der schachernde Kaufmann usw. letzten Endes aus einer Wurzel kommen.

Im Mittelpunkt des Films wird eine Schilderung des Purim-Festes stehen, eines Siegesfestes, das von den Juden als das Fest der Rache an den Gojims, den Christen, ausgelegt wird.

Hier zeige ich das Urjudentum, wie es damals war und wie es sich heute noch ganz rein in dem einstigen Polen erhalten hat. (Harlan ist soeben von einer Reise durch Polen zurückgekehrt, wo er in den Ghettos einiger Städte seine Studien machte.) [1] Im Gegensatz zu diesem Urjudentum steht nun der Jud Süß, der elegante Finanzberater des Hofes, der schlaue Politiker; kurz: der getarnte Jude.

1 In den Bestellungen aus der Pressekonferenz vom 17. 1. 1940, Anweisung 116 (Bundesarchiv Koblenz ZSg 101/15), wird folgendes gemeldet: «Der Film ‹Jud Süß› von Veit Harlan ist mit Juden gedreht worden, die aus einem polnischen Ghetto für die Filmaufnahmen herübergebracht worden sind.»
Im *Presse-Rundschreiben* Nr. II/20/40 vom 18. 1. 1940 weist das Reichspropagandaamt darauf hin, daß «bei den Vorbesprechungen zum Film ‹Jud Süß› von Veit Harlan die Tatsache *nicht* erwähnt werden darf, daß Juden als Statisten bei diesem Film mitwirken» – im Archiv des Instituts für Zeitungswissenschaft in München; Veit Harlan beabsichtigte auch, einen Film «Der Kaufmann von Venedig» zu drehen; darüber gibt es eine ausführliche Korrespondenz im Oktober 1944 (!) zwischen Eberhard Frowein und dem Reichsfilmdramaturgen, im Besitz des Herausgebers; in der Götterdämmerungsatmosphäre des Dritten Reichs kam es nicht mehr zu diesem Film. Über Veit Harlan siehe auch: *Ein Jubiläum: Harlan als Schauspielerführer*, in: *Filmwoche* 1940, S. 1069; *Veit Harlan*, in: *Der Deutsche Film*, Sonderausgabe 1940/41, S. 20–21; *Bildnis zweier Filmgestalten – zur Ehrung von Veit Harlan und Wolfgang Liebeneiner*, in: *Film-Kurier* vom 6. 3. 1943.

«Jud-Süß»-Zeitungsanzeige der Berliner Kinos

Mitgliednummer:

3426

Fachgruppe:

Fachdarsteller

(Nachsuchspieler,
Leichenstatisten)

# Fragebogen.

Deutlich schreiben!                                                              Vollständig ausfüllen!

Zu- und Vorname: Krauß, Werner          Beruf: Fachdarsteller
(bei Frauen Geburtsname)                    (Genaue Berufsbezeichnung)

Künstlername: Werner Krauß               Religion:

Geburtsdatum und Ort: 23.6.1884, Gestungshausen b/Coburg

Wohnung: Berlin-Dahlem, Im schwarzen Grund 17   Fernsprecher: 76 31 36 Geheim

Staatsangehörigkeit: D.R.   seit: Geburt   Früher Staatsangehörigkeit: -----

Verheiratet? ja   mit Marta Sofolek geborene Barb Graf   geb. am 9.9.1900

Rassische Abstammung und Religion d. e. Ehemanns — Ehefrau: deutschblütig

Kinder (Name und Geburtstag): Egon 25.5.1913,

Vorstrafen:

Rassische Abstammung und Religion: deutschblütig

  des Vaters: deutschblütig, evangelisch

  der Mutter: deutschblütig, evangelisch

  des Großvaters väterlicherseits: deutschblütig, evangelisch

  der Großmutter väterlicherseits: deutschblütig, evangelisch

  des Großvaters mütterlicherseits: deutschblütig, evangelisch

  der Großmutter mütterlicherseits: deutschblütig, evangelisch

Nachweis d. arischen Abstammung
u. der Deutschblütigkeit erbracht:
Berlin, den 11.5.39

RD   A }
     B }

Beruf des Vaters: Bürgermeister   Beruf der Mutter: Ehefrau

Beruf der Ehegattin / Ehefrau Staatsschauspielerin   Welches Einkommen?

Welche Schulbildung haben Sie? Ober-Primus

Welchen Beruf haben Sie erlernt? Schauspieler

Können Sie Ihren erlernten Beruf noch ausüben? ja

Welche besondere Berufsausbildung? (Unbedingt anzugeben!) (z. B. Sprech-, Gesang- und Rollenstudium)

An einer Film-Eignungsprüfung teilgenommen? nein Wann?

Probeaufnahme?   Wann?   Wo?

Welche besonderen Kenntnisse und Fähigkeiten besitzen Sie?

Rückseite beachten!                                                              Bitte wenden!

*Der «deutschblütige» Werner Krauß*

# Das Honorar für Werner Krauß

An die Terra Filmkunst GmbH.
Produktion
Herstellungsgruppe
Otto Lehmann
*Babelsberg b. Potsdam*, Ufastraße

Der Sondertreuhänder der Arbeit
für die kulturschaffenden Berufe
Sond. XXX T. 11. Ko./Ru.
1. April 1940

Betrifft: Werner Krauss

Auf Grund der 2. Durchführungsbestimmungen zum Abschnitt III (Kriegslöhne) der Kriegswirtschaftsverordnung vom 12. Oktober 1939 in Verbindung mit meiner Anordnung zur Überwachung der Gagengestaltung bei Verträgen mit Filmschaffenden im Deutschen Reich vom 20. Februar 1940 teile ich Ihnen mit, daß ich gegen die Vereinbarung eines Pauschalhonorars in Höhe von RM 50 000,– mit dem Obengenannten für den Film «Jud Süß» entsprechend dem Angebotsschreiben vom 12. Januar 1940 keine Einwendungen erhebe.

Ich weise schon jetzt darauf hin, daß die Genehmigung dieses Pauschalhonorars sich nur auf den Film «Jud Süß» erstreckt.

In Vertretung
l. s. Kobe

## Die Wirkung auf das Publikum

Aus dem Archiv des Instituts für Zeitungswissenschaft in München.

Siehe auch: *Meldungen aus dem Reich*, Herausgeber Heinz Boberach, Neuwied/Berlin 1965, S. 115: «Unter den Szenen, die von der Bevölkerung besonders beachtet werden, wird – außer der Vergewaltigungsszene – der Einzug der Juden mit Sack und Pack in die Stadt Stuttgart genannt. Im Anschluß gerade an diese Szene ist es wiederholt während der Vorführung des Films zu offenen Demonstrationen gegen das Judentum gekommen. So kam es z. B. in Berlin zu Ausrufen wie ‹Vertreibt die Juden vom Kurfürstendamm! Raus mit den Juden aus Deutschland!›» Beim Auschwitz-Prozeß in Frankfurt a. M. sagte der angeklagte ehemalige SS-Rottenführer Stefan Baretzki (zu 8 Jahren Zuchthaus und Ehrverlust auf Lebenszeit verurteilt): «Damals wurden uns Hetzfilme gezeigt wie ‹Jud Süß› und ‹Ohm Krüger›. An diese beiden Titel kann ich mich noch erinnern. Und was für Folgen das für die Häftlinge hatte! Die Filme wurden der Mannschaft gezeigt. Und wie haben die Häftlinge am nächsten Tage ausgesehen!» Nach Hermann Langbein: *Der Auschwitz-Prozeß – Eine Dokumentation*, Wien 1965, Bd. 1, S. 208.

Reichspropagandaamt Berlin
Z. I. Nr. 68/40 Sta.
Berlin C 2, den 27. April 1940
Leipzigerstr. 81, Tel.: 16 39 54

*Geheim!*
Presse-Rundschreiben
Nr. II/279/40

Betr.: Vertrauliche Mitteilungen!
(Nur zur Information, nicht jedoch zum Abdruck bestimmt)
Sollten in nächster Zeit einige Filme über Juden herauskommen, z. B.
ein Film «Jud Süß», so sollen sie nicht als antisemitische Filme bezeichnet oder besprochen werden. Eine derartige Charakterisierung dieser Filme ist deshalb nicht richtig, weil sie durch die Wirkung auf das Publikum ihren Zweck von selbst erfüllen werden.

## Welturaufführung in Venedig

Ernst von der Decken: *«Jud Süß» in Venedig* in: *Deutsche Allgemeine Zeitung*
vom 6. 9. 1940, Auszug.
Ernst von der Decken, * 1894, Hauptschriftleiter.

Venedig, 6. 9. – Den bemerkenswerten deutschen Erfolgen auf der diesjährigen Filmschau in Venedig schloß sich am Donnerstagabend im Cinema San Marco die Uraufführung des Terra-Films «Jud Süß» an, der
einen gewaltigen Erfolg erringen konnte. Veit Harlan war selbst mit
den beiden Hauptdarstellern Kristina Söderbaum und Ferdinand Marian
in Venedig eingetroffen, und die Gäste konnten den Beifall eines festlichen Publikums entgegennehmen.
Dieser Film, dessen Drehbuch von Harlan mit Eberhard Wolfgang
Möller und Ludwig Metzger geschrieben worden ist, behandelt das Thema des sattsam bekannten Jud Süß, dessen talmudische Magierkünste
den Herzog Karl Alexander von Württemberg umstrickten: ein historisches Beispiel, wie das Judentum es verstanden hat, sich immer wieder
in deutsche Lande einzuschleichen. Ganz harmlos erscheint zunächst die
Reise des Kämmerers des Herzogs nach Frankfurt, die dem neugebacke-
nen und nicht gerade mit einer allzu großen Apanage ausgestatteten
Souverän eine Herzoginnenkrone erkaufen soll. Hier schon kann Veit
Harlan sein ganzes Können zeigen. Er tat einen Griff, der großartig war.
Er holte sich Werner Krauß, der in einer Person ein ganzes Ghettoviertel
zu beleben weiß und im Verlauf der Handlung noch als weißer Rabe und
Sekretär des Jud Süß einen Wandel seiner Person analog der seines Vir-
chow vornahm. Man muß diese schauspielerische Kunst schlechthin als
genial bezeichnen. Werner Krauß stellt nicht nur einen Juden dar, nein,
der ganze Mensch Krauß vollzieht den Wandel. Er bekommt jenen be-
henden, schleichenden Gang, seine Zunge wird schwer, jiddische Laute
entstehen, denn er psalmodiert sogar auf hebräisch, er weiß den würt-

tembergischen Bauern jüdisch verdrehte Finanzweisheiten einzutrichtern, die sie mit Staunen und Ungläubigkeit für bare Münze hinnehmen müssen. Ja, das ist in der Darstellung genial ausgeführt.

## Aufführung in Berlin

Carl Linfert: *Jud Süß – Der Film von Veit Harlan* in: Reichsausgabe der *Frankfurter Zeitung* vom 26. 9. 1940, Auszüge.

Dr. Carl Linfert, * 1900, Schriftsteller und Journalist. Im Besitz des Herausgebers befinden sich achtunddreißig Besprechungen des Films *Jud Süß* aus allen Teilen Deutschlands. Sie sind *sämtlich* im gleichen antisemitischen *Stürmer*-Stil geschrieben und unterscheiden sich kaum voneinander. Carl Linferts Besprechung wird hier nur deshalb gebracht, weil sie sich von den anderen unterscheidet, was bei der *Frankfurter Zeitung*, die mit dem Regime im Dritten Reich weniger kollaborierte, verständlich ist.

Die Geschichte des Jud Süß, mit dem ganzen Namen: Süß Oppenheimer, gehört in das Kapitel der Hofjuden, jener Juden also, die von einem Fürsten zur merkantilistischen Zeit gern gebraucht wurden, damit sie den barocken Aufwand ihres Hofes finanzierten. Literarisch ist sie in mehreren Perspektiven gesehen worden, denn die Karriere des späteren «Geheimen Finanzrats» beim württembergischen Herzog Karl Alexander war im anfänglichen Erfolg so auffällig wie im katastrophalen Ende. Der Film hat den Stoff aufgegriffen, um eine Lehre daraus zu ziehen und sie in möglichst deutlichen Vorgängen vorzuführen.

Die historische Seite der Sache lag dokumentarisch nur in Umrissen vor: die Beschuldigung und 'der Spruch des Gerichts auf Tod illustrierten die Charlatanerie oder Verworfenheit. Um sie leibhaft sichtbar zu machen und sich auch der mannigfachen legendären Andeutungen zu bedienen, blieb für den Filmregisseur das meiste zu tun. Harlan hat den ganzen Alltag der Schurkerei wie einen Berg angehäuft.

Schon unter den Juden selbst meldet sich, wenn auch nur in schwacher Andeutung, der Gegenspieler. Denn Süß ist der Jude, der nicht betet. Der Rabbi Löw aber will nicht durch falsche Sterndeutung den Herzog den Plänen des Süß gefügig machen. Er tut es schließlich doch. Werner Krauß machte eine düstere, unheilwitternde Figur daraus. Zugleich spielt er auch noch des Süß Sekretär Levy als furchtsame, frömmelnde und bösschlaue Kreatur. Beide sind erstaunliche Beispiele für die physiognomische Artistik dieses Schauspielers, erschreckend voll von Leben und bewußt auch nahe der Grenze einer mumienhaften Karikatur. Nur in der flackernden Synagogenszene zeigt sich, daß die Juden eigentlich fremd und abgesondert leben und auf diese Weise Widerpart des Süß sind. Die eigentliche Gegenwelt sind der Hof und die Rechtlichen.

Der Film hat etwas von den typenhaft geprägten Schemen der Leidenschaften, wie sie auf alten Gemälden vorkommen. Auch den barocken, unerbittlich abrollenden Mechanismus des Intrigantenstücks glaubt man zu spüren. Das Unrecht wird in die äußerste Sackgasse getrieben. Obwohl das Hofleben, wie manchmal im Film, ein wenig als ein Bilderbogen leeren Prunks erscheint, ist doch das moralische Ziel das Hauptanliegen. Es ist höchst wirksam versinnbildlicht. Spitz und konsequent ruft der Film die Erbitterung hervor – nicht nur gegen die Schlechtigkeit, die in der Welt vorkommt, sondern vor allem gegen den Exponenten solcher Schlechtigkeit. Der aber vollführt seine bösen Taten nicht, weil sie ihm Nutzen bringen. Vielmehr: er hat Lust daran, und erscheint hierzu vorbestimmt durch seine Rasse.

## Hans Hinkel an Leopold Gutterer

An Herrn Ministerialdirektor Gutterer    Hinkel
*im Hause*                               Berlin, den 25. September 1940

Betrifft: Einladung bzw. Karten zu Sonderveranstaltungen unseres Hauses.

Anläßlich der von unserem Hause veranstalteten feierlichen Premiere des Harlan-Films «Jud Süß» erhielt lediglich der unterfertigte Leiter BeKa eine Einladung und anschließend eine Eintrittskarte Mittelbalkon rechts 3. Reihe, also ...

Da in meiner Abteilung ein nicht unerheblicher Komplex der gesamten Judenfrage seit Jahren mit bekannt bestem Erfolg bearbeitet wird und zweifellos meine sämtlichen Referenten zu den ältesten Nationalsozialisten unseres Hauses. gehören, SS-Führer sind usw. usw. – stelle ich anheim, meine Abteilung doch bei künftigen ähnlichen Anlässen mit 4–6 Karten zu versorgen. Sie werden von keiner Dame, besonders aber von keiner Person außerhalb unseres Hauses, sondern nur von Nationalsozialisten in der angesehenen Uniform der SS benutzt.

Da ich gerade bei einer für mich undankbaren Angelegenheit bin, noch folgende Bitte: Meine SS-Kameraden im Reichssicherheitshauptamt (Dienststelle: Zentralstelle für jüdische Auswanderung – 3 Mann hoch! –) mit denen wir gemeinsam für diesen Harlan-Film die rasereinen jüdischen Komparsen beschafft haben, erhielten (Vorwurf gegen Unbekannt!) überhaupt keine Karte und teilten dem Unterfertigten dies in der leider allzu sprichwörtlich gewordenen Bescheidenheit alter Nationalsozialisten mit.

Ich möchte hiervon dem Herrn Ministerialdirektor II Mitteilung machen, ohne Kenntnis jenes Kameraden in unserem Hause, dem die Durchführung derartiger Kartenvorbereitungen obliegt und dem ich meinen unmaßgeblichen Wunsch weiterzuleiten bitte. Bitte!

Hinkel

# Gutterer an Hinkel

Herrn Reichskulturwalter Hinkel                    Direktor II
*im Hause*                                          Berlin, den 9. Oktober 1940

Lieber Hans!

Die schlechten Sitzverhältnisse im Ufa-Palast am Zoo haben dem Bearbeiter der Premiere des Harlan-Filmes «Jud Süß» schon oft Kummer bereitet, weil es sehr schwierig ist, allen Gästen die Plätze anzuweisen, die sie unter Berücksichtigung ihrer Stellung und ihres Ranges haben sollten. Ich habe mir ausführlich berichten lassen und die Überzeugung gewonnen, daß eine andere Platzanordnung kaum möglich war. In der 3. Reihe des Mittelbalkons saßen außer Dir noch andere Abteilungsleiter unseres Hauses, während in den dahinter gelegenen Reihen neben Vertretern zentraler Parteidienststellen und Professoren noch Ministerialdirektoren plaziert waren. Ich möchte Dich daher bitten, in Deiner Plazierung keine Zurücksetzung gegenüber anderen Abteilungsleitern unseres Hauses zu sehen.

Ich hätte es begrüßt, wenn die Referenten Deiner Abteilung an der Sondervorführung hätten teilnehmen können. Der Sachbearbeiter hat nicht ohne weiteres von sich aus auf den Gedanken kommen können, daß die Mitarbeiter Deiner Abteilung mit den Vorbereitungen für den Film «Jud Süß» besonders verbunden waren. Ich glaube, daß ein diesbezüglicher Anruf durch einen Deiner Referenten genügt hätte, um die Wünsche Deiner Abteilung zu berücksichtigen. Ich habe veranlaßt, daß bei ähnlichen Fällen Deine Abteilung entsprechend berücksichtigt wird.

Ähnlich liegen die Verhältnisse beim Reichssicherheitshauptamt. Auch in diesem Fall hätte eine fernmündliche Verständigung zwischen Deiner Abteilung und dem Sachbearbeiter genügt, um die Berücksichtigung, die das Reichssicherheitshauptamt erwarten konnte, sicherzustellen. Der Sachbearbeiter konnte die Mitwirkung des Reichssicherheitshauptamtes an diesem Harlan-Film hinsichtlich der Beschaffung rassereiner jüdischer Komparsen nicht wissen.

Mit herzlichem Gruß                                 Heil Hitler!
                                                    Dein Gutterer

## Der Reichsführer SS

Dieser Erlaß Himmlers erschien auch im *Ministerialblatt des Reichs- und Preußischen Ministeriums des Innern* 1940, Bd. 2, S. 21166, und empfahl den Film *Jud Süß* für Gendarmerie, Schutzpolizei, Feuerschutzpolizei, Freiwillige Feuerwehr, Dienststellen der SS sowie Angehörige der Ordnungs- und Sicherheitspolizei; am Ende des Erlasses steht der Satz: «Die Familienangehörigen können an den Veranstaltungen teilnehmen.»

Der Reichsführer-SS
Tgb. Nr. 35/142/40, Berlin, den 30. 9. 1940

*Verteiler V*

Ich ersuche Vorsorge zu treffen, daß die gesamte SS und Polizei im Laufe des Winters den Film «Jud Süß» zu sehen bekommt.

Der Reichsführer-SS:
H. Himmler.


## In Budapest

*Ungarns Studenten als Sprecher des Volkes – Der beispiellose Erfolg des Films «Jud Süß» in Budapest, in: Film-Kurier vom 6. 2. 1941, Auszug.*

Das der ungarischen Regierung nahestehende Blatt «Függetlensegg» veröffentlicht einen Aufruf, der von mehreren Tausend Studenten unterschrieben worden ist und der sich in besonderer Weise für den Film «Jud Süß» einsetzt, aus dessen beispiellosem Budapester Erfolg nun auch – wie der Aufruf betont – die praktischen Folgerungen gezogen werden müssen. Der Film – so fordern die Studenten, die sich zu Sprechern des ungarischen Volkes machen – dürfe nicht nur im Premierentheater, wie so viele erfolgreiche Filme, laufen, er müsse in die kleineren Filmtheater und besonders auch in die Lichtspielhäuser der Provinz übernommen werden; das würde nur dem spontan in jeder Budapester Vorstellung des Films geäußerten Willen des Volkes entsprechen: Alle Schichten der Bevölkerung brennen darauf – so heißt es in der Veröffentlichung –, die einprägsam geschilderten Niederträchtigkeiten des «auserwählten Volkes» in diesem deutschen Meisterfilm sehen zu können.


## In Holland

*Von Amsterdam bis Budapest: Beifall für «Jud Süß», in: Film-Kurier vom 6. 2. 1941, Auszug.*

Der Veit Harlan-Film der Terra «Jud Süß» hat, wie wir bereits in einem längeren Artikel des «Film-Kurier» vom 29. Januar lesen konnten, in den befreundeten und benachbarten Ländern eine außerordentlich günstige Aufnahme gefunden und in vielen Städten einen ungewöhnlichen Erfolg gehabt. Ergänzend bringen wir heute zwei Pressestimmen, die davon Zeugnis ablegen, daß der Film «Jud Süß» auch in den Nachbarländern den Willen und das Können des deutschen Filmschaffens unter Beweis stellte:

Anläßlich des Starts des Films «Jud Süß» in den drei Ufa-Theatern zu Amsterdam schreibt die «Deutsche Zeitung in den Niederlanden», Am-

sterdam: «Dieser Film ‹Jud Süß› ist ein Spielfilm und in erster Linie –
ein politischer Film. In ihm ist ein Stück der deutschen und europäischen
Geschichte Gestalt geworden. In ihm lebt unsere heutige Geschichtser-
kenntnis... Es ist ganz sicher, daß sich auch alle anderen europäischen
Nationen, die nach völkischen Gesetzen leben wollen, über kurz oder
lang auf ihre eigene Geschichte besinnen müssen, und es ist ebenso sicher, daß sie dabei auch auf das Eindringen des Judentums in ihre einzelnen staatlichen Bereiche stoßen werden... Der Film ‹Jud Süß› ist
praktischer Weltanschauungsunterricht. Er ist zeitnahe, ohne zeitgebun-
den zu sein... Dieser Film ist aber auch ein ausgezeichneter Spielfilm.
Wir möchten hoffen, daß jeder Niederländer sich dieses Filmwerk an-
sieht.»

## In Kopenhagen

*Jud Süß – Tagesgespräch in Kopenhagen*, in: *Film-Kurier* vom 20. 2. 1941,
Auszug.

Im Zentrum der Stadt Kopenhagen, auf dem Strög, heben sich von modernen Geschäften und den großen Fenstern der Büros die Umrisse
süddeutscher Kleinstadthäuser ab. Diese Fassade ist ungewöhnlich, und
außergewöhnlich wirkt auch der Film, der hier im Bristol-Theater gezeigt wird: Jud Süß.

Die jetzige Premiere, die vor geladenen Gästen stattfand, zeigte ganz
deutlich die starke Wirkung, die der Harlan-Film auf alle Zuschauer
ausübte – auf diejenigen, die dem aufgerollten Problem Verständnis
zeigen, und vor allem auch auf diejenigen, die ihm fremd gegenüberste-
hen. Die ersten Vorstellungen waren sofort ausverkauft, und das Wort
«Tagesgespräch», das manchmal allzuleicht in den Mund genommen
wird, kann im Zusammenhang mit der Vorführung dieses Terra-Films
unbedenklich gebraucht werden.

## In Paris

*Les nouveaux films: Le Juif Süss*, in: *Le Parisien* vom 21. 2. 1941, gekürzt.

Ein historisches, packendes, ungeschminktes Drama, dessen Inszenierung ein aufsehenerregender Erfolg ist.

Kaum jemand wird daran interessiert sein, in der Nationalbibliothek
die Geschichte Württembergs nachzuschlagen. Aber er würde da inter-
essante Einzelheiten über Josef Süß Oppenheimer finden. Es genügt jedoch schon, ein gutes Konversationslexikon aufzuschlagen, um dort beispielsweise den Hinweis zu finden: «Süß Oppenheimer, israelitischer
Geldmann, 1692 in Heidelberg geboren, gelangte durch Erpressungen

453

und die Verhängung der Todesstrafe für Vergehen gegen den Staat zu trauriger Berühmtheit. Am 4. Februar 1738 in Stuttgart gehängt.»

Dieser Film ist kein Phantasie-Produkt, sondern ganz den geschichtlichen Tatsachen entsprechend, die dramatischer sind als jede Phantasie. Der Film führt uns nur die skandalösen Ereignisse im Karl-Alexander-Palais getreulich wieder vor Augen.

Harlan verstand es, dieser tragischen Bildfolge mitreißenden Schwung zu geben. Seine Gestalten sind von bewundernswerter Eindringlichkeit, Größe und Beredtsamkeit. Marian wiederum wußte, mit einfachsten Mitteln seine außerordentlich schwierige Aufgabe so echt zu lösen, daß dies allein schon erhabene Kunst bedeutet.

Die eigentlichen Stars des Films «Jud Süß» sind jedoch Heinrich George, den wir nächste Woche in der Comédie-Française erleben werden, und Werner Krauß. Ihre Kunst ist seit langem bekannt. Es ist aber zu unterstreichen, daß George wieder ausgezeichnet ist und Krauß die verruchte Persönlichkeit zum erstaunlichsten Erlebnis werden läßt. Was für großartige Schauspieler sind doch die beiden!

## «Jud Süß» vor ungarischen Soldaten

Als Bericht in: *Der Film* vom 15. 3. 1941, gekürzt.

v. B.-S. Budapest, Anfang März. – Der Erfolg des «Jud Süß»-Filmes der Terra wuchs weit über den Rahmen jedes bisher gewohnten Film-Erfolges und wurde zum politischen Faktor. Wochen hindurch brachten die Zeitungen sämtlicher politischen Richtungen spaltenlange Berichte über die Probleme des Films. Das Regierungsblatt «U Magyarság» widmete dem Thema sogar einen die ganze Seite füllenden Leitartikel. Schließlich konnte fast kein Thema mehr angeschnitten werden, ohne daß der Film in irgendwelcher Art erwähnt worden wäre.

Die Militärbehörden beschlossen, den Soldaten Gelegenheit zu geben, den Film außer den normalen Vorstellungen zu sehen und Tausende von Budapester Bürgern konnten Wochen hindurch das in Ungarn ungewohnte Schauspiel erleben, daß jeweils drei Regimenter verschiedener Waffengattungen in geschlossenen Formationen und bei Trompetenschall «antraten», um der Vorstellung beizuwohnen.

Da Eintrittskarten kaum zu erhalten waren, aber die Direktion des Filmtheaters den Angehörigen von Militärpersonen den Eintritt zu diesen Vorstellungen auch genehmigte, so ereignete es sich, daß sich in dem für tausend Personen berechneten Zuschauerraum mitunter um dreihundert Menschen mehr befanden.

# In Madrid

In: *Völkischer Beobachter*, Norddeutsche Ausgabe, vom 17. 5. 1941.

Festliche Aufführung von «Jud Süß» in Madrid. Anläßlich der zweiten Arbeitstagung der Politischen Leiter der Landesgruppe Spanien der Auslandsorganisation fand im Madrider Palast-Kino die Erstaufführung des Films «Jud Süß» statt. Außer dem Landesgruppenleiter Thomsen und dem Botschafter von Stohrer nahmen zahlreiche spanische Gäste an der Filmvorführung teil, darunter der spanische Innenminister Oberst Galarza, der Minister für Handel und Industrie Carceller und andere hohe Vertreter von Regierung und Falange, ferner der italienische und der japanische Botschafter und eine Abordnung des Madrider Fascio.

## Im Osten

*Der deutsche Film im besetzten Gebiet – Ein Bericht der Zentral-Filmgesellschaft Ost*, in: *Film-Kurier* vom 5. 8. 1943.

Nach Aussagen von vielen Überlebenden in den Ostgebieten wurde der Film *Jud Süß*, wie auch der Herausgeber selbst feststellen konnte, im Osten immer dann, wenn eine «Aussiedlung» oder Liquidation im Ghetto bevorstand, der «arischen» Bevölkerung gezeigt. Wahrscheinlich hielt man es für zweckmäßig, auf diese Weise jede mögliche Hilfsbereitschaft der nichtjüdischen Bevölkerung abzufangen.

Um den Film als eines der wichtigsten Mittel der Volksaufklärung auch in den besetzten Ostgebieten so wirksam wie möglich einzusetzen, ist schon im November 1941 die Zentral-Filmgesellschaft Ost ins Leben gerufen worden, die mit ihren beiden Tochtergesellschaften, der Ostland-Filmgesellschaft in Riga und der Ukraine-Filmgesellschaft in Kiew, die Aufgabe hat, deutsche Filme im Osten einzusetzen und auch für den Gebrauch im Osten industriell vorzubereiten. Die Tochtergesellschaften beschäftigen außer einer geringen Anzahl von Reichsdeutschen eine große Menge einheimischer Kräfte.

Die Aufbauarbeit hat sich zuerst insbesondere darauf beschränkt, die in den sowjetischen Gebieten vorhandenen Filmtheater wieder einsitzfähig zu machen. Bis Februar 1943 konnten im Reichskommissariat Ostland bereits 173 Theater wieder in Betrieb genommen werden. Inzwischen sind weitere eröffnet worden. Außerdem wurden Wanderkinos eingesetzt, die die kinolosen Orte betreuen. Im letzten Halbjahr 1942 wurden auf diese Weise 18 950 000 Menschen deutsche Filme gezeigt.

Im Reichskommissariat Ukraine wurden bis März 1943 schon 298 Filmtheater wieder betriebsfähig gemacht. Auch hier sind inzwischen weitere eröffnet worden. Im letzten Halbjahr 1942 wurden hier drei Millionen Menschen in den Kinos gezählt, im März 1943 allein 1,88 Millionen.

*Nichts für empfindsame Gemüter*

 Nach den bisherigen Meldungen sind die fünf besten Erfolgsfilme im Reichskommissariat Ostland die Filme «Operette», «Die große Liebe», «Quax der Bruchpilot», «Jud Süß» und «Ich klage an» gewesen.


### «Der ewige Jude»

Der Gestalter dieses Films, Dr. Fritz Hippler, schrieb in seinem Buch: *Betrachtungen zum Filmschaffen* – mit einem Vorwort von Prof. Carl Froelich und einem Geleitwort von Emil Jannings –, Berlin 1942, S. 100: «Mit dieser sogenannten Moral hängt auch das zusammen, was man mit dem Wort Schwarzweißzeichnung anzuerkennen oder zu diskriminieren sich geeinigt hat. Im Film mehr als im Theater muß der Zuschauer wissen: Wen soll ich lieben, wen hassen? Mache ich zum Beispiel einen antisemitischen Film, so ist es klar, daß ich die Juden nicht sympathisch darstellen darf. Stelle ich sie aber unsympathisch dar, so müssen ihre Gegenspieler sympathisch sein.»

Der Film *Der ewige Jude* war ein reiner Dokumentarfilm; Gestaltung: Dr. Fritz Hippler; Manuskript: Dr. Eberhard Taubert; Photographie: A. Endrejat, A. Hafner, R. Hartmann, F. C. Heere, H. Kluth, E. Strohl, H. Winterfeld; Musik: Franz R. Fiedl.

## In sechsundsechzig Berliner Lichtspielhäusern

Albert Brodbeck: *Der ewige Jude – Uraufführung des großen Dokumentarfilms* in: *Deutsche Allgemeine Zeitung* vom 29. 11. 1940, Auszüge.

Im Ufa-Palast am Zoo fand am Donnerstag die festliche Uraufführung des Dokumentarfilms «Der ewige Jude» statt, der vom Freitag ab in 66 Lichtspielhäusern Großberlins gegeben wird. Niemals vorher ist ein politischer Film in einer derartigen Welle in Berlin gestartet worden. Der gewaltige Erfolg, der diesem Film bei den beiden ersten Vorführungen im Ufa-Palast beschieden war, berechtigt zu der Annahme, daß er in den nächsten Wochen die Filmtheater der Reichshauptstadt beherrschen wird.

Zu den beiden Aufführungen im Ufa-Palast hatten sich zahlreiche Vertreter von Staat, Wehrmacht und Partei, aus den Bezirken der Kunst und der Wissenschaft eingefunden. Auch der Gestalter des Films Fritz Hippler wohnte zusammen mit den Kamera-Männern, die das umfangreiche Material beigetragen hatten, der Festaufführung bei. Mit dem Ufa-Kulturfilm «Ostraum – deutscher Raum» wurden die Vorstellungen eingeleitet. Nach der Deutschen Wochenschau spielte das verstärkte Orchester des Reichssenders Berlin unter der Leitung von Karl Heinz Weigel die Egmont-Overtüre. Dann folgte der Hauptfilm, der von Anfang an stärkstes Interesse auslöste und am Schluß außergewöhnlichen Beifall fand.

«Der ewige Jude» ist kein Spielfilm, sondern ein Dokumentarfilm über das Weltjudentum. Er porträtiert, er berichtet kühl und sachlich, er arbeitet im Stil der Filmreportage, die nur durch das unbestechliche Bild wirken will. Aber eben in dieser kühlen Sachlichkeit soll die Wirkung auf den Betrachter liegen. Der deutsche Zuschauer hat den Juden hauptsächlich nur als den zivilisierten Westeuropäer kennengelernt, der sich in der Gesellschaft und auf allen Gebieten des öffentlichen und geistigen Lebens bewegte. Wenig aber weiß der Deutsche von dem Urzustand des Juden, wie er sich in den Ghettos Polens in Reinkultur erhalten hat. Von jenen Stätten aus aber erfolgte nicht selten der Zuzug, der ununterbrochene, nach den Kulturländern des Westens und insbesondere nach Deutschland.

Das Entsetzen erregendste Kapitel kommt am Schluß: das grausame, unmenschliche, barbarische Schächten von Schlachttieren. (Dieser Abschnitt wird in den öffentlichen Vorstellungen, weil er die Nerven einer zu harten Belastungsprobe aussetzt, nur wahlweise gezeigt.) Es sind entsetzliche Bilder von einer Tierquälerei, wie sie schlimmer nicht gedacht werden kann.

Wenn der Film ausklingt, indem er deutsche Menschen und Bilder deutschen Wesens zeigt, dann atmet der Betrachter auf. Aus tiefsten Niederungen kommt er wieder ans Licht. Und er empfindet die Abstände zwischen dem Einst und dem Jetzt nirgends so tief, die ungeheure Wandlung seit dem Umbruch kaum irgendwo so eindeutig wie angesichts dieser Bilder, die ohne viele Worte für sich sprechen.

## In Lodz (Litzmannstadt)

*Der ewige Jude in Litzmannstadt,* in: *Film-Kurier* vom 20. 1. 1941; über die Liquidation von ca. 200 000 Juden in Lodz und die einzelnen Daten der «Aussiedlungen» nach der Vernichtungsstätte Chelmno (Kulmhof) siehe Joseph Wulf: *Lodz, das letzte Ghetto auf polnischem Boden,* Bonn 1962.

Am vorigen Freitag lief im «Casino»-Lichtspielhaus zu Litzmannstadt in Gegenwart führender Männer aus Staat und Bewegung zum ersten Male das dokumentarische Filmwerk über das Weltjudentum «Der ewige Jude» an. An einer Stätte also, die für dieses Filmwerk gewissermaßen symbolhaft ist. Denn hier in Litzmannstadt, dem früheren polnischen Lodz, wurde ja ein großer Teil dieses Bildstreifens gedreht. Hier im Ghetto fing die Kamera jene Typen des Judentums ein, die das Weltjudentum am sichtbarsten zu verkörpern vermögen. In den Winkeln, Gassen und Höhlen der jüdischen Viertel, aber auch in überladen-pompösen Palästen, die heute allerdings anderen und wertvolleren Zwecken dienen, hausten jene Gestalten und wurden jene wüsten Gesichter entdeckt, die das Filmwerk uns zeigt. Durch das Ghetto von Litzmannstadt wanderte damals, noch ehe die ordnende Hand der deutschen Verwaltung eingriff und diesen Augiasstall ausmistete, die Filmkamera, um ein tatsächliches, ein unverfälschtes Bild jenes stinkenden Pfuhles zu erhalten, von dem aus das Weltjudentum seinen ständig fließenden Zustrom erhielt.

Die Gestalten und Gesichter, die der Film zeigt, zogen einst handelnd und schmarotzend durch die Straßen dieser Stadt. Hier fühlten sie sich wohl unter dem Schutz der polnischen Behörden, die sie gewähren ließen und ihre Belange noch weitgehend förderten. Hier hatten sie auf Grund einer geradezu erschütternd hohen Einwohnerzahl fast das gesamte wirtschaftliche und auch kulturelle Leben in ihrer Hand – soweit sich überhaupt von einem kulturellen Leben unter polnischer Führung sprechen läßt.

Der Film hinterließ einen sehr starken Eindruck.

# In Holland

In: *De Telegraf* vom 26. 8. 1941.

Den Haag, den 25. August. – Heute abend veröffentlichte der «Staats-courant» die Anordnung Nr. 1 des Generalsekretärs des Amtes für Volksaufklärung und Kunst vom 22. August 1941. Er bezieht sich auf den Erlaß vom 9. Juli 1941, welcher die Vorführung bestimmter Filme zur Pflicht macht. Die Anordnung lautet:

Artikel 1: Der Generalsekretär des Amtes für Volksaufklärung und Kunst verpflichtet alle Unternehmer, die Lichtspieltheater in den Niederlanden betreiben dazu, in der Zeit von Freitag, den 29. August 1941 bis einschließlich Donnerstag, den 30. April 1942, in ihren Spielplan, den sie laut Anordnung des Niederländischen Lichtspiel-Theater-Verbandes aufzustellen verpflichtet sind, den nachstehend genannten Film in öffentlichen Vorstellungen aufzuführen: «Der ewige Jude», der unter der Nummer 1931 zur Vorführung in den Niederlanden zugelassen worden ist.

Artikel 2: In Einzelfällen kann der Generalsekretär Ausnahmen von der im vorigen Artikel genannten Verpflichtung aussprechen.

Artikel 3: Diese Anordnung tritt mit dem Tage ihrer Verkündung in Kraft.

## In Paris

*Un film sensationnel: Le péril Juif,* in: *Gringoire* vom 31. 7. 1942.

Ich sah diesen außergewöhnlichen Film im «César» auf den Champs-Élysées. Er wurde in polnischen Ghettos von Filmleuten gedreht, die Wanzen, Läuse oder alles andere Ungeziefer, den Schmutz und das chaotische Gewimmel eines dauernd auf der Wanderschaft begriffenen Volkes nicht scheuten. Das eindrucksvolle Sinnbild für den rastlosen Wandertrieb der Juden sind in dem Film unübersehbare Rattenherden. Überall tauchen diese Nager auf, werden zu einer wahnsinnigen Menge, einer unerbittlich verheerenden Flut.

Höchst befremdend, aber am eindrucksvollsten in diesem Film, ist das grausame Töten der Tiere in den Schlachthäusern durch jüdische Schäch-ter. Der endlose Todeskampf der Ochsen und Hammel, die dem jüdi-schen Gesetz entsprechend erstochen werden und beim ekelhaften Ge-lächter ihrer Henker die letzten Laute ihres gequälten Fleisches von sich geben müssen, das zu sehen ist wahrhaftig eine Tortur.

## Falsche Vorwürfe gegen Pola Negri

Als Nachricht in: *Berliner Lokal-Anzeiger* vom 2. 2. 1935.

Pola Negri, Pseudonym für Barbara Apollonia Chalupek, * 1894, Schauspielerin in deutschen und englischen Filmen; ähnliche Anschuldigungen der Reichsfilmkammer erschienen in: *Deutsche Filmzeitung* vom 13. 1. 1935; da heißt es: «Verschiedene in letzter Zeit im Umlauf befindliche Gerüchte, daß Jenny Jugo Nichtarierin sei, geben mir Veranlassung, darauf hinzuweisen, daß sie gemäß der Kontingentverordnung den Nachweis ihrer arischen Abstammung erbracht hat. Carl Auen, Leiter der Kontingentstelle.»

Amtlich wird mitgeteilt: Gegen die Schauspielerin Pola Negri sind in der letzten Zeit in der Presse mehrfach schwere Anschuldigungen erhoben worden. Auf Befehl des Führers und Reichskanzlers sind diese Beschuldigungen geprüft worden, und es ist hierbei festgestellt worden, daß keinerlei Beweise für die Richtigkeit der gegen Frau Pola Negri erhobenen Vorwürfe erbracht werden konnten. Es liegt somit kein Grund vor, gegen die künstlerische Betätigung von Frau Pola Negri in Deutschland Stellung zu nehmen, um so mehr, als auch die Behauptung sich als unwahr erwiesen hat, daß Frau Pola Negri jüdischer Abstammung sei. Sie ist Polin, also Arierin.

## «Petterson und Bendel»

Es handelt sich hier um einen schwedischen Film, der vor 1933 nach dem Roman gleichen Titels des schwedischen Schriftstellers Waldemar Hammenhög gedreht wurde. Die Presse des Dritten Reiches feierte den Film im Juli 1935 als antisemitisch, weil in ihm «ein kleiner Ostjude» dem «Arier» gegenübergestellt wird; der Film erhielt das Prädikat «Staatspolitisch wertvoll», siehe dazu: *Berliner Morgenpost* vom 14. 7. 1935, und: *Deutsche Filmzeitung* vom 21. 7. 1935; im Zusammenhang mit diesem Film kam es seitens des Propagandaministeriums zu einer Untersuchung, weil angeblich einige scharf antisemitischen Dialoge «verstümmelt zur Aufführung gebracht wurden», siehe: *12-Uhr-Blatt* vom 20. 8. 1935, und: *Berliner Lokal-Anzeiger*, Morgenausgabe, vom gleichen Tage.

Den Verleih des Films betrieb der antisemitische Hammer-Verlag, von Theodor Fritsch, 1852–1933, gegründet und von seinem Sohn weitergeführt. Über

Theodor Fritsch und den Hammer-Verlag siehe ausführlicher in: *Literatur und Dichtung im Dritten Reich* (Ullstein Buch 33029), S. 500.

| | |
|---|---|
| Herrn | Der Treuhänder der Arbeit |
| Staatskommissar Pg Hinkel | für das Wirtschaftsgebiet Brandenburg |
| im Reichsministerium für | Berlin W 35, den 30. August 1935 |
| Volksaufklärung u. Propaganda | Am Karlsbad 8 |
| *Berlin W 8* | Fernruf: B 2 Lützow 75 11 |
| Wilhelmplatz 8 | *Dr. D/Bg.* |

Sehr geehrter Pg Hinkel!

Ich beziehe mich höflichst auf unsere letzte Besprechung und überreiche Ihnen anliegend eine Notierung der 16 Filme, welche die Filmtheaterbesitzer abnehmen müssen, wenn sie als 17. propagandistisch wertvollen Film «Petterson und Bendel» spielen wollen. Ich sehe in dieser Methode des Hammer-Verlages eine Erschwerung der Propaganda, wie sie uns in Form des schwedischen Filmes erwünscht ist.

Heil Hitler!
Ihr ergebener
Unterschrift

## «Es sind größere jüdische Personen ausgeschaltet worden»

Der Brief ist an den SS-Oberscharführer Viktor Fasolt, SS-Nr. 130 688, gerichtet.

| | |
|---|---|
| An Syndikat-Film Gesellschaft mbH. | Arnold Raether |
| *Berlin SW 68*, Hedemannstr. 21 | 20. Mai 1936 |

Sehr geehrter Herr Fasolt!

Für die Übersendung Ihres Schreibens vom 14. 5. 36 danke ich Ihnen. Als Nationalsozialist muß ich aber nochmals dazu Stellung nehmen, obwohl ich mich seit 1933 bemühe, diesen meinen Standpunkt in diesem Fall all Ihren Herren verständlich zu machen.

Ich halte es für einen Nationalsozialisten für unmöglich, nach 3 Jahren der Machtübernahme zu behaupten, ein Jude, sei es wo es sei, ist nicht ersetzbar gewesen. Es sind m. W. größere jüdische Personen ausgeschaltet worden wie dieser Herr Kaufmann. Die Zustimmung der mir von Ihnen angegebenen Herren für die Beschäftigung des Herrn Kaufmann entschuldigt keineswegs Ihre Handlungsweise, denn wenn nicht anders, muß ein Nationalsozialist persönlich die Verantwortung des Ausscheidens eines solchen Mannes übernehmen.

Es ist nur bedauerlich, daß gerade eine Firma wie das Deutsche Lichtspiel Syndikat, die vorgibt, sich nach nationalsozialistischen Grundsätzen aufgebaut zu haben und zu handeln, den selbstverständlichsten Pflichten bisher nicht gerecht geworden ist.

Diese meine persönliche Stellungnahme muß ich einmal schriftlich niederlegen und bin mit

Heil Hitler!
A. Raether

## Dr. Ruttke interessieren jüdische Filme

Dr. Falk Alfred Ruttke, * 1894, war Lehrbeauftragter für Rasse und Recht der juristischen Fakultät an der Friedrich-Wilhelm-Universität in Berlin; siehe seinen Aufsatz: *Erb- und Rassenpflege in Gesetzgebung und Rechtsprechung des Dritten Reiches*, in: *Juristische Wochenschrift* vom 11. 5. 1935.

Dr. jur. Ruttke
Geschäftsführender Direktor
des Reichsausschusses für Volksgesundheit
Berlin W 62, den 22. 4. 1938
Einemstraße 11, Fernruf: 25 93 21

Sehr verehrter Pg. Hinkel!

Aus der «Jüdischen Rundschau» Nr. 32 ersehe ich, dass in diesen Tagen der jüdische Film «Idel mit'n Fidel» in einem Berliner Lichtspielhaus zur Aufführung gelangt. Da ich diesen jüdischen Film, dessen Vorführung nur von Juden gegen Ausweis besucht werden darf, gern meinen Mitarbeitern im Reichsausschuß für Volksgesundheitsdienst zeigen möchte, bitte ich um leihweise Übergabe einer Kopie des Films. Sollte dies nicht möglich sein, dann wäre ich Ihnen dafür dankbar, wenn auf eine andere Art die Möglichkeit gegeben würde, dass die Mitarbeiter des Reichsausschusses diesen Film ansehen können.

Ich bin Ihnen für eine baldige Rückäusserung sehr dankbar.

Heil Hitler!
Ihr Ruttke

*handschriftlich:*
Geben die an der Vorführg. Interessierten telef. auf

## Der Jude Chaplin gratulierte

*Neues Pariser Bolschewistenblatt*, in: *Der Angriff* vom 3. 3. 1937.
Über Chaplin siehe auch: *Chaplin bleibt sich treu und stiehlt nach wie vor*, in: *Der Film* vom 10. 7. 1937, wo Chaplin als Genie in Anführungsstrichen bezeichnet wird.

Das neue bolschewistische Pariser Abendblatt «Ce Soir» ist am Montag, wie angekündigt, zum erstenmal erschienen. Es ist in der gleichen sensationellen Art aufgemacht wie der «Paris Soir» und soll nach der Absicht der hinter dem Blatt stehenden bolschewistischen Freunde dem «Paris Soir» in den Arbeiterkreisen Abbruch tun. Die ausgesprochen kommunistische Tendenz des Blattes kann es, obgleich es sich «großes unabhängiges Informationsblatt» nennt, nicht verhehlen. Über den spanischen Bürgerkrieg werden nur die aus dem spanischen bolschewistischen Lager herrührenden Nachrichten verbreitet. Bezeichnend ist es auch, daß der jüdische Filmschauspieler Charlie Chaplin dem Blatt ein Glückwunschtelegramm geschickt hat, das dieses in großer Aufmachung auf der ersten Seite veröffentlicht.

## Ein Porträt von Al Jolson

Curt Belling – Hans-Walter Betz: *Film-Kunst, Film-Cohn und Film-Korruption*, Berlin 1937, S. 90, Auszug; das Porträt wurde in extenso vom *Lexikon der Juden in der Musik mit einem Titelverzeichnis jüdischer Werke*, Herausgeber Dr. Theo Stengel und Dr. habil. Herbert Gerigk, auf S. 125–126 veröffentlicht – ausführlicher darüber siehe: *Musik im Dritten Reich* (Ullstein Buch 33032). Al Jolson war der Hauptdarsteller eines der ersten Tonfilme *The Jazz Singer,* und sein Lied *Sonny Boy* ging um die Welt.

Al Jolson war, bevor er zum Film kam, Oberkantor in einer Synagoge [1] und hieß mit seinem richtigen Namen Joseph Rosenblatt [2]. Von der Synagoge wechselte er zum Zirkus über, und man kann sagen, daß das schon ein mächtiger Sprung war. In diesem Zirkus war er eine Zeitlang Ausrufer. Später trat er in einem Café als Sänger auf, und wenn er auch nicht gerade gut sang, so war seine «künstlerische Laufbahn» mit seinem Engagement wenigstens begonnen. Von dem Washingtoner Café kam er zu einem Wandertheater, wo er neben anderen Schmierenkomödianten auch einen Nigger kennenlernte, mit dem er Freundschaft schloß. Es dauerte gar nicht lange, bis Al Jolson mit dem Neger zusammen auftrat. Er selbst kostümierte sich auch als Neger und färbte sich sein Gesicht schwarz. In dieser Aufmachung umgab er sich selbst mit dem Nimbus, ein attraktiver Künstler zu sein. Es gelang ihm auch, eine Anstellung bei einer Varietébühne in New York zu finden. Dort war der schwarzbemalte Jude bald eine Vorstadtberühmtheit. Während dieser Tätigkeit empfand er keinerlei Hemmungen, gleichzeitig in der Synagoge zu singen, nur daß er dort ohne seinen schwarzen Partner auftrat und sich auch das Gesicht nicht anmalte. In dem genannten Varieté sah ihn Jack Warner, der Produktionsleiter der amerikanischen Filmgesellschaft «Warner Brothers», und schloß mit ihm einen Vertrag ab.

1 Al Jolson war niemals Oberkantor, sondern der Sohn eines Kantors.
2 Der richtige Name Al Jolsons war Abba Joelson; Joseph Rosenblatt hingegen, der gar nichts mit Al Jolson zu tun hatte, war einer der berühmtesten Kantoren in den Vereinigten Staaten.

# Harry Piel will lieber eine kleine Rolle beim Führer als in Frankreich einen General spielen

*Harry Piel widerlegt jüdische Schauermärchen*, in: *Völkischer Beobachter* vom 26. 3. 1940.

Harry Piel, 1892–1963, berühmter Filmschauspieler, Spezialist für artistische Abenteuer.

Berlin, 25. März. – In dem jüdischen Budapester «8-Uhr-Blatt» ist behauptet worden, daß der Filmschauspieler Harry Piel Oberstleutnant im französischen Generalstab und als solcher Leiter einer Spionageabteilung sei. Harry Piel habe seinen Dienst bereits angetreten.

Hierzu teilt Harry Piel mit: «Wenn ein deutscher Filmschauspieler einmal krank ist und eine Zeitlang nicht filmt, dann ist das für einen Juden aus Budapest ein glatter Regenwurm zum Schlucken. Irgendwo muß doch meine Wenigkeit stecken. Also dreht man schnell einen wilden Film: Szene: französischer Generalstab, Spionageabteilung; Zeit: Plutokratenkrieg gegen Deutschland; Held: französischer Oberstleutnant Harry Piel; Thema: Verrat an Deutschland; Buch und Regie: ein Jud aus Budapest. Das genügt!

Ich stelle dazu fest: Ich weiß aus meiner Praxis, daß der Tiergarten Gottes viele sonderbare Vierfüßler beherbergt; aber anzunehmen, daß es Hornochsen von einem solchen Ausmaß geben könnte, die diesen jüdisch-Budapester Mist auch nur beschnüffeln könnten, das wäre doch zu viel Spott getrieben mit dem Instinkt der Hornviehkreatur. Ich kann nur sagen, ich bedaure, dem Jud aus Budapest und seinen finanziellen und geistigen Urhebern in Paris ihr schäbiges Hirnprodukt nur symbolisch um die Ohren schlagen zu können. Man möge sich darauf verlassen, daß ich wie jeder anständige Deutsche lieber bei meinem Führer die bescheidenste Rolle spiele als die selbst eines Generals in der französischen Armee. Damit dürfte die Angelegenheit für mich erledigt sein.»

## Damit steht amtlich fest

<table>
<tr><td>Gaupropagandaamt<br>zu Händen des<br>Gaupropagandaleiters<br>a. a. D.</td><td>NSDAP – Gau Berlin – Kreis II<br>We.<br>Der Kreispropagandaleiter<br>Berlin-Halensee, den 15. Juli 1942<br>Kurfürstendamm 135</td></tr>
</table>

Ich erhielt vom k-Ortsgruppenleiter der Ortsgruppe Schlachtensee, Parteigenossen Geller, einen Bericht, der den Filmkomponisten Hans Ebert und dessen Ehefrau betrifft. Ich lasse den Bericht vollinhaltlich folgen. Eine Kennzeichnung der Ehefrau (Judenstern) dürfte nach den gesetzlichen Bestimmungen nicht möglich sein, da es sich um eine Mischehe handelt, aus der ein Kind hervorgegangen ist. Der Haushaltungsvorstand ist arisch.

«Der Filmkomponist Volksgenosse Hans Ebert, Berlin-Nikolassee, Albiger Weg 13, ist mit der aus Lodz gebürtigen russischen Jüdin Sonja Himmelstein verheiratet und lebt mit ihr noch heute in Wohngemeinschaft. Die Frau, deren Vatername, jüdische Religionszugehörigkeit, Aussehen und Gebaren, über ihre jüdische Rassezugehörigkeit keinen Zweifel läßt, wurde noch im Juli 1941 von der Polizei als Jüdin geführt, wie aus einer bei den Akten der Ortsgruppe befindlichen politischen Beurteilung des Mannes zu ersehen ist. Eberts haben dann geltend gemacht, daß die Frau zu Namen und Religion durch Adoption gekommen und nicht jüdischer Abstammung sei. Eine auf meine Veranlassung durchgeführte Anfrage bei der Polizei hat nunmehr ergeben, daß das Rassenpolitische Amt im Mai ds. Js. die jüdische Rassenzugehörigkeit der Ebert bestätigt hat. Damit steht amtlich fest, daß Frau Ebert Jüdin ist.

Während die Untersuchungen schwebten, haben es Eberts verstanden, mit der Nachbarschaft in einen lebhaften geselligen Verkehr zu kommen, sogar mit Parteigenossen. Gegenvorstellungen wußten sie dadurch zu entkräften, daß die Frau als das unschuldige und bemitleidenswerte Opfer eines Irrtums hingestellt wurde.

Beruflich und wirtschaftlich erlebte der Mann als Komponist in dieser Zeit offensichtlich einen Aufstieg, indem er zur Illustration von Filmen weltanschaulich-politischen Charakters verpflichtet wurde. Auch der Deutsche Rundfunk brachte kürzlich Musik von ihm unter Nennung seines Namens. Die Vermutung spricht dafür, daß diese, der Nachbarschaft schwer verständliche Entwicklung, dieselbe Ursache hat, wie die Ausweitung des geselligen Verkehrs. Die Herausstellung Eberts als Filmkomponist durch die Ufa und andere Filmgesellschaften, die unter Aufsicht des Propagandaministeriums stehen (Pg Diewerge), beweist aber dem harmlosen Volksgenossen die Unbedenklichkeit eines Verkehrs mit Frau Ebert.

Zur politischen Einstellung der Frau Ebert ist bezeichnend, daß schon im ersten Kriegsjahr Ebert selbst durch den zuständigen Zellenleiter Boelicke mehrfach wegen Meckereien seiner Frau beim Anstehen verwarnt werden mußte. Ihre echte Meinung trat besonders deutlich bei Ausbruch des Russenkrieges hervor, als sie gegenüber der Vgn. Deventer, Albiger Straße 6, die Verhältnisse in Rußland als geradezu ideal hinzustellen versuchte, wobei sie sich allerdings eine erheblich Abfuhr holte, da sie sich für ihr Aufklärungswerk ausgerechnet eine Volksgenossin ausgesucht hatte, die als Auslandsdeutsche den Bolschewismus am eigenen Leibe erfahren hatte.

Der Ehe entstammt ein Sohn. Dieser wird seit vier Jahren, angeblich aus Gesundheitsgründen, in der Schweiz erzogen, also der HJ vorenthalten. Wie aus einer Anfrage des Wehrbezirkskommandos bei der Ortsgruppe hervorgeht, hat der Vater seine Freistellung auch vom Wehrdienst unter Hinweis auf die jüdische Mutter beantragt. Hiernach kann auch über die politische Einstellung des Vaters kein Zweifel mehr bestehen.

Indem die Eltern des wehrpflichtigen jungen Ebert ihren einzigen Sohn bewußt der selbstverständlichen Ehrenpflicht jedes Deutschen zu entziehen suchen, können sie m. E. keinen Anspruch auf schonende Behandlung weiter erheben. Vor allem erscheint es notwendig, daß die Frau durch Tragen des Judensterns deutlich als das gekennzeichnet wird, was sie ist. Das ist schon notwendig, um den geselligen Verkehr der Eberts mit der Nachbarschaft zu unterbinden, was aus Abwehrgründen wegen des Briefwechsels mit dem in der Schweiz lebenden Sohn erreicht werden muß. Auch müssen die Partei- und Volksgenossen davor geschützt werden, mit der Jüdin zusammen anstehen zu müssen. Nach dieser Sachlage halte ich es für notwendig, daß durch die für Filmgesellschaften zuständige Aufsichtsbehörde, das Reichspropagandaministerium, geprüft wird, ob es weiter angängig ist, daß Ebert in öffentlichen Darbietungen herausgestellt wird.»

Heil Hitler!
Wernicke
Kreisamtsleiter

*Stempel:*
Nationalsozialistische Deutsche Arbeiterpartei – Propagandaamt Gau Berlin – Kreis II

## Sorgen im März 1945

Das Schreiben betrifft die Dramaturgin und Schriftstellerin Erika Selma Minna Louise Beyfuss (Pseudonym Erika Fries), * 1901.

Da/Ha.
An den Herrn Reichsfilmintendanten     Der Reichsbeauftragte
SS-Gruppenführer Hinkel     für die Deutsche Filmwirtschaft
Reichsministerium     Berlin SW 68, den 24. 3. 1945
für Volksaufklärung und Propaganda     Krausenstraße 38/39
*Berlin W 8*, Wilhelmplatz 8/9     Tel. 16 40 01

*Betr.*: Überprüfung der Verträge von leitenden Angestellten im Filmbereich, soweit sie vorbestraft, jüdisch versippt oder ehemalige Freimaurer sind – Dramaturgin Beyfuss der Bavaria-Filmkunst, München.

Sehr geehrter Herr Hinkel!
Das Reichsministerium für Volksaufklärung und Propaganda, Leiter
Pers., hatte mir mit Schreiben vom 20. Januar ds. Js. aufgegeben, die Bavaria zu veranlassen, Frau Beyfuss zum nächstmöglichen Termin zu
kündigen. Diese Weisung hatte ich an die Bavaria, z. Hd. von Herrn
Herbell, weitergeleitet, nachdem ich am 16. Januar schon Gelegenheit
genommen hatte, mit Herrn Schreiber darüber zu sprechen. Herr Herbell
antwortet mir nun unter dem 19. ds. Mts. wie folgt: «Beyfuss, Dramaturgin. – Herr Direktor Schreiber teilt mir mit – und Herr Müller-Goerne, der gerade hier anwesend ist, bestätigt mir dies – daß Herr Staatsrat Hinkel sich damit einverstanden erklärt hat, daß wegen der besonders gelagerten Situation eine Kündigung nicht erfolgt.»

Ich kann wohl davon ausgehen, daß Sie mit Herrn Dr. Schulz von
Dratzig bezw. Herrn Voss die Angelegenheit bereinigen, zumal vorläufig die Weisung auf Vollziehung der Kündigung vom 20. Januar 1945
noch besteht. Mit Rücksicht auf die Bedeutung der Angelegenheit wäre
ich dankbar, wenn Sie veranlassen würden, daß die Anordnung vom 20.
Januar hier ausdrücklich aufgehoben wird.

Heil Hitler!
Ihr ergebener
Unterschrift

*Die kursiv gesetzten Zahlen verweisen auf die jeweils vorangestellten
Anmerkungen, die hochgestellten Ziffern bezeichnen die Fußnoten*

Abel, Alfred 62, *298 (1)*
Abels 381
Ackermann, Wilhelm *392 (1)*
Adam, Franz *371*
Ademann, W. Th. *282*
Aders, Egon F. M. *178 (1)*
Adler, H. G. *348*
Adler, H. H. *375*
Affelt, Martin *403*
Aischylos 47, 204, 246, 253
Albers, Hans *391*, 428
Albert, Emmerich *370*
Albert, Ingeborg *443 (1)*
Alexander III., Papst *336*
Alfieri, Dino 62, 62[1]
Alten, Jürgen von 62, *392 (1)*
von Alvensleben 223
Anacker, Heinrich 78, 78[1]
Ander, Charlotte 428
Anders, Hermann W. s. u. Hermann Wanderscheck
Angerer, C. J. 23, 23[2]
Anski, Sch. *310*
Anton, Karl *412*
Arent, Ada von 119
Arent, Arnfried von 119
Arent, Benno von (Vater) 119
Arent, Benno von (Sohn) 19, 19 f, 29, *38 (1)*, 62, 75, 110, 119 f, *181 (2)*, 295, 295[1]
Arent, Herta von 119
Aristoteles 143 f
Arnheim, Valy *350*, *443 (1)*
Arnstaedt, Hansi *393*
Arzdorf, Franz *443 (1)*
Asal, Karl 21, 21[3]
Aßmann, Gustav *31 (1)*, 37[5], 117, 117[1]
Aßmann, Ludwig 429
Auen, Carl *124 (1)*, 124, 298, *298 (1)*, *312 (1)*, 313, *372 (2)*, *390 (1)*, *392 (1)*, *490 (1)*
August Wilhelm, Prinz von Preußen 388

Aulinger, Elise *390 (2)*

Baarova, Lida *372 (2)*
Bab, Julius *268*
Bach, Annette *443 (1)*
Bach, Hans Ulrich *393*
Bach, Johann Sebastian 350
Bäcker, Hans *158 (1)*
Bacmeister, Arnold *301 (1)*, *357*
Bacmeister, Ernst 202, 202[1]
Bade, Wilfried *245 (2)*
Badenhausen, Rolf *175*
Baer, Max 307
Bahn, Roma *441*
Balzer 216
Bang, Herman 250, 250[3]
Banzhaf, Siegfried 100
Barbarossa s. u. Friedrich I.
Baretzki, Stefan *447*
Barko, Hildegard *402 (1)*
Barlach, Ernst 203, 203[1]
Barnay, Paul 263 f
Barnowsky, Victor 105, 105[1], 106, 262
Bartels, Adolf 206, 206[2]
Bartheel, Carla *390 (1)*
Bäselsöder, Hans 316
Baser, Friedrich *280 (2)*
Bassermann, Albert *189*, 264 f
Bassermann, Else *264*
Bauer, Erich 164
Bauer, Hans *45 (1)*
Bäuerle, Friedrich-Walter 22, 22[1]
Baumann, Hans 199
Baumann, Kurt *268*
Baumann, Max *338*
Baumbach, Felix 21, 21[6]
Baumgarten, Hans 429
Beaumarchais, Pierre-Augustin Caron de 267[5]
Becce, Giuseppe *370*, *390 (1)*
Bechmann, Walter *443 (1)*
Beck, Heinrich 234, 234[1]
Becker, Fred *443 (1)*

Beckerle, Adolf 390 (2)
Beethoven, Ludwig van 350, 356
Behmer, Ernst 372 (2), 401 (1)
Behrens, Wilfried 402 (2)
Belitz, Franz 312 (1), 313, 314 (2)
Belling, Curt 331, 361 (1), 381,
    385 (3), 426 (1), 426, 463
Benzinger, Hannelore 443 (1)
Berger, Walther 317
Berghaus, Franz 403
Bergmann, Hellmut 393
Bergner, Elisabeth 305, 431, 439
Bergner, L. 250, 250[1]
Bergstraesser, Arnold 206
Bernau, Alfred 412
Berner, L. s. u. L. Bergner
Bernhard, Emil (Emil Cohn) 113,
    113[1]
Bernhardt, Kurt 370
Bernt, Reinhold 370, 401 (1),
    443 (1)
Berthold 370
Best, Walter 196 f
Best 126
Bethge, Friedrich 58[1], 110, 176,
    195, 220 f, 250 f, 250[1], 414 f
Bethge, Richard 210
Betz, Hans-Walter 441, 463
Beumelburg, Werner 246, 246[1],
    370[4]
Beyer, Paul 32 (2), 143 (2), 178 (1)
Beyfuss, Erika Selma Minna Louise
    466, 466 f
Bickel, Shlomo 362[1]
Biebrach, Rudolf 391
Biedrzynski, Richard 282, 441
Bienert, Gerhard 412, 416, 423
Bierkowski, Heinz 392 (1)
Bildt, Paul 189, 373, 395, 412,
    416
Billerbeck-Geutz, Friedrich 141,
    146 (1), 191 (2), 244 (2)
Billinger, Richard 350
Binding, Rudolf Georg 166 (2),
    340
Birgel, Willy 372 (2)
Bismarck, Otto, Fürst von 45, 147
Bizet, Georges 114 f
Blomberg, Werner von 76, 388

Blumenfeld, Victor 309
Blumenthal, Oskar 267, 267[3]
Blümner, Rudolf 412
Blunck, Hans Friedrich 298 (1)
Blut, Eva 393
Boberach, Heinz 394 (1), 447
Bock 347
Bock-Stieber, Gernot 424
Bode, Rudolf Berthold 170, 170[1]
Boelcke, Oswald 370, 370[2]
Boelicke 465
Böhm, Wilhelm 429
Böhme, Herbert A. E. 372 (2), 395
Böhmelt, Harald 402 (2)
Bohnen, Michael 441
Boll, Gertrud 375
Bolte, Otto 169 (2)
Boor, Lisa de 394 (1)
Borcherdt, Hans Heinrich 232, 232
Borgmann, Hans-Otto 401 (1),
    416
Bormann, Martin 397 f, 398[1]
Borsche, Dieter 212 f
Boss, Hermann 301 (2)
Böttger, Dr. 298 (1)
Brahm, Otto (Otto Abrahamsohn)
    267, 267[6]
Brand, Hermann 263, 263[2]
Brandenburg, Friedrich 154 (2),
    156, 159 (2)
Brandenburg, Hans 141, 244 (2)
Brandt, Heinrich 428
Bratt, Harald 393, 412
Braumüller, Wolfgang 91, 168 (1),
    184, 186, 187 (1)
Braun, Alfred 340, 350, 395
Braun, Curt Johannes 373
Braun, Hermann 402 (1)
Braunstein, J. 309
Brausewetter, Hans 402 (1)
Bredow, Heinrich (Ludwig Mül-
    ler) 26, 26 f
Breithaupt, Wolfgang 293, 293,
    294, 337 (2), 362 (2)
Brem, Beppo 371
Brendler, Erich 151 (2)
Brenner, Hildegard 178 (1)
Briese, Gaston 402 (1)
Brinkmann, Carl 311, 381

Brod, Max 270, 270[1]
Brodbeck, Albert 457 (2)
Brody, Louis 372 (1), 412, 443 (1)
Bröger, Friedrich 164, 164[1]
Brosig, Egon 441
Brouwers, Hermann 316
Bruckner, Anton 401
Bruckner, Ferdinand (Theodor
 Tagger) 269 f
Brückner, Gerhard 39[2]
Brückner, Dr. 135
Brues, Otto 219
Brust, Hermann 317
Brüstlin, Wilhelm 317
Buch, Fritz Peter 403, 403
Buchardt, Ruth 355
Bucher, Wilhelm 362 (2)
Buchholz, Gerhard T. 441, 442
Buchhorn, Josef 181 (1)
Buder, Ernst Erich 390
Buhl, Ilse 443 (1)
Büngerth, Dr. 439 f
Burg, Monika 416
Burger, August 39[6]
Burte, Hermann 200, 200[3]
Busch, Erich 429
Buth, Helmuth 102 f
Buttlar, Georg 246
Büttner, Hans Joachim 189, 401
 (1)

Caesar, Gaius Iulius 65 (1)
Camerer, Walther 213 f
Cappi, Konrad 350
Carceller 455
Carl, Rudolf 441
Caspar, Horst 395
de Castro 326
Cerff, Karl 81, 81[1], 103
Chaplin, Charles Spencer 309, 421,
 421[2], 462 f
Charell, Eric (Erich Löwenberg)
 435 f
Chassel, Martin (Martin Wolf-
 gang) 274 f
Clausen, Claus 191, 395, 401 (1)
Clausewitz, Karl von 246
Clemen, Barbara 393
Clemm, Günther 403

Closterhalfen, Annemarie 281
Collande, Gisela von 372 (2)
Collande, Volker von 372 (2), 392
 (1), 402 (2)
Cooper, Page 24[2]
Correl, Ernst H. 298 (1)
Courths-Mahler, Hedwig 421[1]
Cromwell, Oliver 65 (1)
Cupei, Inge 403
Czinner, Paul 305 (2), 305

Dagover, Lil 217, 298 (1)
Dahlke, Paul 372 (2)
Dahmen, Josef 350, 372 (2), 391,
 395, 412
Dähnhardt, Heinz 306
Dalands, Else 411 (2)
Dallin, Alexander 112
Dalman, Joseph 390 (2)
Damm, Paul 39[7]
Dannemann, Karl 393, 402 (2),
 416
Dannhoff, Erika 370
Dargel, F. A. 195 (2), 281
Darré, Richard Walter 160 (2),
 161, 188, 188[2], 374 (2)
David, Gerhard 273
Decken, Ernst von der 448
Deharde, Gustav 84 (1), 84
Deinert, Ursula 441, 443 (1)
Deininger, Georg 163
Deltgen, René 436
von Demandowsky 372 (2)
Denecke 393
Denk, Ferdinand 244 (2)
Deppe, Hans 401 (1)
Dernburg, Ernst 392 (1), 412
Deutschmann 326 f
Deventer 465
Devrient, Emil 264
Devrient, Ludwig 264
Diebold, Bernhard 189
Diegelmann, Wilhelm 390 (1)
Dießl, Gustav 395
Dietrich, Marlene 306, 309
Dietrich 357
Dietze, Otti 390 (1)
Dietzenschmidt, Anton 167 (1),
 184

Diewerge 465
Dippel, Paul Gerhard 142 (1), 195 (2)
Dlugi, Manfred 102 f
Dohm, Will 411 (2)
Donizetti, Gaetano Domenico Maria 270
Dopler, Anny 104
Döring, Theodor 264
Dostojevskij, Fjodor M. 252
Dovifat, Emil 425 (1)
Dreßler-Andreß, Horst 70 f
Drews, Berta 394 (2), 401 (1), 416
Drexel, Inge 350
Dreyer, Ernst Adolf 36, 361 (1)
Dron, Otto 196 (2)
Droop, Marie-Luise 372 (1)
Dumont, Louise 277, 277[1]
Dunskus, Erich 189, 403, 443 (1)
Dupont, Ewald Andreas 428
Dürre, Konrad 247
Dwinger, Edwin Erich 199 f
Dymow, Ossip (Osip Isidorovič Perelman) 270, 270[2]

Ebel, Herbert 372 (1)
Ebermayer, Erich 402 (1)
Eberstein, Friedrich Karl Freiherr von 126, 127
Ebert, Hans 464 f
Ebert, Sonja 465 f
Eckardt, Felix von 402 (2)
Eckart, Dietrich 176, 176[1], 263
Eckert, Gerd 367 (1)
Eger, Paul 93
Eger, Paul 210[4]
Egger-Sell, Wilhelm 443 (1)
Eggers, Kurt 74, 74[1], 202
Eggert, Toni 371
Eggerth, Martha 428
Ehlers, O. A. 213, 214
Ehlers, Paul 141
Ehrlich 327
Ehser, Else 350, 402 (1)
Eichberg, Richard 431
Eichendorff, Joseph von 219
Eickhoff, Lothar 62
Elsholtz, Peter 373
Elster, Else 443 (1)

Elster, Hanns Martin 71
Emmel, Felix 50, 245 (1)
Emmerling, Georg 371
Endrejat, A. 457 (1)
Engel, Johannes 73[1]
Engelbrecht Engelbrechtsson 163 (2)
Engelbrecht, Kurt 255 (2)
Engelking, K. H. 193
Engelman, Andrews 391
Engl, Adolf 290 f, 293[1], 419 (2), 432
Engl, Olga 370
Englisch, Lucie 428
Erhardt, Hermann 394 (2)
Erler, Otto 196
Ermann, Hans 142 (1), 317
Ernst, Karl 388
Ertel-Breithaupt, Wolfgang s. u. Wolfgang Breithaupt
Eschle, Franz 443 (1)
Eschmann, Wilhelm 413 (1)
Essek, Rudolf 441
Essig, Major 325
Etlinger, Karl 402 (1)
Euringer, Richard 183
Euripides 253
Evans, Karin 393
Evelt, Heinz 371
Evers, Ehrhard 338
Everth, Franz 104
Ewers, Hanns Heinz 390 (1)
Eysenhardt, Hans 443 (1)

Faber, Gustav 427 (1)
Fabricius, Hintz 393
Falckenberg, Otto 21, 21[1]
Falkenstein, Julius 428
Fanck, Arnold 377
Fangauf, Eberhard 387
Fasolt, Viktor 461 (2), 461
Fechter, Paul 87 (1), 168 (1), 168, 195 (2), 281
Fehdmer, Helene 373, 375
Fernau, Rudolf 372 (2)
Fervers, Kurt 401 f
Fetscherin, Hans 354
Feuchtwanger, Lion 443 (1)
Fiala, Hans 196

Fichtner, Erwin 372 (1)
Fiedl, Franz R. 457 (1)
Fiedler, Richard 390 (1)
Fiedler, W. 191 (1)
Fikenscher, Friedrich 184
Finck, Werner 102 f, 102¹, 308 f
Findeisen, Kurt Arnold 144
Fischer, Adolf 372 (1)
Fischer, Arnold 316
Fischer, Hans Erasmus 389, 441
Fischer, Herbert 268
Fischer, Hugo 298 f, 332 (1)
Fischer, Wolfgang 355
Fischer-Klamt, Gustav 169 (2)
Flechtner, General 325
Flemming, Hans 191 (1)
Flemming, Willi 233 f
Flickenschildt, Elisabeth 412
Flink, Hugo 350
Florath, Albert 393, 403, 416, 441,
    443 (1)
Flügel, Rolf 413 (1)
Fochler, Karl 402 (2)
Föhr-Waldeck, Harald 402 (2)
Folker, Johann Ulrich 161
Fontane, Theodor 226
Forsch, Robert 350
Forster, Walter 392 (1)
Förster-Ludwig, Heinz 120 f
Forzano, Giovacchino 191 (1), 191
Fraenkel, Heinrich 409, 436, 443
    (1)
Framm, Frl. 276
Franck, Walter 189, 392 (1), 441
Frank, Bruno 270
Frank, Hans 212
Frank, Harry 402 (1)
Frank, Rudolf 390 (2)
Franke, Hans 178 (1)
Frauenfeld, Alfred Eduard 35 (1),
    37 (2), 38 (1), 38, 42, 48, 49,
    82 (2), 102, 112 f, 115, 117,
    117¹, 118, 135, 145 (1)
Freeden, Herbert H. 268, 270
Frenzel, Elisabeth 160 (1), 257,
    258
Frenzel, Herbert A. 148 (2), 197
Frick, Wilhelm 141, 193, 244,
    244¹, 388

Friedrich, Kaiser (Friedrich III.,
    König von Preußen) 324
Friedrich I. Barbarossa, Kaiser 201,
    336
Friedrich II., Kaiser 336
Friedrich II. der Große, König in
    Preußen 45, 202, 246, 346, 409
Fritsch, Theodor 265 (2), 460 f
Fritsch, Willy 298 (1)
Fritz, Bruno 402 (1)
Fritzau, Fritz 246
Froelich, Carl 313, 314 (2), 317,
    318, 402 (1), 411 (2), 428, 456
Froelich, Hugo 402 (1), 411 (2)
Fromm, Neander 431 f
Frowein, Eberhard 354, 393, 416,
    416, 444¹
Frucht, Hans 169 (2)
Fuetterer, Werner 394 (2)
Fulda, Ludwig 267, 267⁵
Funk, Alois 364 (2)
Funk, Walter 123, 123, 298 (1),
    356
Fürst, Leonhard 372 (2)
Fürstenberg, Ilse 375, 393
Furtwängler, Wilhelm 101

Gaal, Franziska (Franziska Silber-
    stein) 431
Galarza, Oberst 455
Gast, Peter 355
Gau-Hamm, Hugo 390 (1)
Gebel, Willi 172
Gebühr, Otto 402 (2)
Gehring, Christian 198 (2)
Gehring, Viktor 412
Geiger, Konrad 19³, 133 f
Geisenheyner, Max 195 (2)
Geisler, Gerhard 403
Geisler, Willy 374 (2)
Geisow, Hans 33 (2)
Geiß, Jakob 439
Genschow, Fritz 391
Gensichen, Kunibert 441
Gentsch, Adolf 185 (1), 266 (2)
George, Heinrich (Georg Heinrich
    Schulz) 191, 395, 401 (1), 443
    (1), 454
George, J. R. 443 (1)

Gercke, Achim 259 f
Gerhard II., Erzbischof 187 (2)
Gerigk, Herbert 463
Gerlach, Kurt 204, 252 (2)
Gerlach 328
Gerlach-Bernau, Kurt 179 (2)
Gernand, Heinrich 316
Gerner, Ludwig 372 (1)
Gernot, Herbert 416, 441
Gerold, Luis 370
Gerst, Wilhelm Karl 184
Gerstner, Hermann 113
Gerth, Werner 92
Gervais, Otto R. 142 (1)
Ghito, Ali 403
Gide, André 32
Giese, Hans Joachim 405 (2)
Gignoux, Regis 431
Gissibl 350
Glanz, Luzia 172
Glauer 326
Gleixner, Albert Peter 39⁵, 45 (1)
Globke, Hans 64 (2)
Gnaß, Friedrich 391
Gneisenau, August Graf Neidhardt
  von 395, 396 f
Goebbels, Joseph 25 f, 29, 31 (1),
  36, 37, 37¹, 38¹, 39, 40, 47, 47,
  48 f, 50, 51 f, 56 (1), 58, 59, 60,
  61 f, 69 (2), 71, 73, 75, 77,
  79 (1), 81, 94, 94, 102, 106,
  108 f, 111, 128 f, 149, 187 (2),
  190 f, 193, 218, 222, 224,
  228 (2), 255, 290, 292, 296,
  297, 298 (1), 298, 303, 306,
  312, 313, 318, 318¹, 319, 329,
  339 (1), 340¹, 341, 354 f, 355,
  355 f, 362¹, 365 (1), 369, 370,
  386 (2), 387, 388, 389, 395,
  398², 407 (1), 409 f, 416, 433
Goebbels, Magda 129 (1), 354
Goebel, Fred 441
Goebel, H. 416
Goebel-Vidal, Irmela 268
Goebels, Franz 110
Goercke-Pflüger, Günther 354
Goes, Gustav 184
Goethe, Johann Wolfgang von 79,
  152, 202, 256

Goetschmann-Ravestrat, Ernst
  163 (2), 196 (1), 200 (1)
Goetzke, Bernhard 393, 443 (1)
Gordon, Wolf von 18¹
Gorges, Heinz 247
Göring, Emmy 93, 93 f, 189
Göring, Hermann 18, 26, 62, 63,
  63¹, 64, 76, 83, 93, 93 f, 94²,
  101, 101 f, 111, 221, 318¹, 370³,
  384, 405
Gottschalk, Joachim 436
Gottschalk, Meta 436
Gottschalk, Michael 436
Götz, Karl August 375
Götz, Lutz 403
Grabbe, Christian Dietrich 203 f,
  253
Graener, Paul 110
Graf, Otto 372 (2), 393, 412
Gregor VII., Papst 336
Greiner, Fritz 390 (2)
Grensemann, Hinrich 73
Grensemann, Ida 73
Grewe, Wilhelm 280 (2)
Grimmer, Aribert 212, 375, 412
Gronostay, Walter 375
Grosse, Arthur 370
Grosse, Wilhelm 403
Grothe, Heinz 195 (2), 374 (1)
Gruchmann, Lothar 437 (1)
Gründgens, Gustaf 38 (1), 93, 94,
  94³, 101 f, 110, 191, 412
Grundschöttel, Wilhelm 281
Grunwald, Willi 412
Gülstorff, Max 373, 412
Günther, Hans F. K. 204, 206,
  206¹, 251
Günther, Walter 62, 361 (1)
Gürtler, Georg 443 (1)
Guthmann, Heinrich 89 (1), 141,
  162 (2)
Gutkelch, Walter 192, 192²
Gutmann 326
Gütt, Arthur Julius 247
Gutterer, Leopold 339 (1), 347,
  352, 355, 356, 450 f

Haack, Käthe 373
Haagen, Margarete 393

Haas, Dolly 430
Haas, Otthein 390 (2)
Haas, Dr. 135
Haase, Friedrich 264
Haass, Wilhelm 80
Hadamowsky, Eugen 34 (1)
Hadank, Günther 376
Hafner, A. 457 (1)
Hagen, Peter s. u. Willi Krause
Hagenried, Helmut 407 (2)
Halbe, Georg 80
Halm, Alfred 432 f
Halpern, Dina 310
Hambach, Bettina 403
Hamblock, Josef 145 (3)
Hamel, Paul 30, 30²
Hamel 326, 354
Hammenhög, Waldemar 460 (2)
Hanfstaengl, Ernst Franz 390 (1)
Hanft, Karl 371
Hanke, Karl 128 f
Hannemann, Karl 401 (1), 416,
    441
Hansen, Hans 212
Hansen, Heinrich 82
Hansen, Max 430
Hanus, Emmerich 350
Hanusch 438
Harbacher, Karl 350
Harbou, Thea von 373
Harden, Maximilian (Maximilian
    Felix Ernst Witkowski) 267⁶
Hardt, Harry 393, 403
Harlan, Veit 189, 191, 340, 340²,
    350, 373, 391, 395, 396 f,
    443 (1), 443 f, 444¹, 448, 449,
    454
Harmjanz, Heinrich 232, 232
Härtle, Heinrich 235
Hartmann, Paul 103, 110 f, 298 (1),
    392 (1), 393
Hartmann, R. 457 (1)
Hartwig, Knut 416
Hartz, Erich von 178 (1), 201,
    201¹
Harvey, Lilian 346
Hasenclever, Walter 50, 51
Hasse, Clemens 189
Hasting-Dresden, Hanns 169 (2)

Hatheyer, Heidemarie 393
Haubenreißer, Karl 393, 412
Hauer, Hans Reinhold 372 (2)
Hauptmann, Gerhart 46, 46¹, 91,
    143, 208, 208¹, 251², 251, 373
Hauser, Bert 195 (2)
Häußler, Johannes 411 (1)
Havemann, Hans 195 (2)
Hebbel, Friedrich 150, 204
Hecking, Erich 412
Heere, F. C. 457 (1)
Heering, Hans 189
Hegedüs 439 f
Heiber, Helmut 129 (1), 409, 410¹
Heide, Walther 425 (1)
Heidegger, Martin 189
Heidmann, Karl 402 (2)
Heilinger, Heinrich 390 (1)
Heilmeier, Josef 371
Heine, Heinrich 256
Heinemann, Karl 253, 253¹
Heinrich IV., Kaiser 336
Heinrich I., König 336, 413
Heinrich XIV., Erbprinz von Reuß
    80¹, 116
Heinrich, Karl 142 (1)
Heinrich, Theodor 73
Heinrichsdorff 341
Heizmann, Friedel 412
Hellberg, Ruth 394 (2), 436
Hellmer, Karl 392 (1), 416
Hellpach, W. 375
Helm, Brigitte 298 (1), 428
Hempel, Ernstpaul 191
Henckels, Paul 395
Henkel, Dr. 438
Henning, Otto 443 (1)
Henninger, Hans 372 (2)
Henrichs, Helmut 162 (1)
Henseleit, Felix 293, 337 (1),
    405 (1), 409
Herald, Heinz 265 (1), 266 (1)
Herbell 467
Herking, Ursula 392 (1)
Herkommer, Heinz 367
Hermann, Bernhard 394, 62, 114,
    114, 130 f, 432
Hermecke, Hermann 191
Herrmann, Max 234, 234²

Herrmann, Walter 391
Herse, Henrik 165, 165⁴
Herten, Hans 411 (2)
Herterich, Franz 395
Hertzsch, Harry 371
Herzberg, Georg 392 (2)
Herzlieb, Walter 372 (2)
Herzog, Josef 73
Heß, Emil 443 (1)
Heß, Rudolf 206, 222, 388
Heß 128
Hesse, Hans 212
Hesse, Kurt 198
Hesse, Otto Ernst 189
Hesterberg, Trude 403
Heuser, Kurt 412
Heydrich, Reinhard 63¹
Heynicke, Kurt 185 (2), 186, 186¹
Hilpert, Heinz 84 (2), 218
Himmelstein, Sonja s. u. Sonja
  Ebert
Himmighoffen, Thur 116, 116²
Himmler, Heinrich 30, 30⁴, 30⁵,
  94, 94¹, 112, 116, 127, 129 (1),
  188, 282, 413 (2), 451, 452
Hindenburg und Beneckendorff,
  Paul von 45, 355, 362 (1)
Hinkel, Hans 18, 18, 19², 24, 25 f,
  26, 27, 28, 30, 48, 49, 61 (1),
  62, 63, 65 (2), 83, 86, 94, 95 f,
  97, 100, 106 f, 110, 113, 115 f,
  124, 128, 129, 130 f, 135, 141,
  178 (1), 211, 213 (2), 216, 221,
  222 f, 228 (2), 228 f, 236 f, 263,
  265, 268 f, 269, 270, 270, 271 f,
  272 f, 293, 295, 314, 319, 324,
  326, 329, 340 f, 342, 342 (2),
  355, 357, 397, 398, 414 f, 432,
  433, 434, 436, 438, 439, 450 f,
  461, 462, 466 f
Hinrichs, August 188, 188³
Hinz, Werner 412
Hippler, Fritz 355, 356, 442, 457
  (1), 457
Hirschfeld, Magnus 427, 427¹
Hitler, Adolf 20, 28², 32 (1), 33,
  36, 50, 56 (1), 59, 61 (2), 76 (1),
  77, 78, 79 (2), 83¹, 89 f, 93,
  129 (1), 134, 135¹, 135², 136¹,

145 (1), 145 (3), 151 (1), 176¹,
  179, 189, 193, 212, 219 f, 228,
  244¹, 246 (1), 272 (1), 290, 292,
  294 f, 309, 312, 318¹, 331, 355,
  361 f, 364, 365 (1), 370 f, 381,
  381 f, 384, 386¹, 388, 397, 401,
  409, 410, 414, 420 (2), 421, 424,
  430
Hochstetter, Max 372 (2)
Hochtritt 129
Höcker, Oskar 392 (1), 443 (1)
Hoelzlin, Friedrich 209, 210
Hoelzlin, Heinrich 209, 210
Hoelzlin, Frau 210
Hoesch, Leopold von 208, 209
Hofen, Maria 350
Höfer, Werner 281
Hoffmann, Gabriele 402 (2)
Hoffmann, Horst 38 (2)
Hoffmann, Paul 48, 149 (1), 169
  (2)
Höflich, Lucie 412
Hofmannsthal, Hugo von 252 f,
  270
Hohenlohe-Schillingsfürst, Chlod-
  wig Fürst zu 324, 326
Hölderlin, Friedrich 252
Holthoff, Wilhelm von 62
Holtz, Wilhelm Hinrich 93
Holz, Arno 402 (1)
Holzapfel, Carl Maria 67, 69 (1),
  180 (1), 376
Holzapfel, Gustav Adolf 79 (2)
Holzer, Josef 350
Hoopts, Fritz 375, 395, 412
Hoppe, Marianne 94, 94⁴, 298 (1),
  373
Horaz 246
Hörbiger, Attila 394 (2)
Horn, Walter 162 (1), 189
Horney, Brigitte 436
Hubenreisser, Karl 93
Huber 328
Hübner, Bruno 441
Hübner, Herbert 373, 402 (1), 441
Huch, William 350
Hüfner, Gerhard 403
Hugenberg, Alfred 292, 356
Hühnerfeld, Paul 189

475

Hume, Benita 443 (1)
Humperdinck, Engelbert 282, 282¹
Hüpgens, Theodor 412
Huppertz, Toni 402 (2)
Husen, Mohamed 372 (1)
Hussong, Friedrich 243, 361 (1)
Hustahn, Heinrich 39¹
Huxhagen, Herbert 317

Iban, Karl 443 (1)
Ibsen, Henrik 91, 176¹, 205, 250, 267⁵, 269 (1)
Iffland, August Wilhelm 264
Ihering, Herbert 27 f, 27¹, 111 (1), 168 (2)
Ihlenburg, Fritz 316
Iltz, Walther 117, 117²
Ingolf, Max 437 (2)
Inkijinoff 375
Innozenz III., Papst 336

Jacob, Jürgen 402 (2)
Jacobsen, Hans-Adolf 397
Jacobsen, Jens Peter 250, 250²
Jaenicke, Erna 100 (1)
Jäger, Malte 443 (1)
Jamnig, Hans 370
Jan, Reinhold von s. u. Reinhold Zickel von Jan
Jannings, Emil 309, 365 (1), 373, 402 (1), 412, 456
Janssen, Walter 393
Jason, Alexander 302
Jasser, Manfred 373
Jelusich, Mirko 146 (2), 441, 442
Jenkner, Hans 103
Jerosch, Ernst 338
Jerschke, Oskar 402 (1)
Jessner, Fritz 269 (1)
Jessner, Leopold 106, 263
Jochum, Eugen 60
Johannes, Martin Otto s. u. M. O. Johannes Redlein
Johannsen, Ingeborg 412
John, Georg 428
Johnsen, Oswald 293, 293¹, 294, 294, 294¹, 381
Johst, Hanns 19, 19¹, 19², 25 f, 31 f, 58¹, 95, 96, 100, 100¹,

145 (2), 166 (3), 176, 189 f, 219, 239
Jöken-König, Käthe 403, 412, 443 (1)
Jolles, André 92
Jolson, Al (Abba Joelson) 463, 463¹, 463²
Jonas 24
Jud Süß s. u. Josef Süß Oppenheimer
Jugo, Jenny 490 (1)
Julian (Flavius Claudius Julianus), Kaiser 205
Jung, Siegmund 314 (2)
Junge-Swinburne, Karl 372 (2)
Jünger, Ernst 222, 222²
Junghans-Busch, Ferdinand 141

Kaergel, Hans Christoph 165, 165³
Kafka, Franz 270¹
Kahlmann, Jutta 259 (1)
Kainz, Josef 267, 267¹
Kaiser, Georg 143, 143¹, 252
Kaiser, Leonhard 210⁴
Kaiser-Heyl, Willi 443 (1)
Kalbus, Oskar 347, 366 (1), 391
Kallenbach, Helmut 142 (1)
Kampers, Fritz 370
Karchow, Ernst 372 (2)
Kark, Werner 142 (1)
Karl I. der Große, Kaiser 65 (1), 193, 201
Karl Alexander, Herzog von Württemberg 448, 449
Kaspar, Theo 390 (2)
Kaufmann, Nikolaus von 318¹
Kaufmann 461
Kayßler, Christian 393
Kayßler, Friedrich 191, 375
Kean, Charles 370, 370¹
Keaton, Buster 421, 421³
Keller, Wolfgang 205 (2)
Keller 328
Kenter, Heinz Dieter 154 (1)
Keppler, Ernst 189
Kerscher, Leopold 371
Kersten, Paul 198 (1), 199 (2)
Keudell 89
Kielskowski 328

Kiendel, Anthes 167 (1)
Kiepura, Jan 428, 428[1]
Kilchert 439 f
Kindermann, Heinz 150 (2), 233
Kinkelin, Wilhelm 377
Kinz, Franziska 391, 401 (1)
Kircher, Josef 97 f
Kirchstein, Harold M. 392 (1)
Kirsten, Rudolf 184
Kiß, Edmund 192 f
Kitzinger, Grete 142 (1)
Kiwitt, Alfred 392 (1)
Klages, Dietrich 244[1]
Klaiber, Joachim 141
Klamt, Jutta 170
Klarer, Georg C. 366 (2)
Klatt, Herbert 395
Klauser, Leo 438
Klebusch, Franz 443 (1)
Klein, Robert 106
Klein-Rogge, Rudolf 373
Kleist, Heinrich von 103, 204, 270
Klemperer, Otto 24, 24[3]
Klicks, Rudolf 372 (1), 402 (1)
Kliesch, Joachim 337 (1)
Klingbeil, Franz Georg 73
Klingenberg, Heinz 390 (2)
Klinger, Paul 350, 376
Klitzsch, Ludwig 355, 356
Kloessel, Oskar 203 (2)
Kloot, Ludwig ten 371
Klöpfer, Eugen 37 (2), 38 (1), 64,
    64[3], 94, 94, 95, 108, 110, 117,
    117 f, 230[1], 314 (2), 350, 391,
    403, 443 (1)
Klopsch, Otto 443 (1)
Klucke, Walther Gottfried 254,
    254[1]
Kluckhohn, Paul 151 (2)
Kluth, H. 457 (1)
Knatz, Karlernst 378 (1)
Knudsen, Hans 58, 75, 90, 141,
    147 (1), 187 (1), 196 (1), 228 f,
    257, 269 (1), 278 (1)
Knuth, Gustav 436
Kobe 447
Koch, Erich 327
Koch, Franz 234
Koch, Georg August 258, 278, 281

Kochanowski, Erich 65 (2)
Köck, Eduard 394 (2)
Koennecke, Roswitha 393
Köhler, Gerhard 279 (1)
Köhn, C. M. 441, 442
Kökert, Alexander 189
Kolb, Marian 371
Kolb, Richard 301 (2)
Kolbe, Hans 316
Kolbenheyer, Erwin Guido 144,
    175
Kollek, Helmut 393
König, Eberhard 200, 200[1]
König, Otto 73
König, Willi 372 (1)
Konradi, Inge 370
Konzelmann 340
Koppenhöfer, Maria 189, 373, 375,
    391, 416
Köppler, Rudolf 166 (3)
Körber, Hilde 373, 403, 412
Korda, Sir Alexander 427, 427[2]
Korherr, Richard 282
Körner, Hermine 64, 64[2]
Körner, Lothar 376
Körner, Ludwig (Ludwig Leopold
    Wilhelm Vivegnis) 38 (2),
    61 (2), 62, 62[3], 104 f, 111, 136,
    136[2]
Körner, Paul 94, 94[2]
Körner, Peter 107 f
Körner, Wilhelmine 104
Kortner, Fritz 276, 276[2], 428
Kortwich, Werner 375
Kotto, Gregor 372 (1)
Kotze, Hans Ulrich von 420, 420[2]
Kowa, Victor de 402 (2)
Krahn, Maria 392 (1)
Kratzer 324 f
Krause, Willi 296 f, 314 (2), 375
Krause-Walter, Charlotte 411 (2)
Krauss, Clemens 62, 62[2]
Krauss, Max 62
Krauss, Otto 38 (1), 110
Krauß, Werner 31 (1), 37, 37[2], 46,
    191, 208 f, 282 f, 443 (1), 443 f,
    447, 448, 449, 454
Kraußneck, Arthur 46, 46[2]
Krejci, Jaromir 350

Kreuzberger, Hans 225
Kreysern, Eberhard 371
Krieger, Arnold 412
Kriegk, Otto 367 (2), 427 (2)
Krips, Josef 263, 263[1]
Kronburger, Otto 370
Krug, Wilhelm 402 (2)
Krüger, Paul 412
Krüger, Paul W. 402 (1)
Krüger, W. P. 393
Kube, Richard Paul Wilhelm 64 f,
    193
Kückelhaus, Heinz 416
Kuhlbars, Ernst 23
Kuhlmann, Carl 441, 442
Kühne, Karl 195 (2)
Kunig, Rudolf 390 (2)
Künkler, Karl 142 (1)
Kuntze, Ingolf 129 (2), 130
Kunze, Heinz 31 (2)
Kurtz, Ursula 373
Kurz, Werner 70 (1), 141
Kutschera, Edgar 38 (2)
Kutschera, Fritz 189
Kyser, Hans 88 (2), 88 f, 142 (2)

Lahm, Karl 282
Lallinger, Adolf 390 (2)
Lalsky, Gertrud de 390 (1)
Lammers, Hans Heinrich 207, 207
Lampe, Jörg 141
Lampert, Nestor 371
Langbein, Hermann 447
Lange, Carl Albert 203 (2)
Lange, Erich 443 (1)
Lange, Georg Heinrich 371
Lange, Oskar 38 (2), 39[2]
Langenbeck, Curt 142 (1), 201,
    201[3], 225
Lasar 439
Laubenthal, Hansgeorg 441
Laubinger, Otto 31 (1), 32, 36, 40,
    45, 46, 105, 141, 182, 185 (1),
    186
Laurenz, Ilse 327, 328
Laurenz 327
Lausch, Heinz 395
Lavery, Emmet 265, 265[2]
Leber, Manfred 403

Leckebusch, Günther 402 (2)
Ledebur, Leopold von 189, 393
Lederer, Franz 428
Leers, Johann von 266 (1)
Leers, Otto 31 (1), 37, 37[4], 62
Legal, Ernst 350, 393, 402 (1), 403
Lehmann, Ernst Herbert 425 (1)
Lehmann 420
Lehner, Hugo 370
Lehndorf, Franz 338
Lehnich, Oswald 313 f, 314 (2),
    316, 317 f, 425
Leibelt, Hans 189, 441
Leichtenstern, Ernst 355
Leitgeb, Waldemar 441
Lembach, Hedda 178 (2), 390 (2)
Lemme, Dr. 423
Lena, Magda 390 (2)
Lengyel, Melchior 420 (1)
Lenk, Wolfgang 230[1]
Lenz 132
Lessing, Gotthold Ephraim 268,
    269 (1)
Lettow, Hans A. 413 (2)
Leutheiser, Wolf 18[1], 19[2], 23, 23[1],
    62, 141
Levie, Werner 268, 275 f
Ley, Robert 68, 68[2], 73[1], 76, 222,
    356, 388
Leyhausen, Wilhelm 47
Lichberg, Heinz von 167 (2)
Liebeneiner, Wolfgang 110, 319,
    319[1], 335, 393, 396, 396[1], 396[2],
    436
Liebl, Max 210, 210[3]
Liebscher, Otto 203 (2)
Lieck, Walter 350, 441
Liedtke, Harry 298 (1), 354
Liessem, Vera 390 (2)
Liliana, Lily 310
Lindau, Paul 267, 267[2]
Lindemann, Gustav 276, 276[3],
    277[1]
Lindner, Amanda 370
Linfert, Carl 449
Linkmann, Walter 441
Lippert, Albert 441
Liskowsky, Oskar 141
Löck, Carsta 391, 403

Loebell, Hellmuth von 30, 30[1]
Lohkamp, Emil 390 (1)
Loja, Maria 350
Lommer, Horst 443 (1)
Loo, Jolanthe 191
Looft 236
Loos, Theodor 298 (1), 312 (1), 313, 372 (2), 373, 443 (1)
Loraino, Erwin 416
Lossen, Lina 191
Lossow, Rudolf von 144
Lothar, Ernst 265, 265[1]
Lubitsch, Ernst 427, 427[3]
Lubliner, Hugo 267, 267[4]
Lucas, Curt 393
Lücke 24
Ludendorff, Erich 246, 355, 356
Ludendorff, Mathilde 355
Lüders, Günther 416
Lüders, Waldemar 164 (2), 253
Ludwig, Richard 443 (1)
Lukschy, Wolfgang 412
Luther, Martin 166
Lüthge, Bobby E. 401 (1)
Lutz, Ingrid 354
Lutz, Joseph Maria 160 (3)
Lützkendorf, Felix 129 (2), 130
Luxemburg, Rosa 276 f, 277[3]

Maack, Alfred 416
Mac Arthur, Douglas 415
Mack, Fritz 190
Mackenroth, Otto 429
Maercker, General 325
Maier, Hansgeorg 195 (2), 378 (2)
Maisch, Herbert 276, 276[1], 412
Mann, Erika 248 (2), 248 f
Mann, Klaus 101
Mann, Thomas 248 (2)
Mannheim, Lucie 428
Manning, Philipp 411 (1)
Mannstaedt, Otto 189
Manvell, Roger 409
Maraun, Frank 354 f
Marenbach, Leni 411 (2)
Margendorf, Wolf 278 (2)
Marian, Ferdinand 412, 443 (1), 448, 454
Märker, Friedrich 195 (2)

Markschies, H. G. 96 f
Marlowe, Christopher 278 (2), 279
Martell, Karl 412
Mathaei, Hans Jürgen 375
Matousek, Emil 371
Matthes, Walter 159 (1)
Mattisson, Max 291
Maude, Joan 443 (1)
Mauer, Adolf 317
Maul, Wilhelm 316
May, Walter 248 (1)
Mederow, Paul 411 (2), 443 (1)
Meier, Eva Maria 403
Meinecke, Gustav 191
Meisel, Kurt 350, 395
Meissner, Hans 222 f, 414, 414 f
Meißner, Otto 388
Meißner, Wilhelm 102 f
Meixner, Karl 391, 401 (1)
Melchinger, Siegfried 282
Melichar, Alois 413 (2)
Melzer, Karl 313, 314 (2), 317, 318 f, 320, 439
Mendes, Lothar 443 (1)
Menke 306
Menz, Gerhard 38 (2), 311, 425 (1)
Menzel, Gerhard 391, 394 (2)
Merk, Wilhelm 143 (1)
Merzdorf, Helmuth 163 (2)
Meßter, Oskar 298 (1)
Mettin, Hermann-Christian 147 (2), 206 f
Metzger, Ludwig 443 (1), 448
Meyendorff, Irene von 340, 372 (2), 395
Meyer, 327, 328
Meyer-Hanno, Hans 372 (2), 392 (1), 403, 443 (1)
Meyerbeer, Giacomo (Jakob Liebmann Meyer Beer) 114
Meyerinck, Hubert von 441
Mielke, Fred 424[1]
Mierendorff, Hans 403
Mikulski, Karl 393
Mikulski, Kurt 416
Milde-Meißner, Hansom 402 (1), 411 (2)
Miltner, Heinrich 402 (2)
Minetti, Bernhard 189, 191, 441

479

Mischke, Fritz 429
Mitscherlich, Alexander 424[1]
Möckel, Marka 403[1]
Moebius, Rolf 402 (1)
Mog, Aribert 376, 423
Möhl, Friedrich 158 (2)
Mohr, Erich 246
Moissi, Alexander 264, 276
Molenaar, Herbert s. u. Herbert
    Müller-Molenaar
Molière (Jean-Baptiste Poquelin)
    91, 267[5], 269 (1)
Möller, Eberhard Wolfgang 58[1],
    141, 148 (1), 187 (1), 197, 227 f,
    239, 248, 253, 278, 422 (2),
    443 (1), 448
Möller, Gunnar 402 (2)
Möller, Kai 375
Molnár, Ferenc 269 (1), 270
Moltke, Helmuth, Graf von 246
Montenbruck, W. 176 (1)
Montenegro, Conchita 354 f
Moraller, Franz Karl 48, 48[1], 49,
    73
Morena, Erna 443 (1)
Morewski, Abraham 310
Motz, Karl 374 (2), 420
Mühle, Hans 192, 192[1]
Muhr, Adelbert 199 (1)
Mühr, Alfred 141
Mulert, Botho 312 (1), 313, 314 (2)
Müller, Georg Wilhelm 56 (2), 289
Müller, Hanna 342 f
Müller, Joachim 280 (2)
Müller, Johannes 441
Müller, Karl 371
Müller, Paul 19[3]
Müller, Renate 392 (1)
Müller, Rolf 402 (1)
Müller, Walter Felix 94, 94[5]
Müller 23
Müller-Goerne, Walter 358, 358[1],
    467
Müller-Lincke, Anna 401 (1)
Müller-Molenaar, Herbert 236 f,
    327
Müller-Scheld, Wilhelm 38 (1),
    335, 335[1], 386 (1)
Münch, Arnim 443 (1)

Münch-Harris, Joe 412
Mund, Wilhelm Michael 58
Münster, Hans A. 92, 405 (2),
    425 (1)
Muschler, Reinhold Conrad 384
Mussolini, Benito 146, 191
Müthel, Lothar 38 (1), 94, 110,
    186, 191, 239 f, 282, 283
Muthesius, Ehrenfried 148 (2)
Mutschmann, Martin 137, 137[1]
Mutzenbecher, Hans Esdras 18,
    18 f, 18[1], 19[2], 208, 208 f

Nachreiner, Hanns 262
Nadler, Josef 252 (1)
Nagy, Käthe von 391
Napoleon I., Kaiser der Franzosen
    195, 357, 397
Napp, Karl 416
Naso, Eckart von 64 (2), 83
Naumann, Hans 158 (1)
Nedden, Otto Carl August zur
    200 (2), 205 (1), 278 f
Negri, Pola (Barbara Apollonia
    Chalupek) 460
Nelissen-Haken, Bruno 162, 184
Nelkel, Franz 212
Neruda 263
Nettelbeck, Joachim 395, 396 f
Netto, Hadrian Maria 441
Neudahl, Hellmut 191
Neumann, Carl 381
Neurath, Konstantin Freiherr von
    ˆ388, 420[2]
Neuschiefer, Wolfgang 184
Nicklisch, Franz 416
Nicolaus, Karl Nils 219
Nielsen, Hans 393
Nierentz, Hans Jürgen 296 f,
    314 (2), 423
Niessen, Bruno von 28, 29, 39[3]
Niessen, Carl 182, 182[1], 232
Nietzsche, Friedrich 202, 252
Nippold, Otto 316
Nollet, Edgar 443 (1)
Norkus, Herbert 401 (1), 401
van der Noss 439
Nufer, Wolfgang 60 (2), 116,
    157 (1), 176 (2)

Nürnberger, Siegfried 212
Nusser, Luitpold 291

Obenauer, Karl Justus 158 (1)
Oberhauser, Robert 195 (2)
Odemar, Fritz 392 (1)
Oertel, Curt 345
Oertzen, Jaspar von 395
Offenbach, Jacques 114 f, 270
Ohling, Richard 316
Olschinsky, Matthias 371
Ondra, Anny 210, 210[1]
Opländer 127
Oppenheimer, Josef Süß 448, 449,
    453
Orlick, Bruno Gerhard 165[3]
Ortloff, Alfred 141
Osterholz, Wolfgang 393
Osterwald, Karl 141
Oswald, Richard 362[1], 420 f, 427
Otto I. der Große, Kaiser 336
Otto, Hans 195 (2)
Otto, Paul 110, 392 (1)
Overdieck, Fritz 25 f

Pabst, Walter 200[1]
Pailleron, Édouard 91
Paltzo, Joachim 317
Papen, Franz von 388
Papke, Lothar 413 (2)
Parbel, Kurt 355
Passarge, Hellmuth 372 (2), 416,
    443 (1)
Paul, Alexander 247
Pauls-Harding, John 416
Paulsen, Edmund 189
Paulsen, Harald 373, 393, 402 (1),
    411 (2), 412
Pauly, Edgar 340
Pawloff 352
Pechel, Rudolf 266 (2)
Pempelfort, Karl 142 (1), 280 (2)
Penzkofer, Albert 371
Perez, Jizchok Leib 271, 271[1]
Perizonius, A. 256 (2)
Pestalozza, Albert Graf von 376
Peterhans, Josef 443 (1)
Petermann, Friedrich 443 (1)
Petersen, Julius 200 (2), 231

Petersen, Jürgen 441
Petersen, Peter 394 (2)
Petri, Edelgard 416
Peukert, Leo 402 (2)
Pfaudler, Franz 394 (2)
Pfeiffer, Arthur 142 (1)
Pfeiffer, Heinz-Ernst 265 (2)
Pfeil, Mathieu 46, 46[3]
Pfleger, Hanns Erich 371
Picker, Henry 365 (1)
Piel, Harry 464
Pilot, Manfred 390 (2)
Pinthus, Walter 273 f
Pirandello, Luigi 91, 269 (1)
Pirchan, Emil 119
Piscator, Erwin 27, 27[1], 106, 147,
    231, 231[2], 263
Platen, Flockina von 412
Platen, Karl 423
Platon 244
Platte, Rudolf 401 (1)
Pledath, Werner 393, 412, 441
Pleister, Werner 34 (2)
Plischke, Kurt 324 f
Plugge, Walther 306, 306[2]
Pohl, Klaus 441
Pokorny, Hans Franz 371
Polgar, Alfred 435
Poliakov, Léon 170[1], 282, 310,
    390 (2)
Ponto, Erich 393, 441
Popitz, Johannes 235, 235[1]
Popp, Kuno 317
Porten, Henny 318[1]
Posse, Alexis 189
Pössenbacher, Hans 371
Pouch, Edmund 443 (1)
Prack, Rudolf 350
Pradl, Alfred 230[1]
Prause, Dr. 352, 357
Preis, Alfred 274
Preis, Liesel 274
Presber, Rudolf 118, 118
Presber 118
Preußker, Horst 413 (2)
Pridat-Guzatis, H. G. 76 (1)
Pruscha, Viktor 21, 21[5]
Püttjer, Frank 416
Püttjer, Gustav 416

Raddatz, Carl 340, 394 (2), 416
Raeck, Sigfried 172
Raether, Arnold 298 (1), 312 (1),
    313, 365, 385 (1), 387, 422 (1),
    461 f
Rainer, Harald 189
Rainer, Karl 391
Ralph, Louis 412
Ramlow, Rudolf 187 (2)
Rank, Joseph Arthur 427²
Rascher, Werner-Herbert 363 (1)
Rasp, Fritz 392 (1)
Rausch, Lotte 411 (2), 416
Rauschning, Hermann 409
Redder, Joachim 54
Redeker 341
Redlein, M. O. Johannes 421
Reger, Max Johann Baptist Joseph
    Maximilian 350
Reh, Hans 184
Rehberg, Hans 25¹, 25, 82 (1),
    195 f
Rehkopf, Paul 393, 403, 412, 416
Reichardt, Waldemar 192, 192³
Reichel, Kurt 142 (1)
Reichenberg, Frau 236
von Reichmeister 354
Reimann, Walter 364 (1)
Reinhardt, Arthur 372 (1), 412,
    443 (1)
Reinhardt, Christel 399 (1)
Reinhardt, Edmund (Edmund
    Goldmann) 267
Reinhardt, Max (Max Goldmann)
    108, 265 f, 270², 365 (1)
Reinwald, Grete 390 (1)
Reiser, Hans 354
Reithofer, Josef 350, 412
Remarque, Erich Maria 410, 410¹
Remmertz, Willy 19³, 24, 24
Rethel 201
Reuß, Erbprinz s. u. Heinrich XIV.,
    Erbprinz von Reuß
Rex, Eugen 46, 46⁴, 441
Rhädes, Jürgen 337 (1)
Ribbentrop, Joachim von 309¹
Richard, Frieda 350
Richter, Fred 122
Richter, Hans 401 (1), 402 (1)

Richter, Rotraut 401 (1)
Richter, Dr. 231
Richthofen, Manfred Freiherr von
    370, 370³
Riefenstahl, Leni 387 f, 380
Riegel, Otto 58
Riesen, Gerhard 174 (1)
Riess, Curt 395, 409, 436
Rist, Sepp 372 (1), 372 (2)
Rittberger, Horst 403
Ritter, Karl 372 (2), 415
Rode, Wilhelm 28, 28 f, 94, 122 f
Roemisch, Bruno 169 (2)
Rohde, Robert 190, 190 f
Röhm, Ernst 28 f, 28², 388
Rohringer, Norbert 403
Rollenbleg, Dr. 354
Roloff, Gertrud 393
Rosar, Annie 350
Rose, Paul Arthur Max 278 (1),
    278, 281 f
Rose, Willi 372 (2), 393
Rosen, Max 402 (1)
Rosenberg, Alfred 65 (2), 69 (2),
    71, 71, 145 (3), 151 (1), 163,
    187 (2), 187 f, 189, 206, 250,
    352, 353, 361 (1)
Rosenberg, Wolfgang 191
Rosenblatt, Joseph 463²
Rosenhauer, Max 350
Rosenstock, Joseph 268
Rösner, Willi 209
Rostosky, Friedrich 142 (1), 176
    (2), 178 (1)
Roth, Friedrich 154 (2), 155 f,
    165, 165¹
Roth, Hermann 194 f
Roth 24
Rotmund, Ernst 350, 401 (1), 416,
    441
Rottmann, Grete 350
Rousseau, Jean-Jacques 203
Röver, Carl 188, 188¹
Rubiner, Ludwig 252
Rückert, Ernst 372 (1)
Rückert, Helma 390 (2)
Rudolph, Erich 335
Rufer, Walter 59
Rügner, Fritz 21, 21⁴

Rühmann, Heinz 411 (2)
Rust, Bernhard 63, 63², 133, 289
Ruttke, Falk Alfred 462

Sachse, Peter 102 f
Sadowa, Emmerich 265
Sahm 380
Salfner, Heinz 390 (1), 392 (1)
Saltenburg 106
Salzmann, Heinrich 317
Santé, Georg 382
Sardou, Victorien 91
Sattig, Ewald 425 (1)
Sattler, Ernst 393
Sauermann, Clemens 34 (2), 145 (3)
Schaaf, Doris 269 (1)
Schacht, Horace Greely Hjalmar 380
Schaeffers, Willi 29 f, 29¹
Schäfer, Ernst 413 (2), 414
Schafheitlin, Franz 340, 393, 395, 412
Scharf, Werner 395
Schaub, Julius 135, 135¹
Schaub, Konradjoachim 399 (2)
Schaudinn, Hans 371
Schaufuß, Hans Hermann 350, 391, 395, 412, 441
Schaufuß, Hans Joachim 402 (1)
Schauten, Charles 395
Scheffels, Franz Josef 110
Scheffels, Ilse 403
Schenkendorf, Leopold von 78, 78²
Schenzinger, Karl Aloys 401 (1)
Scherer, August 316
Scherler, Gerhard 212
Scheu, Just 392 (1), 393
Scheuermann, Fritz 312, 313, 324 f, 361 (1)
Schierholz, Gustav 317
Schieske, Alfred 416
Schiff, Else s. u. Else Bassermann
Schiller, Friedrich 47, 79, 142, 206 f, 243, 244, 248 f
Schindelka, Dr. 438
Schinke, Gerhard 335
Schirach, Baldur von 77, 77¹, 81, 401

Schlageter, Albert Leo 189
Schleier, Rudolf 310
Schlenker, Inge 403
Schlettow, Hans Adalbert 391, 412, 441
Schlösser, Rainer 31 (1), 35 (2), 36, 37, 37 (2), 38 (1), 38¹, 39 f, 40, 43, 48, 49 f, 54, 60, 61 (1), 61 (2), 73, 80, 81, 82, 89 (2), 94, 113 f, 125, 142 (1), 149 (2), 196 (1), 204, 205 (2), 221, 223, 231, 232 f, 270
Schlott, Hermann 371
Schmalstich, Prof. 298 (1)
Schmeling, Max 210¹
Schmid, Eugen 79 (3), 80¹
Schmid-Wildy, Ludwig 371
Schmidt, Achim 402 (1)
Schmidt, Adolf 316
Schmidt, Bernhard 22
Schmidt, Dietmar 40
Schmidt, Erich 316
Schmidt, Fritz 317
Schmidt, Heinz 72
Schmidt, Josef 362, 362¹
Schmidt, Walter 153, 167 (2)
Schmidt 248
Schmidt-Gentner, Willy 394 (2)
Schmidt-Leonhardt, Hans 31 (1), 37, 37³, 136, 136³
Schmidtkunz, Walter 370
Schmitt 127, 227
Schmitz, Friedrich 429
Schmitz, Ludwig 340
Schmitz, Siegfried 271, 271²
Schmitz, Sybille 423, 423
Schmonsees, Friedrich 317
Schneider, Alexander 174 (2)
Schneider, Hannes 335
Schnell, Georg H. 372 (1), 412, 441
Schnitzler, Arthur 269 (1)
Schöber, Franz 350
Schoenhals, Albrecht 402 (2), 402
Schoknecht, Walter 429
Schomberg, Hermann 375
Schönmetzler 309
Schrade, Hans Erich 109, 110, 110, 302 (2)

Schramm, Karl 169 (1)
Schramm, Wilhelm Ritter von 33 (1), 143 (1), 184
Schramm-Duncker, Walter 412
Schreiber, Friedrich 38[1]
Schreiber 355, 467
Schreiner, Liselotte 350
Schreyvogl, Friedrich 265, 265[3]
Schrieber, Karl Friedrich 76 (1)
Schröder, Arthur 390 (1)
Schröder, Ernst 412
Schröder, Franz 371
Schröder-Schrom, Franz W. 392 (1)
Schroer, Hermann 25, 25 f, 95 f
Schroth, Heinrich 372 (2), 373, 412, 443 (1)
Schrott, Ludwig 70
Schubert, Franz 62
Schücking, Julius Lothar 89 (1)
Schulenburg, Heddo 403
Schulte, Gerhard 338
Schultes, Albert 370
Schultz, Charlotte 340, 443 (1)
Schultz, Wolfgang 150 (2)
Schultze, Norbert 393, 395
Schulz von Dratzig 467
Schulz-Dornburg, Hans 145 (3), 277[4]
Schulze, Ernst 317
Schumann, Gerhard 198
Schürenberg, Siegfried 372 (2)
Schwägermann 354
Schwark, Günther 419 (1), 441
Schwarz, Franz Xaver 135[2]
Schwarz, Günther 335, 335[3]
Schwarz, Hans 201, 201[2]
Schwarz, Hanz 250
Schwarz, Dr. 388, 440
Schweizer, Armin 403, 412
Schwitzke, Heinz 142 (1)
Schworm, Karl 113
Seeger, Ernst 306 f, 306[1], 314 (2), 355, 420, 420[1]
Seide, Werner 361 (1)
Seiderer, Astrid 412
Seipp, Hilde 392 (1)
Seitz, Anny 443 (1)
Seitz, Franz 390 (2)
Seldte, Franz 276 (1)

Selpin, Herbert 329 f, 372 (1)
Selzner, Claus 68, 68[1]
Semper, Oswald 73
Senk, Herbert 159 (2)
Serda, Julia 428
Servaes, Dagny 350
Severing, Carl 221
Shakespeare, William 91, 150, 176, 205 f, 239, 251 f, 256, 267[5], 269 (1), 270, 280 f, 370[1]
Shall, Theo 395, 441
Shaw, George Bernard 91, 269 (1)
Sieber, Josef 416
Siebert, Ludwig 222, 222[1]
Siegert, Werner 393
Siekmeier, Heinrich 301 (2)
Sielmann, Herbert 87 (1)
Sierck, Klaus Detlef 402 (2), 402
Sikelianos, Angelos 47
Sikorski, Hans 230, 230[1], 263
Silberstein, Franziska s. u. Franziska Gaal
Simon, Friedrich 429
Simon, Frau 135
Simson, Marianne 375
Singer, Kurt 268, 272 f
Siska, Heinz W. 365 (1), 369 (2), 419 (1)
Slapka, Alfons 429
Söderbaum, Kristina 340, 340 f, 340[2], 350, 395, 443 (1), 448
Söhnker, Hans 355
Solms, Bernhard Graf 28, 28[1], 38 (1), 128 f
Sonjewski-Jamrowski, Rolf v. 374 (2), 376
Sonnemann, Emmy s. u. Emmy Göring
Sophokles 253
Sorbon, Kristina 355
Spamer, Adolf 425 (1)
Speelmans, Hermann 401 (1)
Spoerl, Heinrich 319, 319[2], 411 (2)
Springer, Hans 376
Stahl-Nachbaur, Ernst 340
Stahm, Hans 191 (1)
Stahnke 440
Stampe, Friedrich Franz 212
Stang, Walter 65 (2), 65 (3), 67,

67, 68, 69, 69 (2), 87 (1), 141, 145 (3), 152 (1), 157 (2), 173 (1), 184, 188
Stanietz, Walter 165, 165²
Stargardt-Wolff, Edith 93
Stark, Georg 331
Staudte, Wolfgang 443 (1)
Stauss, Emil Georg von 355, 356
Steguweit, Heinz 167 (1)
Steiger, Robert 99
Stein, Franz 375
Stein, Leo Walther 118, 118
Steina-Wien, Eugen 345
Steinbach, Hans 368
Steinbeck, Walter 402 (1)
Steinhaus, Hellmuth 38¹, 116
Steinhoff, Hans 298 (1), 401 (1), 412
Steinsieck, Annemarie 340
Stelldinger, Ruth 38¹
Stelzer, Hannes 373, 402 (1)
Stemmle, Robert Adolf 370, 402 (1)
Stengel, Theo 463
Stern, Ernst 265 (1)
Stern, Hildegard 141
Stern, O. E. 401 (1)
Sternaux, Ludwig 141
Sternberg, Hans 350
Sternheim, Carl 252
Stiebner, Hans 373, 412, 416, 441
Stimmel, Ernst 441, 443 (1)
Stinnes, Hugo 221¹
Stobrawa, Ilse 372 (1)
Stobrawa, Renée 402 (2)
Stock, Werner 412
Stock, Dr. 110
Stöckel, Joe 390 (2)
Stoeckel, Otto 402 (1)
Stoessel, Ludwig 370
Stöhr, Wilhelm 316
Stohrer, Karl Eberhard von 455
Stoll, Erich 397
Stolz, Hilde von 402 (1), 443 (1)
Stolze, Gustav 31 (3)
Storch, Rolf 403
Strambowski, Anton 54
Straub, Agnes 276 f, 277²
Strauss, Richard 210, 246, 252 (2)

Streicher, Julius 30⁴, 279 (2), 388
Stroedel, Wolfgang 280 (2)
Strohl, E. 457 (1)
Strohm, Heinrich K. 60
Stuckart, Wilhelm 64 (2), 65, 346 (1)
Stumpfl, Robert 175
Sudermann, Hermann 306, 306
Süssenguth, Walther 412
Szatmari 439
Szüsc 433

Tackmann, Heinz 317, 318, 321 (1), 322 (2), 323 (1)
Tarrach, Walter 443 (1)
Taube, Robert 416
Taubert, Eberhard 216, 352, 353, 457 (1)
Terpe, Ferdinand 412
Terveen, Fritz 382
Tessen, Robert 354
Théry, Jacques 431
Thiele, Charlotte 393
Thiem, Robert 390 (1)
Thomas, Walter 176 (1)
Thoms, Toni 390 (2)
Thomsen 455
Thony, Theodor 412
Thun, Rudolf 335, 335²
Tiedtke, Jakob 395, 443 (1)
Tietjen, Heinz 24, 93, 94
Tollen, Otz 395, 441, 443 (1)
Tolstoj, Lev N. 203, 269 (1)
Totila, König der Ostgoten 64 (2)
Tovote, Heinz 306, 306³
Traeg, Georg 317
Trampler, Rudolf 317
Trantow, Rüdiger 403
Traub, Hans 332 (2), 364 (1)
Trenker, Luis 370, 370 f
Treßler, Otto 340
Trevor, Jack 412
Trotha, Thilo von 163, 244 (1)
Trutz, Wolf 189, 412
Tschechov, Anton P. 251, 251¹
Tügel, Hans 280 (2)

Ucicky, Gustav 298 (1), 391, 394 (2)

Uhlen, Gisela *412, 441*
Ulbricht, Franz Ludwig 31 f, *93, 94*
Ullrich, Luise *298 (1), 376*
Ulmer, Friedrich *412*
Unger, Hellmuth *393*
Urmes, Albert *316*
Ursulaec, Viorica 64, 64[1]
Utermann, Wilhelm *394 (2)*

Valentin, Karl *142 (1)*
Van de Velde, Theodor Hendrik *304*
Varconi, Victor *370*
Veidt, Conrad *443 (1)*
Verdi, Giuseppe *270*
Vergil *246*
Verhoeven, Paul *403*
Vetrone, Charlotte *412*
Vetter, Heinrich *193*
Vierlinger, Max *443 (1)*
Vihrog, Jessie *375*
Vivegnis-Körner, Walter *107*
Vogel, Frank *195 (2)*
Vogt, Carl de *411 (2), 423*
Vogt, Helmut 192, 192[4]
Vogt, Waldemar *316*
Voissel, Paul *189*
Völker, Irmgard *443 (1)*
Vollmer, Walter *416*
Volz, Robert *355*
Vones, Rudolf *350, 402 (2)*
Vosper, Frank *443 (1)*
Voß, Kurt 88 *(1)*
Voß, Peter *372 (1), 423*
Voss *467*

Waag, Hans 21, 21[2]
Wächter, Werner *316*
Waffenschmidt, Walter *311, 381*
Wagner, Elsa *394 (2)*
Wagner, Franz *371*
Wagner, Friedlind 24[2]
Wagner, Gerhard 424, 424[1]
Wagner, Hans *372 (2)*
Wagner, Paul *373*
Walch, Reinhold 30, 30[3]
Waldow, Ernst *392 (1), 402 (1),
   411 (2)*
Walleck, Oskar *38 (1), 110, 124 f*

Wallis, Erich *411 (1)*
Walsch, Reinhold *343*
Walther, Karl August 67, 67[1], *143
   (1)*
Wanderscheck, Hermann *92, 119,
   149 (1), 152 (2), 173 (2), 195
   (2), 198 (1), 199 (1), 212, 227,
   229, 239, 251, 270, 271, 335*[1]
Wangel, Hedwig *412*
Warner, Jack *463*
Warnholtz, Lisbeth 210, 210[2]
Warnke, Willi *429*
Waschatko, Hans *443 (1)*
Wäscher, Aribert *403*
Waschneck, Erich *441, 442*
Waszynski, Michael *310*
Weber, Franz *393, 402 (2)*
Weber, Gerhild *394 (2)*
Wedekind, Frank *252*
Wedel, Karl Graf von 324, 324[1]
Wedel, Max *206*
Wegener, Paul *390 (1), 395*
Wehner, Josef Magnus *189, 278
   (1)*
Weichand, Philipp *390 (2)*
Weichardt, Carl *195 (2)*
Weidemann, Hans Jakob *313, 313,*
   313[1], *314 (2)*
Weidenmann, Alfred *309, 403,
   403, 416*
Weigel, Karl Heinz *457*
Weil, Walter 124 f
Weinschenk, H. E. 24[2]
Weise, Gerhard *317*
Weiß, Heinz *76*
Weißbach, Herbert *441*
Weißner, Hilde *402 (1), 441*
Welzel, Heinz *372 (2)*
Wemper, Heinz *373*
Wenck, Eduard *403, 423, 441, 443
   (1)*
Wenck, Ewald *372 (2), 403, 416,
   441*
Wenkhaus, Rolf *390 (2)*
Wenter, Josef 201, 201[4]
Wenzler, Franz *390 (1)*
Werckshagen, Carl *31 (2)*
Werfel, Franz 256, 256[1], *269 (1)*
Werkhäuser, Richard *250, 256 (2)*

Werner, Bruno E. *189, 195 (2)*
Werner, Carla *393*
Werner, Walter *189, 373, 392 (1),*
  *402 (1), 403, 412, 416, 443 (1)*
Wernert, E. *184*
Wernicke, Otto *390 (2), 394 (2),*
  *395, 412*
Wernicke *466*
Wessel, Horst *99 f, 100, 130 (1),*
  *363, 389*
Wessel, Margarete *100 (1)*
Wessely, Paula *394 (2), 435*
Westecker, Wilhelm *203 (2)*
Westerich, Thomas *200, 200[2]*
Westermeier, Paul *392 (1), 403*
Weydner, Max *390 (2)*
Widukind *192 (2)*
Wieck, Dorothea *402 (2)*
Wiedemann, Fritz *136[1]*
Wieman, Mathias *369 (2), 392*
  *(1), 393*
Wiene, Robert *420 (1)*
Wieschala, Kurt *376*
Wiggers, Hans *74[1]*
Wigman, Mary *171*
Wilhelm I., Deutscher Kaiser *324*
Wilhelm, Hans Hermann *180 (2)*
Wilk, Herbert *441*
Wilke, Alfred *316*
Will, Hellmuth *38 (1)*
Willers, Irmgard *390 (1)*
Windt, Herbert *391*
Winkler, Max *334 (2), 353, 356*
Winterfeld, H. *457 (1)*
Winterstein, Eduard von *402 (2),*
  *412*
Wirsing, Giselher *413 (1)*
Witt, Wastl *390 (2)*
Wittgen, Otto *179 (1), 179*
Wohlhaupt *340*
Wolf, Kurt *311, 381*

Wolff, Anneliese *73*
Wolff, Karl *30, 30[5]*
Wolff, Theodor *267[6]*
Wolle, Gertrud *412*
Wollmann, Otto *443 (1)*
Wortig, Kurt *425 (1)*
Wunderlich, Hans-Heinz *403*
Wurm, Ernst *142 (1)*
Wurm, Wachtmeister *325*
Wüst, Ida *391, 428*
Wysbar, Frank *423*

Zander, Karl *104*
Zander, Otto *80*
Zankl, Max *371*
Zell, Hans Joachim *402 (2)*
Zell, Ursula *403*
Zeller, Wolfgang *376, 443 (1)*
Zerlett-Olfenius, Walter *329*
Zesch-Ballot, Hans *372 (2), 402*
  *(2), 416*
Zeysig, Walter *429*
Zickel von Jan, Reinhold *150 (1),*
  *203 (1)*
Ziegler, Hans Severus *79 (3), 80,*
  *80[1], 87 (2), 128, 137 f, 256 (1)*
Ziegler, Martha *375*
Zierke, Fritz *142 (1)*
Zilcher, Hermann Karl Josef *246*
Zimmerer, Toni *189*
Zimmermann, Emil *397*
Zimmermann, Emil Felix *34 (2)*
Zimmermann, Heinrich *300*
Zimmermann, Job *353, 353[1]*
Zöberlein, Hans *371*
Zoidl *438*
Zola, Émile *307[1]*
Zörner, Ernst *116, 116[1]*
Zwehl, Hans Fritz von *142 (1)*
Zweig, Hugo *429*
Zweig, Stefan *305*

Bitte beachten Sie
die folgenden Seiten:

Joseph Wulf

**Presse und Funk
im Dritten Reich**
Ullstein Buch 33028

**Literatur
und Dichtung
im Dritten Reich**
Ullstein Buch 33029

**Die bildenden
Künste
im Dritten Reich**
Ullstein Buch 33030

**Musik
im Dritten Reich**
Ullstein Buch 33032

Ullstein
Zeitgeschichte

# Robert M. W. Kempner

# Der verpaßte Nazi-Stopp

Originalausgabe

Ullstein Buch 34159

Adolf Hitler und seine Partei wären nie an die Macht gekommen, das Dritte Reich und den Zweiten Weltkrieg hätte es nie gegeben – wenn dies hier erstmals veröffentlichte Dokument nicht in den Schubladen von Ministerialbeamten der damaligen Reichsregierung verschwunden wäre. Diese aufsehenerregende These beweist Robert M. W. Kempner – US-Ankläger in den Nürnberger Prozessen – mit der »Preußischen Denkschrift« von 1930 über die NSDAP als staats- und republikfeindliche, hochverräterische Verbindung.

Ullstein
Zeitgeschichte

# Werner Filmer/
# Heribert
# Schwan

# Was
# von Hitler
# blieb

50 Jahre
nach der Machtergreifung

Ullstein Buch 33026

Fünfzig Jahre nach der Machtergreifung gibt es in der Bundesrepublik Deutschland mehr als 20 000 organisierte Mitglieder in rund 70 neonazistischen Gruppierungen. Es sind meist junge Leute. Wie denken sie? Was für ein Weltbild und welche Vorbilder haben sie? Werner Filmer und Heribert Schwan legen eine erschütternde Bestandsaufnahme zum Thema Rechtsextremismus vor. Mitglieder neonazistischer Gruppen, Wissenschaftler und Politiker kommen zu Wort.

Ullstein
Zeitgeschichte

Comité des Délégations Juives (Hrsg.)

**Die Lage der Juden in Deutschland 1933**

Das Schwarzbuch – Tatsachen und Dokumente

540 Seiten, Broschur

Anfang des Jahres 1934 veröffentlichte das Comité des
Délégations Juives auf Initiative des zionistischen Politikers
Leo Motzkin in Paris diese erschütternde Dokumentation über
die Situation der Juden in Deutschland. Das Material –
Beiträge aus nationalsozialistisch redigierten Zeitungen und
Zeitschriften sowie offizielle Statistiken – gibt Auskunft über
Verfolgung und Entrechtung bereits kurz nach der
Machtergreifung.

Ullstein